NARRATIVA

TRE60

Della stessa autrice in edizione Tre60

La sposa italiana
Lucia, Lucia
Una famiglia italiana

Adriana Trigiani

I GIOIELLI DI FAMIGLIA

Romanzo

TRADUZIONE DI
MARIA CARLA DALLAVALLE

Per informazioni sulle novità
del Gruppo editoriale Mauri Spagnol visita:
www.illibraio.it

Tre60 è un marchio di
TEA - Tascabili degli Editori Associati S.r.l., Milano
Gruppo editoriale Mauri Spagnol

Titolo originale
The Good Left Undone

Prima edizione Narrativa Tre60 novembre 2022

Finito di stampare
nel mese di novembre 2022
per conto della TEA S.r.l., Milano
da ELCOGRAF S.p.A. - Stabilimento di Cles (TN)
Printed in Italy

I GIOIELLI DI FAMIGLIA

A Lucia

PARTE PRIMA

CHIUNQUE ASPIRI A RAGGIUNGERE
LA VITA ETERNA NEI CIELI
DEVE TENER CONTO DI ALCUNI AVVERTIMENTI

Quando riflettete sul passato, considerate

il male fatto

il bene non fatto

il tempo sprecato

Prologo

Karur, India, tanto tempo fa

La montagna era un tabernacolo con una sola porta. Dietro quella porta, sotto fresche caverne nere cesellate in profondità nella terra, si trovavano le vene di corindone, pirite e rubini più ricche di tutta l'Asia meridionale.

Fuori dell'imboccatura della miniera, il sole inaridiva la terra rossa, segnata da impronte di tutte le dimensioni. Il profumo di chiodi di garofano e di terra formava una nuvola così densa che rendeva impossibile vedere la strada. I commercianti di pietre preziose, che si stavano radunando nel villaggio di Karur in attesa del carico, si voltarono verso la montagna, attratti dal barrito di un elefante. Era un suono triste e intriso di nostalgia, come lo squillo basso e strozzato di una tromba nel buio. Quando la gigantesca testa dell'animale apparve all'ingresso della miniera, il suo lamento si fece più forte e riecheggiò tra le colline.

Gli occhi dell'animale erano offuscati da una patina bianca dovuta alla cataratta della vecchiaia. Sul suo ampio manto, dove era stato picchiato con le catene, c'erano striature di sangue rappreso. Le zampe anteriori e posteriori erano imbrigliate con spesse corde di iuta fissate con morsetti di ferro conficcati nella sua morbida pelle grigia. Trainava un massiccio pianale carico di roccia, punteggiato di rubini grezzi.

Il cornac, di corporatura esile, la pelle color cannella, si issò sul dorso dell'elefantessa. Lei, sentendo il morso di ferro attaccato alla cavezza dilatarsi in bocca, scosse la testa per allentare

9

la presa. Il suo conduttore diede un'ulteriore stretta per raf-
forzarla.

L'animale si fermò. Non era né dentro né fuori della miniera.

«Jaoh!» gridò il cornac mentre le travi di sostegno dell'ingresso lo intrappolavano. La bestia ignorò il suo richiamo. L'uomo
la frustò con la catena mentre si stendeva sopra di lei. «Jaoh!»

L'animale non si mosse.

Per la prima volta nella sua lunga vita, non obbedì al comando del cornac. Non si piegò sotto le sferzate della catena,
ma alzò la testa e sollevò la proboscide per trovare la strada da
seguire, pronta ad avanzare.

Le attraversò la mente l'immagine del campo di erba dei
bisonti sulle rive del fiume Amaravati. Quel ricordo le diede
la forza di trainare il pianale fuori della miniera e verso la luce.

1

Viareggio, oggi

Matelda Roffo chiuse gli occhi e cercò di ricordare che cosa era accaduto poi. Era successo qualcosa al cornac, questo lo sapeva per certo. Purtroppo i dettagli della storia della buonanotte che le raccontava suo nonno erano svaniti insieme ad altre informazioni non essenziali che la sua mente non riusciva più a trattenere. La vecchiaia era una scatola piena di sorprese, e non sempre belle. Perché non si era scritta la storia dell'elefantessa? Aveva pensato di farlo, più di una volta, ma non aveva mai trovato il tempo. Perché aveva il vizio di procrastinare tutto? Chi poteva sapere il finale? Nino! Avrebbe chiamato suo fratello in America. Ma anche i suoi ricordi erano un po' sfocati. Chi avrebbe raccontato la storia dell'elefantessa una volta che lei se ne fosse andata? Una famiglia era forte nella misura in cui lo erano le sue storie.

Il nonno di Matelda, Pietro Cabrelli, toscano di nascita, era stato un orafo e un tagliatore di pietre preziose. Realizzava calici, patene e pissidi per il Vaticano usando le gemme e i metalli più preziosi sulla faccia della terra, ma non era ricco. Lavorava su commissione per una cifra stabilita dall'acquirente. Sua moglie, Netta, non gli dimostrava grande apprezzamento. «Potresti spazzare le strade di Roma e saresti pagato altrettanto per il tuo lavoro.»

Tutti i giorni, dopo la scuola, Matelda faceva un salto dal nonno, nel laboratorio sul retro del negozio. Si sedeva sul ripiano della finestra con i piedi sul termosifone e restava a osservarlo in silenzio. Cabrelli, chino su una fiammella blu, modellava l'oro in varie forme quando non misurava, tagliava o lucidava le pietre da incastonare. Indossava un grembiule da lavoro in pelle e aveva una lente di ingrandimento appesa al collo, una matita infilata dietro l'orecchio e un bulino nella tasca posteriore dei pantaloni. La prima musica che Matelda avesse mai udito era stata il ronzio della tagliatrice, un suono acuto simile a uno staccato suonato con il violino. Cabrelli teneva una scheggia di pietra non più grande dell'unghia di Matelda contro la superficie ruvida per lucidarlo. A tempo perso insegnava a sua nipote a osservare le gemme con la lente. Matelda restava incantata ogni volta che la luce delle sfaccettature creava un caleidoscopio che giocava con i colori. In negozio si divertiva, ma aveva anche delle responsabilità. Era compito suo aprire le finestre quando il nonno saldava i metalli e richiuderle quando aveva finito.

C'era un planisfero appeso al muro del laboratorio sul quale Cabrelli aveva cerchiato i Paesi con le miniere di rubino più produttive. Le mostrava luoghi in Sud America, Cina e Africa, ma alla fine il dito tornava sempre sull'India, dove aveva disegnato più cerchi. Cabrelli lavorava con i rubini perché la Chiesa di Roma aveva una preferenza per il rosso. Era certo che le sue creazioni scaturissero da uno spirito divino. Incastonare pietre preziose su un ostensorio che conteneva il Santissimo Sacramento era come permearlo delle proprietà della fede e del tempo.

Matelda chiuse gli occhi mentre si aggrappava al banco della chiesa, inalando il profumo di cera d'api e di incenso che sembravano ridestare la sua memoria sensoriale. Invece di raccogliersi in preghiera nella pausa tra la distribuzione della Comunione e la benedizione finale, passò in rassegna i file contenuti nell'hard disk del suo cervello risalendo ai giorni in cui i suoi genitori, i suoi nonni e il suo fratellino vivevano nella stessa casa e ogni domenica andavano a Messa nella stessa chiesa in cui si trovava in quel momento.

Nella sua mente iniziarono ad agitarsi frammenti dell'India

raccontata da suo nonno. I minatori masticavano il miele in favo per restare svegli quando lavoravano per lunghe ore al buio. I rubini sangue di piccione avevano il colore dell'uva nera matura. Nuvole rosa fluttuavano in un cielo azzurro lapislazzuli.

La sera, dopo aver cenato con tutta la famiglia, i suoi genitori uscivano a fare una passeggiata lasciando al nonno il compito di raccontare la favola della buonanotte ai bambini. Pietro Cabrelli ammonticchiava i cuscini sul pavimento per rappresentare la montagna, e i mattoncini di legno delle costruzioni per indicare le pietre estratte dalla miniera. Si metteva la mano in tasca per prendere il fazzoletto e si tamponava il viso per evocare il caldo soffocante e la fatica. Recitava tutte le parti usando voci diverse per i vari personaggi, come un attore di teatro. Cabrelli sapeva persino interpretare il ruolo dell'elefante. Girava per la stanza sbandando vistosamente e agitava il braccio avanti e indietro per simulare la proboscide.

«Matelda!» sussurrò la sua vecchia amica Ida Cascarano dandole una gomitata.

Matelda aprì gli occhi.

«Ti sei addormentata.»

«Stavo pensando» le rispose Matelda a bassa voce.

«Stavi dormendo.»

Era inutile discutere con Ida. Ogni giorno, durante la Messa, le due donne sedevano sempre nello stesso banco, un'abitudine incisa sulla pietra, come le mattonelle con i gigli incastonate nel pavimento di granito della chiesa. Entrambe si alzarono, chinarono il capo e si segnarono insieme al prete, che tracciò nell'aria una croce immaginaria con le mani. Fecero una genuflessione mentre le campane della chiesa di San Paolino suonavano lo stesso antico *Kyrie eleison* che chiamava le donne alle Laudi quando erano ragazze.

A Viareggio non c'era bisogno di un orologio per sapere che ora fosse; si viveva in base ai ritmi scanditi dalle campane e dal panettiere. Umberto Ennico sfornava teglie di cornetti burrosi proprio nell'istante in cui don Scarelli iniziava la Messa. Quando la funzione era finita, le brioches, che nel frattempo si erano raffreddate ed erano state spennellate con un velo di gelatina all'albicocca, erano pronte per essere acquistate dalle donne che rientravano a casa dopo la Messa.

«Fermiamoci a prendere un caffè e un dolcetto» suggerì Ida tirandosi il foulard sulla testa e annodandolo sotto il mento mentre si avviava con l'amica.

«Non oggi.»

«Ma è il tuo compleanno.

«Mi spiace, Ida. Aspetto Annina.»

«Be', sarà per un'altra volta, allora.» Ida inclinò la testa all'indietro e scrutò l'amica attraverso gli occhiali bifocali. «Promesso?»

«Promesso.»

Ida si mise la mano in tasca, tirò fuori un pacchettino legato con un nastro e lo porse all'amica.

«Perché ti sei disturbata?»

«Non ti agitare. Non è nulla, giusto un pensierino.» Ida infilò le mani nelle maniche del suo cappottino di lana come un prete che le infila in quelle della tonaca prima di iniziare il sermone. «Avanti, aprilo.»

«Che cos'è?» Matelda agitò il flaconcino di plastica bianca pieno di capsule.

«Probiotici. Ti cambieranno la vita.»

«A me piace la mia vita.»

«Ti piacerà ancora di più se prendi i probiotici. E non lo dico soltanto io. Chiedi pure al tuo medico. Oggigiorno il benessere dell'intestino è tutto.»

«Perché spendi soldi per me?»

«È impossibile farti un regalo. Hai tutto.»

«Ida, se non hai tutto ciò che desideri a ottantun anni, probabilmente non lo avrai mai.»

Ida stampò un rapido bacio sulle guance dell'amica per poi voltarsi e avviarsi verso casa lungo la ripida strada acciottolata. Il foulard rosa le scivolò giù dalla testa, ma proseguì lasciando

che il vento le scompigliasse i capelli bianchi. I Mitrione Cascarano erano gran lavoratori, persone di costituzione robusta che
operavano nelle seterie all'epoca in cui il tessile era un settore
fiorente. Matelda ricordò quando la sua amica aveva i capelli
neri e correva su per la collina dopo un lungo turno di lavoro.
Quand'è che siamo diventate vecchie?, si domandò.

2

A Viareggio, le ville dai colori vivaci affacciate sul mare erano immerse in un boschetto di pini con i tronchi alti e affusolati, e sormontati da vaporosi ciuffi di aghi. La spiaggia si snodava lungo la costa come una collana di smeraldi.

L'odore di legno di eucalipto bruciato, misto a quello della polvere di zolfo, aleggiava ancora nell'aria mentre Matelda saliva i gradini traballanti che portavano alla passerella di legno sul lungomare. I festeggiamenti di Carnevale erano ufficialmente terminati la sera prima, quando i fuochi d'artificio erano diventati cenere nel cielo scuro. Gli ultimi turisti avevano lasciato la spiaggia prima dell'alba. La ruota panoramica rosa era ferma. I cavallini della giostra erano bloccati a mezz'aria. L'unico suono che si udiva era quello della tela cerata che sbatteva sulle bancarelle vuote degli ambulanti.

Da sola sulla passerella, Matelda si appoggiò al parapetto, da dove osservò i riccioli di fumo che ancora si levavano dai falò abbandonati sulla spiaggia e salivano al cielo come offerte votive. Il cielo coperto si confondeva con l'orizzonte, diventando tutt'uno con il mare d'argento. Udì il fischio potente della sirena da nebbia di un elegante transatlantico che, in lontananza, increspava le onde striandole di schiuma. La nave scivolava via leggera alzando il vessillo dell'alba sull'acqua. Per tutta la vita Matelda aveva atteso il passaggio delle grandi navi, e avvistarne una per lei era un segno benaugurante. Non ricordava dove l'aveva imparato; era qualcosa che sapeva da sempre.

Torna indietro, pensò Matelda mentre la nave bianca con lo scafo bordeaux e le rifiniture blu notte navigava verso sud. Troppo tardi. Faceva rotta verso lidi caldi. Matelda ne aveva abbastanza dell'inverno. Di lì a breve le onde turchesi sarebbero tornate sotto un cielo primaverile senza nuvole. Non vedeva l'ora di riprendere le sue passeggiate sulla spiaggia approfittando delle temperature gradevoli.

Di solito faceva un giretto la mattina dopo la Messa per una rapida spesa e una passeggiata più lunga nel pomeriggio per riflettere in tranquillità. Quei rituali scandivano le sue giornate da quando era entrata nell'ultimo capitolo della sua vita, dopo aver lasciato il lavoro da contabile della Gioielleria Cabrelli. Si prendeva il tempo di mettere in ordine la casa. Non voleva lasciare ai suoi figli montagne di carte e stanze stipate di mobili come avevano fatto i suoi genitori quando erano morti. Voleva preparare i suoi figli all'inevitabile come meglio poteva.

Forse si sentiva fortunata ad aver scansato il virus che aveva devastato Bergamo: dopotutto, un virus che colpisce soprattutto gli anziani certamente la annoverava tra i suoi bersagli preferiti. Aveva affrontato la situazione con fiducia perché non aveva scelta. Il destino era una palla da demolizione. Non sapeva quando avrebbe iniziato a oscillare e a far danni; l'unica certezza che aveva, per esperienza, era che sarebbe accaduto.

L'abitudine di farsi un esame di coscienza, instillatole dalle suore sin da piccola, non l'aveva mai abbandonata. Matelda rifletteva sui torti che aveva subìto in passato e valutava quelli che lei stessa aveva perpetrato ai danni degli altri. I toscani potevano anche essere portati a vivere il momento, ma il passato viveva dentro di loro. Anche se così non fosse stato, c'erano promemoria che la riportavano al passato in ogni angolo della città della sua infanzia. Conosceva Viareggio e la sua gente come conosceva il proprio corpo; in un certo senso, erano una cosa sola.

Quando finivano i festeggiamenti di Carnevale e iniziava la

Quaresima, l'atmosfera diventava cupa in città. I quaranta giorni successivi sarebbero stati un triste periodo di riflessione, digiuno e penitenza. La Quaresima sembrava durare un'eternità quando era una bambina. La domenica di Pasqua – il giorno del sollievo – non arrivava mai abbastanza presto. «Non puoi goderti la gioia della domenica di Pasqua senza la sofferenza del Venerdì Santo» ricordava la mamma a lei e a suo fratello Nino. «Non c'è corona senza spine» diceva in un dialetto che capivano soltanto i suoi bambini.

La resurrezione del Signore redimeva l'intera comunità e restituiva la città ai più piccoli. Le statue dei santi venivano finalmente liberate dei teli neri che le avevano coperte durante la Quaresima. L'altare spoglio tornava a essere adorno di fiori di mirto e margherite. Il brodo magro che garantiva il minimo sostentamento durante il periodo di digiuno veniva sostituito dal pandolce. Il profumo di burro, scorza di arancia e miele che si sprigionava mentre mamma Domenica lavorava l'impasto per preparare il pane pasquale durante la Settimana Santa sollevava lo spirito di tutti. Il gusto delle soffici trecce di pane alle uova, servite calde di forno e spalmate di miele, indicava che i sacrifici erano alle spalle, almeno sino all'anno successivo. Matelda ricordava un pranzo di Pasqua cui avevano partecipato tutti i membri di entrambi i rami della famiglia. Suo padre aveva costruito una lunga tavola da pranzo utilizzando delle porte, in modo che potesse sedervisi intorno la famiglia al completo. La mamma aveva coperto la tavola con un telo giallo e l'aveva decorata con dei cestini di quel delizioso pane fresco.

«Alla nostra famiglia unita» aveva detto suo padre alzando il bicchiere. Subito i cugini, le zie, gli zii e i fratelli si erano uniti al brindisi.

C'erano stati tanti momenti felici nella vita di Matelda, ma quella domenica di Pasqua dopo la guerra, così significativa, le era rimasta nel cuore. Se un giorno la memoria l'avesse piantata in asso definitivamente, Matelda era certa che avrebbe ricordato tutti i suoi famigliari riuniti in giardino sotto un sole sfavillante per rompere il digiuno con un pranzo memorabile. Da giovane Matelda inseguiva il tempo per ottenere ciò che desiderava. Ora lo rincorreva per tenerselo stretto.

Le assi della passerella scricchiolavano sotto i suoi piedi mentre passeggiava sul lungomare. Arrivata a metà del molo, si voltò a guardare quel lungo nastro grigio. Perché, quand'era ragazza, le sembrava interminabile?

Le venne in mente una sera d'estate in cui camminava accanto alla carrozzina di suo fratello lungo la passeggiata a mare. Nino era nato nel 1949. (Matelda ricordava le date – i contabili di solito sono bravi con i numeri.) La guerra era finita. Sua madre indossava un vestito di organza color albicocca e suo padre portava una paglietta con un'ampia fascia di seta color lampone. Matelda si posò una mano sul cuore via via che i dettagli riaffioravano. Presto i fantasmi del passato si unirono a lei e la accompagnarono nella passeggiata, riempiendo di colori quella triste passerella di legno. Rivide gli uomini che indossavano abiti color sabbia e le donne che sfoggiavano cappellini ornati di piume di struzzo. Sua madre faceva ruotare lentamente un parasole di lino scolorito dal sole. Quando Matelda si fermò a riposare su una panchina e chiuse gli occhi, avrebbe giurato di udire la voce di sua madre. Domenica Cabrelli aveva insegnato a sua figlia ad amare il mare. Matelda avvertiva il calore della sua presenza ogni volta che passeggiava sulla battigia sotto il sole di corallo.

Si domandò perché ricordasse con tanta facilità ogni minimo dettaglio della sua infanzia e stentasse invece a ricordare cosa aveva mangiato la sera prima. Forse i probiotici di Ida le sarebbero stati utili davvero. Doveva chiedere consiglio al medico. Quando suo marito l'aveva accompagnata all'ultima visita di controllo, l'avevano sottoposta a un test per valutare le sue capacità mnemoniche. Non le avevano fatto nemmeno una domanda sul suo passato, anzi, il dottore e la sua assistente le erano apparsi ossessionati dal qui e ora. *Chi è il Presidente della Repubblica? Che giorno della settimana è? Lei quanti anni ha?* Matelda era stata tentata di rispondere *Chi se ne importa?*, ma aveva preferito non far innervosire il suo medico curante. Lui le aveva assicurato che le visioni e i sogni del passato erano normali, ma del tutto irrilevanti per stabilire lo stato di salute del suo cervello in quel momento della sua vita. «Il passato e il presente non sono connessi nel cervello umano» le aveva spiegato. Matelda non ne era così sicura.

Attraversò il viale e si avvicinò alla vetrina di quella che un tempo era stata l'attività di famiglia e che adesso era un negozio di abbigliamento. Fu pervasa da una sensazione di orgoglio nel vedere il nome GIOIELLERIA CABRELLI ancora dipinto sulla facciata dell'edificio, anche se le lettere erano sbiadite. Erano passati vent'anni da quando suo marito aveva trasferito l'attività a Lucca.

Riparandosi gli occhi con la mano, sbirciò all'interno del negozio attraverso l'ampia vetrina. La porta che conduceva sul retro era aperta. Il laboratorio dove suo nonno tagliava le pietre ora era pieno di relle di vestiti.

I negozianti del viale erano intenti a rimuovere le decorazioni di Carnevale. Staccavano ghirlande e festoni e riavvolgevano i fili di lucine, mentre un uomo in equilibrio su una scala a pioli sganciava le bandierine bianche, rosse e verdi che punteggiavano il percorso della parata. Il droghiere, che spazzava i coriandoli dal marciapiede nel canaletto di scolo, salutò Matelda con un silenzioso cenno del capo.

Arrivata alla fontanella, Matelda mise le mani a coppa e bevve l'acqua gelida che scendeva dalla montagna nei vecchi serbatoi. I rubinetti erano seminascosti tra le mani di angioletti scolpiti con i volti consumati dal tempo. Quell'acqua era ricca di preziosi minerali che contribuivano al benessere dell'organismo. Matelda pensò a sua madre, che si asciugava le mani nel fazzoletto che teneva sempre in tasca. Non soltanto Domenica Cabrelli insisteva affinché i bambini bevessero quell'acqua pura di fonte, ma aveva insegnato alla figlioletta Matelda a contare mentre passavano davanti a una serie di fontanelle lungo il tragitto per andare a scuola. Viareggio, dunque, era stata anche il primo pallottoliere della bambina.

Matelda aprì il borsellino per pagare il fruttivendolo, il quale scelse sei mele Golden lucide e le infilò delicatamente in un sacchetto di carta.

«Com'è andata quest'anno?» chiese lei porgendogli i soldi. «Una bella festa?»

«Non come ai vecchi tempi» si lagnò l'uomo.

Matelda passò davanti a una squadra di sei uomini in via Firenze impegnati a piegare un enorme tendone a righe bianche e blu cercando di far combaciare gli angoli come si fa con un lenzuolo. I cugini dei Cabrelli avevano occupato le case dai colori vivaci schierate l'una di fianco all'altra lungo la strada come libri su uno scaffale. Matelda aveva imparato a distinguere le case dei suoi parenti dal colore della porta d'ingresso: rosa per i cugini Mamaci, giallo per i Biagetti e verde per i Gregorio. I colori segnalavano anche le abitazioni da cui stare alla larga. Ad esempio, Matelda non era la benvenuta nella casa con la porta azzurra a causa di una lunga faida tra le famiglie Cabrelli e Nichini, cristallizzata nella storia da molto prima che lei nascesse. La situazione di stallo era rimasta inalterata anche quando i Nichini, trasferendosi a Livorno, avevano abbandonato la casa con la porta azzurra. Matelda ricordava le estati della sua infanzia, quando stava ai piedi della collina e faceva un fischio per chiamare i cugini e andare in spiaggia insieme. Le porte si spalancavano all'istante, creando un'infilata colorata di bambini vocianti che scendevano di corsa per raggiungerla.

Per gioco, Matelda si mise due dita fra le labbra e soffiò. Quel fischio acuto attirò l'attenzione degli uomini che stavano piegando il tendone, ma non si aprì nemmeno una porta. Purtroppo anche gli altri cugini si erano trasferiti a Lucca. Matelda e Olimpio erano i vecchietti del quartiere, ormai. Gli ultimi Cabrelli-Roffo di tutta Viareggio.

Matelda sentì il telefono vibrare in tasca. Si fermò per leggere il messaggio: *Buon compleanno, Matelda! Grazie per la splendida ospitalità.*

Rispose subito. *Grazie, è stato bello. Peccato sia durata così poco.*

Matelda era sinceramente affezionata a sua cognata Patrizia, una pacificatrice nata che aveva fatto di tutto per riconciliare lei e suo fratello Nino; dopotutto, erano gli unici rimasti della famiglia. Matelda non aveva mai discusso con suo fratello quando lui e la moglie erano venuti a farle visita l'ultima volta.

Puoi chiedere a Nino se si ricorda la storia dell'elefantessa di nonno Cabrelli? aggiunse Matelda nel messaggio.

Patrizia le rispose con un emoji che strizzava l'occhio.

Lei detestava gli emoji. Di lì a breve gli esseri umani non avrebbero più avuto bisogno del linguaggio per comunicare; per loro avrebbero parlato delle testoline animate con gli occhi a palla.

Si fermò davanti al cancello del parco comunale voluto un secolo prima dalla famiglia Buoncorso. Ad anni di distanza, il luogo ancora conservava il loro nome, sebbene non fosse rimasto nessun erede in vita dopo la Prima guerra mondiale. Il giardino incolto era coperto di fango. Alcune piante perenni erano state incappucciate con sacchi di iuta per proteggerle dal gelo. La pergola bianca era rimasta sola al centro del giardino come una carrozza della sposa impantanata nel fango.

A Matelda tornò alla mente il suo primo bacio sotto quella pergola. Era estate; lei aveva chiuso gli occhi per aspirare il profumo dei viticci rampicanti che drappeggiavano l'arco. Rocco Tiburzi lo aveva preso come un segnale e aveva approfittato di quel momento per baciarla. Lei aveva quattordici anni e aveva pensato che non le sarebbe mai più capitato niente di così meraviglioso; era tornata a casa praticamene fluttuando su una nuvola. Una volta rientrata, nonna Netta l'aveva rimproverata per essersi scordata il sacco di castagne che era stata incaricata di raccogliere. Tenerezza e vergogna sarebbero rimaste legate a doppio filo nel suo cuore, finché Matelda non si era resa conto che quella combinazione le impediva di amare veramente.

I castagni allineati lungo il muro di cinta del parco producevano ancora frutti in abbondanza. I suoi vicini di casa continuavano a raccogliere le castagne in sacchi di iuta, ma Matelda aveva scelto di rinunciare alla sua parte. Ne aveva mangiato a sufficienza nella pasta, nei ripieni e nel pane quando il cibo scarseggiava dopo la guerra, e si era ripromessa di non mangiarne più da adulta, quando sarebbe stata lei a cucinare per la propria famiglia. La rinnovata popolarità dei piatti a base di castagne la straniva e la spingeva a riflettere sulla rapidità con cui le persone riuscivano a dimenticare stenti e sofferenze una volta superati.

Matelda e suo marito Olimpio abitavano nell'attico di Villa Cabrelli, nascosta nella curva di viale Giosuè Carducci. I Roffo erano la terza generazione che viveva nella casa di famiglia. Dopo che i genitori di Matelda erano morti, e i figli, ormai grandi, se n'erano andati di casa, lei e Olimpio avevano riconfigurato gli spazi in cui vivere. Loro avevano occupato l'appartamento ricavato nell'attico. «Finalmente siamo arrivati in cima» scherzava spesso Olimpio. «Ma per farlo abbiamo dovuto perdere tutti quelli che amiamo.»

Matelda aveva sperimentato ogni aspetto della vita da Villa Cabrelli. Era un peccato che le diverse generazioni non vivessero più in un'unica casa, separate soltanto da qualche gradino fra un piano e l'altro. I suoi figli se n'erano andati subito dopo essersi sposati. La femmina viveva nella vicina Lucca, e il maschio si era trasferito più a nord lungo la costa. Per molti anni erano stati abbastanza uniti, ma ora non più. Matelda avrebbe preferito che tutta la famiglia fosse rimasta sotto lo stesso tetto.

Con il passare del tempo, la città si era evoluta di pari passo con le famiglie. Gran parte dei vicini che possedevano una villa vista mare l'avevano trasformata in appartamenti via via che i vecchi inquilini morivano e i loro eredi, intenzionati a tenersi ben strette le case di famiglia, trovavano una fonte di reddito assai gradita nell'affitto degli appartamenti nel periodo estivo.

Anche Villa Cabrelli era stata suddivisa in appartamenti da dare in locazione, ma ciò, più che a una reale necessità finanziaria, era dovuto al fatto che, invecchiando, i coniugi Roffo preferivano avere meno stanze da tenere in ordine. Il rinnovamento dello stabile aveva incluso l'installazione di un ascensore che Olimpio prevedeva sarebbe stato utile prima o poi. Aveva avuto ragione. Ristrutturare una casa all'età di sessant'anni doveva tenere conto dell'arrivo degli ottanta. E gli ottanta erano arrivati in fretta.

Una volta giunta in cima alla salita, Matelda si frugò in tasca per prendere la chiave. L'arancione significava che era arrivata a casa. La porta non aveva mai cambiato colore da quando era bambina.

«Signora Roffo! Ho una cosa per lei.» Giusto Figliolo, il vicino dai capelli bianchi, le fece un cenno da dietro il cancello di casa sua e le si avvicinò. «Mia figlia ha fatto una scappata a Pietrasanta.» Le offrì un bel pezzo di parmigiano avvolto nella carta oleata. «Tenga, ne ho dell'altro, se le serve.»

Matelda sollevò il pezzo di formaggio come un bilanciere. «Sicuro che le avanza?»

«Sì, sì.» L'uomo ridacchiò. «Me ne ha portato una forma intera. Ne avremo sino al prossimo Carnevale.»

«Grazie, signor Figliolo. La prego, prenda qualche mela.» Matelda aprì il sacchetto.

«Ne prendo una, grazie.»

«Solo una? Ne ho un mucchio.»

«Una mi basta. E comunque, buon compleanno» disse l'uomo con un sorriso.

Era tipico dei Figliolo ricordarsi del suo compleanno con un pezzo di formaggio. Un tempo la sua famiglia gestiva il ristorante più in voga della città, frequentato da chiunque volesse festeggiare qualche ricorrenza. La madre era un'ottima cuoca, il padre un abile imprenditore. Tutti i figli avevano lavorato presso il ristorante. Erano tutti ragazzi di bell'aspetto, il che non guasta quando si vogliono attirare clienti. Le sorelle di Giusto se n'erano andate da tempo, ma Matelda ricordava ancora i loro capelli folti e scuri, la figura snella e le unghie smaltate di rosso.

«Cos'ha in mente per festeggiare il suo compleanno?» le chiese Figliolo.

«Niente di speciale. Il mio obiettivo è essere ancora viva domani a quest'ora. E pure il giorno dopo, a Dio piacendo.»

«Che Dio la benedica e le conceda ciò di cui ha bisogno, perché ciò che desidera la metterà nei guai.» Figliolo si fece il segno della croce. «I Cabrelli sono sempre stati dei guerrieri. Andrà tutto bene.»

«Tenga» disse Matelda porgendogli il giornale.

«Sicura?»

«Non ci sono più notizie, soltanto necrologi. Non ho bisogno di sentirmi ricordare quello che mi succederà.»

«Non dica così, Matelda. Lei è sempre una ragazzina.» Giusto aveva novantatré anni. «È ancora sulla linea di partenza.»

L'ultima spirale di buccia cadde nel lavello come un nastro dorato. Matelda tagliò la mela a fette sottili con il coltellino da frutta. Allargò la sfoglia sulla carta forno con abili colpetti per poi sistemarvi sopra le mezzelune di mela con un tocco ad arte. Sparse dei fiocchetti di burro qua e là e spolverizzò il tutto con lo zucchero e un pizzico di cannella, poi unì i quattro angoli della sfoglia al centro per creare un fagottino, come le aveva insegnato sua madre. Infine fece scivolare lo strudel di mele nel forno.

Poi si dedicò ai suoi animali. Il bastardino, Beppe, mangiò in fretta e si addormentò sotto il divano. «Sei proprio come il tuo padrone. Spuntino, pisolino, spuntino» gli disse prendendolo in giro. Argento, il micio di casa, passeggiava in cima alla libreria del soggiorno esibendosi nel suo quotidiano numero da circo. «Ehi, tu!» Agitò il dito. «Tu sei tutto matto! Sei troppo vecchio per fare acrobazie a quell'altezza!» lo ammonì. Il gatto la ignorò, ma non era una novità. Argento si comportava come se fossero i Roffo a vivere con lui, anziché viceversa.

Matelda si tolse il grembiule e rassettò il soggiorno.

Quattro bassi divani grigi e dalle linee moderne, sufficienti per ospitare l'intera famiglia quando si riuniva al gran completo, delimitavano uno spazio quadrato intorno al tavolino. Una Leica vintage, una scultura di arte primitiva e dei vasi di cristallo contenenti le conchiglie raccolte dai nipotini erano in bella vista sugli scaffali della libreria. Matelda passò un piumino sui libri per spolverarli.

Soddisfatta, tirò fuori un pezzetto di carta ingiallita dal vaso di porcellana di Capodimonte che faceva da centrotavola. Staccò un piccolo dipinto appeso nel sottoscala e scoprì lo sportello di metallo di una cassaforte a muro. Vi accostò l'orecchio buono, digitò la sequenza di numeri riportata sul foglietto e ruotò la manopola come una scassinatrice navigata. Sentì il *clic* di sblocco della serratura. Lo sportello si aprì con uno scatto. Matelda infilò le mani nel vano e tirò fuori un portagioie in velluto. Lasciò la cassaforte aperta e posò il cofanetto sul tavolo mentre si avviava in cucina.

Tirò fuori lo strudel dal forno e lo mise a raffreddare sul bancone. Il dolce dalle pieghe di pastasfoglia dorate e spruzzate di zucchero era fumante ed emanava un profumo delizioso. Matelda aprì il ricettario e annotò ingredienti e procedimento per sua figlia Nicolina, che aveva iniziato a raccogliere le ricette di famiglia. Matelda non seguiva mai istruzioni precise; cucinava come le avevano insegnato la mamma e la nonna: *Metti insieme gli ingredienti migliori. Non badare alle dosi. Segui l'istinto.*

Svitò la moka e riempì il serbatoio d'acqua. Sistemò il filtro e vi versò del caffè appena macinato che livellò aiutandosi con un cucchiaino, poi riavvitò la parte superiore della moka. Infine mise la caffettiera sul fornello e accese il fuoco.

La cucina si riempì dell'aroma terroso che accompagna il risveglio ogni mattina, ma Matelda si accorse con disappunto di aver rovesciato del caffè sul tappetino sotto il lavello. Si chinò soffocando un'imprecazione e arrotolò il tappetino come un sigaro. Lo portò fuori in terrazza e lo scrollò dal davanzale. Poi lo stese sulla ringhiera.

Rabbrividendo per il freddo, Matelda si strinse il cardigan intorno al corpo senza abbottonarlo e incrociò le braccia sul petto. Il mare aveva cominciato ad agitarsi lungo il litorale. I venti impetuosi che soffiavano sulle cime delle Alpi Apuane e fischiavano tra le gole della Pania della Croce erano la garanzia che ci sarebbe stata almeno un'altra burrasca prima della primavera. Matelda non ricordava un inverno toscano rigido come quello che avevano appena affrontato. Diede un'ultima scrollata al tappetino e poi lo piegò.

Si voltò per rientrare in casa quando udì un suono stridulo proveniente dal cielo. Alzò lo sguardo e vide un grosso gabbiano tuffarsi nella foschia. «Sciò!» urlò sventolandogli contro il tappetino, ma anziché volare via, l'uccello virò verso di lei, così vicino che la punta del suo becco ricurvo le pizzicò la guancia.

«Beppe!» Matelda chiamò il suo bastardino. Il cane irruppe sul terrazzo e si mise ad abbaiare all'uccello. Il gatto arrivò di soppiatto, incuriosito dal trambusto. Inarcò il dorso e sibilò quando il gabbiano scese in picchiata per attaccarlo.

«Argento! Torna dentro!» Matelda raccolse il gatto e lo avvolse nel tappetino. «Beppe! Andiamo!» Il cane rientrò in casa con un balzo. Matelda chiuse per bene la porta scorrevole. Sistemò il gatto sulla sedia tirandogli via il tappeto da sotto mentre il cane le saltava contro le gambe con la lingua penzoloni.

Matelda frugò nella camicetta per cercare il fazzoletto che teneva infilato sotto la spallina del reggiseno. Si tamponò delicatamente il sudore sulla fronte e si posò la mano sul cuore in tumulto. Guardò fuori della portafinestra e scrutò il cielo, ma il gabbiano se n'era andato. Provò una strana sensazione quando si sedette per riprendere fiato.

Troppa agitazione per un'anziana signora, disse a se stessa. «E anche per voi due» borbottò rivolta ai suoi amici a quattro zampe.

3

«Nonna?» La voce di Annina che riecheggiava dall'interfono fece sussultare Matelda. «Sono io. Ho la chiave.»

Annina stava parlando al cellulare quando uscì dall'ascensore ed entrò nell'appartamento. «Ciao, nonna» la salutò con il solo movimento delle labbra, e le mandò un bacio virtuale soffiandolo in aria. Le consegnò una sporta di frutta fresca e le fece segno che doveva terminare la chiamata. Si tolse il cappotto, lo buttò su una sedia e si lasciò cadere sul divano continuando la conversazione.

Annina Tizzi, venticinque anni, era di una bellezza abbagliante. Aveva la bocca dei Cabrelli, il naso dritto, la carnagione dorata e una figura sottile. I capelli erano castani e folti come quelli di Matelda da giovane; gli occhi, seppur distanziati come quelli di sua nonna, non erano nocciola ma verdi, ereditati dalla famiglia del padre Giorgio, i Tizzi di Sestri Levante.

Indossava dei jeans bianchi con una serie di piccoli strappi dalle cosce alle caviglie. Lasciavano talmente scoperte le gambe che Matelda si domandò perché la nipote si desse la pena di indossarli. Anche l'ombelico era in mostra. Il top celeste le sfiorava appena la vita. Veniva da chiedersi come facesse a non morire di freddo.

Annina si arrotolò i capelli in uno chignon alto senza smettere di parlare al telefono. Il suo anello di fidanzamento, un semplice brillante con taglio a smeraldo montato su una fascetta di platino, scintillava alla luce. Per come la vedeva Matelda, quell'anello era l'unica nota di raffinatezza su una giovane donna che avrebbe dovuto essere impeccabile ed elegante – dopotutto, Annina aveva sempre avuto accesso al meglio; i Cabrelli erano gli artigiani più in vista della città.

Matelda portò la frutta in cucina. Il suo cellulare vibrò sul bancone. Attivò il vivavoce. «Pronto?» disse salutando suo marito.

«Che cosa ha scelto Annina?» indagò subito Olimpio.

«Niente, per il momento. È al telefono. Quando una persona giovane fa visita a una vecchia, presume che la vecchia non abbia niente da fare tutto il giorno se non starsene seduta a fissare l'orologio in attesa di morire.»

Olimpio rise. «Dille di staccarsi da quel benedetto cellulare. Fai un bel respiro. Rilassati.»

«Non è facile per me.»

«Lo so. In cinquantatré anni non ti ho mai visto fare un bel respiro profondo.»

«A che ora torni?»

«Come al solito. Di' una preghiera. Sto per incontrare i banchieri.»

«Convincili con il tuo fascino.»

«Sì, sì. Li farò sentire speciali. Tu fai altrettanto con Annina.»

Matelda preparò un vassoio con piattini, posate d'argento e tovaglioli di lino. Piazzò lo strudel di mele al centro facendo scivolare una paletta sotto il dolce.

«Sei ancora al telefono?» disse alla nipote con tono di rimprovero posando il vassoio sul tavolo. Fece passare la mano sulla superficie di marmo.

Quando, vent'anni prima, i suoi genitori erano morti a cinque mesi di distanza l'uno dall'altro, avevano lasciato quattro piani di mobilia e di roba da sistemare. Il tavolo da pranzo con il ripiano in marmo aveva una storia. Si era pensato di venderlo dopo la guerra, quando c'era bisogno di liquidità e il negozio stentava a restare aperto. Ma nessuno aveva voluto comprarlo, perché l'ultima cosa che la gente compra nei periodi difficili sono i pezzi d'antiquariato.

Matelda non aveva idea di cosa fare dei mobili e delle suppellettili dei suoi genitori quando la signora Ciliberti, una donna saggia che abitava in via Castagna, le aveva consigliato di conservare un solo oggetto speciale che le ricordasse sua madre e di lasciar perdere tutto il resto. Sollevata dal senso di colpa, Matelda si era liberata di ciò che apparteneva a Domenica senza ricevere il minimo aiuto da parte di suo fratello. Nino aveva partecipato al funerale di sua madre, l'aveva pianta con amici e conoscenti e se n'era andato subito dopo, lasciando alla sorella tutte le altre incombenze, compresa quella di lavare i piatti dopo il tradizionale rinfresco che seguì la cerimonia funebre. Quando si trattava di gestire la casa e la famiglia, era la donna a occuparsi di tutte le questioni più importanti dalla nascita alla morte.

Matelda posò il cofanetto portagioie sul tavolo, nel posto che aveva destinato a sua nipote. «Annina?»

Annina si voltò e le sorrise. Alzò un dito, implorando un altro minuto, e proseguì la sua chiacchierata.

«Annina, riattacca» le ordinò Matelda.

«Ciao, ciao. Devo andare.» Annina chiuse la chiamata. «Scusami, nonna. Quando Paolo ha voglia di parlare, devo interrompere qualsiasi cosa io stia facendo.» La raggiunse al tavolo. «Ultimamente non vuole fare altro che parlare.»

«Ho preparato il tuo dol…» iniziò Matelda.

Il telefono di Annina squillò. «Scusa.» La ragazza si apprestò a rispondere.

«Dammi quel cellulare» disse Matelda con tono perentorio tendendo la mano aperta verso di lei.

Annina le passò il telefono che ancora suonava. Matelda si diresse verso il sottoscala. Infilò il cellulare nella cassaforte e lo chiuse dentro. «È scortese venire a trovare tua nonna e passare tutto il tempo al telefono.»

«Posso riavere il mio cellulare, per cortesia?» Annina era esterrefatta.

«Più tardi.»

«Intendi davvero lasciarlo lì dentro?»

«Sì.» Matelda versò il caffè. «Chiunque sia, puoi richiamarlo dopo.»

«Nonna, che cosa ti è successo?» chiese Annina scrutando il viso di sua nonna.

«In che senso?»

«Hai del sangue sulla guancia» disse Annina indicando il punto interessato.

«Dove?» Matelda si alzò e si guardò allo specchio. Sua nipote aveva ragione. C'era una striscia rosso scuro sul suo viso. «Ho sanguinato per tutto questo tempo?»

«Devi esserti tagliata. Non ti sei accorta quando è successo?»

«No, per niente. Però aspetta. Può essere dovuto a un piccolo scontro che ho avuto con un gabbiano prima che tu arrivassi.»

«Quale scontro?»

«Ero sul balcone ad aspettarti. Un gabbiano, dal nulla, mi ha puntato e mi è piombato addosso, ma non pensavo che mi avesse preso.»

«Ti ha beccato.»

«Forse non è stato lui. Forse mi sono graffiata da sola.»

«E non hai sentito nulla?»

Annina era preoccupata per sua nonna, anche se sua madre ripeteva sempre che Matelda li avrebbe seppelliti tutti quanti. Forse aveva ragione, perché in effetti Matelda non invecchiava come le altre nonne. Come gomma vulcanizzata, sembrava acquistare maggior forza e resistenza con il tempo. Matelda era l'unica, per quanto ne sapesse Annina, a non mostrare segni di decadimento. La sua postura eretta sembrava frutto di un rigido allenamento militare. Aveva uno stile sobrio ed elegante. Portava classiche gonne di lana e twin-set di cashmere. Non mancavano mai un filo di perle e una spilla raffinata. Matelda si vestiva come una donna benestante con un lavoro in città, anche se, essendo in pensione, era diventata una semplice casalinga che viveva in una località di mare.

«Smettila di fissarmi.» Matelda si portò una mano al volto e tastò il taglio con i polpastrelli. Era sottile come un filo e le attraversava la guancia dallo zigomo all'orecchio.

«Se sei stata attaccata da un uccello, c'è il rischio che siano entrati un sacco di germi nella ferita. Possono trasmettere malattie, senza contare che portano sfortuna.»

«Se fossi in te non mi preoccuperei. Sarebbe la mia sfortuna, non la tua.»

Annina aprì il portagioie. Il contenuto luccicava come un mucchietto di caramelle gommose. «Mi ricordo questo cofanetto. Da piccola mi lasciavi giocare con questi.»

«Non mi sembra di avertelo mai permesso.»

«Be', lasciavi che ti aiutassi a lucidarli. Ti ricordi?»

«Ecco, questo mi sembra più credibile. Tenere impegnati i bambini pigri per tenerli lontani dai guai.»

«Cercavi un lavoretto e lo trasformavi in un passatempo divertente.»

«Era divertente?» Matelda ridacchiò.

«Qualche volta sì.» Annina chiuse il portagioie e guardò sua nonna.

«Che c'è?»

«Hai una pomata, una garza o qualcosa da mettere su quel graffio? Non posso godermi il tempo che stiamo insieme se ti vedo così.»

«Oh, Madre Santa!» Matelda si alzò spingendo indietro la sedia e andò in bagno. «È soltanto un graffietto.»

«È una *ferita*» le gridò Annina dalla sala da pranzo. «Darei un'occhiata su Google, ma mi hai sequestrato il telefono...»

Matelda aprì il kit di pronto soccorso che teneva sotto il lavandino. Si lavò bene le mani prima di applicare un velo di pomata antisettica sul graffio. Vi premette sopra una garza per far penetrare bene il disinfettante. «Ok, fatto.» Tornò al tavolo.

«Brava.» Annina estrasse il divisorio dal portagioie e lo posò sul tavolo. «Com'è andata esattamente? L'assalto del gabbiano, intendo.»

«Che differenza fa? Non è che possiamo sporgere denuncia alla polizia.»

«Il gabbiano era solo o era uno stormo?»

«Era solo. So già dove vuoi arrivare. C'è un significato dietro tutto questo. E temo di sapere quale possa essere. Mia madre conosceva bene le tradizioni e le superstizioni più radicate. Era lei l'esperta nel campo. Diceva che se un uccello si posava sul davanzale e guardava dentro casa, significava che presto sarebbe morto qualcuno.»

«E cosa avrebbe detto a proposito di un uccello che attacca una donna innocente senza essere provocato, in pieno giorno?»

«Non ne ho idea.»

«Potremmo interpellare una strega» suggerì Annina.

«Tutte le streghe che conoscevo da questa parti sono morte» ammise Matelda.

«La mamma potrebbe conoscere qualcuno a Lucca.»

«Non possiamo chiamare tutta Lucca per trovare una fattucchiera, non ti pare?»

«Era solo un'idea.» Annina tirò fuori un anello dal portagioie e se lo provò. Tese la mano davanti a sé per esporlo alla luce.

«Non vuol dire nulla» le assicurò Matelda, anche se non ne era del tutto sicura. Quello era il lato peggiore della vecchiaia: non avere più nessuno da chiamare quando hai bisogno di risposte.

«Il tuo caffè si sta raffreddando. E lo strudel?»

«Non posso.»

«È il tuo dolce preferito.»

Annina si diede dei colpetti sul ventre piatto. «Altrimenti dovrò strizzarmi in quel vestito da sposa.»

«Hai intenzione di indossare un vestito da sposa?» Matelda non riuscì a nascondere la sua delusione.

«Non sarà un abito ampio e vaporoso. Non voglio sembrare un bombolone il giorno delle mie nozze.»

«Quindi indosserai un vestitino aderente come la valletta di un quiz televisivo, con tutto di fuori.»

«Non avrò un bel niente di fuori. E comunque si possono fare delle modifiche per evitarlo.» Annina osservò una spilla di platino con un arco di minuscoli zaffiri portandola alla luce.

«Don Vincenzo avrà qualcosa da dire al riguardo.»

«L'ha già fatto. Sono andata da lui con Paolo per avere indicazioni. Gli ho mostrato una foto dell'abito. L'ha trovato molto grazioso.»

«Ci sono delle regole da rispettare. La sposa deve avere testa e braccia coperte in chiesa. Niente tette fuori.»

«Ma io ho le tette.»

«Ci vuole pudore. Restare coperte è segno di rispetto, prima di tutto per se stesse. Significa tenere qualcosa solo per te e tuo marito.»

«Non capisco cosa vuoi dire.»

«È troppo tardi per insegnartelo.»

«È importante?»

«Probabilmente no.» Matelda sorrise. Gran parte delle cose che per lei erano importanti non contavano più per nessuno. Non aveva diritto di lamentarsi, ma ricordava un tempo in cui una persona anziana poteva farlo. «Annina, senti, indossa quello che ti fa stare bene.»

Se non altro, Annina si sarebbe sposata in chiesa. Molte amiche di Matelda avevano nipoti che si erano sposate nel parco o sulla spiaggia senza nemmeno un accenno a Dio. Tutto si riduceva a una sposa scalza, un eritema solare e un sorso di prosecco caldo in un bicchiere di plastica. «Sai che giorno è oggi?»

«Il giorno in cui mi hai chiesto di passare da te per scegliere un gioiello per il mio matrimonio.» Annina rimise la spilla nel suo sacchettino di velluto. «Una tradizione di famiglia. Tua nonna ti ha regalato un gioiello da indossare il giorno delle tue nozze, tua madre ha passato il gioiello alla mia, e ora tocca a te darlo alla tua nipotina.»

«Oggi è anche il mio compleanno.»

«No!» Annina batté le mani sul tavolo e rifletté un istante. «È vero! Oh, scusami tanto! Buon compleanno, nonna!» Si alzò e le diede un bacio sulla guancia, quella non ferita. «Non me ne sono scordata completamente, però. L'avevo in mente ieri, ma stamattina non ci ho più pensato. Avrei dovuto portarti un regalo!»

«L'hai fatto. Mi hai portato la frutta, un regalo che va sfruttato immediatamente. È perfetto per una donna di ottantun anni, se non muoio prima che vada a male.»

«Mi dispiace, nonna. Sbaglio sempre con te.»

«Non è vero. È che vorrei vederti più spesso, e questa non è una critica.»

«Ogni volta che qualcuno dice "Questa non è una critica", in realtà lo è sempre.»

«È per questo che non vieni a trovarmi più spesso? Perché sono troppo critica?»

«Sì» rispose Annina sforzandosi di rimanere seria. «Sto scherzando! La verità? Ho troppe cose da fare.»

«Tipo?»

«Sto organizzando un matrimonio.» Annina agitò le mani sul portagioie, frustrata.

«Alla tua età tenevo già la contabilità per mio padre.»

«Sostituirò Orsola quando andrà in congedo di maternità.»

«Ottimo. Quando non sei impegnata con i clienti in negozio, cerca di passare del tempo con tuo nonno nel retro. È lì che si fa il lavoro vero. Impara l'arte dal maestro. Potrebbe stimolare la tua creatività.»

«Intanto vediamo come me la cavo con la sostituzione di Orsola, poi potremo parlare della mia creatività.»

«Cogli questa occasione e cerca di ricavarne qualcosa di utile. Dovresti pensare a un percorso professionale.»

«Prima vorrei mettere su casa con Paolo. Sai, preparare lo strudel e dipingere le pareti. Curare l'orto.»

«Hai bisogno di un progetto più solido che non coltivare rucola. A volte nella vita accadono cose che ti mettono nelle condizioni di dover mantenere la famiglia. E per farlo, avrai bisogno di soldi.»

«Non mi importa dei soldi» ribatté la ragazza. «Possiamo cambiare discorso? Pensavo che ci saremmo divertite oggi.»

Eppure Annina fu travolta da un'ondata di vergogna. Sua nonna ce la stava mettendo tutta. Si era preparata per quella visita speciale e l'aveva programmata nei minimi dettagli. Le prese la mano e le diede dei colpetti gentili. «Grazie per aver fatto tutto questo per me. Non so quale scegliere. Mi aiuti?» disse Annina tirando fuori una mediaglietta d'oro.

«Quella è una mediaglietta miracolosa.»

«È tua?»

«Apparteneva a mia madre. Una volta sapevo perché era così importante per lei. In questo momento non lo ricordo, ma mi tornerà in mente. Anche se allora sarà troppo tardi. La vecchiaia è terribile.»

«Deve pur esserci qualcosa di buono nel diventare vecchi.»

Matelda ci pensò su. «Le maniche lunghe per coprire le braccia flaccide.»

Annina scoppiò in una risata.

Matelda prese in mano la mediaglietta di Santa Lucia. «C'è una storia legata a questa. Anche questa apparteneva a mia madre.»

«Dai, raccontamela.»

Annina tirò fuori un sacchettino dal cofanetto. Conteneva un rubino da un carato con taglio Petruzzi che le cadde nel palmo come una piccola caramella gommosa. «Wow!»

«Questo è il rubino di Speranza. Mio nonno sosteneva che il suo amico veneziano fosse il miglior tagliatore di gemme in Italia. Potresti farti fare qualcosa con questa pietra.»

Annina rimise il rubino nella bustina. «È già stato abbastanza complicato pensare a una montatura per il mio anello di fidanzamento. Lasciamolo a chi ha più immaginazione di me.»

Matelda prese dalla scatola un cavicchio in cui erano infilati tre anelli. Ne scelse uno d'oro, pesante. «Questa vera era della madre di mia madre, Netta Cabrelli. Era la sua fede nuziale.»

Annina se la provò. «Non mi sale oltre la nocca!»

«Il nonno può mettertelo a misura, se vuoi. C'è oro a sufficienza per allargarlo. Mia nonna era più piccola di te, ma per me era un gigante, e non sempre un gigante buono. Ho una sua foto sul comodino.»

«L'ho vista. Fa paura. Tutti appaiono orribili nelle foto color seppia.»

«Perché non potevano muoversi. Dovevano restare immobili per consentire al fotografo di scattare la foto. Ma non dipende solo da quello. Netta Cabrelli era scorbutica per altri motivi.»

«E questo cos'è?» chiese Annina tirando fuori un orologio vintage incastonato in un rettangolo di avventurina verde.

«Dove l'hai trovato?»

«Era in fondo al portagioie.»

Il quadrante di madreperla celeste pendeva da una barretta d'oro lavorata a sbalzo cui era stata applicata una spilla. I numeri 12, 3, 6 e 9 sul quadrante erano segnati da una pietra preziosa tagliata a baguette.

«Pensavo che fosse nella cassetta di sicurezza in banca.»

«È di valore?»

«Soltanto per me.»

«Il motivo a filigrana della spilla potrebbe diventare un bellissimo tatuaggio sulla caviglia.»

«Perché, tu hai un tatuaggio?» gemette Matelda.

«La mamma mi ha consigliato di non dirti niente.»

«Dove?»

«Ho un cuore sul fianco.»

«Ne hai già uno nel petto.»

«Ma quello sul fianco è più carino.» Annina prese l'orologio di avventurina. «Nonna, vorrei questo. Posso?»

«Scegli qualcos'altro.»

«Avevi detto che potevo scegliere qualsiasi cosa da questo cofanetto.»

Matelda porse alla nipote un anello raffinato, un grappolo di rubini taglio *briolette* montati su oro giallo. «Starà benissimo abbinato al tuo brillante. Tuo nonno l'ha realizzato per me, per il mio quarantesimo compleanno.»

Annina si infilò l'anello al dito medio della mano destra. «È stupendo, ma è troppo, nonna.» Lo rimise nel portagioie e riprese in mano l'orologio. «Perché i numeri sul quadrante sono capovolti?»

«Perché mia madre potesse vedere l'ora senza girarlo.»

«Perché mai doveva leggere l'ora al contrario?»

«Perché spesso doveva usare entrambe le mani per fare il suo lavoro. Lo portava appuntato sulla divisa. Era un'infermiera.»

«Me l'avevi già detto? Credo di no. Non parli mai di tua madre. Perché?»

«Sì che ne parlo» replicò Matelda unendo le mani in grembo. «Sei tu che non mi ascolti quando ti racconto del mio passato. Voi giovani siete troppo occupati con i vostri cellulari. Sembra che a nessuno interessi il passato.»

«Nonna, ti senti bene? Sei pallida. Vuoi che ci vediamo un'altra volta? Possiamo rimandare a un altro giorno.»

«È troppo tardi.»

«Per cosa?» Annina si guardò intorno. «Hai un impegno da qualche parte?»

Matelda avrebbe voluto che fosse così. Il suo cuore batteva all'impazzata, sintomo che l'ansia aveva raggiunto l'apice. La frustrazione, il combustibile dell'ansia, stava montando dentro di lei. Riusciva a vedere cosa sarebbe accaduto. Sarebbe morta. I suoi figli si sarebbero riuniti intorno a quello stesso tavolo. La maggiore, Nicolina, avrebbe dato una scorsa al contenuto del portagioie. Suo figlio Matteo avrebbe atteso che sua sorella finisse per poi rovistare a sua volta fra i preziosi. Entrambi, nel migliore dei casi, avrebbero avuto una conoscenza sommaria della storia che stava dietro a ciascun pezzo. Senza le vicende che li avevano accompagnati, quei gioielli non avrebbero avuto un senso; e senza un senso insito, non avrebbero avuto alcun valore. Matteo e Nicolina non avrebbero potuto fare altro che vendere l'intera collezione al miglior offerente. Le pietre sarebbero state rimosse dall'incastonatura; l'oro pesato, diviso e fuso per poi essere riconvertito. I gioielli rimasti intatti sarebbero stati venduti come pezzi vintage da collezione su uno di quei siti che i ricchi spulciano perché non hanno niente di meglio da fare se non acquistare sempre più roba. Matelda si sentì rivoltare lo stomaco.

«Nonna, ti senti bene? Dico sul serio, hai una brutta cera.» Annina andò in cucina.

Matelda si prese un momento per ricomporsi. Quando una donna invecchiava, il suo ultimo compito era immaginare cosa sarebbe rimasto del lavoro di tutta una vita dopo la propria morte. Era la madre a delineare la missione della famiglia, e se falliva, la famiglia falliva con lei. Matelda aveva il presentimento che non le sarebbe piaciuto quello che avrebbero fatto i suoi figli una volta che lei se ne fosse andata, ma non poteva biasimare nessuno se non se stessa. Si era arresa troppo facilmente. Avrebbe dovuto costringerli ad ascoltare i racconti di famiglia. Non aveva condiviso con loro la verità, né reso la storia familiare una priorità irrinunciabile. Non aveva portato i suoi figli nel luogo in cui era nata, né raccontato loro la storia di suo padre. Una vacanza nel Montenegro era più importante di un viaggio in Scozia. Ma Matelda aveva le sue buone ragioni. C'erano delle lacune in ciò che lei stessa sapeva di suo padre, eppure questo non la giustificava del tutto. I suoi figli e i suoi nipoti dovevano essere informati di determinati fatti prima che lei li dimenticasse completamente o morisse all'improvviso. Non era necessario che un uccello le piombasse addosso dal cielo per trasmettere quel messaggio.

Annina tornò con un bicchiere d'acqua. «Tieni, nonna. Bevi un sorso.»

Matelda sorseggiò l'acqua lentamente. «Grazie.»

Annina prese l'orologio di Domenica Cabrelli e se lo accostò all'orecchio.

«Sono anni che non viene caricato» ammise Matilda.

Annina studiò l'orologio. L'avventurina era diversa dalle altre gemme contenute nel cofanetto. Non aveva un colore caldo come i rubini magenta provenienti dall'India incastonati nell'anello di compleanno. Non era delicato come le spirali dorate del corallo di Capri. Non catturava la luce come un diamante. Non era di origine italiana. La pietra, di un verde scuro un po' spento, era stata estratta in un Paese lontano dall'Italia, dove le solide radici di alberi molto alti assorbivano un'intera stagione di monsoni seguita da mesi di sole cocente. Nemmeno la filigrana e l'incisione a sbalzo erano di fattura italiana. Era la bellezza stonata della collezione, un'estranea.

Annina riprese a esaminare l'orologio. «Credo che fosse un pezzo d'antiquariato molto prima che lo portasse la bisnonna. Risale senz'altro al XIX secolo.»

«Come fai a saperlo?»

«Il nonno mi ha insegnato a leggere le punzonature.» Annina lo capovolse e lo mostrò a sua nonna. «Vedi? L'oro è marchiato. E ci sono altri indizi. Il meccanismo non è svizzero, e nemmeno il quadrante e gli ingranaggi, tipici delle produzioni italiane. E non è neppure tedesco o francese. Da dove veniva?»

Matelda non le rispose.

«Guarda. C'è un'incisione. Una *D*, poi una *E* commerciale e una *J*. Chi sarebbe *J*?»

«Non sono pronta a separarmene.»

«Finisco sempre per desiderare ciò che non posso avere» disse Annina rimettendo l'orologio nel cofanetto.

Matelda appoggiò il viso nel palmo, come faceva spesso quando aveva bisogno di riflettere. Le dita sfiorarono il taglio sulla guancia. Il graffio bruciava abbastanza da ricordarle che era stata colpita.

Fuori, la giornata di fine inverno fu squarciata da un tuono e da una scarica di lampi.

«Oh-oh. Sta arrivando la burrasca!» esclamò Annina voltandosi verso la portafinestra.

Le prime gocce di pioggia, pesanti e fredde, cominciarono a martellare le mattonelle del pavimento del terrazzo come frecce argentate.

«Le finestre della camera da letto!» gridò Matelda.

«Ci penso io!» Annina si precipitò nella camera dei nonni.

Matelda staccò le spine degli elettrodomestici del soggiorno in caso il temporale facesse saltare la corrente. Beppe si mise ad abbaiare e a correre in cerchio in preda all'eccitazione. Matelda afferrò la lampada di emergenza dal ripiano.

«Tutto a posto.» Annina si sedette, affannata. «Ho chiuso tutto. Sei l'unica persona che conosco che tiene le finestre aperte in inverno.»

«Mia madre mi ha insegnato ad aprire le finestre al mattino per far uscire gli spiriti cattivi. Mi dimentico di chiuderle.»

«Tua madre era una strega?»

«Non credo.»

«E allora come faceva a sapere tutte queste cose?»

«Domenica Cabrelli era una donna saggia e di buon senso, ma riconosceva l'esistenza del mondo degli spiriti. E rispettava anche la scienza. In caso di necessità, i vicini chiamavano lei prima di chiamare il medico.» Beppe balzò sulle zampe e andò a sedersi in grembo alla sua padrona. «Era istruita. Infermiera di professione.»

«Mi piacerebbe sapere qualcosa in più su di lei.»

«Mia madre è nata in questa casa, dove è morta a novantatré anni. È vissuta a Viareggio per tutta la vita, tranne quando era giovanissima e dovette lasciare la sua famiglia per un periodo.»

«Perché era andata via?»

«Guarda. Il mare è agitato. Ecco la tempesta che avevano previsto.»

«Nonna, voglio sapere perché la bisnonna dovette lasciare la città. Sto per sposarmi e desidero che i miei figli sappiano tutto dei loro antenati.»

Una striscia di luce arancione indugiava all'orizzonte, illuminando il mare grosso via via che la burrasca esplodeva in tutta la sua furia. Anche il Tirreno aveva una storia da raccontare. Presto Annina avrebbe scoperto dove il mare aveva portato Domenica Cabrelli prima di trascinarla via, insieme al suo vero amore e al loro segreto.

4

Viareggio, 1920

Domenica Cabrelli si voltò verso le dune e, con le mani a coppa intorno alla bocca, urlò «Sil-viooo!» Quella ragazzina di undici anni aveva la potenza vocale di un grande soprano. La spiaggia era tutta sua, non c'era un'anima in giro. Il cielo era di un azzurro degno dei dipinti di Tiepolo, con pennacchi di nuvole di un rosa acceso all'orizzonte. Sotto il sole di mezzogiorno, il mare appariva dolcemente increspato mentre la marea lambiva il bagnasciuga. La ragazzina si passò una mano sullo stomaco. Aveva fame. Impaziente, chiamò di nuovo Silvio a gran voce. Avevano del lavoro da fare. Dove si era cacciato?

Gli occhi scuri e penetranti di Domenica scrutarono il profilo delle dune come un generale prima della battaglia. Incrociò le braccia sul grembiule pulito e stirato che sua madre le aveva prima rammendato e poi rattoppato con una serie di pezze scompagnate di iuta e scampoli di tessuto provenienti dalla seteria. Quasi tutte le sue coetanee erano vestite allo stesso modo. Il grembiule aveva uno scollo quadrato e due larghe bretelle fissate dietro le spalle con due bottoni. Sul davanti erano applicate delle comode tasche abbastanza profonde da contenere un righello, delle forbicine, un rocchetto di filo con un ago, un tamburello da ricamo ed eventuali extra. Nelle sue tasche la signorina Cabrelli riservava dello spazio per conchiglie e sassolini, per i quali contava di trovare una destinazione in seguito.

Domenica era scalza. Aveva le piante dei piedi spesse e indurite per aver trasportato secchi di acqua fresca avanti e indietro sulle tavole di legno della passeggiata. La sabbia bianca sotto i suoi piedi era soffice come un tappeto persiano. Portava i capelli castani legati in trecce ordinate raccolte a corona in cima alla testa, anche se qualche ricciolo ribelle sfuggiva qua e là, mosso dalla brezza marina, e lei se lo scostava prontamente dal viso con la mano. I calzoncini e la camiciola di lino che indossava sotto erano smessi da una cugina, ma il ricorso agli indumenti di seconda mano si limitava a questo. Sui lobi brillavano degli orecchini pendenti, realizzati da suo padre, un apprendista gioielliere. Erano di una maglia d'oro così delicata che per vederli bisognava accostarsi al suo viso come per sussurrarle qualcosa all'orecchio.

Silvio Bartolini apparve finalmente in cima alla collina. Era un ragazzino dai capelli corvini, suo coetaneo ma più basso di lei di cinque centimetri, come la maggior parte dei maschi della scuola, del resto. Domenica gli fece un cenno. «Sbrigati!»

Silvio si lasciò scivolare giù dalla duna e le corse incontro il più rapidamente possibile, sollevando nuvole di sabbia.

«L'hai presa?»

Silvio tirò fuori dalla tasca posteriore dei calzoncini un sottile rotolo di carta legato da un nastro. Glielo consegnò tenendo gli occhi fissi su di lei, desideroso di accontentarla, sperando in una reazione positiva. Domenica sciolse il nastro e srotolò il cilindro di carta. I suoi occhi guizzarono sulla mappa di Viareggio alla ricerca di informazioni preziose.

«Ti ha visto qualcuno?» chiese senza staccare gli occhi dal reticolo di strade tracciato in inchiostro nero su fondo beige.

«No.»

«Bene.» Annuì. «Se vogliamo trovare il tesoro, nessuno deve sapere che lo stiamo cercando.»

«Capisco.» Silvio non sapeva mai quale parte del tempo che passava con Domenica Cabrelli fosse finzione e quale fosse realtà. C'era davvero un tesoro? Chi era esattamente quel "nessuno"? Non ne aveva la più pallida idea.

Domenica riavvolse la mappa e la usò per indicare un punto su una duna all'estremità della lunga spiaggia. «Seguimi.» Si avviò arrancando verso la Pineta di Ponente. «Il destino di ogni cosa dipende da noi.»

«Come può essere vero?» Silvio camminava al suo fianco.

«Perché è così.»

«Ma il destino di ogni cosa? Non sei mica il Creatore!» Avevano studiato la volontà divina durante il catechismo in preparazione alla Cresima. Silvio aveva notato che spesso, nella vita reale, Domenica era incline ad agire in maniera nettamente opposta a qualsiasi dogma avessero appreso a scuola.

«Don Fernando non ha detto che, in mancanza di un prete, siamo autorizzati a battezzare chiunque ne abbia bisogno?»

«Sì, ma questo non fa di te un prete.»

«Ci ha dato il permesso di battezzare chi non lo è. Siamo abbastanza santi da farlo! Un sacramento è il segno esteriore di una grazia interiore. Tutti hanno una grazia interiore. Persino io. Persino tu.»

«Io non me la sentirei di battezzare nessuno. Correrei a chiamare un prete. Le suore ci hanno insegnato questo. Devi rifare tutto, se non c'è un prete.»

«Dai pure ascolto alle monache di San Paolino, ma non credere a tutto quello che ti dicono.»

«E chi lo dice?»

«Il mio babbo. Non avrei dovuto origliare, ma l'ho sentito mentre lo diceva a mia madre, perciò dev'essere così.»

Silvio non aveva un padre, quindi si trovava in una posizione di svantaggio per contraddire la sua amica. C'erano volte in cui avrebbe voluto poter ribattere "Mio padre ha detto" solo per sfidarla.

«Quando i miei genitori parlano sottovoce, faccio in modo di essere abbastanza vicina da sentire quello che dicono. Li osservo quando fanno i conti per spartirsi i soldi e apro bene le orecchie quando discutono del prete. Non mi muovo di casa quando ci sono visite e resto al fianco di papà quando chiacchiera con i clienti in negozio. Se siamo in compagnia, gli ospiti portano sempre limoni o pomodori, ma anche notizie da Lucca. Non immagini neanche cosa succede laggiù. C'è l'uomo che ci porta gli zamponi dal Lazio, ad esempio. Lui sa dove vanno a finire le offerte per i poveri della chiesa di San Sebastiano. E poi c'è la signora Vannucci che dà lo zucchero a mia madre quando le avanza, ma cerca anche di guadagnarci. Anche lei ne ha di storie da raccontare!»

«Quella che combina i matrimoni?»

«Proprio lei! Riesce a far sposare simpatici uomini dal piede equino con donne che hanno superato da un pezzo l'età per essere corteggiate e che altrimenti non sarebbero destinate a ricevere proposte di matrimonio. Ma io non verrei a sapere tutto questo se non ascoltassi i suoi lunghi racconti. Ha confidato a mia madre che se fosse ancora giovane non farebbe la sensale di matrimoni, cercherebbe di far fortuna e di scoprire tesori sepolti come attività principale. È così che sono venuta a sapere del bottino nascosto di Capri.»

Domenica disegnò un cerchio nell'aria con la mappa. «La signora Vannucci pensa che ci sia qualcosa di vero in questa storia. E questo mi basta.»

«E se non lo troviamo?»

«Lo troveremo.»

«Non hai paura che ci sia già arrivato qualcuno?»

«Chiunque trovi un tesoro tende a vantarsene in giro.»

Silvio si domandava come facesse Domenica a sapere sempre tutto con tanta sicurezza. «Io non ho mai sentito nemmeno una parola su questo tesoro, quindi forse...» ragionò a voce alta.

«Perché non è mai stato trovato! È la prova di quello che sto dicendo!» Domenica si stava spazientendo; non riusciva a far uscire le parole abbastanza in fretta da spiegare all'amico l'urgenza della missione che li aspettava. «Quando i pirati razziarono perle e diamanti a Capri prima della Grande Guerra, in un primo tempo li portarono in Sardegna. Poi a Ischia. E successivamente all'isola d'Elba. Rimasero a Ustica per qualche tempo. Poi puntarono verso la Corsica. Alla fine approdarono proprio qui, su questa spiaggia. Ed è qui che nascosero i gioielli. Questo è certo. Sono in molti a Viareggio ad aver visto i pirati andare e venire. Quando ripresero il largo sulla loro nave, diretti in Grecia per impadronirsi di altri bottini, furono intercettati e uccisi tutti al largo della costa di Malta in una battaglia cruenta come non si era mai vista! Gole squarciate e crani spaccati sino a far uscire il cervello! Il prete perse entrambe le braccia!»

«Va bene, va bene» la assecondò Silvio, asciugandosi il sudore dalla faccia con la manica.

«Ma il tesoro rimase intatto! Perché è *qui*. Nascosto a Viareggio, il posto migliore dove tenerlo al sicuro per essere ritrovato soltanto da chi avesse scovato il nascondiglio segreto, perché noi abbiamo le dune, i boschi, i canali, le cave di marmo! Piste e sentieri e percorsi segreti che portano a tantissime grotte naturali. Non dimenticare che Napoleone ha nascosto qui la sorella senza che nessuno lo scoprisse!»

«Elisabetta Bonaparte. Il mio bisnonno strigliava il suo cavallo.»

«Ok, quindi gli abitanti del posto lo sapevano. Non importa» concesse Domenica. «La legge stabilisce che se il tesoro perduto non viene reclamato dai proprietari entro tre anni, chiunque lo trovi su territorio italiano ne diventa proprietario di diritto. E quelli potremmo essere noi. Anzi, saremo noi!»

«Ma questa spiaggia si estende per chilometri e chilometri, ci sono centinaia di grotte» fece notare Silvio. «Le dune hanno due versanti, come le montagne. Potrebbero averlo sepolto ovunque. E se fossero fuggiti nei boschi o nelle Alpi Apuane? Se l'avessero lasciato là da qualche parte? Come faremo a sapere dove scavare? È un'impresa impossibile.»

Domenica fece una pausa, considerando le diverse opzioni che avevano a disposizione. I suoi piedi affondavano nella sabbia morbida sulla battigia. Lasciò che il lieve sciabordio delle onde lambisse le impronte dei suoi piedi. Si lasciò sprofondare nella sabbia fresca sino alle caviglie in modo da trovarsi alla stessa altezza di Silvio. I capelli ricci del ragazzo, impastati dalla foschia marina, lo facevano sembrare più alto di lei. Domenica raddrizzò bene le spalle per eliminare quel dislivello. «Allora, vuoi trovare il tesoro nascosto o no? Perché se non vuoi, posso farcela da sola. E se sarò sola quando lo troverò, ovviamente non dovrò dividerlo con te.»

«Non voglio perdermi la festa della chiesa della Santissima Annunziata» si lagnò Silvio. «È il giorno dei bomboloni.»

«Tutto qui? Per te un bombolone è più importante di una vita da ricco sfondato?» Domenica cercò di restare in equilibrio appoggiando la mano sulla spalla di Silvio, ma i suoi piedi erano bloccati nella sabbia umida come due fermaporta di gomma. Silvio le diede una spinta energica per liberarla, ma finirono per ruzzolare entrambi sulla spiaggia ridendo.

«La mappa!» esclamò Domenica tenendo in alto il rotolo di pergamena per evitare che si bagnasse.

Silvio lo afferrò e si rialzò in piedi. «Preso!»

«Ladri!» Una voce tonante echeggiò dalla cima della duna alle loro spalle. Voltandosi, i due ragazzini si trovarono di fronte il signor Annibali, responsabile della biblioteca comunale, che incombeva su di loro con il suo panciotto sgualcito e i pantaloni di lana. «Riportatemi quella mappa. Subito!»

Domenica strappò di mano la cartina a Silvio e prese a correre lungo la spiaggia.

Lui la seguì a ruota.

«Pensavo che non ti avesse visto nessuno!» disse Domenica ansimando mentre Silvio la raggiungeva. Una banda di ragazzini apparve in cima alla duna e si mise in formazione come corvi su un filo della luce.

Il bibliotecario puntò il dito nella direzione dei fuggiaschi. «Ecco Bartolini! Acciuffatelo!» disse, e l'esercito di Annibali si sparpagliò giù dalle dune. Quando i ragazzini raggiunsero la spiaggia, si misero a inseguire Domenica e Silvio sulla battigia. Annibali scivolò giù dalla collina finché i lacci delle scarpe non rimasero impigliati nelle alghe facendolo cadere in avanti e ruzzolare sino alla spiaggia. Poi si rialzò, imprecò, si scrollò la sabbia dai pantaloni, controllò l'orologio che teneva nella tasca del panciotto per accertarsi che non si fosse danneggiato nella caduta e si accodò ai ragazzi.

Domenica e Silvio continuavano a correre, tallonati da una torma di ragazzini esagitati. Domenica sentiva il cuore martellarle nel petto. Aveva l'impressione che potesse scoppiare da un momento all'altro, eppure le piaceva il brivido di eccitazione derivante dalla consapevolezza di essere inseguita. Sentì urlare il suo nome, ma fece finta di niente e accelerò ancora di più. Fingeva che la mappa fosse il testimone di una staffetta. La teneva ben alta in aria, sollevava i talloni con forza e si dava slancio pompando con le braccia. Il grembiule che, come aveva già notato sua madre, era diventato talmente corto da rendere necessario lasciar andare l'orlo, era della lunghezza ideale per sfuggire a un inseguimento. Correva veloce.

Gli scherni dei ragazzini coprivano il rumore della risacca. Domenica non badava agli insulti, ma Silvio li udiva e aveva paura. Il suo cuore batteva forte per una ragione diversa rispetto a quella della sua amica. Il branco gli aveva già dato la caccia in passato. Quando era solo, però, aveva soltanto se stesso cui badare. Era in grado di calcolare esattamente quanto tempo avrebbero impiegato i bulli a mollare la presa e sapeva dove nascondersi per aspettare che rinunciassero all'inseguimento. In quel caso Domenica lo stava rallentando, ma non l'avrebbe mai lasciata sola. Si adeguò al suo passo per proteggerla.

«Da questa parte!» Domenica ruotò su se stessa. Scrutò la spiaggia e, attraversandola di corsa sino alle dune, proseguì in direzione dei gradini che portavano alla passeggiata a mare.

Silvio si bloccò. «No, da questa parte!» Indicò la duna che li avrebbe condotti nella pineta, dove conosceva dei nascondigli in cui rifugiarsi.

«Seguimi!» Domenica si lanciò nella direzione opposta.

Silvio la seguì. I ragazzi, che erano più grossi e più veloci, guadagnarono terreno in fretta.

«Il negozio di papà! Vieni!» Domenica aveva il cuore in gola mentre Silvio la raggiungeva ai piedi della scala. Si erano voltati entrambi per apprestarsi a salire, quando Domenica udì un colpo sordo.

Uno schizzo di sangue esplose nell'aria come una cascata di perle rosse.

Il sasso, destinato a Silvio, lo aveva colpito in pieno viso lacerandogli la pelle.

«L'occhio!» strillò Silvio crollando a terra. Domenica si inginocchiò accanto a lui. La banda li circondò schernendoli e urlando: «Ecco il bastardo!»

Domenica si sentiva soffocare; l'odore pungente del fiato e del sudore di quella marmaglia, unito a quello delle alghe, le dava il voltastomaco.

«Basta!» urlò.

Guido Mironi, il ragazzo più alto, con il collo taurino, le strappò la mappa di mano.

«Fate largo, ragazzi!» esclamò Annibali spostandoli di lato. Mironi gli consegnò la mappa.

«Grazie, Guido, grazie» disse l'uomo ostentando una gratitudine esagerata. «Ottimo lavoro.»

Domenica era a terra accanto a Silvio e gli faceva scudo con il suo corpo. Il poveretto soffriva da morire. Si era accartocciato su se stesso a spirale, come una chiocciola, e si copriva l'occhio con la mano mentre il sangue gli colava fra le dita.

Domenica si alzò. Afferrò la pietra che aveva causato il danno. «Spostatevi, voglio vedere quello che gli avete fatto!»

«Non abbiamo ancora finito con lui» sibilò Giglio da dietro le spalle del bibliotecario. Era il più basso della classe di Domenica e diventava coraggioso solo quando era spalleggiato dal branco.

«Ora basta, ragazzi» intimò Annibali alzando la voce. «Andate pure. Me la vedo io qui.»

Il branco si disperse lentamente.

Domenica udì le loro ingiurie e risate, il che significava che poteva udirle anche Silvio.

Lei alzò lo sguardo verso Annibali. «Silvio deve farsi visitare dal dottor Petrucci.»

«Io non posso accompagnarlo.» Si scrollò la sabbia dai pantaloni.

Domenica si chinò su Silvio e gli disse dolcemente: «Fammi vedere».

Lui scosse la testa. Si era contratto in una spirale se possibile ancora più stretta, come un animale il cui istinto lo spinge a mimetizzarsi quando si trova in pericolo.

«Non ti tocco. Devo solo vedere dove ti ha colpito il sasso» gli sussurrò lei.

Prese la mano insanguinata di Silvio e la sollevò dal viso con cautela. La pelle strappata rivelava una ferita sulla fronte, un profondo taglio rosso rubino sopra il sopracciglio sinistro. Silvio chiuse l'occhio per proteggerlo, ma il sangue continuava a sgorgare dalla ferita colandogli sulla faccia. Domenica cercò di rimuoverlo dalla palpebra con il pollice.

Annibali rabbrividì alla vista della mano insanguinata di Domenica.

«Apri l'occhio.» Domenica usò le mani per schermare il viso del suo amico dal sole. «Puoi farcela.»

La palpebra di Silvio si alzò sbattendo freneticamente, ma la luce era troppo forte nonostante il riparo che lei aveva creato, così lui la abbassò di nuovo.

«Hanno mancato l'occhio, per fortuna.» Domenica si sfilò il grembiule e ficcò il contenuto delle tasche dei calzoncini, abbandonando le conchiglie rosa sulla sabbia. Piegò il grembiule ricavandone una pezza quadrata. «Ecco. Mettilo sulla ferita e premi forte. Dobbiamo fermare l'emorragia.» Aiutò Silvio a rimettersi in piedi. «E far ricucire il taglio.»

«No!» gemette Silvio.

«È profondo. Bisogna farlo. Ti accompagno io.»

Annibali restò a guardare Domenica che aiutava l'amico a salire i gradini per poi sparire dietro la cresta della duna. Estrasse un monocolo dal taschino della giacca e piazzò la lente davanti all'occhio destro. Poi srotolò la mappa, che non sembrava essere in condizioni peggiori di quanto non fosse quando Silvio l'aveva prelevata dalla vetrinetta in cui era esposta. La principessa Paolina Bonaparte Borghese l'aveva commissionata quando suo fratello Napoleone aveva incoronato la sorella Elisa Granduchessa di Toscana. Annibali si ripromise di chiudere a chiave tutte le vetrinette da quel momento in poi.

Mentre riavvolgeva la mappa, notò un'imperfezione. Sulla pergamena c'era una macchiolina rosso scuro, non più grande di un punto in fondo a una frase. Il bastardo aveva lasciato la sua impronta sulla mappa ufficiale di Viareggio, dopotutto.

5

Il giovane medico fece rotolare il tampone di carta assorbente sull'inchiostro umido della data che aveva appena annotato sul suo registro: 15 marzo 1920. Aveva una trentina d'anni, ma la stempiatura e le lenti spesse gli davano l'aria di un uomo di mezza età. Per fortuna il dottor Armando Petrucci si trovava nel suo studio in via Sant'Andrea e non all'ospedale di Pietrasanta quando Domenica Cabrelli spinse la porta dell'ambulatorio con il gomito e aiutò Silvio Bartolini a entrare. Il ragazzino aveva iniziato a tremare alla vista del proprio sangue, che ormai aveva inzuppato la camicia e il grembiule di Domenica.

«Non guardare. La testa è sempre quella che sanguina di più. Non significa nulla» lo rassicurò lei. «Dottore, il mio amico perde molto sangue. Ha bisogno di una sutura.»

Petrucci si attivò immediatamente. Aiutò Silvio a distendersi sul lettino. Premette sulla ferita una spessa garza sterile e gli sistemò un abbondante batuffolo di cotone sopra gli occhi per poi avvicinare la lampada professionale al viso ed esaminare la ferita. Domenica si issò sullo sgabello accanto al dottore per osservare.

Petrucci confermò quanto aveva detto lei. «Hai ragione per quanto riguarda la testa.»

«Cioè che è quella che sanguina di più? Lo so.» Domenica diede una rapida occhiata alla ferita di Silvio.

«Che cosa è successo?» chiese il dottore mentre tamponava

delicatamente l'arcata sopraccigliare di Silvio per valutare meglio la profondità della ferita.

«È stato colpito da una pietra» spiegò Domenica.

«Gliel'hai tirata tu?»

«No. Lui è un mio amico.»

«Quindi è stato un nemico?»

«Sì, ma non sappiamo quale.»

Il dottore si rivolse a Silvio. «Ne hai più di uno?»

«Molti» disse Silvio con un fil di voce.

«Oh, quindi il paziente parla, finalmente. Come ti chiami?»

«Silvio Bartolini, dottore.» Il ragazzino tremava.

«Dove lavora tuo padre?»

«Suo padre è morto» rispose Domenica precedendolo. «Sua madre lavora in chiesa.»

A giudicare dall'abbigliamento del ragazzo, Petrucci intuì che la donna faceva un tipo di lavoro che veniva pagato una miseria. «Hai fratelli o sorelle?»

«No.»

«Non ha nessuno. Tranne me, naturalmente. Siamo amici da quando avevamo cinque anni» spiegò Domenica.

«Quindi da una vita» commentò Petrucci.

«Sinora sì. Posso aiutarla, dottore? Devo andare a prendere dell'acqua fresca?» propose Domenica guardandosi intorno. «E delle pezzuole di cotone? Ne ha?»

«Ci sono delle bende pulite nell'armadietto.» Petrucci le aveva lavate personalmente e messe ad asciugare al sole. Non poteva permettersi un'infermiera. Teneva aperto l'ambulatorio a Viareggio per occuparsi degli operai dei cantieri navali, dei marinai e dei dipendenti della seteria. Esercitava la professione di medico generico prendendosi cura dei pazienti con visite private a domicilio. Da quando aveva completato i suoi studi all'Università di Pisa, non aveva dovuto procacciarsi nemmeno un cliente a Pietrasanta o a Viareggio. Non ce n'era stato bisogno; erano stati i pazienti bisognosi a cercarlo, e lo avevano sempre trovato disponibile.

Il suo ambulatorio era semplice, pulito e odorava di disinfettante. Aveva un arredo spartano: due seggiole di legno, uno sgabello, una scrivania con una sedia e una sola lampada con un paralume smaltato bianco che spioveva sul lettino delle visite. Sulla scrivania c'era un piccolo armadietto con l'antina di vetro aperta, pieno di flaconcini, tinture, bende di cotone e strumenti medicali. Erano gli strumenti più all'avanguardia del settore.

Nel tempo che Domenica impiegò per procurarsi l'acqua fresca dalla fontanella in strada, prendere la garza e trovare un bicchiere di alluminio per dare da bere a Silvio, il dottore aveva già raccolto il necessario per suturare la ferita. Il paziente giaceva sul lettino con gli occhi chiusi e le mani incrociate sulla vita. Voleva risultare coraggioso, ma un costante flusso di lacrime gli colava silenziosamente dall'angolo degli occhi, formando rivoletti puliti che si insinuavano tra la sabbia e il sangue rappreso sul suo viso.

«Non piangere, Silvio.»

«Se piange è meglio. Porta via tutta la sabbiolina. Piangi pure finché vuoi, Silvio» disse Petrucci dandogli dei colpetti di incoraggiamento sulla spalla.

Domenica immerse una striscia di cotone nell'acqua fresca e rimosse delicatamente la sabbia dal viso di Silvio, partendo dalla mascella, l'area più lontana dalla ferita, per poi risalire piano piano verso l'occhio. Petrucci monitorò la sua tecnica. Domenica tamponò la pelle con la pezzuola di cotone cercando di far uscire la sabbia dal taglio. Poi sciacquò la benda nella ciotola d'acqua, la strizzò e ripeté la procedura finché l'area non fu pulita. Silvio sussultò quando lei gli si avvicinò all'occhio.

«Ti fa male?» gli chiese Domenica.

«Un po'.»

«Cercherò di fare piano. Ti hanno davvero preso in pieno.»

«Imbevi di più la garza per lavare bene la ferita» le consigliò il dottor Petrucci. Misurò il filo chirurgico sotto la luce e ne tagliò un pezzo. Lo infilò nell'ago e fece un nodo all'estremità.

Piazzò la benda sugli occhi di Silvio e avvicinò la lampada. «Ottimo lavoro, signorina.»

«Grazie, dottore. Le spiace se faccio bere il paziente? La paura fa venir sete.»

«Questo non me l'hanno insegnato alla facoltà di Medicina.»

«A me l'ha insegnato mia madre.» Domenica si inginocchiò sullo sgabello. «È severa, ma sa anche essere gentile.» Piazzò una mano dietro la nuca di Silvio e gli sollevò leggermente il capo per farlo bere, tenendogli la tazza contro le labbra. Lui bevve l'acqua fresca a piccoli sorsi.

«Grazie» sussurrò quando ne ebbe abbastanza.

«Ti consiglio di tenere la mano al tuo amico. Potrebbe sentir pungere un pochino.»

Domenica non teneva la mano di Silvio da quando erano piccoli. Ormai avevano undici anni, quello strano lasso di tempo che funge da ponte tra l'infanzia e l'adolescenza in cui sai che il mondo sta per cambiare ma non hai le parole per descriverlo. Domenica prese la mano del suo amico. Lui la strinse forte.

Il dottore si chinò sul paziente, e premendo delicatamente unì i lembi della ferita alle estremità. La pelle sottile e dorata aveva la consistenza del velluto.

«Vuole che lo faccia io?» si offrì Domenica.

Petrucci era divertito. Con mano ferma, iniziò a cucire il taglio con dei punti così piccoli che il filo si vedeva appena. «Perché, sai applicare i punti di sutura?»

«Sì, dottore.»

«Chi te l'ha insegnato?»

«Ho cucito la mano di mio padre quando si è tagliato con una lama in negozio. Il taglio era sulla mano destra, perciò non poteva cucirsela da solo, sicché ho dovuto farlo io. So anche ricamare.»

«È un ottimo allenamento.»

«Lo so. Papà è stato coraggioso e questo ha reso tutto più facile. È quasi come fare un orlo. I punti devono essere stretti e diritti» continuò. «Me la cavo molto bene.»

«No, Domenica!» gridò Silvio. «Voglio che sia il dottore a farlo.» Era l'unica richiesta che aveva fatto da quando era arrivato. Il dottore ridacchiò.

«Allora finisco il lavoro.»

Domenica ci era rimasta male.

«Mi sei già stata di grande aiuto» le assicurò Petrucci.

Il complimento non riuscì a compensare la delusione per non aver potuto chiudere lei stessa la ferita. «Grazie» mugugnò Domenica ricordando le buone maniere.

La lampadina oscillava appesa al filo. Fuori, un lampo fu seguito dal rombo di un tuono. Una pioggia violenta prese a battere contro la finestra. Domenica continuò a tenere gli occhi fissi sulle mani del dottore che proseguiva sicuro il suo lavoro.

Pietro Cabrelli era un tipo smilzo che si muoveva rapidamente attraverso il mondo, come se sprecare tempo fosse un peccato. Portava dei sottili baffetti alla moda e indossava un completo marrone a tre pezzi in lana pettinata, l'unico che possedeva. Irruppe nello studio del dottor Petrucci per sfuggire alla pioggia, seguito dal figlio dodicenne, Aldo.

Cabrelli si tolse il cappello e lo posò sulla sedia. Il ragazzino scrollò la testa bagnata, spruzzando gocce di pioggia ovunque intorno a sé. Domenica gli lanciò un'occhiataccia. Suo fratello non sapeva comportarsi a modo.

«Perché hai portato anche lui, papà? Non conosce l'educazione.»

«Non badare a tuo fratello. Pensa a te, piuttosto, Domenica. Ti avevo avvertito. Basta risse.» Cabrelli era stanco di essere convocato dalle suore che lo pregavano di tenere d'occhio la figlia, la quale girava per la scuola cercando giustizia per i bambini incapaci di difendersi da soli.

«Non c'è stata una rissa questa volta, babbo. Siamo stati inseguiti.»

Cabrelli indicò un punto davanti a sé sul pavimento, il che

significava che Domenica era nei guai. Era quasi impossibile far arrabbiare suo padre ma, in un modo o nell'altro, lei ci riusciva. La ragazzina scivolò giù dallo sgabello e gli si avvicinò. Stava in piedi davanti a suo padre come un imputato davanti al giudice. «Mi dispiace, ma c'è stato un malinteso» iniziò con tono diplomatico. Scostò qualche goccia di pioggia dal bavero della giacca di suo padre.

«C'è sempre un malinteso di mezzo. Sempre qualche scusa. Te l'ho detto, basta litigate.»

Aldo fece un sorrisetto malizioso mentre infilava le dita fra le costole del modello di uno scheletro appeso alla parete. «Le darai una bella scarica di botte?»

«No!» esclamò Silvio tentando di alzarsi dal lettino.

«Stai giù e non provare a muoverti di nuovo» gli ordinò il medico. Senza alzare lo sguardo ma rivolgendosi a Cabrelli puntualizzò: «Ho del lavoro da fare qui, signore».

«Mi scusi, dottore. Sono qui per riportare a casa mia figlia.»

«E lei scusi me, signore, ma ho bisogno che la ragazzina rimanga qui» replicò Petrucci.

«Non capisco.»

«Lei dovrebbe capire meglio di chiunque altro. Le ha cucito il taglio alla mano, non è così?»

Cabrelli apparve confuso.

«Lo hanno centrato in pieno.» Aldo si era avvicinato al lettino e stava osservando il dottore intento a suturare la ferita. Notò il sangue raggrumato sul viso di Silvio. «Una bella botta davvero.»

«Tu eri sulla spiaggia stamattina.» Domenica strinse gli occhi, sospettosa. «Ci hai dato la caccia insieme agli altri!»

«Tuo fratello ha seguito quei ragazzi per proteggerti. Ha cercato di sorpassare gli altri per aiutarti.»

«È questo che hai detto a papà? È uno scherzo, vero? Io non ho bisogno del suo aiuto.» Domenica si piantò le mani sui fianchi con aria autoritaria. «E comunque, sono in grado di correre più veloce di Aldo.»

«No, non è vero!» esclamò suo fratello, il viso rosso di rabbia.

«Quando avrò finito qui, te lo dimostrerò.»

«Sei pelle e ossa» rincarò la dose lui.

«E tu sei grasso.»

«Bambini!»

«Papà, vedi com'è fatta? È cattiva con me.»

A quel punto una donna minuta con i capelli scuri e un fazzoletto di cotone nero in testa, inzuppata dall'acquazzone, entrò spingendo la porta e si guardò intorno con aria furtiva.

«Signora Vietro!» esclamò Domenica andandole incontro. «Silvio è qui.»

Il dottore si spostò di lato per consentire alla madre di Silvio di vedere il figlio. La donna si avvicinò rapidamente senza emettere alcun suono e si fermò ai piedi del lettino, infilandosi fra questo e la parete, in uno spazio appena sufficiente per farci stare una scopa. Esaminò il volto del suo bambino. Rendendosi conto dell'entità della ferita, la sua espressione preoccupata lasciò spazio alla disperazione. Gli occhi si riempirono di lacrime silenziose, ma neppure una le scese sulle guance. Fece scivolare la mano sotto la spalla del figlio e posò l'altra sul suo petto, dove avvertì il battito del cuore del ragazzino impaurito.

«Sono qui, Silvio» disse dolcemente.

Petrucci continuò il suo lavoro.

«Sono sua madre. L'occhio?»

Il dottore continuò a cucire. «L'occhio è salvo. Gli è andata bene. È un ragazzo fortunato.»

Suo figlio era tutt'altro che fortunato. La signora Vietro lo scrutò attentamente alla ricerca di eventuali altre ferite. Se ne stava lì disteso, immobile e obbediente, mentre il medico era chino sulla sua ferita. Aveva gli occhi coperti dalla garza, perciò la madre non poté vedere il terrore che esprimevano, ma conosceva il suo bambino. Le mani di Silvio erano strette a pugno. La fronte madida di sudore. La donna coprì le mani di lui, fredde come il ghiaccio, con le sue. «Stai dimostrando grande coraggio. È quasi finita.»

«La pietra lo ha colpito appena sopra il sopracciglio. Rimarrà una cicatrice.»

«Mi dispiace» sussurrò la donna nell'orecchio del figlio.

Silvio le strinse la mano.

«Signora, è colpa mia.» Domenica si batté il petto con il pugno come le avevano insegnato le suore per invocare il perdono. «Mia grandissima colpa. Mi perdoni. Sono stata io a chiedere a Silvio di prendere in prestito la mappa. Il signor Annibali ha sguinzagliato una squadra di giustizieri per riprenderla. Ci hanno dato la caccia lungo la spiaggia.»

«No, di' la verità» la interruppe suo fratello Aldo. «Lui ha *rubato* la mappa!»

«Non l'ha rubata. L'ha soltanto presa in prestito.»

«Ne parleremo dopo» disse pacatamente la signora Vietro.

«Signora, quella mappa mi serviva. Ho chiesto a Silvio di portarmela. Volevo trovare il tesoro che i pirati hanno portato da Capri.»

«Non posso crederci» sbottò Cabrelli lanciando le mani in aria.

«Papà, ne ho sentito parlare proprio in casa nostra. La mamma era con una persona che era venuta a farle visita. Ed è stata proprio questa visitatrice a raccontare la storia. Chiunque trovi il tesoro ha diritto a tenerlo per sé. È nascosto da anni. Un tesoro dei pirati potrebbe portare molti benefici da queste parti. Ne abbiamo bisogno. E non ne darei nemmeno una briciola alla chiesa, tra l'altro.»

«Domenica!» la ammonì suo padre.

«Ne hanno abbastanza, loro. Invece a noi una carrozza e un cavallo potrebbero far comodo. Ora come ora, dobbiamo andare a piedi ovunque. Lei ne ha una, dottore?»

«No.»

«Vede? Potrebbe noleggiarne una anche lei.»

Netta Cabrelli sbirciò dentro l'ambulatorio attraverso la

finestra. Il temporale andava peggiorando e dal mare arrivavano nuvoloni neri come il carbone. Entrò tenendo il cappello di paglia ben saldo in testa. «Mamma!» Aldo le corse incontro.

«Sono venuta appena ho saputo» disse Netta al marito. Gli occhi di un azzurro intenso erano arrossati di pianto. Domenica si sentiva in colpa per aver fatto di nuovo piangere sua madre. Netta era dotata di una bellezza semplice e disadorna come quella della statua della Madonna nella chiesa di San Paolino, ma la sua espressione in quel momento era quella di una madre angosciata.

«Mamma, credimi.» Aldo indicò il lettino. «Silvio ha rubato la mappa!»

La vista di quel povero ragazzino disteso e immobile la fece rabbrividire. «Silenzio, Aldo. Domenica, voglio che accompagni a casa tuo fratello. Subito.»

«Sì, mamma.»

Quando si trattava di punizioni, Domenica temeva più sua madre che suo padre. La mamma era in grado di battere qualsiasi penitenza data dal sacerdote dopo la confessione con il tipo di privazione capace di far cambiare il comportamento di una ragazzina da cattivo in esemplare. Qualche Ave Maria non era sufficiente per Netta Cabrelli. Sapeva far sì che una punizione colpisse nel segno. Niente cena. Niente letture. Niente giochi sulla spiaggia o passeggiate nel bosco. E, peggio ancora, le incombenze domestiche di Domenica sarebbero aumentate. Avrebbe dovuto portare l'acqua ai vicini sino a staccarsi le braccia. Sua madre le avrebbe fatto raccogliere rametti e sterpaglie per accendere il fuoco finché non fossero rimasti più alberi nel bosco. La punizione poteva rivelarsi persino più dura della Quaresima. Eppure, nonostante il comportamento di sua figlia, Netta la abbracciò.

«Dov'è il tuo grembiule?» le chiese.

Domenica si tastò. Si era completamente dimenticata del grembiule.

«Eccolo!» squittì Aldo indicando un mucchietto nell'angolo.

Il grembiule pulito che Domenica si era messa quella mattina era appallottolato sul pavimento, impregnato del sangue di Silvio che, asciugandosi, aveva assunto un color rosso mattone. «Lo avevo appena rammendato. Ora dovrai farne a meno per il resto dell'anno.»

«Mi dispiace, mamma.»

«E tu», Netta assestò uno scappellotto sulla nuca di Aldo, «cosa ci facevi con i ragazzi più grandi sulla spiaggia?»

«Il signor Annibali ci ha mandato a rincorrere il ladro» rispose Aldo strofinandosi dietro il collo.

«Silvio. Non. Ha. Rubato.» Domenica scandì bene le parole nelle orecchie di suo fratello come se queste fossero state piene di sabbia. «Silvio ha preso in prestito la mappa per me. Le biblioteche prestano libri, mappe, registri e planimetrie. L'avremmo restituita.»

«E noi volevamo assicurarci che avreste restituito la mappa *presa in prestito*» ribatté lui con tono derisorio.

«Tu non sapresti neanche leggerla, una mappa» sbottò Domenica di rimando. «Hai il cervello di un carciofo.»

«Basta!» esclamò Pietro Cabrelli, esasperato.

Domenica riprese a concentrarsi sulla tecnica del dottore nell'eseguire la sutura. «Mamma, l'idea è stata mia, non di Silvio. Sono io a dover essere punita» disse senza staccare gli occhi dalle mani di Petrucci.

«Oh, riceverai di sicuro la punizione che ti meriti.»

Silvio tentò di tirarsi su. «Signora Cabrelli…»

Petrucci lo trattenne con un leggero tocco sulla spalla. «Rimettiti giù. E tu, signorina, mostra la tua abilità ai tuoi genitori. Taglia il filo e per finire applica l'astringente, per favore.»

«Sì, dottore.» Domenica si lavò le mani nel catino, poi salì sullo sgabello. Tagliò accuratamente il filo chirurgico con le forbici di Petrucci. Spruzzò un po' di astringente sulla garza e disinfettò con la massima attenzione la zona intorno ai punti.

Vera Vietro non staccò lo sguardo da suo figlio nemmeno per un istante.

«Che cosa sta succedendo qui?» chiese Netta Cabrelli a suo marito prima di rivolgersi a Petrucci. «Perché mia figlia la sta aiutando, dottore?»

«Perché è in grado di farlo.» Petrucci si lavò le mani nel catino di acqua fresca. «Vostra figlia mi ha assistito. Ha preparato questa bacinella, le bende, e ha pulito la ferita. Si è persino offerta di dare i punti.»

«Non stento a crederlo» sospirò Netta Cabrelli. «Va bene, dottore. Domenica, torna a casa non appena hai finito.»

«Grazie, mamma.»

«Tuo padre resterà qui finché il dottore non avrà più bisogno di te.» Netta afferrò suo figlio per la collottola e lo condusse fuori senza nemmeno rivolgere uno sguardo di commiato alla signora Vietro.

Via via che Domenica tamponava i punti, la pelle si arrossava. «Signora Vietro, vede la pelle infiammata? Significa che la ferita sta iniziando a rimarginarsi.»

Domenica studiò l'opera d'arte che il dottore aveva realizzato con il filo da sutura: una serie di punti piccoli e fitti che seguivano l'arco delle folte sopracciglia scure di Silvio. «Ottimo lavoro, dottore» concluse, impressionata da tanta abilità.

«Signora Vietro, se stasera, prima che Silvio vada a letto, mette dell'olio d'oliva sui punti, non resterà una cicatrice troppo evidente» le suggerì.

Esistevano ancora buone possibilità che Silvio non conservasse un ricordo permanente di quell'orribile giornata. Al contrario di Domenica. Non era tanto l'assalto dei bulli spronati da Annibali, né il suono che aveva udito quando la pietra aveva colpito il viso di Silvio, né gli scherni di quegli scalmanati che le sarebbero rimasti impressi nella memoria, bensì il vergognoso comportamento dei suoi genitori nell'ambulatorio. Non avevano nemmeno degnato di un saluto la signora Vietro che, per quanto ne sapeva lei, era una brava persona, oltre a essere la madre del suo migliore amico. L'aveva sempre trattata bene, e per questo, se non altro, i suoi genitori avrebbero dovuto fare altrettanto. Invece l'avevano ignorata completamente.

Forse Netta aveva dimenticato che la signora in questione, l'inverno precedente, aveva cucinato per loro una zuppa di patate con pezzi di prosciutto affumicato e aveva rammendato le loro calze di lana quando erano state attaccate dalle tarme. Forse aveva dimenticato che la signora Vietro aveva regalato carta e pastelli ai bambini affinché potessero divertirsi a riprodurre gli affreschi della chiesa di San Paolino mentre lei lucidava i banchi con olio e limone per la Settimana Santa? Forse, se i suoi genitori si fossero ricordati di quanto era stata gentile quella donna con tutti loro, l'avrebbero trattata con lo stesso rispetto che riservavano alle altre famiglie che conoscevano, alle famiglie con due genitori. E anche se la signora Montaquila era vedova, i suoi figli venivano rispettati a scuola. Venivano anche invitati a picnic e festicciole, a differenza di Silvio. Le famiglie Greco, De Rea, Nerino e Tiburzi erano le benvenute in casa Cabrelli. Ai loro figli era consentito giocare nel giardino di Villa Buoncorso senza invito; perché Silvio era escluso? Domenica non riusciva a pensare a una buona ragione per giustificare il comportamento dei suoi genitori. Forse avevano evitato di salutare la signora Vietro come si doveva perché non portava il cappello. Netta poteva essere intransigente su questioni insignificanti come guanti e cappelli.

Povero Silvio. Passava le giornate cercando di rendersi invisibile per evitare guai, mentre sua madre si muoveva nel mondo come se invisibile lo fosse realmente.

6

Netta Cabrelli raccolse un poco di lucido nero con il panno e lo passò sulla punta della scarpa stringata del marito. Strofinò la pelle esercitando una certa pressione. I graffi sparirono presto. La cera riempì le screpolature della pelle nei punti in cui si era consumata. Sollevò la scarpa alla luce ed esaminò le riparazioni di Massimo, il calzolaio. Aveva incollato uno strato in più di gomma martellata sotto la suola.

Massimo aveva spiegato che quella gomma faceva parte di un lotto pregiato proveniente dal Congo. Era stata trattata in vasche con cenere nera e zolfo per addensare il lattice ricavato dall'albero della gomma. La sostanza appiccicosa risultante veniva versata e ridotta in fogli asciugati al sole e poi tagliati in quadrati pronti per essere spediti in Italia via mare. I calzaturifici utilizzavano la gomma per rinforzare la suola di scarpe e stivali. Lo strato di gomma impediva alla scarpa di assorbire l'acqua delle piogge invernali e contribuiva a proteggere il cuoio, allungando così la vita delle scarpe fatte a mano. Netta desiderava che suo marito, l'apprendista orafo, avesse l'aria di un mastro artigiano perché lavorava sodo per diventarlo, perciò prestava particolare attenzione a come si presentava, curando ogni dettaglio sino alle scarpe. L'esigenza di fare bella figura era importante anche per gli uomini, soprattutto per quelli che avevano una famiglia da mantenere.

Pietro chiuse la porta della camera da letto.

Netta alzò la scarpa per mostrargliela. «Guarda, Massimo ti ha risuolato le scarpe.»

«Bel lavoro.»

«Ora sono belle solide. Con queste non sentirai il freddo quando arriverà l'inverno.» Netta diede un'altra strofinata vigorosa.

«Dovrebbe essere Aldo a lucidarmi le scarpe. Avevamo fatto un patto.»

«Era stanco.»

«Certo. Con tutto quel movimento sulla spiaggia... Non è abituato a correre.»

«Se non altro, si riesce ad acciuffarlo» commentò Netta con un sospiro. «Con Domenica, nemmeno se partissimo con qualche secondo di vantaggio riusciremmo a raggiungerla. Veloce come una lepre e furba come una volpe.»

«Non saprei. Penso che sia intelligente, più che astuta.»

«Troppo intelligente», Netta sorrise, «purtroppo per lei».

«Non dire così.»

«I suoi compagni di scuola la temono.»

«È una leader nata.»

«Una leader di chi? Non ha amici. Le altre bambine non la invitano a giocare. Le ho detto: "Invitale tu in giardino". Non c'è stato verso di convincerla. Pensa che le ragazzine della sua età siano tutte sciocche. "Ridacchiano troppo", mi ha risposto.»

«Ha ragione.»

«Ma le ragazzine sono tutte così.»

«Se non le piacciono, non le piacciono. Comunque è in grado di farsi degli amici.»

«Sì, quelli sbagliati! Avrei dovuto impedirle di passare tanto tempo con Silvio Bartolini sin dall'inizio.»

«Non avrebbe fatto alcuna differenza. Avrebbe comunque trovato un modo per essergli amica.»

«È diventata sua amica perché lui è solo come un cane. Le fa pena.»

«Questo fa di lei una personcina gentile.»

«Da quel ragazzino non verrà mai nulla di buono. Chiunque abbia a che fare con lui sarà segnato a sua volta. Ora si è pure messo a rubare.»

«Su richiesta di nostra figlia.»

«D'accordo. Ma la penseranno così anche le parrocchiane? Non credo proprio.»

«Tocca a noi spiegare come sono andate le cose. Sono bambini. Nostra figlia ha sentito raccontare la storia di un tesoro nascosto e si è fatta intrigare dall'idea di poterlo scovare. È tutto molto innocente, se dici la verità.»

«Come faremo a pagare la mappa che hanno danneggiato? Annibali ha ribadito che è rovinata e tutta macchiata di sangue.»

«Mi sono già messo d'accordo per risarcire il danno in qualche modo. La biblioteca ha bisogno di una risistemata. Mi ci vorranno mesi per completare il lavoro.»

«Almeno fatti aiutare da Bartolini.»

«Annibali non lo lascerà nemmeno avvicinare alla sua biblioteca.»

«Sarà un miracolo se lo faranno rientrare a scuola. Capisci cosa intendo dire? Domenica non dovrebbe più avere niente a che fare con lui. Guarda la sua situazione familiare.»

«Non è colpa sua.»

«Non si chiedono di chi è la colpa prima di lanciare la pietra.»

«E invece dovrebbero, Netta. Ma non lo fanno. E fanno i prepotenti con un bambino senza padre.»

«Lui un padre ce l'ha! Ma è un padre che ha moglie e figli a Parma. Non ha voluto riconoscerlo. Immagino che la moglie avesse qualcosa da dire al riguardo.»

«Chiacchiere. Soltanto chiacchiere.»

«Chiacchiere che coinvolgono anche nostra figlia e la sua reputazione, però.»

«La famiglia Vietro è fatta di brave persone. Il padre era fabbro a Pietrasanta. La madre ha origini abruzzesi. Contadini onesti. È bastato un errore per cancellare generazioni di vite condotte in maniera esemplare» commentò Pietro Cabrelli.

«È stato più di un errore. Non ti dispiacere. Si tratta di un peccato mortale.»

«Un peccato che non spetta a noi giudicare. Tutte queste voci su Vera e Silvio non sono che dicerie, appunto. Non voglio che mia moglie vi partecipi. Ignorale.»

«Ho già abbastanza preoccupazioni. Sto fallendo con i miei figli.»

«Succede che i bambini si caccino nei guai» disse Pietro con tono rassegnato. «Ma non intendo picchiare i miei figli.»

«Sei l'unico padre che non lo fa, e si vede! Domenica non ha paura di niente. La mando in chiesa, riceve i sacramenti, ma non c'è timore di Dio in lei, aleggia su di lei come un fantasma e sparisce tra le nuvole come fumo. Non le entra dentro. Mette a dura prova le suore. Dicono che è gentile quando pone le domande, ma chi è lei per fare domande? E se la risposta non le garba, attenzione! Si infervora e continua a discutere sino al suono della campanella.»

«Non c'è nulla di male ad avere le proprie idee e a difenderle. È una cosa che dovrebbe essere incoraggiata, soprattutto in una ragazzina intelligente come lei.»

«Dobbiamo darle una punizione per il ruolo che ha avuto nel furto, perché se non lo facciamo», Netta si asciugò le lacrime con il fazzoletto, «come farà a crescere e a diventare una donna rispettabile? Una moglie? Una madre? Crede che Viareggio sia il suo regno e che stia a lei stabilire le regole. Doveva nascere una Bonaparte. È arrogante come loro».

Cabrelli si sedette accanto alla moglie. «Le hai tolto la cena e i libri. È tutto ciò che ha. Domenica assolve comunque tutti i suoi doveri, no?»

Netta annuì.

«Studia sodo. Dice le preghiere. È obbediente.»

Netta lanciò un'occhiataccia al marito.

«D'accordo, per quanto riguarda l'obbedienza ha qualche problema» ammise. «Ma ha sempre un buon motivo per iniziare una baruffa. È animata da un grande senso morale.»

«A modo suo. Ma questo episodio dimostra che non ha capacità di giudizio.» Netta era demoralizzata.

«Le parlerò.»

«Stasera.»

«Perché tanta urgenza, Netta?»

«Quella pietra non era indirizzata a Silvio Bartolini.»

7

Dietro la chiesa di San Paolino, in fondo a un sentiero lastricato, prima che venisse costruito il nuovo fienile e vicino al capanno del giardino, c'era quella che un tempo era la stalla usata per alloggiare il cavallo e la carrozza del prete. Quando il nuovo parroco aveva acquistato la prima automobile di Viareggio, cavallo e carrozza erano stati venduti e la stalla era rimasta inutilizzata.

La signora Vera Vietro era la custode della chiesa e della canonica. Scambiava metà del suo salario per l'affitto della stalla. Vi si era trasferita prima della nascita di Silvio e, con l'aiuto del giardiniere, l'aveva resa abitabile. La stalla aveva un suo fascino rustico. Le bignonie, con fiori aranciori simili a trombette tra spesse foglie verdi, si arrampicavano sul muro laterale sino al tetto di tegole, inondando di colore il legno consumato dal tempo. Le finestre erano dotate di imposte di legno compatto, con i chiavistelli. Il pavimento di pino era stato realizzato con quanto era rimasto del legno usato per rifare quelli della canonica.

Contro il muro di cinta c'erano dei ganci di ferro che in precedenza servivano per appendere le redini, le testiere, le capezzine e le selle dei cavalli della parrocchia. La signora Vietro usava quegli stessi ganci per appendervi gli innaffiatoi, gli attrezzi da giardino e i secchielli. Il giardiniere aveva sistemato i materiali in esubero avanzati dalla ristrutturazione della chiesa, comprese tegole e assi di legno per puntellare la struttura. I muri della stalla erano stati dipinti dello stesso color crema della sacrestia di San Paolino perché erano rimaste delle latte di pittura quando i locali della chiesa erano stati rinfrescati. L'abitazione ricavata nella stalla appariva eclettica, ma era calda e asciutta, nonché l'unica casa che Silvio Bartolini avesse mai conosciuto.

Le porte della stalla erano aperte e lasciavano entrare l'odore della terra bagnata dopo un acquazzone. La signora Vietro aveva fatto il bucato. I pantaloni e la camicia di Silvio, insieme al grembiule da lavoro della donna, erano appesi a una cordicella tesa fra due travi.

Silvio spazzava il pavimento, sapendo che sua madre avrebbe apprezzato la sua buona volontà. Tanto più che si sentiva in colpa per averla distolta dal suo lavoro in chiesa quel pomeriggio. Il parroco non gradiva che venisse convocata a scuola per Silvio o che restasse a casa per assisterlo quando era malato. Sua madre non lo faceva mai sentire un incomodo, ma per quanto si sforzasse, Silvio si sentiva un peso.

Aveva sempre bisogno di una via di fuga e di un luogo dove rifugiarsi. Era riuscito a mantenere segreto il posto in cui vivevano lui e sua madre, il che, tuttavia, non aveva impedito ai compagni di scuola di inventarsi storie inverosimili su di loro.

Alcuni bambini raccontavano che Silvio viveva nei boschi con i cinghiali; altri avevano messo in giro la voce che vivesse nella cripta della chiesa e che dormisse in piedi accanto alle tombe. Aveva sentito con le sue stesse orecchie Beatrice Bibba dire a un gruppo di amichette a scuola che la madre di Silvio era costretta a pulire la chiesa perché si era macchiata di un peccato mortale che poteva essere cancellato soltanto con la piena sottomissione. In realtà la donna puliva la chiesa per garantirsi del cibo sulla tavola e un tetto sulla testa. Non c'era un uomo su cui poter contare, un padre che li proteggesse. I bambini inventavano storie fatte dello stesso materiale alla base dei racconti d'avventura pubblicati a puntate sui giornalini. Era un modo efficace per relegare Silvio Bartolini al suo posto e bollarlo come "il bastardo".

«Lascia stare la scopa, Silvio. Riposati» disse sua madre quando rientrò a casa. «Tieni.» Aprì il tovagliolo e sistemò un bombolone caldo su un piattino. Lo offrì a suo figlio. «Il tuo preferito.»

«Non ho fame, mamma.»

«Mangia, Silvio. Sono freschi, li ho presi alla fiera.»

«Non è la stessa cosa quando li porti a casa. Sono più buoni al banchetto dopo aver giocato.»

La signora Vietro rimise il bombolone insieme agli altri e li avvolse in un fagottino. «Non lo troverai dolce finché continuerai a fare pensieri amari.»

«Quasi tutti i miei pensieri sono amari, mamma. È un miracolo che io riesca ancora ad assaporare qualcosa di dolce in assoluto.»

«Non hai tutti i torti.» Gli tastò la fronte con il palmo della mano e gli sfiorò la medicazione sopra l'occhio. «Come ti senti?»

Silvio scostò la mano. «Fa male.»

«Guarirà, vedrai. Domani mattina starai già meglio. E nel giro di qualche giorno ti sarai dimenticato tutto.»

«Io non dimentico.»

«Dobbiamo perdonare.»

«Non ci riesco.»

«Anche se ti prometto che non succederà più?»

«Succederà finché non sarò abbastanza grande per impedirlo. E a quel punto dovrò costruirmi le mie armi di difesa. Al momento non ho nessuno cui appoggiarmi. Ci sono soltanto io.» Cercò di sorridere, ma gli tiravano i punti.

«È una vergogna che quei bulletti abbiano rincorso te e la figlia dei Cabrelli come animali. Dovrebbero essere puniti per quello che hanno fatto.»

«Non lo saranno.» Silvio si picchiettò la medicazione.

«Domenica mi ha detto di mettere dell'olio d'oliva sui punti così non ti rimarrà una brutta cicatrice.»

Silvio alzò gli occhi al cielo. «Pensa di essere un medico.»

«È una buona amica.»

Silvio non voleva dirlo ad alta voce per evitare di ferire sua madre, ma, in effetti, Domenica era la sua unica amica.

«Sarà dura lasciare questo posto» disse lei piano, guardandosi intorno.

«Il parroco rivuole indietro la stalla?»

«Sai com'è la situazione in parrocchia, c'è sempre bisogno di più spazio.»

«Mamma, hai mai notato che il parroco vive in una casa grande da solo? Perché a un uomo servono così tante stanze?»

«Perché è una figura importante.»

«A me piace casa nostra, voglio restare.»

«Quello che vogliamo noi non conta. Ho preso una decisione: dobbiamo lasciare Viareggio.»

«Perché?»

«Perché hai ancora tutti e due gli occhi. E non avranno pace sino a quando non ti faranno così male da non riuscire a riprenderti. So come vanno queste cose. Diventa sempre peggio, finché non ti costringono ad allontanarti. Poi si trovano un'altra vittima da tormentare. Va sempre a finire così.»

«E dove andiamo?»

«Ci ospiterà zia Leonora.»

«Oh, no, mamma!»

«Non è poi così male. Dobbiamo soltanto ascoltare le sue lamentele per vari malanni e dolori e prepararle delle palline al cioccolato e rum. Andrà bene.»

«Quando?»

«Domani, prima che sorga il sole. Don Xavier ha incaricato un autista di accompagnarci alla stazione per prendere il treno per Parma. Ci pagherà il biglietto e mi darà una lettera di referenze che mi assicurerà un posto presso la chiesa di Sant'Agostino.»

Silvio avrebbe voluto insistere per rimanere, ma si sentiva talmente mortificato per sua madre che lasciò perdere. «Ci sono molte cose che mi mancheranno di Viareggio.»

«Dopo tutto quello che è successo? Sei proprio un bravo ragazzo.» Vera abbracciò suo figlio e lo tenne stretto a sé finché lui glielo consentì. «Andiamo a riposare un po' ora. Ci aspetta una giornata impegnativa domani.»

La donna finì le faccende di casa. Stirò i vestiti spruzzandoli di lavanda e limone prima di posare il ferro caldo sul tessuto. Raccolse le loro poche cose, che stavano tutte in una sacca di tela. Si inginocchiò per spostare un mattone dal focolare e prese i risparmi nascosti nel buco sottostante. Silvio sgranò gli occhi quando vide sua madre sedersi al tavolo a contare le lire a una a una. Vera ripose tutto nella borsetta, una piccola pochette di pelle che le aveva dato zia Leonora quando l'aveva dismessa. Piazzò la pochette sopra la borsa di tela. Infine si guardò intorno nella stanza, assicurandosi di lasciare tutto come l'aveva trovato.

Si coricò e prese sonno immediatamente, un'abitudine su cui lei e il figlio amavano scherzare. Dall'altra parte della stanza, Silvio giaceva sveglio sulla sua brandina. Lui ci metteva ore per addormentarsi perché rimuginava al buio, immaginando la vita che avrebbe condotto un giorno, quando sarebbe stato abbastanza grande da rivendicare il diritto di viverla dignitosamente. Si figurava diversi percorsi a seconda dell'umore del momento. A volte era un soldato in un regno mitico come nella serie di vignette Zella, altre volte era un marinaio in mare aperto che lottava contro tempeste e pirati, oppure immaginava davanti a sé una vita in cui indossava un completo marrone, scarpe nere e un cappello di feltro per recarsi in ufficio da qualche parte. Il suo scenario preferito: escogitare un modo per ottenere un impiego statale che comportasse indossare un'uniforme e avere una motocicletta in dotazione. L'avrebbe parcheggiata davanti al suo appartamento, con tanto di terrazza all'ultimo piano e vasi di piante fiorite lungo le scale. Quando era stanco sognava una vita ordinaria, il tipo di vita in cui gli altri erano gentili con lui. Le opzioni più fantasiose richiedevano concentrazione.

Tutto sommato lasciare Viareggio non era la cosa peggiore, rifletté. Sua madre aveva bisogno di ricominciare daccapo ancora più di lui. Silvio soffriva quando veniva ignorata dalle pie donne che frequentavano la chiesa, anche se era lei che puliva i banchi, lucidava i pavimenti e toglieva le macchie dalle vetrate colorate. Le parrocchiane si erano mai chieste chi creava le candele di cera d'api e predisponeva i cestini per le offerte affinché le loro preziose preghiere potessero essere esaudite prima che lo stoppino si spegnesse? Vera Vietro veniva trattata con sufficienza, ma sopportava quello stato di cose perché l'alloggio all'interno della proprietà della chiesa era parte del misero compenso che riceveva. L'atteggiamento sprezzante che la gente le riservava non sembrava turbarla, in compenso infastidiva suo figlio. Vera Vietro era così occupata a non lasciarsi andare per tenere in piedi le loro vite che non notava come veniva trattata e, se lo faceva, lo ignorava per il bene di suo figlio.

Silvio aveva spesso osservato sua madre nutrire false speranze ogni volta che un compagno, oltre alla tenace e leale Domenica Cabrelli, sembrava voler stringere amicizia con lui. Quando un bambino invitava suo figlio a giocare in strada, lei sperava che Silvio sarebbe stato finalmente accettato dai suoi pari. Era pronta a fare la sua parte per rafforzare qualsiasi nuova amicizia con gesti di pura gentilezza.

E la signora Vietro aveva davvero fatto di tutto. Mandava una torta o una pentola di minestra a casa del nuovo amichetto come atto di gratitudine, nella speranza che la generosità potesse incoraggiare con discrezione il radicamento dell'amicizia. In quelle occasioni, quando sembrava che per suo figlio le cose stessero per cambiare, Vera credeva che il peggio fosse passato. Ma, naturalmente, non era così. I genitori degli altri bambini troncavano qualsiasi tipo di legame quando venivano a conoscenza delle circostanze in cui era venuto al mondo Silvio. Ritenevano doveroso bandire Bartolini dalle loro famiglie perbene.

Man mano che Silvio cresceva, il bullismo si era trasformato in disprezzo, una porta aperta verso la violenza. Non c'era verso di cambiare la percezione che gli altri avevano di Silvio, soprattutto quella profondamente radicata in coloro che perpetuavano il suo dolore. C'era una sola persona al mondo che avrebbe potuto far cambiare opinione su Silvio, e quella persona non lo voleva fare. Silvio non era stato desiderato da suo padre, il che lo rendeva non desiderato dal mondo. Nonostante tutto questo, il ragazzo continuava a tentare di entrarvi a pieno titolo.

Ogni giorno della sua vita Silvio Bartolini ricominciava daccapo. Tutte le mattine lasciava la casa di sua madre con grandi speranze, fiducioso che quello sarebbe stato il giorno che avrebbe cancellato il peccato, o almeno lo avrebbe lasciato nel passato per poi essere dimenticato. Faceva del suo meglio per inserirsi, per essere accettato come un buon amico, ma non riceveva lealtà nemmeno quando lui ne dimostrava ampiamente. La sua gentilezza non veniva mai contraccambiata. Nessuno pensava di coinvolgerlo, anche se lui trascorreva notti insonni a riflettere su come farsi degli amici e trovare un po' di cameratismo nei semplici legami che risultavano così naturali agli altri bambini. E come se questo non fosse già abbastanza doloroso da sopportare, lui vedeva ciò che quella situazione suscitava in sua madre. Il fatto che Silvio fosse respinto dagli insegnanti e dai compagni era una ferita aperta per lei. E il tenero cuore di suo figlio, del resto, si spezzava nel vederla vivere una vita miserevole.

La sua unica evasione era la biblioteca. Se restava in silenzio e seguiva le regole, gli era consentito rimanere per tutto il tempo che desiderava, un vero miracolo per un ragazzino che non era il benvenuto da nessuna parte. Silvio e Domenica passavano ore e ore insieme in biblioteca, curvi su libri che continuavano ad appassionarli sebbene li avessero letti e riletti un'infinità di volte. Domenica si sentiva più audace leggendo *I tre moschettieri*. Silvio imparava ad affrontare meglio le difficoltà grazie a Charles Dickens, che era capace di descrivere la condizione di persone come Silvio, al pari di nessun altro scrittore. Le vicende travagliate degli altri lo aiutavano a dare un senso alla propria condizione; l'unica differenza era che i personaggi di fantasia che si scontravano con la dura realtà della vita erano al sicuro dentro ai libri. Lui, invece, non lo era affatto. Doveva vivere in un mondo dove non trovava alcuna protezione.

Silvio avrebbe compiuto dodici anni di lì a pochi giorni e non vedeva l'ora di diventare uomo. Essere uomo significava poter finalmente prendere il controllo della propria vita. C'erano già stati segnali in quel senso, perciò si stava preparando per il suo nuovo ruolo. Lo attendeva studiando nello stesso modo in cui si era avvicinato ai sacramenti. Silvio sapeva che sua madre non poteva guidarlo in quella circostanza, soltanto un padre poteva farlo. Ma si sarebbe fatto un'idea da solo, documentandosi sull'argomento.

Prima di prendere la mappa, Silvio aveva perso la cognizione del tempo rovistando tra gli scaffali per capire quali cambiamenti avrebbe subìto il suo corpo, come era ben spiegato nella *Guida medica all'adolescenza maschile*. Aveva letto cose che lo avevano turbato ed entusiasmato al punto che per poco non aveva rischiato di dimenticarsi di prendere la mappa e di raggiungere Domenica. Ma non avrebbe deluso la sua amica. Se soltanto fosse rimasto in biblioteca, però, avrebbe evitato la parte peggiore di quella giornata orribile.

Gli dispiaceva di non aver avuto il tempo di finire il libro sulla pubertà. Aveva letto abbastanza per intuire che, entro i quattordici anni di età, sarebbe diventato fisicamente un uomo, ben avviato ad acquisire una forza, una statura e un peso tali da rendere impossibile a chiunque di dargli fastidio. A quel punto avrebbe potuto lasciare la scuola, fare un apprendistato e trovare un lavoro che gli avrebbe permesso di guadagnare un salario per mantenere sua madre e se stesso. Silvio trovava buffo che durante la pubertà le sue ghiandole potessero influire sul suo destino e agire come catalizzatore per aiutarlo a lasciarsi alle spalle le sofferenze dell'infanzia. A quanto diceva il libro, le cose sarebbero andate così. Con l'età virile la sua vita sarebbe cambiata. Si sarebbe liberato della fanciullezza sulla strada per Parma. Non voleva più dover dare spiegazioni, né sopportare gli scherni quotidiani, né essere costretto a nascondersi quando veniva inseguito al buio. Oltre alla lealtà di Domenica, non c'era nulla che lo trattenesse in quella cittadina sul mare. Non importava quante cose positive potesse fare, quanto potesse tentare di ottenere o diventare; lui, a Viareggio, sarebbe sempre rimasto "il bastardo".

8

Era nel suo letto sotto la finestra e guardava fuori il cielo notturno. Stava provando a farsi un esame di coscienza, ma era un processo alquanto noioso. Quell'esercizio spirituale non le piaceva, quasi quanto il suo compito meno gradito, ossia l'ardua impresa di togliere le lische dal baccalà prima di metterlo sotto sale per l'inverno. Non importa quante ne avesse già eliminate, ce n'erano sempre altre, piccolissime. La stessa cosa accadeva con le sue colpe. Tirava le somme delle sue cattive azioni per prepararsi alla confessione, ma saltavano sempre fuori altri peccati che avrebbe dovuto riferire. Che utilità poteva avere continuare a riflettere su avvenimenti che si erano già verificati, le cui conseguenze non potevano essere cambiate e i cui effetti nel tempo non potevano essere fermati? Sembrava tutto insensato.

Era stata una giornata di vergogna per la famiglia Cabrelli. Suo fratello era riuscito a evitare ogni eventuale castigo, anzi, unendosi alla spedizione punitiva sulla spiaggia era apparso come una sorta di eroe che si era schierato in difesa della biblioteca civica. Annibali aveva promesso biscotti e limonata a tutti per festeggiare il recupero della mappa. Era disgustoso. Quanto a Domenica, proprio come si aspettava, le punizioni che le aveva riservato sua madre erano state severe. A letto senza cena sino a domenica. Divieto di frequentare la biblioteca per un mese – il che, praticamente, equivaleva a una condanna a morte per lei, ma avrebbe imparato a conviverci. Per fortuna aveva sette libri sotto il letto che la aspettavano. E poiché probabilmente Silvio non avrebbe mai più potuto rimettere piede in biblioteca, Domenica li avrebbe condivisi con lui. Era il minimo che potesse fare. Dopotutto, il poveretto aveva rimediato una cicatrice sulla fronte a causa sua. Lei si sentiva in colpa per questo e aveva già chiesto il perdono di Dio. Tuttavia, nonostante l'incidente, quello era stato il giorno più bello della sua vita. Aveva collaborato con il dottor Petrucci e se l'era cavata piuttosto bene. Domenica aveva scoperto la sua vocazione: sarebbe diventata infermiera. Il momento più felice nella vita di una persona è quando scopre la professione per cui è nata. Si sentiva girare la testa per l'eccitazione alla luce della luna.

«Domenica, sei sveglia?» le sussurrò suo padre dalla soglia della camera.

«Sì, babbo. Sto dicendo le preghiere.»

«Continua pure. Possiamo parlare domattina.»

«Ho finito.» Domenica si fece un frettoloso segno della croce e si tirò su a sedere. «Pensi che la mamma mi rivolgerà ancora la parola?»

«Me lo auguro.» Pietro si sedette sulla seggiola dallo schienale rigido davanti al caminetto.

«Quando sarò mamma, parlerò sempre con i miei figli, qualsiasi cosa abbiano fatto.»

«Quando verrà il momento, farai del tuo meglio, proprio come tua madre.»

«Perché ce l'hanno tutti con me?»

«Perché sei una persona con un carattere forte e hai indotto una più debole a fare una cosa che non andava fatta.»

«Silvio non è debole. È un buon compagno di giochi. È l'unico maschio che conosco che riesce a tenere il mio passo sui sentieri. È forte.»

«Non importa com'è. Era il *tuo* piano, non il suo. E sei stata tu a metterglielo in testa! Domenica, in questa città ci sono solo due macchie alla reputazione che non puoi cancellare. Una volta che vieni ritenuta una mendicante o una ladra, verrai sempre considerata tale.»

«La mappa l'abbiamo *presa in prestito* in biblioteca.»

«Il signor Annibali non la pensa così. Mi ha detto che Silvio l'ha rubata. È andato nella sezione Geografia e l'ha tirata fuori da un espositore senza chiedere l'autorizzazione.»

«Be', ma le mappe si possono guardare.»

«Con il permesso.»

«L'avremmo restituita. Annibali sonnecchia quasi sempre alla sua scrivania. Non si accorge neanche di chi entra ed esce dalla biblioteca. Il fatto è che ce l'ha con Silvio.»

«Può anche essere così, ma non importa. Evidentemente era sveglio quando ha visto Silvio impossessarsi della mappa. Chi ruba una pagnotta e la mangia non potrà mai restituirla. E anche se poi la paga, resta comunque un ladro.»

«Babbo, questa è una mappa, non un pezzo di pane. Il signor Annibali ha riavuto la sua mappa.»

«Ma era rovinata.»

«Non è vero. Ne sono sicura, la tenevo in mano io.»

«Non è quello che mi è stato riferito da Annibali.»

«Annibali» ripeté Domenica con tono sarcastico. «Non dirò quello che penso di questo signore perché sto per ricevere la Cresima e non voglio che lo Spirito Santo mi scarichi addosso un fulmine per incenerirmi.»

«Allora non dirlo.»

«Tu dimmi una cosa: qual è la punizione per il signor Annibali? Per aver mentito sulla distruzione della mappa? Per aver trasformato i ragazzi della scuola in una muta di cani rabbiosi?»

«Non puoi biasimarlo per questo» ribatté Cabrelli.

«Perché no?» Domenica chiuse gli occhi e si batté il petto. «Mia colpa, mia grandissima colpa. Silvio stava eseguendo i miei ordini. Perdonatemi, Madre Santa, tutti i Santi, Bambin Gesù e Dio Onnipotente, per aver invocato giustizia con le mie preghiere. Ma Annibali dovrà pentirsi finché non imparerà a dire la verità. Amen.»

«Non è giusto. Annibali fa solo il suo lavoro. E il suo lavoro è quello di proteggere il patrimonio della biblioteca. Non incolpare lui per il tuo errore. Ascoltami. Sei stata tu a provocarlo. Se il bosco brucia, sei *tu* quella che troviamo con la scatola dei cerini in mano. Tu e le tue scelte. È stato il tuo folle progetto a portare a tutto questo. Non puoi andartene in giro a dire agli altri bambini cosa devono fare. Non sei la loro madre né il loro padre. Non sei un carabiniere. Non sei tu a stabilire le regole e non hai il potere di farle rispettare.»

«Vorrei tanto che fossimo ricchi. Tu non vorresti essere ricco, babbo?»

Cabrelli sospirò. «Lavorare con le pietre preziose spegne il desiderio di possederle.»

«Io voglio possederle, invece. Quando sei ricco nessuno può dirti cosa fare. Prendi il sindaco o il vescovo. Nessuno dice loro cosa fare.»

«È la tua coscienza a dirti ciò che è giusto, che tu sia ricco o povero. Ed è questo che preoccupa me e tua madre. Tu non hai mostrato giudizio.»

«Se prendiamo in prestito i libri della biblioteca, perché non possiamo prendere in prestito una mappa? La biblioteca non appartiene a tutti noi?»

«La mappa appartiene alla biblioteca. Sarebbe potuta finire male anche per te, oggi. Silvio avrà una cicatrice per sempre.»

«Come un pirata.»

«I pirati non sono santi. Sono ladri. Ti proibisco di andare alla ricerca del tesoro nascosto. Non esiste. È una favola che resuscita e riprende a circolare in città ogni volta che le persone pensano che sarà il denaro a salvarle. Mi dispiace che proprio mia figlia creda a questa sciocchezza. Il tuo amico avrebbe potuto perdere l'occhio. E avresti potuto perderlo anche tu. Al ragazzo che ha scagliato la pietra non interessava chi avrebbe colpito, voleva solo cercare di fermarvi.»

«E la sua punizione dov'è?»

«Annibali non sa chi sia stato a tirare la pietra.»

«Annibali era sulle dune, poteva vedere tutta la spiaggia. Solo San Michele sulla sua nuvoletta azzurra poteva avere una visuale migliore. Ma non importa, io so chi è stato.»

«L'hai visto con i tuoi occhi?»

«No. Ma Guido Mironi mi si è avvicinato per primo e mi ha strappato la mappa di mano. Perciò è stato lui.»

«Non puoi accusarlo se non ne sei sicura.»

«La ferita sul sopracciglio di Silvio era lunga e profonda, e il sasso grosso e pesante, il che vuol dire che chi l'ha lanciato era vicino. L'angolatura del taglio sulla fronte indica che la pietra è arrivata dall'alto, quindi è stata scagliata con forza da qualcuno più alto di noi. È stato Mironi. Stuzzica sempre Silvio a scuola. Gli nasconde il libro e gli ruba la merenda, tanto che spesso lui si ritrova senza niente da mangiare.»

«E tu spartisci la tua merenda con lui.»

«Sì, babbo. Ma non dirlo alla mamma.»

«In questa casa non verrai mai rimproverata per essere stata generosa. Ma questo non può compensare il furto della mappa. Gli angeli ti hanno protetto oggi, Domenica. Non so se la prossima volta che prendi qualcosa che non ti appartiene ti andrà altrettanto bene.»

«Gli angeli conoscono la differenza tra rubare e prendere in prestito. Sono dalla mia parte. Fidati.»

Cabrelli sospirò. «Di' le preghiere ora.»

«Le ho già dette.»

«Dinne ancora qualcuna» disse Pietro avviandosi verso la porta.

«Papà, perché Silvio non ha lo stesso cognome di sua madre? Lei si chiama Vietro e lui Bartolini.»

«La signora Vietro non ha potuto sposare il padre di Silvio perché lui aveva già una moglie.»

Domenica ci pensò su. «Bartolini è il cognome di suo padre, quindi?»

«No. Secondo la legge italiana a ogni mese viene associata una lettera, e una madre senza marito può scegliere un nome, qualsiasi nome, che inizia con quella lettera. Silvio evidentemente è nato in un mese designato con la lettera B. Sua madre ha scelto un cognome da una lista apposita.»

«Povero Silvio il bastardo» sussurrò Domenica. «Papà, prima hai detto che a Viareggio sono inaccettabili solo i barboni e i ladri.»

«Esatto.»

«Non è vero, però. Ti escludono anche se sei un bastardo.»

«Domenica!»

«Non è colpa di Silvio. Come gli si può dare la colpa per qualcosa che non ha commesso? Perché è marchiato?»

«Dobbiamo pregare per lui.»

«Questo non lo aiuterà ad avere un padre.»

Domenica aveva ragione, e suo padre lo sapeva. Definire Silvio "il bastardo" non era un semplice insulto. Era una zavorra che condizionava il futuro di un ragazzo. Silvio non avrebbe ereditato nulla e gli sarebbe stata negata la possibilità di ricevere un'istruzione adeguata.

Domenica udiva distintamente suo fratello russare nella stanza adiacente. La fase preadolescenziale lo aveva trasformato in una specie di orso goffo, capace soltanto di fare brutti versi. Era sgradevole e offensivo persino quando era immerso nel sonno. Domenica non vedeva l'ora di diventare grande per stare il più possibile lontana da lui.

«Hai fame?»

«No, babbo» rispose lei mentendo.

«La mamma ti farà una bella frittata domattina.»

«Come fai a saperlo?»

«L'ho vista che preparava le uova.»

«Davvero?» Domenica si infilò sotto le coperte, fiduciosa che sua madre alla fine non le avrebbe rinfacciato quanto aveva combinato quel giorno.

Cabrelli spense la lanterna antivento e l'odore dolciastro di olio di mandorla si diffuse nell'aria. «Su, adesso dormi. Prima ti svegli, prima mangi.»

Domenica si voltò su un fianco. Quando udì il lieve scatto della porta della camera dei suoi genitori che si chiudeva, si girò sulla schiena e si mise le mani dietro la testa, con gli occhi rivolti al soffitto. Recitò una frettolosa preghierina di ringraziamento per le uova che la aspettavano di lì a poche ore. In fondo sua madre le voleva bene. Pregò per suo padre, che la amava qualunque cosa lei facesse. E pregò anche per Aldo, ma solo per senso del dovere.

Stava per abbassare le palpebre tremanti quando al di là della finestra apparve un viso, simile a un ferrotipo retroilluminato dalla luna. Troppo sbigottita per urlare, Domenica balzò giù dal letto e si precipitò verso la porta per scappare, ma d'un tratto ci ripensò e si voltò per vedere meglio. La forma della testa aveva un che di familiare, rotonda come una nocciola, più appuntita nella parte inferiore. I capelli scuri e ricci si confondevano con le volute della cancellata in ferro battuto della famiglia Figliolo, che viveva dall'altra parte della strada, e rendevano difficile distinguere le fattezze di quel viso. Il ragazzo fece un passo avanti entrando sotto il fascio di luce di un lampione.

Domenica si inginocchiò sul letto e aprì la finestra.

«Hai cenato?» chiese Silvio a bassa voce.

«Devo saltare la cena sino alla domenica di Pasqua. Stanno cercando di farmi morire di fame.»

«Tieni.»

Domenica aprì il tovagliolo annodato e l'aria fu pervasa da una fragranza di vaniglia e di burro. I dolcetti soffici erano coperti da una deliziosa spolverata di zucchero. «Come te li sei procurati?»

«Mia madre è andata alla festa.»

Domenica diede un morso. Masticò lentamente, assaporando la dolcezza burrosa della pasta e dello zucchero che si scioglievano insieme sulla sua lingua. «Prendine uno.» Gli offrì un bombolone.

«Non posso.»

«Perché no?»

«Mi fanno male i punti quando mastico. Petrucci deve averli cuciti ben stretti.» Silvio glielo dimostrò scoprendo i denti come un orangotango e tentando di aprire e chiudere la bocca. Domenica scoppiò a ridere.

Si udì Aldo, nell'altra stanza, russare più forte e voltarsi.

Domenica scavalcò il davanzale e andò a sedersi sul gradino, accanto a Silvio.

«Torna dentro o finirai ancora di più nei guai» la ammonì lui.

«Quando sei invischiata sino al collo, è difficile peggiorare la situazione.»

«Davvero?»

«Semplice buon senso.» Domenica finì il primo bombolone. Raccolse minuziosamente i granelli di zucchero che erano rimasti appiccicati al tovagliolo e si leccò il dito. «È il dolce più delizioso che abbia mai mangiato. In assoluto. Grazie.»

«Prego.» Pur affamato, Silvio era sinceramente contento che la sua amica avesse apprezzato tanto il suo regalino.

Rifocillata da quella leccornia, Domenica presentò un nuovo piano al suo amico. «In fondo, possiamo benissimo fare a meno di una stupida mappa. Annibali può tenersela nella sua biblioteca polverosa. Siamo in grado di trovare il tesoro anche senza. Esploreremo la pineta. Qualcosa mi dice che i pirati l'hanno lasciato vicino ai canali.»

«Ne sei sicura?»

«È la cosa più sensata. Dovevano assicurarsi una via di fuga rapida. Ci andremo domani stesso. All'alba. Subito dopo essere andata a prendere l'acqua.»

«Non potrò aiutarti a trovare il tesoro.»

«Be', forse non subito. Prima dobbiamo lasciare che la maledizione di Annibali perda efficacia. Ce l'ha con noi.»

«No, intendo dire che non sarò qui. Mia madre e io lasceremo Viareggio domani.»

«Per andare dove?»

«Da mia zia a Parma.»

«No! Da lei?» Domenica aveva ben presente zia Leonora,

con tutte le sue arie da gran dama. Aveva la fronte alta e la pettinatura cotonata di un'aristocratica. Di solito scendeva a Viareggio in agosto. La signora Vietro doveva accudirla come una cameriera. Non a caso l'avevano soprannominata Zia Regina. «È insopportabile!»

«Lo so, ma non ho altra scelta. Dovrò aiutare in casa e comportarmi bene. Così dice mia madre.»

«Come fanno ad aspettarsi che tu faccia qualcosa quando sei il bersaglio di un branco di ragazzacci che ti tirano le pietre?»

«Magari a Parma non ci sono pietre» buttò lì Silvio con un sorriso, ma così facendo risvegliò il dolore alla ferita.

«Chi ti proteggerà? Non mi piace per niente l'idea di Parma. Ma non mi piace nemmeno questa città. Non trovo niente di positivo da dire su Viareggio. Hai rischiato di perdere un occhio.»

«Non avrei dovuto voltarmi. Se ti avessi dato retta, non sarei stato colpito.»

«Ci sono sempre altre pietre e ci sono sempre altri ragazzi pronti a tirarle.» Domenica gli batté dei colpetti sulla mano. Lei e Silvio rimasero seduti a lungo sul gradino mentre la luna giocava a nascondino tra le nuvole. «Silvio, ascoltami, quando sarai a Parma non dire subito come ti chiami.»

«Lo scopriranno comunque.»

«No, se ti presenterai con una storia migliore» suggerì lei.

«Cosa intendi dire?»

«Devi essere tu a parlare di tuo padre, devi farlo prima che gli altri intuiscano che non ce l'hai. Qualcosa del genere: il signor Bartolini era un grand'uomo, un capitano che combatteva contro i pirati. Recuperò un tesoro che apparteneva alla Sacra Chiesa di Roma, su una nave che era stata data alle fiamme dai corsari.»

«Non mi pare verosimile.»

«Non importa! È la tua versione. Te la costruisci come vuoi tu! Raccontala così: tuo padre abbandonò la nave con il suo carico prezioso e si imbarcò su un piccolo peschereccio. Si tenne stretto il suo tesoro senza mai mollarlo, superando uragani, disperazione e fame, per poi consegnarlo nelle mani del Papa in persona, che stava per benedirlo davanti a tutti i cardinali quando a un certo punto il signor Bartolini…»

«Fu colpito da una pietra.»

«No! Morì di morte improvvisa poiché era stato attaccato da un pesce velenoso al largo della costa campana mentre *portava in salvo le reliquie*. Questa è la parte cruciale. Tuo padre era morto per recuperarle! Il Papa si inginocchiò a baciare tuo padre, in fin di vita, mentre gli somministrava l'Estrema Unzione. Tuo padre a quel punto era sia in questo mondo che in quello ultraterreno. I cardinali si radunarono intorno a lui in un cerchio di mantelline rosse e versarono lacrime di gratitudine. Anche il Papa pianse. Pregarono tutti insieme, mentre gli angeli scendevano dal Cielo per riportare l'anima di tuo padre a Dio.»

«Non c'è bisogno che tu vada in biblioteca a leggere dei libri. Tu stessa sei un libro parlante.»

«Pensa a tenerti pronta una storia, prima che la gente te ne cucia una addosso. Devi batterli sul tempo. Promesso?»

«Promesso.»

«Almeno tu mi ascolti. Da queste parti a nessuno importa quello che penso.»

«Sei la persona più intelligente che conosco. Non troverò mai un'amica come te.»

«Oh, la troverai di sicuro.»

«Non credo proprio. Tu sei stramba, Domenica. Ma c'è una forza in te che ti rende diversa. Il coraggio.»

Domenica tornò a spiegare il tovagliolo. Diede a Silvio il bombolone che era rimasto. Lui lo accettò e lo divise in due per darne una parte a lei.

«Mangialo a piccoli morsi, così non senti tirare i punti» disse Domenica.

Silvio sbocconcellò lentamente il secondo bombolone. Lei mangiò il resto. Non lasciarono nemmeno una briciola.

Domenica piegò con cura il tovagliolo e lo restituì a Silvio.

«In effetti avevo un certo languorino» disse mentre rientrava in casa scavalcando la finestra. «Grazie.»

«Domenica?»

Lei si sporse dal davanzale. Erano a pochi centimetri l'uno dall'altro. Il viso di Domenica, il solo viso che lui cercasse a scuola, o in chiesa, o in qualsiasi altro posto per la verità, era così vicino al suo che, per la prima volta in vita sua, Silvio si sentì fortunato. «Prima di prendere la mappa ho trovato qualcosa che ho pensato potesse aiutarti.»

«Un'arma?»

Lui abbozzò un sorriso che tuttavia si trasformò subito in una smorfia di dolore dovuta ai punti che tiravano. «No, si tratta di un libro, *Il diario di bordo del capitano Nicola Forzamenta*, che ho scovato nella sala delle carte geografiche. I pirati nascondono spesso i tesori nelle chiese.»

«Interessante.»

«Già.» Silvio scese due gradini.

Si fermò in fondo alla scala, poi si voltò all'improvviso e balzò di nuovo su, due gradini alla volta, per ritrovarsi faccia a faccia con la sua amica. «Domenica?»

Lei si sporse in avanti. «Che c'è?» sussurrò.

Invece di risponderle, Silvio le prese il viso tra le mani e le posò un bacio sulla bocca.

Le sue labbra erano più morbide dei bomboloni, notò lei con sorpresa.

«Ciao, Domenica.» Silvio si era espresso così apertamente davanti alla sua migliore amica che fu sopraffatto dall'emozione. «Devo andare.» Ridiscese i gradini, e quando fu in strada si voltò e le sorrise, tenendo una mano sul lato del viso che ancora gli faceva male. «Tornerò a cercarti un giorno» mormorò, così piano che soltanto la luna lo sentì.

Domenica lo salutò con la mano prima di chiudere le persiane, abbassare il vetro della finestra e far scattare la sicura. Attraverso le fessure delle persiane guardò Silvio allontanarsi.

Ora che aveva qualcosa nello stomaco, sarebbe stato molto

più facile prendere sonno. Che cosa avrebbe fatto senza l'amicizia di Silvio? I vecchi dicevano che nessuno è insostituibile, ma nella sua giovane vita lei aveva capito che non era così. Non c'era modo di rimpiazzare Silvio Bartolini perché, se ci fosse stato, lo avrebbe già fatto. Era l'unico cui lei sentiva di poter confidare i propri segreti e i propri sogni. Silvio aveva l'intelligenza necessaria per andare alla ricerca del tesoro nascosto, ed era l'unico amico che le andasse abbastanza a genio da far sì che lei fosse disposta a dividere il bottino con lui qualora lo avessero trovato. Un vero amico, pronto persino a rubare per lei.

C'era la possibilità che Silvio avesse ragione, che i pirati non avessero seppellito i preziosi tra le dune come aveva immaginato lei, bensì in una chiesa. Era anche possibile che li avessero nascosti nelle pinete o su, sulla cima della Pania della Croce. Rifletté su questo punto abbastanza a lungo da eliminare alcune località legate ad antiche leggende. I pirati non potevano essersi spinti sino al monte Tambura perché erano tornati alla nave attraccata a Viareggio il giorno stesso. Forse si erano inerpicati sino al Rifugio Rossi, avevano depositato le loro cose nella capanna e avevano proseguito il cammino ancora più su per seppellire il tesoro in cima alla montagna, riprendere quanto avevano lasciato nel rifugio e infine tornare alla nave. C'erano tante opzioni da prendere in considerazione, tanti posti dove i pirati avrebbero potuto nascondere il loro bottino. Domenica dubitava di poterlo trovare senza l'aiuto di Silvio.

Aveva perso il suo compagno, e dovendo cercare un tesoro nascosto, sapeva di aver bisogno di qualcuno che le desse una mano. La scelta di un sostituto sarebbe dovuta ricadere su suo fratello, ma Aldo non era abbastanza sveglio ed era lento nel seguire le istruzioni, soprattutto se venivano da sua sorella, perciò era assai improbabile che lei potesse coinvolgerlo nel suo piano.

D'altro canto, il pensiero di andare in montagna da sola la metteva a disagio. Aveva sentito diverse leggende sull'Uomo Morto, la formazione rocciosa sulla cresta della montagna in cui si intravedeva un profilo umano. Solo Dio poteva vedere la sua espressione, così aveva sentito dire dai ragazzi del paese. Era un'immagine massiccia, così spaventosa che alcuni scalatori, quando se l'erano trovata davanti, erano caduti da una montagna vicina. Doveva essere una visione orribile, da evitare a tutti i costi. Se mai avesse dovuto recarsi a nord – a Cremona, Milano o Bergamo – non avrebbe scavallato le montagne; non si sarebbe allontanata dal mare per tutto il percorso. Non sarebbe salita sulle Alpi Apuane perché non voleva vedere la faccia della morte.

Domenica si girò sul fianco per dormire. Non riusciva più a pensare tenendo gli occhi aperti. Si leccò le labbra. Avevano ancora il sapore dello zucchero dei bomboloni. Se le leccò di nuovo e sistemò meglio la testa sul guanciale. Stava scivolando nel sonno quando si rese conto che non era lo zucchero del bombolone quello che sentiva sulle labbra; era qualcosa di completamente diverso. Era il sapore dolce del bacio di Silvio Bartolini.

«Domenica!» la chiamò mamma Netta dalla finestra. «Prendine due secchi, uno per noi e uno per la signora Pascarelli.»

Domenica alzò lo sguardo e le fece un cenno. «Sì, mamma.» Era contenta che sua madre le rivolgesse ancora la parola dopo quello che era accaduto con Annibali, anche se lo aveva fatto solo per mandarla a prendere l'acqua alla fontanella.

«Quando torni ti preparo le uova» promise Netta prima di richiudere le persiane.

Invece di prendere i secchi, Domenica rientrò in casa e salì le scale di volata. Trovò sua madre in cucina, corse da lei e la abbracciò. «Mi dispiace, mamma.»

Netta tenne stretta sua figlia e le posò un bacio sulla testa. «Ora va'» disse.

Domenica scese le scale in un baleno. Superato il cancello, sganciò i secchi di legno dal paletto. Si era voltata e si stava apprestando a eseguire il suo consueto compito mattutino quando notò un fagotto sullo scalino.

Posò i secchi e lo raccolse. C'era una busta indirizzata a lei! *Signorina Cabrelli*. La aprì con cautela.

Cara Domenica,

sei un'amica adorabile. Il regalo è stato benedetto da don Carini.

Silvio e la sua mamma

Slegò il nastro del sacchetto di iuta e tirò fuori il grembiule. Un piccolo dono avvolto in un pezzetto di stoffa era legato al fagotto con una cordicella. Sciolse il nodo e mise il regalo da una parte.

Allargò il grembiule. Era tornato splendente come il sole e immacolato come le nuvole che lo coprivano. Non c'era più alcuna traccia del sangue di Silvio. Se lo infilò dalla testa e lo abbottonò dietro il collo. Persino le pezze applicate da sua madre erano pulite! Affondò le mani nelle tasche. Dal tessuto perfettamente stirato si sprigionò un profumo di limone e di appretto. Domenica si rese conto di quanto le era mancato il suo grembiule con i tasconi, non avendone un altro con cui sostituirlo.

Si sedette sullo scalino e aprì il pacchettino più piccolo. Ne rotolò fuori una medaglietta d'oro. La esaminò attentamente. L'immagine di Santa Lucia, patrona della vista, brillava alla luce del mattino. Riavvolse con cura il biglietto e la medaglietta nella carta e li mise nella tasca del grembiule. Poi raccolse i secchi vuoti e si avviò verso la fontanella per riempirli di acqua fresca.

Durante il percorso si tastò ripetutamente il tascone del grembiule per assicurarsi che il suo regalo fosse al sicuro. Non avrebbe condiviso né il biglietto né la medaglietta con sua madre, suo padre o suo fratello. Non li avrebbe mostrati nemmeno a Ida Mitrione, anche se era risaputo che riusciva a mantenere i segreti meglio di qualsiasi altra ragazzina di Viareggio.

Domenica non conosceva nessuno che sarebbe stato felice di sapere che Silvio le aveva fatto un regalo. Lei credeva che Silvio e sua madre fossero persone buone e gentili, ma gli altri non la pensavano allo stesso modo. Inoltre, solo le persone molto devote si premuravano di far benedire una medaglietta prima di donarla a qualcuno. La signora Vietro e Silvio Bartolini avevano fede, nonostante la loro situazione, perciò Domenica accettò il loro dono con umiltà. Domenica Cabrelli aveva la protezione di una santa e, all'età di undici anni, già sapeva che le sarebbe servita.

9

Viareggio, oggi

Olimpio Roffo parcheggiò la sua auto nella strada davanti ai giardini di Villa Buoncorso. Olimpio era un marito affabile, desideroso soltanto di consumare un pasto caldo e scambiare quattro chiacchiere con sua moglie dopo una lunga giornata passata a trattare con clienti e artigiani. La pioggia violenta e il traffico intenso in autostrada lo avevano provato. Aveva preso la strada provinciale che si snodava a mezza costa seguendo il corso dei torrenti che scendevano verso il mare. La nebbia fitta che aveva incontrato lo aveva reso estremamente lento e prudente nella guida, perciò era in ritardo. Ma aveva un buon motivo per prendersi il suo tempo. Voleva arrivare a casa sano e salvo per comunicare a sua moglie le importanti novità della giornata. Non sarebbe stata una disdetta rovinare un colpo di fortuna prima di avere la possibilità di goderne? Spense il motore. La pioggia era così intensa che riusciva a stento a vedere fuori del finestrino.

Controllò la cartellina di documenti del Banco di Roma alla luce del cellulare. Aveva firmato l'assegno per la nuova avventura imprenditoriale della Gioielleria Cabrelli che – ne era certo – sarebbe stata l'ultima iniziativa di rilievo della sua carriera e probabilmente anche l'ultima della sua vita.

Martedì 3 marzo sarebbe stata una data da ricordare in un calendario della vita già pieno di date importanti. Chiuse la cartellina, la infilò in una grande busta e la ripose nella sua valigetta per poi sottoporre i documenti a Matelda per la firma.

Prese il pacchetto della pasticceria dal sedile posteriore. Scese dall'auto e si affrettò verso la porta di casa con la rapidità di un uomo di ottantun anni ancora in forma – una forma che, nel suo caso, era davvero invidiabile.

«Nonno!» esclamò Annina abbracciando Olimpio che usciva dall'ascensore. Lo aiutò a liberarsi dell'impermeabile bagnato.

«Ora sì che la mia giornata è davvero perfetta!» disse lui baciando la nipote.

«Perfetta? Sei bagnato fradicio!» commentò Matelda dalla porta della cucina prima di rimettersi ai fornelli.

«E non mi sono nemmeno liquefatto!» Olimpio si rivolse ad Annina. «Sei stata qui tutto il giorno?»

«*Tutto* il giorno, sì. Ho scelto un vecchio orologio per le mie nozze, ma la nonna non vuole separarsene.»

«Le parlerò io» disse lui sottovoce. Annina portò il soprabito e la valigetta del nonno in bagno ad asciugare.

«Grazie.»

«Quindi conosci la storia.»

Annina annuì. «La nonna ha aperto il caveau di famiglia in tutti i sensi.»

«Non farlo passare come una condanna, Annina» intervenne Matelda dall'altra stanza.

«Niente affatto, nonna. Si mangia meglio da te che in carcere.» Annina seguì il nonno in cucina. «Anche se in carcere ti requisiscono il telefono, esattamente come ha fatto la nonna con il mio.»

«Mi pare di avertelo restituito, o no?» ribatté Matelda con un sorriso.

«Non voglio sapere perché hai meritato una punizione» disse Olimpio alla nipote, e porse il vassoio della pasticceria a Matelda. «Buon compleanno» le disse dandole un bacio.

«Grazie.» Matelda sorrise mentre apriva il pacchetto delle sue sfogliatelle preferite, preparate con strati di sfoglia sottilissima e ripiene di ricotta, spolverizzate di zucchero e spennellate di miele.

«Che meraviglia! Sono di Biagetti?» disse Annina sbirciando il vassoio sotto l'involucro.

«Di chi, se no? Sono di famiglia.» Matelda posò i dolci sul bancone.

«Cosa ti sei fatta in faccia?» chiese Olimpio.

«È stata attaccata da un gabbiano» rispose Annina anticipando la nonna.

«Quegli uccelli possono diventare aggressivi quando hanno fame» commentò Olimpio esaminando la ferita. «Soprattutto dopo che i turisti li hanno viziati rimpinzandoli durante il Carnevale.»

«Non voleva nemmeno disinfettarsi, ma l'ho convinta io, e si è rifiutata di farsi vedere dal dottore.»

«Tipico.»

«È una sciocchezza.»

«Mamma?» La voce di Nicolina Tizzi proruppe dall'interfono all'improvviso, facendoli sobbalzare. «Sono qui.»

«È così che mi senti quando passo a trovarti?» chiese Annina ridendo. «Sembra l'altoparlante della spiaggia.»

«Olimpio. Per favore, sistema quell'aggeggio. Ogni volta mi fa prendere un colpo.»

«D'accordo, ci penso io. Ricordamelo» promise lui con un sospiro rassegnato.

«Sali pure, mamma» disse Annina al citofono.

Matelda abbracciò suo marito. A qualsiasi ora del giorno o della notte, l'incavo del collo di Olimpio profumava di menta. Aveva la barba sempre curata e portava i folti capelli in un taglio corto e sobrio. La camicia era ancora impeccabile come quando l'aveva sfilata dalla gruccia al mattino, nonostante una lunga giornata di lavoro, nonostante l'acquazzone. «Grazie.»

«Che cosa hai preparato di buono per cena?» Strinse a sé la moglie.

«Orecchiette con menta e piselli freschi.»

«Il mio piatto preferito per il tuo compleanno?»

«Non ha voluto che cucinassi io, nonno.»

«Non se ne parla.» Matelda scolò pasta e piselli. Il vapore le appannò gli occhiali. Olimpio glieli tolse in modo che lei potesse proseguire il suo lavoro. «Il tuo incontro è andato bene?»

«Ho la documentazione con me.»

«Congratulazioni. Ti sei impegnato tanto.»

«*Ci siamo* impegnati tanto» la corresse lui. «La tua firma è importante quanto la mia.»

Matelda condì le orecchiette con l'olio d'oliva. Spezzettò delle foglioline di menta sulla pasta per poi passare il piatto di portata al marito. Olimpio aggiunse una pioggia di parmigiano grattugiato.

«Buon compleanno, mamma.» Nicolina baciò sua madre.

«Hai i capelli bagnati.»

«Sta ancora piovendo.» Nicolina salutò con un bacio anche Olimpio e Annina. Aveva i capelli neri striati di grigio, i lineamenti delicati del padre e la postura eretta di sua madre. Era sposata con un poliziotto e, come tale, era portata a sperare sempre per il meglio, ma abbastanza concreta e pratica da saper gestire il peggio. Il figlio Giacomo era appena entrato nell'arma dei Carabinieri, perciò la sua ansia di madre apprensiva era raddoppiata. Annina le prese il cappotto e andò ad appenderlo.

«Dov'è Giorgio?» chiese Matelda.

«Quando il tempo è brutto, c'è bisogno di lui in autostrada. Giacomo invece è impegnato in ufficio al Comando. A volte sono di turno insieme. Non questa sera.»

«È un disastro là fuori» confermò Olimpio mettendo in tavola le orecchiette. «Una volta uscito dall'autostrada, ho preferito prendere la provinciale. Con la nebbia sarebbe stato anche peggio.»

«Questo tempo da lupi durerà ancora un bel po'. E Giorgio non è affatto tranquillo. Sono ore impegnative per i Carabinieri. Scusatemi.» Nicolina andò in bagno.

Annina controllò il cellulare. «Paolo non riesce a venire.»

«Problemi?»

«Deve vedersi con un amico che gli dà qualche consiglio per un posto di lavoro per cui si è candidato.»

«Ma dovrà pur mangiare, no?»

«Si incontrano in un bar. Vi manda le sue scuse.»

«Togli un piatto, allora.»

Annina eseguì. «Potrei chiamarlo per ricordargli quanto è importante il nostro appuntamento.»

«Le persone trovano il tempo per fare quello che ritengono importante.»

«Nonna, è impegnato ed è difficile convincerlo a venire a cena. Non prenderla sul personale.»

Nicolina posò sul tavolo un pacchetto avvolto in una graziosa carta regalo. «Buon compleanno, mamma.»

«È troppo bello per aprirlo.»

«Spero ti piaccia. È diventato difficile farti un regalo, sai?»

«Così pare. Chiedi a Ida Cascarano. Mi ha regalato un flacone di capsule per l'equilibrio intestinale.» Matelda iniziò a scartare il regalo. «Figurati! Non sapevo nemmeno di averne bisogno.» Tirò fuori una foto incorniciata dalla scatola.

«Sai chi è questa?» chiese Nicolina.

«Non ho mai visto questa foto.» La foto in bianco e nero di Matelda e sua madre sulla spiaggia di Viareggio era la prova che i ricordi che la assalivano negli ultimi tempi non erano inventati, ma avevano un fondamento nella realtà. Domenica indossava un abito di lino. Le sue ordinate trecce nere erano raccolte in una crocchia. Matelda era una bambina, con un cappellino di paglia e un vestitino di pizzo. Le pareva di sentire la sabbia calda sotto i piedi mentre analizzava i dettagli. Scoppiò a piangere.

«Mi dispiace, mamma. Pensavo che averla ti avrebbe reso felice.»

«No, no, è un bellissimo regalo. Mi rende felice. Mi aiuta a ricordare mia madre. A vederla di nuovo.» Matelda condivise la foto con Olimpio. «Mi manca tanto.» Si asciugò le lacrime con il fazzoletto. «È una perdita che non si supera mai. La cosa migliore che posso fare è andare a Messa ogni giorno e pregare di rivederla.»

Nicolina si scostò dal tavolo con la sensazione che quel regalo fosse stato un errore. L'ultima cosa che avrebbe voluto fare era turbare sua madre. Annina le diede una leggera gomitata per invitarla a confortare Matelda. Nicolina si avvicinò e le posò le mani sulle spalle.

«Sto bene, Nicolina.»

«Ma io no, mamma.» Abbracciò sua madre. «Anch'io so cosa significa amare la propria mamma.»

«Ah, quanto mi piacciono le sfogliatelle di Biagetti!» Matelda ne assaporò un altro morso, seguito da un sorso di caffè.

«Sono contento che ti piacciano» disse Olimpio, e aggiunse sorridendo: «Ce ne sono altre otto e io non ne vado pazzo». Prese in mano la foto. «È splendida. Non è spaventosa come quelle che tieni sul comodino. Dove l'hai trovata?» chiese rivolto alla figlia.

«Alla vendita straordinaria organizzata da *La stella di Lucca*. Il giornale ha messo in vendita i suoi archivi per pagare i debiti. È una foto che non è mai stata pubblicata. Ci sono scatole intere di foto simili. Per fortuna il fotografo le ha catalogate per anno, così sono andata da loro diverse volte, ho spulciato le scatole, ho trovato questa e l'ho acquistata. È triste assistere alla chiusura definitiva di un giornale.»

«Facciamo l'abbonamento.»

«Temo che non durerà a lungo, mamma.»

«Che peccato. È un giornale valido. È così che i fascisti si sono insinuati. Il primo segnale. Mussolini faceva chiudere i giornali» disse Olimpio. «È proprio vero che la gente non impara mai, nemmeno in Italia, anche se ci siamo già passati e dovremmo aver capito qualcosa.»

«Speriamo che stavolta non sia così» disse Nicolina. «Pare

che non siano in grado di competere con Internet e l'offerta di informazione gratuita.»

«Vorrei essere vissuta in quei tempi.» Annina appoggiò la testa fra i palmi delle mani e rimase a studiare la foto di sua nonna da bambina e della sua bisnonna. «Sei il ritratto di tua madre» commentò meravigliata.

«Aveva diversi talenti. Mi confezionava i vestiti con le sue mani. Diceva che cucire gli orli la aiutava a svolgere meglio il suo lavoro da infermiera. Mia nonna Netta mi faceva i berretti. Entrambe avevano le mani d'oro.»

«Di che anno è questa foto?» chiese Olimpio.

«1950» disse Annina mostrandogli la scritta sul retro della cornice. «Proprio sulla spiaggia che costeggia il viale principale di Viareggio.»

«Io avevo nove anni» confermò Matelda.

«Ero convinta che i tuoi genitori si fossero sposati nel 1947. Il prete ci ha mostrato il registro con i loro nomi. Paolo e io firmeremo lo stesso registro il giorno del nostro matrimonio.»

«È così, infatti. I miei genitori si sono sposati nel 1947.»

«Quindi tu sei nata prima che si sposassero?» Annina guardò sua nonna con aria sorpresa. «Sei nata fuori dal matrimonio?»

«No!» esclamarono Matelda e Nicolina all'unisono.

«Nonno?»

«Non guardare me. Non sono io a reggere i rami di questo albero genealogico. Io mi sono limitato a sposare tua nonna e a entrare nella tribù. Non ho stabilito date, se non quella delle nozze.»

«Mia madre è stata sposata con un altro uomo prima di sposare Silvio Cabrelli. Il suo primo marito era mio padre. È morto prima che io nascessi.»

«Tu lo sapevi?» chiese Annina a sua madre.

«Sì. Ma non ci sono molte informazioni su di lui.»

«Gran parte delle famiglie toscane hanno storie analoghe. La guerra smembra i nuclei famigliari. Qualcuno è costretto ad allontanarsi e possono succedere tante cose» tentò di spiegare Olimpio.

«Come si chiamava?» domandò Annina.

«John Lawrie McVicars.»

«Americano?»

«Scozzese.»

«Abbiamo origini scozzesi? Sarebbe stato bello saperlo. Hai una sua foto?» insistette Annina.

Matelda fece cenno di no con la testa.

«Tutto ciò che le rimane di lui è l'orologio che regalò alla tua bisnonna Domenica. Per questo non vuole separarsene» precisò Olimpio.

«Papà, di quale orologio state parlando?» intervenne Nicolina.

«Quello verde» disse Annina spazientita. «Con il quadrante capovolto.»

«Ma io ho mai visto questo orologio?» chiese Nicolina rivolta a sua madre.

«È nel portagioie. Credevo fosse nella cassetta di sicurezza in banca, ma evidentemente mi sbagliavo.»

«Mi hai chiesto di andare a ritirarlo, tesoro. Circa un anno fa. Volevi averlo vicino. Ti ricordi?» disse Olimpio dolcemente.

«La bisnonna Domenica era infermiera» disse Annina a sua madre. «Non mi avevi detto neanche questo.»

«Quando l'ho conosciuta io, non lo era più» disse Nicolina mettendosi sulla difensiva. «Era una nonna con i capelli bianchi. Come la nonna, qui.»

«Ehi.»

«Tu sei più in forma, mamma. Quando nonna Domenica aveva la tua età, faceva fatica a camminare.»

«Quando si arriva in questa fase della vita, o non ti funziona più la testa o hai qualche acciacco di troppo, e non è che tu possa scegliere» sentenziò Matelda.

«Per questo è bene sapere tutto dei nostri antenati. Possiamo prepararci ad affrontare anche le cose brutte se sappiamo che prima o poi arriveranno anche per noi. Avreste dovuto raccontarmi prima la storia della bisnonna Domenica» insistette Annina.

«Che differenza avrebbe fatto?» ribatté Nicolina con impazienza mentre versava il vino nei bicchieri.

«Magari avrei potuto pensare di diventare infermiera anch'io.»

I nonni e la madre scoppiarono a ridere.

«Ok, forse no, visto che non sopporto di sporcarmi le mani o le cose tristi. Ma poteva esserci qualcosa nella sua storia in grado di plasmare la mia vita. In famiglia, una persona può impattare su tutto il gruppo. Papà si è rivolto all'Università di Milano per risalire alle radici della sua famiglia ed è saltato fuori che esiste un ramo francese della famiglia Tizzi.»

«Ho cercato di scoprire qualcosa su John McVicars, ma non sono venuta a capo di nulla» ammise Matelda. «Era sulla lista dell'organico della Marina mercantile, ma niente di più.»

Nicolina era sorpresa. «Questo non me l'avevi detto, però.»

«Ora sai come mi sento.» Annina si appoggiò allo schienale. «Benvenuta nel club.»

«Forse non ho approfondito abbastanza le ricerche. Mia madre era morta, e quando piansi la sua scomparsa mi ritrovai a piangere anche quella di mio padre, John McVicars.»

«Ci sono altri segreti di famiglia che dovrei conoscere?»

«Be', io avevo un trisavolo che trascorse un'estate in Romania con una cantante d'opera. Dovrei indagare su quello» buttò lì Olimpio prendendo in giro Annina.

«Forse sarebbe davvero il caso. Nessuno dovrebbe costruirsi una famiglia finché non ha conosciuto la storia della propria famiglia d'origine.»

«Che ragazza saggia» si complimentò Olimpio.

«*Saggia* non è l'aggettivo che userei per descrivere Annina.»

«Mamma!» Nicolina depositò la forchetta.

«Annina, perdonami. Sei una ragazza intelligente. Sei bellissima. Ma saggia? Be', direi che su questo devi ancora lavorare parecchio» osservò Matelda.

«Non mi interessa essere saggia. La saggezza è il cardigan del carattere.»

«Grazie.» Matelda si aggiustò il cardigan che indossava quel giorno, si appoggiò allo schienale e affondò le mani nelle tasche.

«Hai capito cosa intendo!» sbottò Annina. «Saggia è l'equivalente di spenta. E io sono troppo giovane per essere spenta.»

«E io sono troppo vecchio per esserlo» si intromise Olimpio per stemperare il nervosismo.

«Tu non sarai mai vecchio, nonno. E nemmeno tu, nonna. Non ti vedo indossare un abito di lana nero e i calzettoni in piena estate come fanno le vedove da queste parti.»

«Questo è da vedere. Tanto per cominciare, non sono vedova. Non ancora.»

«Non ti lascerò morire per prima, Matelda. Me ne vado prima io. Perciò prepara l'abito nero.»

«Come ti pare.»

«Non potrei vivere senza di te. Ecco, l'ho detto.» Olimpio giunse le mani in preghiera. «Mi stai ascoltando, Signore?»

Matelda rise. Olimpio non poteva vivere senza di lei, e lei non riusciva a immaginarsi una vita senza di lui. Suo marito si prendeva cura dell'azienda di famiglia come se fosse un Cabrelli. Comprendeva il suo dolore, a dispetto degli sforzi di Matelda per nasconderlo. Quando lei non capiva da dove venissero la sua impazienza e la sua rabbia, Olimpio la guidava amorevolmente verso l'origine. Matelda si rifiutava di credere che il padre che non aveva mai conosciuto fosse la causa del suo malessere. Lungi da lei biasimare i morti – sua madre, suo padre, il suo patrigno – per i suoi problemi all'età di ottantun anni, ma i suoi problemi erano anche quelli di Olimpio. Da quando erano sposati, lui aveva passato anni a cercare di convincerla che la perdita di suo padre era qualcosa che doveva affrontare per guarire il suo cuore. E finalmente sua moglie si stava decidendo a farlo.

10

Lucca, oggi

Annina era sulla soglia del cucinino del piccolo appartamento che condivideva con Paolo, che in quel momento era seduto sul divano del soggiorno. Con il volume del televisore al massimo, messaggiava al cellulare ignorando la partita di calcio sullo schermo. Annina lo osservava dalla cucina mentre sistemava nel piatto gli avanzi della cena di compleanno a casa della nonna. Pur essendo arrabbiata, ogni volta che era vicina al suo fidanzato dimenticava il motivo per cui ce l'aveva con lui. Era consapevole della fortuna che aveva. Con Paolo aveva fatto un gran bel colpo. A Lucca c'erano un sacco di ragazze che gli correvano dietro, ma lui aveva scelto Annina. Prese il piatto, le posate e un tovagliolo e lo raggiunse in soggiorno.

Paolo si era tolto la camicia e le scarpe. I suoi riccioli neri avevano bisogno di una sforbiciata e il viso era già coperto da una lieve peluria, anche se si era rasato quella mattina. C'era un bicchiere di vino sul tavolo. Annina vi posò il piatto accanto.

«La nonna aveva preparato la tua pasta preferita.»

«Stavo giusto morendo di fame. Grazie, amore.»

«Sapevo che non avresti mangiato al bar. Mi avrebbe fatto piacere se fossi venuto a festeggiare il compleanno di mia nonna con noi.»

«Non sono riuscito a liberarmi.»

«Lo so. È che a loro piacerebbe vederti ogni tanto, tutto qui.»

«Farò un salto a salutarli la prossima volta che sarò in città.»

«Sarebbe bello.» Annina dubitava che avrebbe mantenuto la promessa. Viareggio per lui era fuori mano. Si voltò per tornare in cucina.

«Dove stai andando?» Paolo le tirò la mano per avvicinarla a sé e farla sedere in grembo. «C'è qualcosa che non va?»

«Stai vedendo la partita, no?»

Paolo spense il televisore. «Cosa posso fare?»

«Non so.» Annina posò la testa sulla sua spalla.

«Tutto bene?»

«Sì.»

«Allora perché questo muso lungo?»

«Non so.»

«Tua madre?» Paolo fece una smorfia.

Annina rise. «Andiamo d'amore e d'accordo.»

«È perché vuole che ci sposiamo. Non le va che conviviamo.»

«Non credo che sia per quello.»

«Si tratta di me, allora. I tuoi sono preoccupati, ma una volta che avrò un lavoro, saranno tutti felici e contenti.»

«Può darsi che sia così. A proposito, come sta andando?»

«Ci siamo quasi.» Paolo sfoderò un ampio sorriso. «Potremmo doverci trasferire a Roma. Che ne pensi?»

«Andremo ovunque troverai lavoro» gli assicurò lei. «Papà dice che puoi sempre far domanda nel settore pubblico. Mio fratello Giacomo è contento di essere entrato nei Carabinieri.»

«Non voglio lavorare con il mio futuro suocero e il mio futuro cognato. Né voglio essere un Carabiniere.»

«Neanche Giacomo era convinto, ma ora gli piace.»

«Buon per lui.»

«Ok, lasciamo stare.» Annina infilzò qualche orecchietta con la forchetta e imboccò Paolo. «Buona?»

«Tua nonna potrà anche essere rigida, ma come cuoca è insuperabile.» Le diede un bacio.

«Non è poi così rigida. Ha degli standard piuttosto alti, diciamo così.»

Paolo aveva comunicato ai suoi genitori di essere andato a

vivere con Annina. Lei invece non aveva detto nulla ai suoi, almeno per il momento. Voleva evitare di mettere sua madre in una posizione imbarazzante con Matelda. Quando finalmente si era decisa a parlarne, Nicolina si era raccomandata: «Non dire niente alla nonna. Una notizia del genere la ucciderebbe».

Paolo si era arrangiato con dei lavoretti saltuari dopo la laurea. Avrebbe voluto lavorare in un'agenzia sportiva, ma le opportunità erano scarse. Da quando si era fidanzato aveva preso seriamente la ricerca di un posto fisso. C'erano tantissime cose che Annina amava di lui. Tanto per cominciare, Paolo la faceva ridere. Venivano da un contesto sociale simile. Forse non era ambizioso come gran parte dei suoi coetanei, ma lei apprezzava il fatto che ponesse l'esigenza di vivere una vita felice al di sopra del desiderio di vivere una vita ricca di beni materiali. Dopotutto, era lo stesso ragazzo che aveva prestato servizio come volontario in un centro di soccorso per animali a Viareggio quando c'era stato uno sversamento di petrolio al largo della costa tirrenica. Aveva un cuore d'oro.

«A volte mi guardi come se non avessi idea di chi sono» disse lui.

«Davvero?»

«Come se mi prendessi le misure.»

«L'ho già fatto. Sei stato promosso.»

Paolo la prese in braccio e la portò in fondo allo stretto corridoio, nella loro camera da letto, coprendola di baci per il breve tragitto. Per Paolo quella stanzetta dove il letto toccava le pareti su entrambi i lati era sterminata come un campo di girasoli. Se fosse dipeso da lui, sarebbe rimasto lì con Annina per sempre. La adagiò delicatamente sul letto. Le baciò le mani, il collo, le labbra. Si distese sopra di lei mentre lei tirava le coperte sui loro corpi. Quando facevano l'amore risolvevano tutti i loro problemi senza parlare.

Paolo si addormentò allacciato a lei. Annina restò sveglia, con le dita intrecciate a quelle di lui. Trovava quella stanzetta talmente angusta da risultare soffocante. Il poster di una spiaggia del Montenegro non la faceva sembrare più spaziosa come prometteva l'articolo che aveva letto su una rivista. L'unico modo per liberarsi di quella sensazione di claustrofobia era sognare. Si immaginò una casa sul mare. La camera da letto sarebbe stata grande e bianca, con tante finestre aperte e un soffice letto di piume. Lo sciabordio delle onde li avrebbe cullati nel sonno e, al mattino, il riflesso del sole sull'acqua li avrebbe svegliati. In qualche modo doveva far sì che Paolo condividesse il suo stesso sogno. Lo amava, ma doveva ancora trovare la chiave per stimolare la sua ambizione. Paolo, nel dormiveglia, la attirò più vicino a sé. Nessuno viveva di solo amore, e molti sopravvivevano senza, ma lei non voleva appartenere a quest'ultima categoria.

Viareggio

Matelda era seduta sul letto con gli auricolari nelle orecchie. Ne tolse uno e guardò Olimpio, che stava facendo scorrere le email sul cellulare.

«Non ci crederai, ma Nino ha registrato quello che ricorda della storia dell'elefantessa.»

«Stai scherzando? Sapeva come farlo? Quando era qui con noi ho dovuto insegnargli come si cancellano i messaggi vocali.»

«Lo ha aiutato Patrizia. Vuoi ascoltare?»

«No, comincia tu, mi racconterai dopo.»

Matelda si rimise la cuffietta e ascoltò la voce di suo fratello.

Ehi, sorellona!

Pat mi ha detto che volevi la storia dell'elefantessa. Ricordo che il nonno correva per la stanza come un pazzo recitando la scena. Voleva che sapessimo da dove venivano le gemme che tagliava e che c'erano persone che rischiavano la vita per estrarle. Era questo il suo intento, credo. Quanto alla storia, ricordo che ogni volta faceva qualche cambiamento qua e là per renderla più interessante.

*Torniamo al suo racconto. Ok, cominciamo. Ecco quel-
lo che ricordo. Tutto iniziava con un'elefantessa intrappolata
in una miniera in India. In qualche modo riesce a uscire. Le
avevano dipinto delle strisce rosse sulla pelle per una parata o
qualcosa del genere. Ricordo la parte relativa a ciò che avvenne
all'interno della miniera perché all'epoca mi immaginavo le
squadre di minatori negli strati della terra come un formicaio
con tunnel, cunicoli e curve ammonticchiati l'uno sull'altro.*

*Il nonno descriveva il grande incendio che aveva portato
al crollo nella miniera. Gli uomini cercavano disperatamen-
te una via d'uscita. Non riesco a credere che raccontasse una
storia così raccapricciante a due bambini piccoli ma, cavolo, è
quello che ha fatto. Eravamo diversi dai bambini di oggi, tutti
micini e tenerezze. Ad ogni modo, tornando a noi: l'elefantessa riesce a liberarsi. E questa era la parte bella della storia.
Non ricordo dove andasse, però, e neppure se morisse o no.
La parte terribile era quella di padre e figlio che non riuscivano a uscire dalla galleria di accesso. Chiunque avesse scavato
la miniera non aveva previsto una via d'uscita e i minatori
erano intrappolati. Il loro lavoro regalava bellezza e ricchez-
za al mondo, ma rischiavano la vita per estrarre quelle pietre.
Com'era possibile? Ne valeva la pena? Morivano nelle viscere
della miniera. Ricordo che il nonno diceva che un padre farebbe di tutto per sfamare la sua famiglia, ed è una cosa che mi è
sempre rimasta impressa.*

*Sì, Matelda. È questa la parte che mi appassionava di più.
Era un lavoro pericoloso, ma valeva la pena di rischiare la propria vita per mangiare. Mi piacerebbe ricordare che fine aveva
fatto l'elefantessa. Mi dispiace, ma non lo so. Oh, però ricordo un'altra cosa. Il nonno diceva che i minatori erano scalzi.
Proprio così. Non avevano scarpe né stivali da lavoro. Posso
soltanto immaginare quanto doveva essere doloroso camminare sulle pietre e le rocce appuntite di quella miniera, dove le
gallerie si addentravano in profondità per metri e metri. Tutto
per un rubino. O una manciata di rubini. Il tesoro di cui ave-*

vano bisogno per sfamarsi. E con questo ho concluso, non so altro. Spero che basti a soddisfare la tua curiosità.

Grazie ancora per averci accolto in casa tua quando siamo venuti in Italia. Chissà se avremo ancora occasione di tornare... Stiamo andando avanti con gli anni, Matelda. È triste dirlo, ma è così che va la vita. Finisce come promesso. Ad ogni modo, è sempre bello tornare a casa ed esercitare il mio italiano arrugginito. Ed è stato bello vedere te, Olimpio e i tuoi figli.

«Nemmeno Nino ricorda che cosa ne è stato dell'elefantessa.» Matelda si tolse gli auricolari e li ripose nella custodia. «Non parla più come uno di noi.»

«Parla come un italoamericano del New Jersey perché è quello che è ora. Vive là da cinquant'anni. Siamo quello che mangiamo, il luogo dove viviamo e l'auto che guidiamo.»

«È una considerazione triste.» Matelda posò il cellulare sul comodino. «E molto deludente.»

«Almeno ti ha risposto. Non si sarebbe mai preso la briga di mettere la storia per iscritto.»

«No, ma devo ammettere che ci ha provato. Ha fatto *qualcosa* per me. È la prima volta che succede. Gli ho chiesto di fare una cosa per me e l'ha fatta!»

«Avete lasciato da parte le vecchie ruggini. State andando d'accordo ora.»

«Così pare, vero?» Matelda ce l'aveva messa tutta per cancellare ogni traccia di risentimento nei confronti di suo fratello. Nel corso degli anni Nino aveva piantato una grana dietro l'altra. Non si era preso alcuna responsabilità per il suo ruolo nel loro scontro, anzi, aveva incolpato Matelda. L'aveva accusata di aver sperperato la fortuna di suo padre. Le aveva fatto causa per la vendita del negozio di Viareggio. Lei gli aveva ceduto metà del ricavato, anche se erano stati lei e Olimpio a portare avanti l'attività. Nino lamentava di non essere stato consultato prima e sosteneva che pertanto l'edificio non avrebbe dovuto essere venduto. Non solo. Aveva rivendicato i disegni originali del nonno; Matelda glieli aveva mandati, dietro assicurazione che un'università era interessata a studiarli, salvo poi scoprire che lui aveva cambiato idea e li aveva venduti a una prestigiosa gioielleria del New Jersey. Matelda aveva dovuto ricomprare i disegni affinché restassero in famiglia, nonostante il rifiuto del fratello. A Nino non importava nulla della storia familiare, benché fosse partito per l'America con un cospicuo prestito della Gioielleria Cabrelli. Aveva fatto quattrini producendo ornamenti di strass da applicare su borse e scarpe. Non aveva mai restituito il prestito. Fratello e sorella non si erano parlati per anni. Matelda e Olimpio non erano stati invitati alle nozze della nipote Anna perché Nino era furioso con sua sorella per qualche motivo che lei nemmeno più ricordava. Patrizia non era riuscita a convincere il marito a partecipare al matrimonio di Nicolina perché Matelda e Olimpio non avevano partecipato a quello della *loro* figlia. Alla fine Olimpio e Patrizia avevano fatto fronte comune per chiedere una tregua tra fratello e sorella. Si auguravano che durasse sino alla fine dei loro giorni.

«Nino è un tipo vendicativo, sempre pronto a restituire pan per focaccia. È sempre stato così. Solo negli ultimi tempi la sua emozione prevalente non è la rabbia. Forse è sotto medicinali.»

«O forse è stanco di litigare» disse Olimpio ridacchiando.

«Non credo che i nostri problemi riguardassero papà. Forse era risentito perché io e mia madre eravamo molto legate. Forse gli dava fastidio che io e te vivessimo in questa casa con i miei genitori. Forse voleva la casa per sé.»

«Lo abbiamo pagato per la parte che gli spettava.»

«I soldi non gli mancano. Ma in mio fratello c'è un vuoto che nulla può colmare. Purtroppo lui pensa che sia stata io a scavarlo.»

«Sai cosa ti dico, Matelda? Penso che semplicemente non gli piacesse la tua faccia.»

«Esatto!» Matelda scoppiò in una risata.

«Ti ci sono voluti soltanto cinquant'anni per fargli cambiare idea.» Olimpio rise insieme a lei.

Matelda tirò fuori una camicia da notte dal comò. «Vado a sistemarmi prima di andare a letto.» Si chiuse alle spalle la porta del bagno.

«Abbiamo intenzione di parlare della tua famiglia per il resto della nostra vita?» le gridò dietro Olimpio.

Matelda riaprì la porta. «È un problema?»

«La risposta è sì» brontolò lui.

Matelda era davanti al lavabo, intenta a lavarsi i denti, quando il suo sguardo cadde su uno strato di bollicine azzurre in fondo al bicchiere. Sputò il dentifricio e si tastò intorno al collo per recuperare gli occhiali. Capovolse il bicchiere nel palmo della mano. Un braccialetto di scintillanti acquemarine incastonate in un pavé di diamanti scivolò giù.

«Olimpio!» Si asciugò frettolosamente la bocca e tornò in camera. «Che cos'è questo?» chiese mostrandogli il braccialetto.

«Buon compleanno, tesoro.»

«Mi hai messo un braccialetto così prezioso in un bicchiere? Sul lavabo? Sei impazzito?»

«Volevo farti una sorpresa» disse lui sfoderando un ampio sorriso.

«Poteva finire nello scarico.»

«Ma non è andata così.»

«Ma sarebbe potuto succedere.» Matelda si sentì avvampare di rabbia.

«Oh, per l'amor del cielo, Matelda. Era una sorpresa! L'ho creato apposta per te. Avevi detto che volevi un braccialetto da abbinare agli orecchini. Non fare la guastafeste. Goditi semplicemente il regalo, per una volta.»

Matelda tornò in bagno, si sedette sul bordo della vasca e scoppiò in lacrime. Udì dei colpetti alla porta. Afferrò un asciugamano e si tamponò il viso.

Olimpio aprì la porta con cautela e fece capolino nella stanza. «Matelda.»

Lei alzò lo sguardo verso suo marito, disperata.

«Dammelo.»

Matelda gli porse il braccialetto. «Mi dispiace.» Gli offrì il polso.

«Dispiace anche a me. È stato sciocco da parte mia farti una sorpresa.» Olimpio le agganciò il bracciale al polso facendo scattare la chiusura d'oro. «Avevo soltanto voglia di scherzare un po' come ai vecchi tempi.»

«Tipico dell'uomo che ha nascosto il mio anello di fidanzamento in una sfogliatella.» Matelda sorrise mentre faceva ruotare delicatamente le pietre in un giro completo intorno al polso. «È magnifico. Grazie.»

«Buon compleanno, bella.» Le diede un bacio.

Matelda si allontanò e andò a sedersi sul letto. «Non riesco a essere felice.»

«Tu sei stata felice.»

«Dici?»

«Distenditi. Lasciati abbracciare. Sei solo stanca.»

«Dico sul serio. Non riesco a godermi niente. Chi riceve un bellissimo braccialetto e ancora prima di provarlo immagina che poteva andare perduto?»

«Una persona che non vuole perdere nulla.»

«Hai sempre la risposta pronta, tu.»

«Smettila di essere così dura con te stessa. Quando stai male mi sembra di stare a guardare un pellegrino che viene torturato durante le Crociate. Dimentica il passato. Non puoi cambiarlo.»

«E se il passato è l'unica cosa che riesco a ricordare?»

«Allora aggrappati ai ricordi belli. Io mi considero l'uomo fortunato che ha perso la testa per una ragazza con un bikini bianco sulla spiaggia di Viareggio cinquantasei anni fa.» Olimpio si alzò e raggiunse Matelda dall'altra parte del letto. Tirò indietro le coperte e la aiutò a sdraiarsi.

«Sono fortunata. Le cose terribili che mi sono capitate si sono rivelate un dono da scartare quando la difficoltà era passata. Ho perso mio padre, ma poi ho avuto un patrigno che è stato buono con me. Era cresciuto senza un padre, perciò provava empatia per qualsiasi bambino conoscesse quel tipo di abbandono. Sai come vanno queste cose. Qualsiasi malattia tu abbia, è quella per cui vuoi trovare una cura.»

«Ma tutto questo è successo molto tempo fa.»

«Proprio così. E le mie ossa malandate lo dimostrano.» Matelda si spostò sotto le coperte per trovare una sistemazione comoda. «È qui. Il giorno che temevo è arrivato. Sono vecchia.»

«Se è per questo, lo sono anch'io.»

«Sto perdendo i pezzi come una macchina usata» sospirò.

«Finché funziona ancora e ti porta dove devi andare, che ti importa?» Olimpio augurò la buonanotte a sua moglie con un bacio. «Anche acciaccati, siamo sempre belli.»

11

Viareggio, 1929

La luce del sole di prima mattina inondava lo studio del dottor
Petrucci con una tale intensità che non era necessario accendere la lampada che spioveva sul lettino di visita.

Il dottore era appollaiato su uno sgabello, e Domenica Cabrelli, infermiera tirocinante, era seduta su quello vicino. Aveva
i capelli raccolti ordinatamente sotto una cuffietta. Indossava il
tipico camice azzurro. Nelle tasche teneva la dotazione essenzia-
le del suo ruolo: forbicine, garze, filo e una boccetta di tintura
di iodio.

«Sei pronta? Facciamo questa esercitazione in fretta. Il sindaco di Pietrasanta ha la gotta.» Il dottore diede un'occhiata
all'orologio da polso.

«Di nuovo?»

«Di nuovo.»

Domenica, ormai ventenne, stava facendo pratica come infermiera sotto la guida del dottor Petrucci. Era stato lui a farla
studiare presso le Sorelle della Santissima Madre Addolorata,
un ordine di suore francescane, e ora si occupava della formazione sul campo.

Petrucci incrociò le braccia, raddrizzò la schiena e restò a
osservare la sua allieva.

Domenica posò un'arancia matura sul tavolo. La buccia era
abbastanza morbida da poter essere pizzicata. Aprì il kit che
conteneva il necessario per le iniezioni. Tirò fuori la siringa.

«Un millilitro» disse Petrucci, che la seguiva passo passo.

Domenica pulì una piccola zona della buccia con un tampone di garza imbevuto di alcol. Sollevò la fiala di siero e la portò alla luce. La capovolse per verificare la quantità. Poi portò anche la siringa alla luce. Aspirò il liquido sino alla misura desiderata. Picchiettò la siringa con l'indice per rimuovere eventuali bolle d'aria. Premette lo stantuffo con il pollice. Sulla punta dell'ago apparve una gocciolina di liquido. Tenne l'arancia ben salda sul tavolo con una mano e la siringa nell'altra.

«Posiziona la siringa a un angolo di 45 gradi. Cerca il grasso» le ricordò Petrucci. «Non pungere il muscolo. Be', se succede, sarà il paziente a fartelo sapere.»

Domenica pizzicò la buccia tra le dita creando una piccola piega e vi piantò dentro la siringa tirando prima leggermente indietro lo stantuffo e poi premendolo sino a esaurire il siero. Poi tirò via l'ago delicatamente, posò la siringa sul vassoio e disinfettò di nuovo la parte interessata con la garza imbevuta di alcol. Infine alzò gli occhi verso il dottor Petrucci.

«Bene. Quando avrai a che fare con un paziente, avrai la stessa sicurezza?»

«Spero di sì, dottore.»

«Quando andrai a Lucca per sostenere l'esame finale, la parte pratica sarà valutata dalle suore. Se gli aghi non ti spaventano, saranno le suore a farlo, te lo assicuro.»

«Mia madre dice sempre: "Una buona sarta non ha paura degli aghi".»

«Ma un metro di stoffa non strilla quando lo pungi.»

«So cavarmela con i pazienti. Più caos c'è, più urlano e si lamentano, più mantengo la calma.»

«Come mai?»

«Non me lo sono mai chiesto, dottore. Faccio semplicemente quello che va fatto.»

«Suor Eugenia mi ha chiesto quali sono i tuoi punti deboli nello svolgere il lavoro e io non ne ho trovato nessuno. Hai una spiccata predisposizione per questo mestiere. Possiedi tutte le doti necessarie per diventare un'ottima infermiera.»

«Grazie.»

«Stai attenta, però. Le monache sono ostinate. Ti hanno dato una buona preparazione nell'esercizio della medicina e si aspettano qualcosa in cambio. Tenteranno di convincerti a prendere i voti.»

Domenica sorrise. «Gran parte delle mie preghiere non sono state ascoltate, perciò dubito che Lui ascolti. Perché dovrebbe mandare la Sua chiamata a una come me per farmi entrare nel suo esercito celeste?»

«Se fossi in te» – il dottore prese valigetta e cappello – «non rivelerei a suor Eugenia queste tue riflessioni finché non avrai terminato le prove d'esame».

«Sì, dottore.»

«Bada bene, è puro egoismo da parte mia. Desidero che le suore ti promuovano e ti rimandino a Viareggio a lavorare per me. Mi serve una brava infermiera. Se sarai bocciata, immagino che dovrò offrire il posto alla signora Macciò, che è un'ottima professionista, ma parla in continuazione. Andrò fuori di testa se non prendi il diploma e non ritorni qui in città il prima possibile.»

Petrucci se ne andò lasciando Domenica a preparare l'ambulatorio per l'apertura dell'indomani mattina. Lei riallineò le boccette delle tinture, disinfettò gli strumenti e spazzò il pavimento.

L'arancia matura che aveva usato per fare pratica con le iniezioni era ancora sul vassoietto degli strumenti. Fece passare un filo robusto attraverso la buccia e chiuse con un nodo l'occhiello che aveva ricavato per poi portarla fuori.

Si alzò in punta di piedi, tirò verso di sé un ramo della pianta di crespino e vi appese l'arancia. Poi lasciò andare il ramo, che tornò di scatto al suo posto.

Presto gli uccellini sarebbero venuti a beccare l'arancia finché non sarebbe rimasto nulla se non il filo. Domenica rientrò nello studio medico, andò alla finestra e rimase a guardare i fringuelli che iniziavano la loro discesa, pronti all'attacco.

12

Viareggio, oggi

«Mamma?» chiamò Nicolina mentre usciva dall'ascensore ed entrava nell'appartamento dei suoi genitori. «Mamma, sono io. Ho preso la pasta di acciughe che mi avevi chiesto. E ho preso anche qualche...»

La portafinestra era aperta; le tende mosse dalla corrente svolazzavano verso l'interno. Nicolina posò la borsa della spesa sul tavolo e uscì sul terrazzo.

Preoccupata, rientrò in casa e si guardò intorno. Salì i pochi gradini che portavano in camera da letto chiamando sua madre. Il letto era fatto. Scese rapidamente i gradini e corse in cucina. Trovò sua madre distesa sul pavimento.

«Mamma!» Nicolina si inginocchiò accanto a lei.

«Sto bene» mormorò la donna.

«Sei caduta.»

«Ho avuto un capogiro.»

«Chi sono?» le chiese Nicolina aiutandola a mettersi seduta.

«Sei mia figlia, Nicolina. Quando sei nata pesavi quattro chili e tre, e a distanza di cinquant'anni li sento ancora tutti.»

«Mi hai spaventato a morte.» Nicolina le offrì un bicchiere d'acqua. «Resta lì. Non alzarti. Ora chiamo l'ambulanza.»

«No! Assolutamente no!»

«Allora chiamo il dottore.»

Matelda non obiettò. Sorseggiò l'acqua.

Nicolina chiamò il medico. Aiutò sua madre ad alzarsi. Prese cappotto e borsetta e si avviarono lentamente verso l'ascensore. Quando arrivarono alla macchina, Nicolina la aiutò a salire e le allacciò la cintura di sicurezza.

«Mi tratti come se fossi una bambina» disse Matelda.

«È arrivato il momento, mamma. Ricordi quello che mi hai detto?»

Matelda annuì. Si era presa cura di sua madre sino alla sua morte; non le sembrava possibile che ora fosse lei la persona anziana bisognosa di attenzioni da parte di sua figlia.

Nicolina si fermò al semaforo. Aprì una bottiglietta d'acqua e la porse a Matelda.

«Bevila, per favore.»

«Sto bene così.»

«Bevila. Tutto ciò che capita di brutto a una certa età capita perché non si è bevuto abbastanza.»

Matelda obbedì bevendo qualche sorso. «Dev'essere stata la sfogliatella. Ne ho mangiata una intera. Probabilmente non potrò più mangiare quello che mi piace.»

«Un dolcetto in più non ti fa svenire.»

«È stato solo un attimo di stordimento.»

«Non sappiamo per quanto tempo sei rimasta priva di sensi. Papà è andato al lavoro alle 7 e io sono arrivata intorno alle 9.»

«È stata questione di secondi.»

«Come lo sai?»

«Stavo pensando a mia madre quando era una giovane infermiera che lavorava in ambulatorio. Che cosa può voler dire?»

«Che ti serve una visita medica?»

«So badare a me stessa» ribatté Matelda sulla difensiva.

«Lasciamo decidere al dottore.»

Ida Cascarano era al mercato quando vide Matelda ferma allo stop in macchina con Nicolina. Pensò di fare un cenno per salutarle, ma notò che Matelda e sua figlia stavano litigando. «I Cabrelli. Sempre pronti a battibeccare» disse sottovoce.

Olimpio uscì dal negozio e chiamò Nicolina.

«Che cosa ha detto il dottore?»

«Ha detto che la mamma ha il cuore stanco. Potrebbe essere questa la causa dei suoi sbalzi di umore e delle improvvise crisi di pianto. Spiegherebbe anche i problemi di memoria che manifesta negli ultimi tempi. Lei gli ha detto che fa sogni molto vividi. Sogna la sua infanzia. Sogna che sua madre la sta chiamando a sé. Le sembra di vederla presente.» La voce di Nicolina si spezzò.

«Cos'altro ha detto il dottore? Che cosa si può fare?»

«Ha detto che la mamma è nello stadio iniziale di qualunque cosa sia.»

«Demenza?»

«Il dottore pensa di no. Non è neanche Alzheimer.»

«Grazie a Dio.»

«Ha aggiunto che non è cambiato nulla da quando l'hai accompagnata a fare gli esami.»

«Bene.»

«Ha detto che i suoi problemi cardiaci provocano mancanza di ossigeno al cervello. Vuole che la mamma stia sotto ossigeno la notte quando dorme. Dice che la aiuterebbe. Ora sto andando da lei per farle vedere come funziona il macchinario.»

«Tra poco torno a casa.»

«No, papà, rimani. Posso cavarmela da sola. Il dottore ha detto di continuare la nostra solita routine tenendola d'occhio. Se iniziassimo a comportarci in modo diverso si agiterebbe.»

«Capisco. Chiamerò tuo fratello.»

Olimpio indugiò sul marciapiede. Doveva aspettarselo; del resto, lui e Matelda erano ottuagenari e qualcosa era destinato ad andare storto per uno dei due, o persino per entrambi. Ma quel momento era arrivato troppo presto. C'erano ancora dei ricordi da costruire.

Nicolina stava percorrendo il viale. «Mamma, stai bene?»

«Sì, tutto a posto.»

«Mi dispiace che tu ti sia dovuta sottoporre a questo strapazzo oggi.»

«Andare dai medici è diventata la mia nuova occupazione. Quando facevo la contabile almeno avevo il weekend libero. Essere vecchi e andare dal dottore è un lavoro a tempo pieno, sette giorni su sette.»

Nicolina si fermò al semaforo.

«Vedi il gelataio?» Matelda lo indicò. «Una volta era l'ambulatorio del dottor Petrucci. Mia madre lavorava lì. È stata la prima donna in città ad avere un'istruzione superiore.»

«Questo è motivo di orgoglio per me.»

«Anche per me. Ma ha pagato caro quel risultato, credimi.»

Nicolina notò che la memoria di sua madre migliorava quando passeggiavano o andavano in auto da qualche parte. Era come se il movimento stimolasse il ricordo dei dettagli e la incoraggiasse a condividerli.

«Che cos'è successo a tua madre?» le chiese. «Te lo ricordi?»

13

Viareggio, febbraio 1939

La città era immersa nel silenzio mentre Domenica Cabrelli si dirigeva in ambulatorio la mattina del martedì grasso. Solo poche persone erano in piedi per occuparsi delle attività che si svolgevano di prima mattina. I pescatori stavano esponendo il loro bottino sui banchi e due monache stavano contrattando con il contadino sui friarielli con cui avrebbero preparato la minestra della Quaresima. La maggior parte dei banchi che vendevano cibo erano ancora coperti con la tela cerata. La passeggiata a mare era pavesata di fluttuanti bandierine triangolari bianche, rosse e verdi. L'unico suono che si udiva era quello metallico prodotto da un ambulante che scrostava la griglia su cui avrebbe arrostito le salsicce e i peperoni, preparandosi a quella che sperava sarebbe stata la giornata più fruttuosa.

Il cielo rosato era screziato di striature dorate, come una lastra di feldspato. La luce filtrava prepotentemente insinuandosi tra uno spiraglio e l'altro e illuminando le creste delle onde verdi. I turisti non notavano i periscopi dei sottomarini che operavano in zona per le esercitazioni militari a media distanza ordinate dal regime, ma a Domenica non sfuggiva la loro presenza. L'Italia si stava preparando per una guerra che nessuno voleva.

Dopo essere entrata nell'ambulatorio lasciando la porta spalancata per far entrare un po' d'aria fresca, Domenica andò dritta ad aprire le finestre. L'odore delle tinture a base alcolica, di ammoniaca e di formaldeide diventava più intenso quando l'ambulatorio restava chiuso.

Si dedicò alle consuete mansioni che le toccavano ogni mattina per preparare lo studio alla giornata. Per prima cosa spazzò il marciapiede davanti all'ambulatorio, poi rientrò e diede una passata al pavimento. Spolverò tutte le superfici con un panno spruzzato di alcol. Strofinò persino la penna stilografica del dottore. Indossò il grembiule e la cuffia per raccogliere i capelli e si lavò le mani. Tirò fuori le garze, l'abbassalingua, il termometro e li dispose in bell'ordine sul piano di lavoro, poi si sedette alla scrivania. Stava controllando la lista dei pazienti quando Monica Mironi entrò nell'ambulatorio con i suoi tre bambini.

La giovane madre portava l'ultimogenito in un porte-enfant e quello di un anno in braccio, appoggiato sul fianco, mentre il piccolino di tre anni zampettava dietro di lei come un ometto obbediente. Tutti e tre avevano le gote arrossate dal freddo ancora pungente delle mattine di febbraio. Anche la madre aveva le guance colorite, con le fattezze delicate e l'espressione di una bambola triste.

«Come posso esserle utile, signora?» Domenica le offrì una sedia. Diede una mela al bambino più grande, prese il portabebè e lo depose sul tavolo. «Mi spiace, ma non c'è riscaldamento qui. Il dottore preferisce mantenere l'ambulatorio al freddo.»

«Di' grazie, Leonardo.»

«Grazie, signorina.»

«Prego.» Domenica gli arruffò i capelli. «Sei un bravo bambino educato.»

«Ci tengo a insegnargli le buone maniere.»

«Il dottor Petrucci non tornerà prima di domattina.»

«Non sto cercando lui. Volevo parlare con lei.»

Domenica si sedette. «Come posso aiutarla?»

Monica abbassò la voce. «Voglio che mi insegni come si fa a non rimanere incinta.»

«Non vuole altri figli?»

«Ne vorrei, ma è meglio di no. La levatrice di Pietrasanta mi ha detto che ho problemi al sangue. Quando mi ha aiutato a dare alla luce la bambina tre mesi fa, mi ha detto che con un'altra gravidanza potrei rischiare la vita. E io sono preoccupata, perché se dovessi ammalarmi o se dovesse succedermi qualcosa di grave non ci sarà nessuno che si prenderà cura dei miei figli.»

«Vive con la sua famiglia?»

«Con i miei suoceri. Per questo sono preoccupata.»

«Capisco.»

Monica annuì con aria triste. «Mio marito vuole una famiglia numerosa.»

«Ha riferito a suo marito quello che le ha detto la levatrice?»

«Pensa che sia una frottola.»

«Perché mai una levatrice dovrebbe mentire? Far nascere i bambini è il suo mestiere. Non sarebbe nel suo interesse ridurre la sua attività, no?»

«Vero.» Monica sorrise.

«Non appena torna in studio, possiamo chiedere al dottor Petrucci di visitarla e di rilasciarle una diagnosi scritta. Magari a quel punto suo marito crederà alla gravità della sua condizione. Sa, se lo vedesse scritto nero su bianco…»

Domenica sapeva che Guido Mironi non avrebbe mai dato credito alle parole di un'infermiera, ma forse avrebbe ascoltato quelle di un medico. Prese nota della sua conversazione con Monica sul taccuino. «Lascio un appunto al dottore in caso di un'eventuale visita da parte di suo marito.» Posò la matita e si protese verso la donna. Non era compito suo dare consigli ai pazienti, ma in quel caso sentiva che era importante. «Signora, lei conosce il processo che sta alla base del concepimento di un figlio?»

«Qualcosa la so, sì.»

«È possibile prevenire una gravidanza facendo uso di metodi contraccettivi. Sa di cosa parlo?»

Monica annuì.

«Il dottor Petrucci può fornirli a suo marito.»

«Non li userà.»

«E se fosse il dottore stesso a raccomandarlo?»

«C'è qualcosa che posso fare io?»

«Senza dirlo a suo marito?»

La donna annuì.

«Eppure sarebbe utile che suo marito partecipasse alla pianificazione familiare.»

«Non ne vuol sentir parlare. Un'amica mi ha accennato a un accorgimento. Me l'ha anche mostrato.»

«Dovrei parlarne con il dottore.»

«Lo farebbe? E il dottor Petrucci ne parlerebbe con mio marito?»

«Le visite in questo ambulatorio sono sempre tutelate dalla massima riservatezza.»

Monica emise un sospiro di sollievo.

«Fissiamo un altro appuntamento per lei, allora. Posso chiedere alla sua levatrice di partecipare, se questo la mette più a suo agio.»

«È stata lei a suggerirmi di venire qui, sono sicura che non avrà nulla in contrario. È cattolica e mi ha detto che il prete mi darebbe l'assoluzione.»

«Spero di sì. Lei ha un serio problema di salute e deve ascoltare le raccomandazioni del medico.» Domenica fissò un appuntamento sull'agenda.

«Signorina, lei andava a scuola con mio marito, vero?»

«Sì» rispose Domenica con un sorriso forzato. Guido Mironi non era mai stato un suo amico. Era un bullo e un gradasso.

«Com'era da ragazzo?»

«Guido era un tipo vivace» disse Domenica con una buona dose di diplomazia. Mironi era stato respinto due volte. Durante le ore di lezione, o era nei guai o stava per cacciarvisi. C'era stato l'incidente della pietra e molti altri frangenti simili. Ma non toccava a lei parlarne a Monica. Annotò frettolosamente il nome di Silvio Bartolini sul margine del foglio e chiuse il taccuino. «Era pieno di energia.»

Per il bene di Monica, Domenica sperava che il suo ex compagno di classe fosse cambiato. I genitori della donna, non essendo del posto, probabilmente non conoscevano la verità quando avevano acconsentito all'unione fra i due. «Che uomo è ora?»

«Tale e quale il duce.»

Domenica scoppiò a ridere. «Oh, no. Mi dispiace.»

«Oggi è dovuto andare a Lucca, quindi avevo la mattina libera. Non so come ringraziarla per avermi dedicato un po' del suo tempo.»

«Sono sicura che suo marito desidera il meglio per lei. Per la sua salute.»

«Spero che sia così.» Monica radunò i suoi bambini, pronta ad andarsene.

Domenica andò alla scrivania del dottore e aprì il cassetto. Prese un opuscolo e lo diede alla donna. «Qui troverà delle indicazioni sul controllo delle nascite. Gli dia un'occhiata prima dell'appuntamento con il dottore, così potrà discuterne con lui.»

Domenica si ritrovò a seguire con lo sguardo quel tenero gruppetto sino in fondo alla strada, per poi vederli svoltare e sparire dalla vista. Una sensazione di paura le premeva sul cuore. Era felice che quel giorno Petrucci fosse a Pietrasanta e non potesse vedere le sue emozioni. Si asciugò frettolosamente le lacrime dalle guance e tornò alle sue carte.

Domenica spinse il cancello dei giardini di Villa Buoncorso e raccolse un sacco di iuta pieno di castagne, uno dei tanti che erano ammonticchiati sotto la pergola. Il parco era cambiato da quando era bambina. I tronchi dei castagni si erano ingrossati così tanto che non ce la faceva più ad abbracciarli.

In estate il giardino era un tripudio di cose belle che appagavano gli occhi e lo stomaco; le rose rosse e i girasoli crescevano tra file ordinate di cespi di cicoria, scalogni, pomodori, rucola e peperoni. Le viti cariche di grappoli d'uva formavano una sorta di tettoia arrampicandosi sulla pergola che forniva riparo ai giardinieri quando si prendevano una pausa per pranzare. In inverno la stessa pergola diventava il luogo in cui mondare i fagioli e approfittare dei rari raggi di sole che filtravano dal tetto di rampicanti quasi spogli.

Domenica si affrettò verso casa con il sacco di castagne. Alcune caddero sulla strada acciottolata, rimbalzando con un allegro ticchettio, ma non si fermò a raccoglierle. Tra gli alberi vide i fasci di luce del palco allestito sul lungomare.

Entrando in casa, chiamò ad alta voce suo padre e sua madre, poi si ricordò che dovevano già essersi recati alla festa di Carnevale. Salì le scale di corsa, lasciò cadere il sacco di castagne in cucina e poi affrontò l'altra rampa due gradini alla volta per andare in camera sua. Preparò la vasca per farsi un bagno caldo e, nel frattempo, si lavò i denti. Presto dall'acqua si levò una nuvola di vapore che offuscò lo specchio. Versò dell'olio profumato alla lavanda prima di spogliarsi e immergersi nella vasca.

Si sentiva indolenzita ovunque. Spalle e mani le facevano male per le lunghe ore di lavoro passate in ambulatorio durante la settimana. Aveva le gambe stanche per aver assistito la levatrice durante un lungo travaglio. A poco a poco si riprese strofinandosi con il sapone al latte di capra. Si sciacquò con l'acqua fredda e uscì dalla vasca. Si avvolse in un grande asciugamano e rientrò nella sua stanza, dove mamma Netta aveva adagiato sul letto il suo abito da ballo. Si mise a fischiettare un motivetto a bocca chiusa mentre si vestiva, e poi prese decisamente a cantare. Si infilò le calze e le scarpe da ballo e scese al piano di sotto, pronta per uscire a festeggiare.

La città era affollata di turisti. I festaioli arrivavano da tutta la costa ligure e persino dalle Dolomiti per cercare l'intrattenimento di giocolieri, maghi e musicisti. Ambulanti provenienti da Firenze e Milano offrivano prodotti di seta, cuoio e paglia sulle bancarelle disposte lungo i canali. Ogni domenica, per tutto il mese di febbraio, il viale principale veniva sgombrato per lasciare spazio alla tradizionale sfilata dei carri, allestiti con gigantesche figure di cartapesta che riproducevano in modo grottesco il volto di politici, divi del cinema e addirittura santi. La rappresentazione esasperata di personaggi importanti o popolari, con quegli occhi stralunati, le enormi bocche rosse spalancate e la dentatura simile alla tastiera di un pianoforte, con indosso i chiassosi costumi a rombi e a righe delle maschere della commedia dell'arte, ebbene, al loro passaggio, queste caricature incombevano sulla folla come una fanfara di mostri usciti da un brutto sogno.

Domenica affrettò il passo per arrivare puntuale. Intorno alla pista da ballo si erano già radunati parecchi spettatori per assistere allo spettacolo. Portavano delle maschere dipinte o ornate di perle e cristalli, secondo la tradizione carnevalesca. I più anziani portavano semplici mascherine di velluto legate con nastri di raso, lasciando ai giovani il privilegio di brillare in uno scintillio di decori preziosi.

Domenica strinse le fettucce del corpetto e si unì agli altri ballerini. La sua figura esile era valorizzata dalla camicetta bianca a maniche lunghe e dalla tradizionale gonnellona rossa stretta in vita.

I fratelli Cincotto la attirarono nella cerchia di danzatori. Il rullio cadenzato dei tamburi, l'incalzante vivacità dei violini, il suono imperioso degli ottoni indussero i ballerini a mettersi rapidamente in formazione. Domenica sollevò i lati della sua gonna voluminosa e con un semplice chassé fece cenno ai fratelli Cincotto di seguirla nella figura principale.

«Preparati a volare, Domenica» le promise il primogenito.

Domenica rise. «Attento a non farmi cadere, piuttosto, Mauro!»

Un gruppetto di giovanotti stazionava ai margini della pista. Uno di loro stava ascoltando distrattamente le chiacchiere degli amici quando i suoi occhi si posarono su Domenica Cabrelli. Il giovane sciolse il nodo della mascherina e la lasciò cadere intorno al collo per vedere meglio.

Domenica era al centro della pista. Alzò le braccia e fece una piroetta. Gli strati della gonna ruotarono in un cerchio completo, mettendo in mostra le sue gambe tornite. Mauro la afferrò in vita e la sollevò da terra. La treccia castana di Domenica sbatté nell'aria come una frusta.

Lo sconosciuto si rimise la mascherina sugli occhi e seguì con lo sguardo la ballerina che volteggiava nella notte.

«I tuoi genitori sono al chiosco dei gelati» disse Emilia passando davanti a Domenica. «La banda sta per andare in pausa. Poi tocca alla bergamasca. Venti minuti» aggiunse picchiettando l'orologio da polso.

Domenica si aprì un varco in mezzo alla folla. Aveva dimenticato quanto il profumo di salsiccia, peperoni e cipolla grigliati potesse stimolare l'appetito.

Poiché la fila per un panino era troppo lunga, si fermò davanti al banchetto che vendeva gli spiedini di fichi. L'ambulante faceva ruotare sul fuoco i fichi infilati in una lunga stecca di legno. Quelle leccornie speciali servite durante la festa rendevano i quaranta giorni di privazione che sarebbero seguiti quasi degni del sacrificio. I fichi ripieni di prosciutto e formaggio venivano arrostiti su un braciere finché la buccia del frutto non si caramellava, formando una crosta zuccherina. I bambini ne andavano pazzi perché erano dolci, e i genitori li esortavano ad approfittarne perché non avrebbero più potuto mangiare carne sino alla domenica di Pasqua, quando finalmente sarebbe terminato il periodo di digiuno. Domenica ne addentò uno, chiuse gli occhi e assaporò quell'irresistibile mix di dolce e salato.

A partire dal primo febbraio, anche davanti alla bancarella dei bomboloni si formava una lunga fila di clienti che si rinnovava sino all'ultimo giorno di Carnevale. Degli enormi pentoloni contenevano un composto a base di farina, uova e lievito che veniva lavorato a mano con grandi spatole di legno e poi abilmente versato in padelle di olio bollente sino a ottenere un'esplosione di frittelle dorate, soffici e leggere. A quel punto venivano raccolte con una schiumarola, tuffate nello zucchero e servite caldissime.

Lungo il pontile di legno, due uomini robusti azionavano la macchina per fare il gelato. Pigiando il pedale, facevano ruotare dei grandi sbattitori di metallo in una vasca tonda rivestita con una patina di salgemma. La crema gelato veniva preparata con panna fresca, uova e una manciata di bacche di vaniglia tritate. Una volta che il gelato si era addensato, veniva versato in una coppetta di cialda e cosparso di una colata di cioccolato fuso che, a contatto con una temperatura più bassa, si solidificava in deliziosi rivoletti.

Domenica trovò i suoi genitori seduti con i loro ospiti a un tavolino nei pressi del chiosco dei gelati. Salutò Agnese e Romeo Speranza, veneziani, amici di famiglia da una vita. La coppia veniva a trovarli ogni anno a Carnevale. Cabrelli e Speranza erano esperti tagliatori di pietre preziose che si erano conosciuti anni prima durante un viaggio in India, quando entrambi erano giovani apprendisti desiderosi di imparare il mestiere.

«Netta, hai una figlia bellissima» disse Agnese. Era una donnina ordinata dai capelli ramati che indossava un elegante vestito blu e un cappello di paglia rosso.

Domenica avrebbe voluto sfoggiare un abito all'ultima moda, anziché il costume tradizionale. «Grazie, signora Agnese. Mi piace molto il suo vestito, e anche il cappello» disse baciando la donna su entrambe le guance.

«Non dimenticarti di me» disse Romeo Speranza mostrando la guancia.

«E chi potrebbe mai dimenticarsi di te?» scherzò Pietro Cabrelli. «Hanno messo la tua foto sul giornale del Vaticano. Ti hanno definito "il più grande tagliatore di gemme di tutta Italia".»

«Grazie a te» disse Speranza con un sorriso.

«Famoso o no, non mi dimenticherei mai di lei, signor Romeo.» Domenica salutò anche lui con due baci sulle guance.

Netta offrì un po' di gelato alla figlia usando una cialda al cioccolato come cucchiaino. «Assaggia.»

Domenica lo trovò delizioso.

«Non vedo l'ora di vederti ballare» disse Agnese.

«Venite a vedere la bergamasca dopo la sessione di riscaldamento. Mi auguro che Mauro Cincotto abbia ancora la forza di sollevarmi.» Domenica gonfiò la gonna con le mani. «Non voglio rovinare tutto il lavoro che hai fatto su questo costume, mamma. Ora devo andare. Ciao a tutti.»

Si sciolse la treccia mentre tornava verso il palco passando in mezzo alla folla. I capelli ondulati le ricaddero sulle spalle. Aveva pensato di tagliarli a caschetto, seguendo la moda del momento, ma non era riuscita a decidersi a farlo.

«Sei esattamente come ti ricordavo» disse una voce maschile alle sue spalle.

Il Carnevale era una calamita per ciarlatani, incantatori di serpenti e anche peggio. Domenica affrettò il passo per seminare lo sconosciuto tra la folla festante, ma lui la superò e si fermò davanti a lei, con la mascherina che gli copriva parzialmente il viso.

Era alto e smilzo, con una testa piena di ricci scuri. Sciolse il nodo della mascherina, la abbassò e svelò la faccia. «Ti ricordi di me?»

Domenica avrebbe potuto riconoscere il suo naso, la fronte alta, i piani del viso, ma era il suo sorriso che avrebbe riconosciuto ovunque. «Silvio Bartolini!» esclamò gettandogli le braccia al collo.

«Pensavo che non mi avresti riconosciuto.»

«Cosa ti è successo? Ero io quella più alta dei due. Di almeno trenta centimetri!»

«Tu invece non sei molto più alta rispetto a quando me ne sono andato da Viareggio.»

«Quando te ne sei andato, ho smesso di crescere» scherzò lei.

«Eh, sì. È stata una sciagura perdermi, vero?»

«Non lo saprai mai.»

Scoppiarono a ridere.

«Diciannove anni. Roba da non credere» sospirò Silvio. «Ero convinto che mi avessi dimenticato.»

«Non potrei mai dimenticare il mio migliore amico.»

Il viso da cherubino del Silvio di un tempo non c'era più. I lineamenti arrotondati degli angioletti intagliati che decoravano l'altare della chiesa di San Paolino erano scomparsi; anzi, questo Silvio aveva la statura e la corporatura atletica della statua di San Michele che la nicchia in cui era situata riusciva a contenere a stento. Qualsiasi ragazza avesse mai pregato in San Paolino era innamorata di San Michele, e ora Silvio Bartolini era diventato come lui. Aveva il viso spigoloso e un naso importante; l'unico tratto rimasto inalterato del ragazzino che conosceva erano gli occhi. Avevano lo stesso caldo color nocciola, con la stessa ombra di tristezza. Domenica era certa di essere l'unica in grado di cogliere quello che rivelavano i suoi occhi, perché conosceva bene la fonte di quel dolore. «Come hai fatto a trovarmi?»

«Ti ho cercato ovunque.»

«Sai dove abito.»

«La porta è sempre arancione?»

«Te lo ricordi ancora! Sì, papà l'ha ridipinta per Carnevale. Ha rinfrescato l'intonaco di tutta la casa.»

«Ci sono ancora i castagni in giardino?»

«Certo. Quest'anno c'è stata una produzione eccezionale.»

«Quella sarebbe stata la mia prossima tappa.»

«Già, si preferisce sempre vedere soltanto le cose che non sono cambiate.»

«Ma tutto è cambiato. Tu, io, la stalla dietro la chiesa. Hanno trasformato la nostra casa in un garage. Dei cavalli, nemmeno l'ombra!»

«Li hanno mandati all'alpeggio. Almeno così si dice in città.»

«Quando eravamo piccoli, quasi tutte le famiglie avevano un cavallo e nessuna l'automobile. Le auto erano troppo costose. E rare. Verrà un giorno, invece, in cui ogni famiglia ne avrà una e nessuno potrà più permettersi un cavallo» osservò Silvio ridacchiando.

«Mi sembra di sentir parlare mio padre. Quanto ti fermi?»

«Sino a stasera.»

«Peccato!»

«Prima di andarmene vorrei conoscere tuo marito.»

«Anche mia madre lo vorrebbe.»

«Non capisco.»

«Non sono sposata.»

«La signora Zanella ha detto che…»

«Non lo sai? La signora Zanella – poverina! – si inventa delle storie. Crede di essere una contessa, nonché la proprietaria del Banco di Roma.»

«E non è così?»

«Non ha nemmeno un conto in banca.»

«Non sei sposata, quindi?» Silvio fece un passo indietro e la guardò.

«Ho un lavoro. Sono infermiera. Assisto il dottor Petrucci.»

«È ancora vivo?»

«Aveva più o meno l'età che abbiamo noi oggi quando ti ha suturato la ferita. È stato lui ad aiutarmi a prendere il diploma da infermiera.»

«Ma questo non spiega perché non sei sposata. Ti sei fatta suora?»

«Questa ti sembra una tonaca?»

«Potresti benissimo essere suor Tarantella, perché no?»

Domenica rise. «Tu, piuttosto. Sei sposato?»

«Fidanzato.»

Domenica fece vagare lo sguardo sul molo, felice di avere qualcosa da fare per nascondere la sua delusione. «Dov'è lei? Mi piacerebbe conoscerla.»

«È rimasta a Parma.»

«Quando vi sposerete?»

«La prossima estate.»

«Congratulazioni. Ti meriti un po' di felicità.»

«Tu sei l'unica persona che la pensava così anche allora. Be', anzi, tu e mia madre.»

Il capobanda fischiò per richiamare i ballerini sul palco.

«Devo andare. Mi aspetti?»

«Mi spiace, devo raggiungere i miei amici per tornare a Parma.»

Domenica non riuscì a celare il suo disappunto. «Peccato. Abbiamo ancora tante cose da raccontarci.» Si morse il labbro. «Ho pregato per te per tutto questo tempo. Abbi cura di te.»

Domenica si era voltata per raggiungere i compagni quando Silvio le prese la mano. «Prima che tu te ne vada» – si chinò per sussurrarle all'orecchio – «dimmi una cosa: hai mai trovato il tesoro nascosto?».

La banda riprese a suonare. I ballerini si disposero sul palco senza Domenica.

«No, mai trovato.»

«Che peccato! Mi viene in mente ogni mattina quando mi guardo allo specchio.» Silvio si scostò una ciocca di capelli dalla fronte scoprendo la cicatrice sul sopracciglio. L'arcata nera era inframmezzata da puntini rosa che indicavano la posizione dei punti di sutura.

Domenica gli si avvicinò per esaminare la cicatrice. Seguì delicatamente la curva con l'indice. Era a pochi centimetri dalla sua bocca, il suo dito tracciò il contorno del suo viso sino alle sue labbra.

«Domenica» sussurrò lui. Le sue labbra le sfiorarono la guancia.

«Si vede appena. È guarita bene. Hai fatto una scelta saggia. Volevo cucirti io, ma non hai voluto.»

Silvio rise. «In compenso ho seguito il tuo consiglio riguardo all'olio d'oliva. Se non è troppo evidente, è merito tuo.»

«Questo non lo ricordo.»

«Non importa, lo ricordo io.» Silvio le prese di nuovo la mano. «Sei sempre la ragazza più bella di Viareggio.»

«E tu hai una fidanzata a Parma.» Domenica si liberò dalla sua presa. «Dove lavori?»

«Sto facendo apprendistato presso Leo De Nunzio, maestro tagliatore di gemme a Torino. È stata una fortuna che mi abbia preso sotto la sua guida.»

«Papà sarà felice di sapere che hai intrapreso questa strada.»

«A proposito, come sta tuo padre?»

«Continua a lavorare sodo, e mia madre lo spinge a lavorare ancora di più.»

«Tuo padre è apprezzato in tutta la Toscana per la sua abilità.»

«Grazie. Che mi dici di tua madre, invece?»

«Ha sposato un brav'uomo di Firenze. Un muratore. Dopo aver tanto tribolato, ha finalmente trovato la serenità.»

«Anche lei se lo meritava. È stato un buon padre per te?»

«Mi ha sempre trattato bene, con equilibrio e gentilezza.»

«Sono felice per te» disse Domenica dal profondo del cuore, e aggiunse: «Tua madre è una delle donne più garbate che io abbia mai conosciuto».

«Glielo riferirò. E tuo fratello?»

«È sempre lo stesso.»

Silvio rise. «Non è cambiato?»

«Per niente.»

«Dov'è ora?»

«Si è arruolato. Spero che la vita militare lo aiuti.»

«Potrebbe anche farlo peggiorare.»

«È esattamente quello che ha detto mia madre» ribatté lei scoppiando a ridere.

Mauro Cincotto si avvicinò al bordo del palco e le fece un cenno di sollecito. «Domenica. Quadrato di base. Abbiamo bisogno di te.» Abbassò la voce. «Non posso sollevare Stella Spadoni.»

«Sì che puoi.» Stella, una ragazza alta e con le spalle larghe, lo riportò energicamente in formazione. «Ce la farai.»

«Ho perso il mio partner.» Domenica si rivolse a Silvio. «Ti va di ballare?»

«Non sono un bravo ballerino.»

«Non ti farai mica problemi per questo!» Ignorando le sue preghiere affinché non lo coinvolgesse, Domenica trascinò Silvio sulla pista. «Andiamo, sei un viareggino! Seguimi!» ordinò. Prese le mani di Silvio nelle sue e se le posò sui fianchi. Poi appoggiò le proprie sulle spalle di lui. «Ora conta.» Con pazienza, gli insegnò il passo base finché non si fu impratichito. «Ora aggiungiamo il saltello.» Silvio saltellò a tempo di musica. «Benissimo. Ora partiamo!» lo istruì Domenica.

«Pensavo fossimo già partiti.» Silvio scoppiò in una risata.

«Così.» Domenica guidò Silvio finché non fu lui a condurre invertendo i movimenti. Presto la coppia guadagnò il centro della pista. Domenica rideva mentre lui si concentrava sui passi.

Insieme fecero il giro della pista saltellando sino a raggiungere il bordo del palco. Invece di ruotare su se stesso, Silvio sollevò Domenica e la fece volare in tondo prima di rimetterla a terra, guadagnandosi così il timido applauso di un gruppetto di anziani seduti poco lontano, con vista sul palcoscenico.

«Rifallo» lo esortò Domenica. Silvio la sollevò di nuovo, stavolta facendola volteggiare in mezzo alle altre coppie.

La Cabrelli fa sempre fare a Bartolini cose che quel ragazzo non dovrebbe fare. Era questo che la madre di Silvio si era sentita dire dalle suore quando era andata a scuola per comunicare che avrebbero lasciato la città.

La depositò a terra con delicatezza.

«Ottimo! Sei stato bravissimo e ti meriti un premio» disse lei facendogli un inchino. «Ti ricordi i bomboloni?»

«Sono sempre buoni come allora?»

«Andiamo a verificarlo di persona.» Lo prese per mano e lo fece scendere dalla pista.

Silvio la seguì tra la folla festante. Si sentiva fortunato a stare accanto a lei e godere della sua luce. Silvio Bartolini non si era reso conto di quanto gli fosse mancata Domenica Cabrelli finché non aveva danzato con lei.

Le comprò un bombolone. «Non vuoi che me ne vada, vero?»

«Ma devi farlo. Hai una bella ragazza che ti aspetta.»

«Come fai a sapere che è bella?»

«Chiunque tu scelga lo sarebbe.»

«Hai una grande considerazione di me.»

«È consentito?»

«Sì, e anche apprezzato. Ti piacerebbe sapere cosa penso di te?»

«Già lo so.» Domenica gli accostò un pezzo di bombolone alla bocca.

«Lo sai?»

«Che sono autoritaria e testarda.»

«È vero» ammise Silvio ridendo.

«Chi altri avrebbe potuto convincerti a ballare a Carnevale? Filomena Fortunato? Ti eri preso una cotta per lei durata sei giorni quando avevamo dieci anni.»

Silvio non diede un altro morso al bombolone perché era troppo preso a chiacchierare con Domenica. Per quanto fosse lunga la passeggiata a mare, la loro conversazione lo era di più. Nessuno dei due contò quante volte percorsero quel tratto su e giù. Quando gli amici di Silvio lo trovarono, era ormai tempo di tornare a casa. Domenica li accompagnò all'auto.

«Proprio come ai vecchi tempi, devi accertarti che arrivi a casa sano e salvo» scherzò Silvio.

«Abbi cura di te.» Domenica abbracciò il suo vecchio amico.

Guardando l'auto allontanarsi, si domandò quanto tempo sarebbe passato prima che quei quattro giovanotti venissero chiamati alle armi. Disse una preghiera nella mente e baciò la medaglietta di Santa Lucia affinché li proteggesse. Si pentì di non averla mostrata al ragazzo che gliel'aveva donata così tanti anni prima. Non c'era stato abbastanza tempo.

Domenica tornò a casa dai festeggiamenti scalza, tenendo una scarpa in ciascuna mano e facendole dondolare come i due secchi che usava per andare a prendere l'acqua per sua madre quando era una bambina. Era difficile ricordare com'era la vita prima che l'acquedotto portasse l'acqua corrente nelle case. Non le dispiaceva la sensazione delle pietre fredde e lisce del selciato sotto i piedi doloranti. Probabilmente era tutta la sera che le facevano male, ma in compagnia di Silvio Bartolini non se n'era nemmeno accorta.

Già lungo la scalinata di Villa Cabrelli aleggiava profumo di cannella e anice. Raggiunse i suoi genitori e i coniugi Speranza in cucina.

Romeo Speranza era nel bel mezzo di un racconto mentre sua madre mescolava le castagne nella pentola sulla stufa. Il tavolo della cucina era coperto da una candida tovaglia di mussola. Un mucchietto di zucchero brillava come fosse un centrotavola. Agnese intingeva le castagne nello zucchero e le metteva da parte a raffreddare. Accanto c'era un vassoio di castagne morbide e glassate che, l'una dopo l'altra, suo padre stava introducendo in un contenitore di latta. Sembravano spolverate di neve.

«Ce n'è un bel po'» osservò Agnese rivolgendosi a Pietro Cabrelli.

«Quando si lavora, si deve mangiare» sentenziò lui.

«Vedi quanto sono inutile io? Lascio che siano i tuoi genitori a fare tutto il lavoro» si giustificò Romeo con Domenica.

«Va bene così, Romeo. Dovrai guidare tu stasera.»

«Tornate già a Venezia?» chiese Domenica.

«Romeo ha tanto lavoro» spiegò Agnese. «Sta creando un ostensorio per la basilica di Castel Gandolfo.»

Pietro chiuse il coperchio della latta di castagne. Domenica salì al piano superiore a prendere il bagaglio degli ospiti. Lo portò in cucina, dove le due coppie di amici si stavano scambiando i saluti. Pietro Cabrelli prese il bagaglio dalle mani di Domenica e seguì gli amici Agnese e Romeo al pianterreno.

«Provane una» insistette Netta.

«Ho già mangiato un bombolone.»

«Un marron glacé non ti farà male.»

«Non fai altro che rimpinzarmi.» Domenica assaggiò quella squisitezza morbida e glassata. «Mamma, perché hai preparato così tanti barattoli di marrons glacés?»

«Ci serviranno. Hai notato che sto riempiendo la dispensa? Ci sono molte chiacchiere in città. Pare che il vecchio Palazzo Stampone sia pieno di Camicie Nere. Lo sapevi? Sono a soli ottocento metri lungo il litorale. Si stanno avvicinando sempre di più.»

«Magari finirà tutto in una bolla di sapone.»

«Prego perché sia così. Dovresti farlo anche tu.» Netta rotolò la castagna nello zucchero. «Sei rimasta fuori sino a tardi.»

«Mi sono imbattuta in un vecchio amico. Ti ricordi di Silvio Bartolini?»

Netta dovette pensarci un po' su. «Ah, quel ragazzo terribile. Lasciami indovinare, qualcuno l'ha fatto fuori.»

«Mamma!»

«È quello il destino dei ladruncoli. Cominciano da giovani, poi peggiorano e fanno una brutta fine.»

Non dimenticare mai nulla era uno dei pregi della madre di Domenica, ma anche uno dei suoi difetti peggiori, perché finiva per coltivare rancori così a lungo da diventare leggendari.

«Si è fatto un bel ragazzo.»

«Un ladro attraente. Bel colpo. Puoi trovarne quanti ne vuoi nel carcere di Lucca.»

«Ho ballato con lui.»

«Uh! È qui a Viareggio?»

«Solo per stasera.»

«Si è comportato bene?»

«È fidanzato con una bella ragazza. Una maestra.»

«E lui cosa fa?»

«Sta facendo un tirocinio per diventare tagliatore di gemme.»

Sua madre alzò gli occhi al cielo. «Un altro. Diamanti e perle per il Papa, mentre la moglie mangia pasta e fagioli e un ditale di vino scadente, se le va bene.»

«Ssh, mamma. Papà potrebbe sentirti.»

«Mi sente dire queste cose da trent'anni. E, a Dio piacendo, le sentirà per altri trenta. Il settore dei preziosi è buono solo per chi compra gioielli. Mai per chi li realizza. L'artigiano finisce sempre buggerato. Commesse! Possono anche tenersele.»

«Silvio è orgoglioso del suo lavoro.»

«Ha fatto meglio di quanto ci si aspettasse da lui, questo devo riconoscerglielo.»

«Io non ho mai dato retta ai pettegolezzi.»

Mamma Netta si sedette al tavolo, di fronte a sua figlia. «Domenica, qualunque cosa lui abbia suscitato in te, lasciala sul lungomare. Hai studiato. Sei istruita. Sei un'infermiera. Voglio che sposi un medico, non un combinaguai.»

«Il dottor Petrucci è già sposato.»

«Non lui, un dottore giovane. Di Milano. Firenze. Anche Roma va bene. Ovunque ci siano medici in abbondanza.»

«Può darsi che io non riesca a trovare una persona perbene. Non voglio che tu ci rimanga male se non avrò fortuna. Sono felice come sto.»

«Dici così ma non ci credo. Lavori troppo. Qualche volta anche sette giorni su sette.»

«La gente sta male anche nel fine settimana.»

«Falli aspettare sino a lunedì.»

«Forse amo troppo il mio lavoro. Mi riempie la vita. Ma non disdegnerei la corte di un giovanotto ben intenzionato. Anzi, mi piacerebbe.»

«Tu meriti il meglio del meglio. Non accontentarti del "bastardo" e dei tipi come lui. Meglio essere una donna sola con una professione piuttosto che sposarsi con un uomo di un livello sociale inferiore al tuo.»

«Mamma, ma di chi stai parlando?»

«Dei parassiti di Carnevale. Sai, quelli che si aggirano tra le bancarelle a caccia di ragazze carine. Non dimenticarti com'è andata a Giovanna Bellanca. Bella ragazza. Cantava come un usignolo! Una vita di comportamenti esemplari e moralmente integerrima andata in frantumi come un bicchiere di cristallo una sera dopo un giro in giostra. Finito il Carnevale è fuggita con un giocoliere. I suoi genitori erano distrutti! Una bella famiglia rovinata da un acrobata da circo. Mi fai preoccupare. Ti vengono gli occhi da triglia quando si parla di Silvio Bartolini. Anzi, sgranati, che non vedono nient'altro che lui!»

«Non pensavo a lui da anni» mentì Domenica. In realtà aveva pensato a Silvio di tanto in tanto, chiedendosi che fine avesse fatto. Ora lo sapeva, e purtroppo lui apparteneva a qualcun'altra. «Magari Aldo tornerà portandosi al braccio una principessa e il tuo sogno si realizzerà.»

«Aldo? È già tanto se trova la strada di casa con una guida e una cartina, figuriamoci una principessa.»

«Non preoccuparti per me, mamma.»

«Vedrai quante ore al giorno passerai a preoccuparti quando diventerai madre.»

«Mi sono sempre sentita fortunata.»

«La fortuna si esaurisce. Come la bellezza di una donna. Sei abbastanza matura da capire come vanno le cose in questo mondo. Fai attenzione.»

Domenica diede un bacio a sua madre per augurarle la buonanotte.

«Non è che hai intenzione di rivedere quel Bartolini, vero?»

«È tornato a Parma. È stato un colpo di fortuna che ci siamo rivisti.»

«Be', fortuna non direi proprio. Comunque, visto che sta per sposare un'altra, qualunque cosa lui auguri a noi, io la auguro a lui raddoppiata.»

Domenica alzò gli occhi al cielo. «Quanto sei gentile, mamma!»

«Ho finito il tuo nuovo vestito. È appeso dietro la porta della tua stanza.»

«Ho già un bel vestito.»

«E io ho soltanto una figlia. E desidero che sia vestita meglio della principessa Borghese nella serata finale di Carnevale. Devi distinguerti in mezzo alla folla.»

«Se ti rende felice, mamma…»

«Quella che cerco è la tua futura felicità. Credimi. Non troverai marito se indossi panni vecchi.»

14

L'ultima serata del Carnevale era una sfilata di moda; le signore sfoggiavano i loro abiti migliori sulla passeggiata e gli uomini si presentavano vestiti di tutto punto. Le esibizioni collaterali di cantanti, gruppi musicali, giocolieri e ginnasti fornivano intrattenimento, mentre i chioschi provvedevano al sostentamento della folla festante. Le code davanti alle bancarelle raddoppiavano via via che si avvicinava la mezzanotte e l'inizio della Quaresima. I prezzi dei souvenir e degli articoli in pelle calavano, e gli ambulanti svendevano gli ultimi pezzi del loro assortimento prima di smantellare gli stand e tornarsene verso le città del nord.

La temperatura era fresca e il cielo terso. La luna piena brillava come un enorme bottone di madreperla in un'immensa cupola di velluto blu. I falò sulla spiaggia ardevano nell'oscurità, alimentati con gli ultimi rami di pino dai festaioli più restii ad abbandonare il campo. L'aria profumava di anisetta, cacao, tabacco dal sentore terroso. Il pontile di legno era così gremito che era difficile districarsi nella folla, al punto che Domenica, prima di arrivare al chiosco dei gelati dopo aver mangiato un panino con salsiccia e peperoni, sentiva di nuovo i morsi della fame. Le luci della giostra a cavalli che girava al suono dell'organetto elettrico accendevano il buio di striature rosa.

Gilda Griffo, la *chanteuse* locale, era ormai prossima ai settant'anni. Aveva cantato a quasi tutti i matrimoni e i tagli di nastro delle località costiere sin dalla Grande Guerra, ed era tradizione che si esibisse in un concerto a cappella l'ultima sera di Carnevale. Ma poiché il palco in fondo al molo era occupato, la Griffo fu costretta a cantare sui barili riempiti di sabbia che ancoravano la passerella di legno e impedivano all'acqua del mare di debordare sulla strada durante l'alta marea. La sera prima, lo stesso palco di fortuna aveva ospitato la performance di un mago che era stata accolta da una discreta affluenza di pubblico.

La Griffo era ancora in forma, ma la sua voce da contralto non sempre riusciva a prevalere sul vociare della folla, la musica della giostra e il rumore della pala che mescolava l'impasto del gelato, un frastuono in grado di rivaleggiare con quello di una betoniera. Domenica si aprì un varco per assistere all'esibizione dell'anziana cantante. Si sentì male per lei quando, proprio nel bel mezzo di un'aria impegnativa, la chiatta carica di fuochi d'artificio sfregò contro i piloni del molo e cigolò scivolando al largo.

Presto il cielo si sarebbe illuminato di scintille dai colori squillanti e scarabocchi di fumo. Giunta al termine della scaletta, Gilda Griffo si inchinò al suo pubblico. Domenica la applaudì insieme a un gruppetto di fan del posto. L'artista aveva uno stile che pochi apprezzavano. Era una cantante lirica, la sua voce era come calligrafia nell'aria, il suo fraseggio pieno di virtuosismi. I giovani preferivano la musica americana più scanzonata, come lo swing o il jazz. Gilda Griffo era fuori moda. Si inchinò di nuovo, saltò giù dalla botte e atterrò sulla duna. Si scrollò la sabbia dall'orlo della gonna.

«La sua voce è sempre splendida» si complimentò Domenica.

«Come si può cantare su una botte? Avrei bisogno di un vero palco, ma è occupato da quelli che stanno giocando a rana salterina. Hanno buttato il Carnevale alle ortiche ormai. Un tempo era tutta un'altra cosa, c'era maggior rispetto per l'arte» commentò la cantante prima di andarsene.

Un po' più avanti, Monica Mironi fece un cenno di saluto a Domenica. Portava la piccolina in un porte-enfant e il bambino di un anno in braccio. Il più grande camminava davanti a lei.

«Oh, come siete belli!» disse Domenica salutando i bambini.

«Dovrebbero essere a letto a quest'ora, ma Leonardo non voleva perdersi i fuochi.»

«Questa sera per me sarà la ventinovesima volta che li vedo.» Domenica si inginocchiò davanti al piccolo Leonardo e gli disse: «Capisco perché non li vuoi perdere».

«Che bel vestito!» Monica aveva notato l'abito di Domenica, stretto in vita e con un volant sull'orlo della gonna. «Il verde smeraldo è il mio colore preferito.»

«Ci sono novità?» chiese Domenica.

«Tornerò presto a trovarla.»

«Ha un appuntamento, ricorda?»

Domenica guardò Monica dirigersi verso la giostra con i bambini. Quella donna aveva bisogno di aiuto, ma non c'era nessuno che potesse assisterla. C'erano degli uomini che provvedevano alla propria famiglia ma passavano poco tempo con i figli. Lei era grata che suo padre non fosse tra questi.

Domenica proseguì la sua passeggiata lungo il molo. Le merci che all'inizio della festa apparivano esotiche e nuove erano state vendute. Sentì il gelataio urlare che aveva quasi finito lo zucchero. La bancarella dei bomboloni aveva impasto sufficiente per un ultimo tuffo nell'olio bollente prima della fiera successiva. Sembrava che i turisti se ne fossero andati portando con sé il cibo e il divertimento migliori.

«Cabrelli. Ho bisogno di parlarti.» Guido Mironi saltò sul pontile tagliandole la strada. Presto fu raggiunto da alcuni brutti ceffi che lei conosceva bene. Erano uomini che lavoravano con lui alla cava di marmo. Avevano bevuto. Si erano allentati la cravatta e avevano sbottonato il colletto della camicia. Domenica continuò a camminare.

«Cabrelli, sei sorda?» Mironi alzò la voce.

Gli altri uomini risero.

Domenica si girò e lo affrontò.

«Signor Mironi.»

I suoi colleghi iniziarono a ripetere «Signore! Signore!» prendendolo in giro.

«Andavo a scuola con lei.» Mironi accennò a un brindisi con una bottiglia.

«Quando ti degnavi di presentarti in classe» disse lei. «Fammi passare.»

Mironi le si parò davanti impedendole di proseguire. «Devo parlarti» insistette.

Domenica si guardò intorno, scrutando la folla per rintracciare Monica e i bambini. Erano spariti. «Allora.» Si mise a braccia conserte e piantò i piedi ben saldi a terra. Da donna minuta quale era, aveva imparato a occupare lo spazio riempiendolo di sicurezza in se stessa. Il suo atteggiamento combattivo e il tono di voce alterato di Mironi avevano attirato una piccola folla che si era raccolta intorno a loro prevedendo un diverbio. Domenica setacciò quella cerchia di persone alla ricerca di un volto amico, ma non ne trovò nemmeno uno.

«Non impicciarti dei fatti miei» le intimò lui. Passò la bottiglia di grappa a uno dei suoi amici e si rovistò in tasca. Puzzava di vino, ma era ancora abbastanza sobrio da reggersi in piedi, anche se spostava nervosamente il peso del suo corpo robusto da un piede all'altro.

«Cos'è questo?» disse sventolando un opuscolo in aria.

Domenica riconobbe la guida alla pianificazione familiare che aveva dato a Monica. Gliela strappò di mano. «Non è il momento né il luogo adatto per discutere di questioni private. Vieni nello studio del dottor Petrucci, se hai delle domande da porre.»

«Sono io a dire a mia moglie quello che deve fare. Non tu. E nemmeno Petrucci. *Io*.»

«Quella poveretta di tua moglie sa fin troppo bene che sei tu il padrone.»

«Sì, io sono il padrone. E allora?» sbraitò Mironi.

«E ora lo sa anche tutta la città.»

I presenti scoppiarono a ridere, facendolo infuriare ancora di più. Mironi si avventò su Domenica. Era grosso e sgraziato, ma lei fu veloce a scansarlo. Piegò l'opuscolo e se lo infilò dentro la manica del vestito.

«Stai lontano da mia moglie!» le urlò Mironi.

La folla si divise immediatamente fra uomini e donne. Domenica, che era diventata la voce delle donne, avvertì la tensione tra le due fazioni. Mironi si voltò verso la spiaggia, ma anziché tornare al falò, fece una rapida rotazione e sputò ai piedi di Domenica.

Lei guardò prima per terra e poi lui. «Ma ti vedi? Sei un uomo grande e grosso, ma non conti nulla.»

Tra i presenti serpeggiarono altre risatine. La lotta fra i due era impari. Un orso e un topolino, ma gli spettatori non riuscivano a muoversi, inchiodati davanti alla scena della giovane donna che affrontava il gigante.

«Guido Mironi, sei sempre stato un bruto, sin da bambino» proseguì Domenica con tono neutro. «Tramavi le tue sciocche malefatte nell'ombra per non essere scoperto. Ma io e te sappiamo che cosa hai fatto. Crescendo sei diventato un ubriacone: il destino di tutti i codardi incapaci di guardarsi allo specchio.»

«Tu hai detto a mia moglie di abbandonare il letto coniugale. Tu vai contro la legge della natura. Contro la Chiesa. Stai fuori da questa faccenda, Cabrelli. Sono fatti miei.»

I primi fuochi d'artificio vennero sparati nel cielo con un forte sibilo sino a raggiungere il picco più alto ed esplodere in una pioggia di fiori luminosi nella volta buia. I suoni dello spettacolo pirotecnico, tra fischi, botti e sfilacciarsi di scintille, coprirono qualsiasi altra cosa Guido Mironi avesse da dire.

I suoi amici lo trascinarono via e lo riportarono sulla spiaggia. Domenica voltò le spalle allo spettacolo e tornò a casa sotto una cascata di luce, contrariamente agli anni precedenti, quando aveva seguito quella magia con i piedi affondati nella sabbia, godendosi la bellezza di ogni singolo istante. Non lo aveva dato a vedere, ma aveva avuto paura. Ogni volta che c'era una lite a scuola, all'origine di tutto c'era quella testa calda di Mironi. Non era cambiato nulla da allora. Ma qualcosa era scattato dentro di lei durante lo scontro con il suo vecchio compagno. Per la prima volta in vita sua, non si sentiva più a suo agio a Viareggio, aveva la sensazione che quella città non fosse più casa sua. In un certo senso, i suoi concittadini avevano perso rispetto per Domenica, o erano arrabbiati perché lei aveva avuto l'ardire di prendere una posizione, o forse anche peggio: stavano dalla parte di Mironi e volevano che la giovane infermiera restasse al suo posto, nell'ombra lunga della Sacra Chiesa di Roma.

15

Domenica non aveva mai visto Petrucci arrabbiato. Certamente capitava che lei facesse degli errori, ma lui si dimostrava sempre paziente, poiché lei era in grado di trovare una soluzione per rimediare.

Le tende dello studio erano abbassate a tal punto che non entrava un filo di luce. La lampada che spioveva sul lettino disegnava sul marmo un cerchio luminoso simile a una luna. Domenica era in piedi su un lato del lettino. Petrucci si piazzò sull'altro lato. «Non puoi dare consigli medici che vanno contro i dettami della Chiesa» la rimproverò alzando la voce come mai aveva fatto prima.

«Non ho detto nulla contro la Chiesa, stavo solo cercando di aiutare la signora Mironi. Non può affrontare altre gravidanze; è affetta da una grave forma di anemia.»

«Non è un problema tuo.»

«È venuta da me in cerca di aiuto. La Chiesa non sembra preoccupata dei tre bambini già nati. Chi si prenderà cura di loro quando la madre morirà di parto? Non mi è mai capitato di vedere don Giuseppe spingere una carrozzina.»

«Signorina Cabrelli!»

«È la verità. Perché deve essere quello zuccone del marito di Monica a prendere decisioni quando si tratta di mettere al mondo un altro figlio? Non è sufficiente che sia lui a gestire il portafoglio, le proprietà, i diritti sui bambini e su ogni eredità?

Perché deve avere voce in capitolo anche sulla salute di sua moglie?»

«Ho messo bene in chiaro che la donna non deve avere altre gravidanze. Con Mironi, con il prete e con il sindaco.»

«Il sindaco? Che c'entra lui?»

«La legge.»

«Bassini è un pagliaccio.»

«Non importa. Nel suo piccolo, rappresenta la legge in questa città.»

«Tre uomini contro una donna? La sua anemia è un problema medico o no?»

Petrucci aveva l'aria frustrata. «Sì, lo è.»

«Allora glielo dica a questi uomini ottusi. Dica come stanno le cose. Lo spieghi a quegli ignoranti. Dia loro gli opuscoli informativi!»

«Quegli opuscoli non sono per le donne. Sono per i marinai che attraccano qui, per evitare che diffondano malattie lungo la costa.»

«Ma gli stessi opuscoli possono aiutare le donne a prendersi cura di se stesse.»

«Hai umiliato Guido Mironi in una sede pubblica.»

«Il Carnevale non è una sede pubblica, è un'occasione di divertimento. E comunque era ubriaco.»

«Non importa. È lui il capofamiglia!»

«Non dovrebbe esserlo.»

«Ma lo è! E i rapporti con sua moglie sono affar suo.»

«Monica aveva paura a parlare con lui di come evitare altre gravidanze. L'ho capito subito.»

«La soluzione ai loro problemi famigliari non è insegnare a quella donna come controllare le nascite. La cosa non rientra fra le tue competenze come infermiera.»

«Ma come! Se ho imparato qualcosa a scuola, non devo applicarlo?»

«Certo che puoi applicarlo, ma devi valutare la portata di quello che stai dicendo alla paziente.»

«Non dovrei dire la verità?»

«Potresti lasciare che sia io a occuparmene.»

«Ma è stato lei a incaricarmi di seguire le donne. Ho raccomandato, con la sua approvazione, una tintura di *Cimicifuga racemosa* alla signora Lucchesi, che è in menopausa. Come può un libriccino di informazioni mediche essere inopportuno per una madre di tre bambini?»

«In questo caso, e devi credermi, è successo perché la tua sincerità è diventata un problema. Il signor Mironi è andato a parlare con il prete, il quale è venuto da me. Esige la revoca della tua licenza da infermiera.»

«Non ha alcun diritto di impicciarsi in questa faccenda.»

«Don Giuseppe sostiene la posizione di Mironi. E anche la legge è dalla parte del marito. Dobbiamo essere cauti quando si parla di sessualità e riproduzione.»

Domenica sentì un impeto di rabbia montare dentro di lei. «Devo essere cauta perché sono una donna.» Si sedette sullo sgabello accanto al lettino e cercò di calmarsi e riflettere.

Petrucci si protese in avanti. «Temo che facciano sul serio.»

«Andrò io stessa dal prete e gli esporrò le mie ragioni.»

«Non farlo. È arrabbiato. Io posso proteggerti, a patto che lasci Viareggio. Posso sostenere di averti allontanato per darti una lezione. C'è un ospedale a Marsiglia che farebbe al caso nostro.»

«In Francia? Mia madre ha bisogno di me qui.»

«Devi avere senso pratico, mia cara. Non permettere che sia il prete a decidere dove mandarti. Finiresti chissà dove in capo al mondo. Se te ne vai ora, con il tempo dimenticheranno quello che è successo. Ascolta il tuo capo. Il tuo amico.» Petrucci tirò fuori di tasca il fazzoletto e si pulì gli occhiali. Era un gesto che faceva sempre quando aveva bisogno di pensare. «Se vai a Marsiglia per qualche mese, sono sicuro che piano piano il caso si sgonfierà, dopodiché potrai tornare alla tua casa e al tuo lavoro qui con me.»

Domenica sentì le lacrime pungerle gli occhi. Le bloccò immediatamente. «Guido Mironi era cattivo già da bambino, e crescendo è diventato un uomo ottuso e crudele. Non mi pento di avergliene cantate quattro.»

Petrucci si sforzò di trattenere un sorriso. Nel giro di poche ore, via via che le voci si rincorrevano in città, era venuto a conoscenza dello scontro fra Domenica Cabrelli e Guido Mironi alla festa di Carnevale. I dettagli della vicenda erano circolati più di una volta, arricchiti da particolari ancora più succosi a ogni giro, ma sempre con un sottofondo di ammirazione e rispetto per la salda determinazione con cui la sua infermiera si era opposta a un prepotente. «Hai detto quello che dovevi dire.»

«Non sarà stata la mia idea migliore, ma non avevo scelta. La gente qui deve sapere che tutti possono venire in ambulatorio quando hanno bisogno di aiuto.»

«C'è solo una cosa che devi metterti bene in testa. Puoi anche essere nel giusto, e la tua posizione è lodevole, ma la cosa finisce qui. Non puoi dimostrare di aver ragione in una città come Viareggio, mai, anche se hai tutta la popolazione dalla tua parte. Sarà sempre il prete ad avere l'ultima parola.»

Domenica accese il fornello con un fiammifero e piazzò la moka sulle fiamme azzurrognole. La piccola lampada sul tavolo tremolava al buio. Si sedette e attese che il caffè fosse pronto.

La valigia di cuoio che aveva preparato la sera prima apparteneva a suo padre. Da giovane, Pietro Cabrelli aveva lavorato come apprendista presso un orafo di Barcellona per imparare la saldatura e la lavorazione in filigrana. Suo padre, Michele, aveva regalato a Pietro una valigia per il suo primo viaggio all'estero. E Pietro aveva portato quella stessa valigia in India e in Africa. Ora era piena degli abiti di Domenica, anche se non le sarebbero serviti. Avrebbe indossato l'uniforme bianca fornita dalle suore di San Giuseppe dell'Apparizione.

«Hai dormito?» le chiese la madre dalla soglia.

«Per niente.»

«Magari riuscirai a recuperare in treno.» Netta Cabrelli avvolse la figlia tra le braccia. «Devi farlo.»

«Sei mai stata in Francia, mamma?»

«Una volta. A sud. Ero giovane. Ci sono andata con le mie cugine. Abbiamo imparato a fare il sapone.»

«Non avrei mai voluto lasciarti» disse piano Domenica.

«Non sarà per molto.»

«È l'unico pensiero che mi permetterà di sopravvivere. Se so che durerà poco, posso farcela.»

«Voglio che continui ad andare a Messa. E che reciti il rosario. Anche se hai dei dubbi, prega per me.»

«Lo farò.»

«E io pregherò per te. Tuo padre starà bene. Ha la sua attività e i suoi problemi, che non troveranno mai una soluzione, ma non importa. Gli tengono la mente occupata.»

«So che l'hai fatto per aiutarmi, mamma, ma perché sei andata a parlare con il parroco?»

«Perché sei sempre la mia bambina, e io sarò sempre il tuo avvocato difensore. Mi batterò con chiunque, con qualunque esercito, con qualsiasi autorità ecclesiastica, persino con il Papa in persona, pur di difenderti. Ero così piena di rabbia quando don Giuseppe ti ha punito che avrei voluto abbattere il Duomo sino alle fondamenta con un'accetta. Quella è la *mia* Chiesa. La *mia* fede. Non ho mai saltato una Messa domenicale, né ho mai mancato di rispettare le feste di precetto. Tuo padre e io paghiamo la decima. La Chiesa appartiene a tutti noi, non è sopravvissuta per secoli solo per merito dei preti. Le vesti dorate non mi spaventano. I cardinali, i vescovi e i monsignori possono parlare con me e io li faccio ragionare. Sono andata dal prete perché credevo di potergli far cambiare idea. Ma la sua reazione è stata assurda. Ha detto che, se ti avesse permesso di restare, ogni donna in città sarebbe venuta a conoscenza della tua posizione sulla contraccezione e sarebbe venuta a cercarti per avere quel maledetto opuscolo e presto non ci sarebbero più state nascite a Viareggio. Pensa alla stupidità di un'affermazione simile. Ero sul punto di dirgli che cosa poteva farsene della sua anima immortale, ma tuo padre produce calici per il Vaticano e non possiamo permetterci di perdere le commesse.»

«Mamma, sarebbe la prima volta in vita tua che hai tenuto a freno la lingua.»

«Be', è stato per una buona ragione, no? So come funziona. E non vale la pena di correre il rischio. Sconta la tua pena, torna a casa e non ne parleremo più.»

Domenica deglutì con forza. Pensava che sua madre fosse davvero ingenua e, a dirla tutta, pensava che lo fosse anche il dottor Petrucci. Sapeva cosa significava essere marchiata in una piccola comunità. Silvio Bartolini era stato quasi lapidato per essere nato illegittimo. E sapeva bene come avevano trattato Vera Vietro. Quella stessa gente ora trattava lei allo stesso modo. Non la degnavano nemmeno di uno sguardo, come se non esistesse. Tutto il bene che Domenica aveva fatto era stato dimenticato. Anche se eri apprezzata, anche se facevi bene il tuo dovere, non c'era modo di difendersi contro i potenti. Potevano scaricarti in un attimo per un semplice capriccio.

Mamma Netta le servì il caffè proprio come piaceva a lei. Posò la caffettiera da una parte. Aprì lo sportello della ghiacciaia e tirò fuori un barattolo di panna fresca. La scaldò in un pentolino finché non si formò un lieve strato di schiuma. Versò l'espresso e la panna in una tazzina. Misurò un cucchiaino di zucchero e lo aggiunse. Infine offrì il caffè macchiato a sua figlia.

Domenica lo bevve lentamente, assaporandone ogni goccia. Non sapeva se a Marsiglia facevano il caffè come lo faceva sua madre a Viareggio. Per gran parte della sua vita quella era stata la sua colazione. Non riusciva a immaginare un risveglio senza. Posò la tazzina sul tavolo. «Non voglio partire, mamma.»

«Domenica, non dire così. Devi essere forte. Non piangere. Non devi lasciarti piegare da loro.»

«Mi stanno punendo per aver fatto il mio lavoro.»

«Sei l'unica donna istruita in questa città. La gente qui non ha una mentalità abbastanza aperta.»

Domenica era preoccupata per la schiettezza di sua madre. «Mamma, devi stare attenta a quello che dici alle persone potenti. Ho visto altri periscopi in mare. Sono qui ormai.»

«I tedeschi?»

«Non ancora. I nostri. La Regia Marina.»

«Io e tuo padre continueremo a lavorare sodo qualunque cosa accada.»

«Non fidarti di nessuno, mamma. Dico sul serio.»

Netta si sedette al tavolo con sua figlia. «Se vengono a prenderci, non opporrò resistenza.»

«Dovreste andare via ora. Non aspettate. Ci sono i nostri cugini in montagna, vi ospiteranno.»

«Ne parlerò con tuo padre.»

«E non preoccuparti per me. Farò il mio lavoro e tornerò a casa non appena possibile.»

«Stai vicina alle suore» si raccomandò Netta abbracciando la figlia.

«Stai lontana da loro, invece» intervenne Cabrelli entrando in cucina. «Non esiste che mia figlia si faccia suora.»

«Non mi vorrebbero, papà.»

«Non mi interessa. In ogni caso non possono averti. Dovresti contare sul buon cuore delle altre persone per avere cibo, abiti o un paio di scarpe nuove. Non saresti altro che una mendicante casta. Mia figlia non sarà mai costretta ad accettare la carità. Tra l'altro, portano delle scarpe orribili.»

«Non preoccuparti, papà. Posso procurarmi le scarpe da sola. E saranno belle. Vedi queste?» Domenica mostrò a suo padre le eleganti scarpe di pelle nera che il loro calzolaio di fiducia le aveva fatto su misura.

«Ricorda: le monache sono astute. Non farti convincere ad adottare il loro stile di vita. Quando passano di qui per reclutare novizie per le missioni, non smettono di decantare quanto sia meraviglioso vivere in clausura. Ma io ti ho sempre tenuto ben nascosta. Fanno credere alle famiglie che, se offrono le proprie figlie all'ordine, loro se ne prenderanno cura.» Suo padre le posò in mano il suo orologio da taschino. «Tieni questo.»

«Papà, serve a te.»

«Voglio che lo tieni tu.»

«Dovrebbe andare ad Aldo.»

«Decido io a chi deve andare il mio orologio.»

«Grazie, papà.» Domenica si mise l'orologio d'oro in tasca.

«Se possiedi un oggetto di valore, la gente pensa che anche tu valga qualcosa. Porta l'orologio sempre con te, così tutti sapranno che meriti considerazione.» Suo padre la baciò sulla guancia e si avviò verso la porta di casa. Prese la valigia.

«È ora.» Mamma Netta si alzò. Abbracciò la figlia e insieme si diressero in silenzio verso la porta.

Cabrelli la aprì. Era buio, ma le prime luci dell'alba facevano capolino all'orizzonte sfiorando i tetti della città con le loro dita di cera. Per strada, davanti a casa, si era radunata una piccola folla. Domenica riconobbe i volti delle sue cugine di via Firenze, di alcune sue vecchie compagne di scuola, e persino del dottor Petrucci che, in procinto di andare al lavoro, si era fermato con la sua valigetta da medico come se anche lui fosse in partenza per un viaggio.

Un corale moto d'affetto si levò dal gruppo mentre Domenica salutava tutti a uno a uno. La signora Griffo la omaggiò con un bouquet di fiori. «Quello che hanno fatto è un grave errore» disse mentre il suo fiato formava una nuvoletta nell'aria frizzante. «E lo sappiamo tutti.»

Con Petrucci e la Griffo in testa, il piccolo gruppo accompagnò Domenica alla stazione a piedi. Presto la strada fu rischiarata dai primi albori; ogni porta, ogni finestra, ogni decorazione di stucco sui muri, ogni tetto sembrava colorarsi di un alone dorato al loro passaggio. Forse Domenica pagava per non aver dimostrato abbastanza gratitudine alla sua città. Il gruppetto camminava in silenzio. L'unico suono era quello dei passi leggeri sull'acciottolato, inframmezzato di tanto in tanto dallo scricchiolio prodotto dalle scarpe nuove di Domenica.

Perché sua madre aveva tanto insistito che lei avesse calzature nuove? Per lo stesso motivo che aveva indotto suo padre a cederle il suo orologio. Se Domenica Cabrelli avesse avuto l'aria di essere una giovane donna che aveva mezzi, sarebbe stata trattata con il dovuto rispetto.

In passato Domenica si era spinta solo sino a Sestri Levante in direzione nord, e verso sud era scesa sino alla periferia di Roma. Non aveva mai lasciato l'Italia, né era andata in un posto sconosciuto via mare da sola. «Non ho mai fatto un cambio di treni, papà. E se qualcosa va storto?»

«Andrà tutto bene» la rassicurò lui e, come se le avesse letto nel pensiero, le suggerì: «Fai attenzione al tabellone, controlla bene gli orari, cerca il numero del binario e vai ad aspettare il treno sulla banchina». Lei annuì. Avrebbe preso il treno delle 7 per Genova, per poi cambiare e proseguire sino a Ventimiglia, dove sarebbe salita su un treno francese che l'avrebbe portata a Nizza e poi alla destinazione finale, Marsiglia, sul mare. Forse il clima sarebbe stato mite anche là; forse in quella città si sarebbe sentita a casa. Forse sarebbe davvero andato tutto bene.

Quando Domenica si avviò sulla banchina, i suoi amici le mormorarono degli arrivederci. Lei si voltò per un ultimo saluto con la mano, imponendosi di pensare che non sarebbe passato molto tempo prima di rivederli. Quel pensiero le avrebbe impedito di piangere. Salì i gradini della carrozza. Dal finestrino vide sua madre sventolare un fazzoletto e sorridere, ma si accorse che aveva il viso rigato di lacrime. Suo padre si era tolto il cappello e lo teneva contro il petto, in modo che sua figlia non vedesse il suo cuore spezzarsi.

Domenica stringeva la busta con i biglietti del treno in una mano e il bouquet nell'altra. Il facchino le aveva preso la valigia e l'aveva guidata al suo posto. C'era uno spillo sul nastro di velluto che legava il mazzo di fiori. La punta le si conficcò nel palmo, ma lei non se ne accorse nemmeno. Domenica Cabrelli non sentiva nulla in quel momento, poiché stava perdendo tutto.

Il treno prese a sferragliare tra i campi di rabarbaro, portandola più lontana da casa a ogni giro di ruote. Se voleva continuare a sperare di tornare a Viareggio un giorno, doveva tenere gli occhi ben aperti. Avrebbe prestato attenzione al tragitto. Avrebbe studiato la geografia e contato le fermate. Man mano che il treno procedeva verso nord, Domenica guardava fuori del finestrino per imprimersi il percorso nella memoria, registrando punti di riferimento. Un fienile grigio. Una fabbrica di cemento. Uno zoo. Avrebbe osservato i treni che procedevano nella direzione contraria alla sua solo per essere sicura che le ferrovie italiane operassero in entrambi i sensi.

PARTE SECONDA

CHIUNQUE ASPIRI A RAGGIUNGERE
LA VITA ETERNA NEI CIELI
DEVE TENER CONTO DI ALCUNI AVVERTIMENTI

Quando riflettete sul passato, considerate

la fugacità della vita

la difficoltà di salvare la propria anima

i pochi che saranno salvati

16

Marsiglia, marzo 1939

Il Sud della Francia non ricordò a Domenica Cabrelli le spiagge di sabbia bianca e la quieta meraviglia della costa ligure, tuttavia, a prima vista, trovò che aveva un suo fascino. Le case basse e bianche decorate a stucco erano incastonate fra edifici in stile Art déco alti e stretti come sigarette, con spirali di fumo che sembravano bucare le nuvole più basse. Oltre la città, le insenature rocciose delle *calanques* davano all'orizzonte un profilo verdeggiante e frastagliato.

La sera in cui Domenica arrivò a Marsiglia, suor Marie Bernard dell'ordine di San Giuseppe dell'Apparizione andò a prenderla alla stazione. Non era stato difficile individuarla in mezzo alla folla, con quella tonaca nera e la cuffia bianca. Le guance rosse, il sorriso aperto e gli occhi di un azzurro trasparente erano indice di un carattere gioviale. Presto Domenica avrebbe scoperto che erano una sua caratteristica innata.

Sforzandosi di salutare Domenica in italiano, suor Marie Bernard esordì con un semplice «Ciao».

La aiutò prendendole la valigia e la condusse a passo spedito lungo le vie di Marsiglia. Aveva una corporatura un po' tarchiata simile a un panettone e procedeva come una ruota in perpetuo movimento. Domenica faceva qualche saltello ogni tanto per tenere il suo passo, e nel frattempo cercava di guardarsi intorno per farsi un'idea di com'era quella che, per qualche tempo, sarebbe diventata la sua nuova città. Era ansiosa di fare delle domande alla suora riguardo al lavoro. Temeva le difficoltà legate alla lingua e alle competenze professionali, ma suor Marie Bernard sembrava avere una gran fretta. Tagliò fra i vicoli e attraversò una piazza affollata di giovani coppie e fontane zampillanti. Lei e Domenica dovettero abbassare la testa sotto i panni stesi ad asciugare alle corde che si intersecavano da una finestra all'altra in un vicoletto angusto. Il profumo di sapone al catrame di pino sarebbe diventato il primo ricordo della Francia per Domenica. Passarono davanti al porto, le cui banchine erano occupate da imbarcazioni che beccheggiavano seguendo il capriccio delle onde.

Marsiglia era incastonata nella costa frastagliata del Mar Mediterraneo. Stretti canali e ampi corsi d'acqua si insinuavano nella fascia litoranea formando un numero di insenature sufficienti per accogliere natanti di qualsiasi dimensione. Un molo ben attrezzato si spingeva nel mare offrendo un comodo approdo alle navi di linea. I battelli provenienti da Montecarlo trasportavano i giocatori d'azzardo del casinò, i panfili ospitavano i ricchi, e le barche dei pescatori locali erano cariche di reti straripanti di pesce fresco. Non era una città di treni e automobili, era una città di imbarcazioni.

Casa Fatima, il dormitorio ufficiale delle infermiere di San Giuseppe, si trovava in fondo a Rue de Calais, con vista sul porto e quindi sul mare che si estendeva oltre. L'Hôpital Saint-Joseph era situato proprio lì accanto. Le suore vivevano al piano superiore dell'ospedale, pronte a intervenire in caso di necessità. Il complesso, che comprendeva un grande giardino ed era cintato da un muro di pietra alto quasi tre metri, garantiva alle suore protezione e riservatezza.

«Questa è casa» annunciò suor Marie Bernard con tono allegro continuando a esprimersi nel suo italiano stentato. «Colazione alle 5. Suor Juliette prepara i croissant freschi il mercoledì e gli éclairs il sabato. Durante la Quaresima niente éclairs» precisò aggrottando la fronte.

Domenica seguì la monaca al primo piano. «Tre o quattro

infermiere per stanza» spiegò suor Marie Bernard ansimando mentre saliva le scale. «Vedrà, le camere sono piuttosto carine. Non so com'è abituata. Provvediamo noi a fornire sapone e shampoo. Li faccio io stessa con la lavanda che coltivo e il miele delle api che allevo personalmente, perciò sono sicura che i miei prodotti sono i migliori. Alcune delle ragazze non vogliono lasciare l'ospedale proprio perché non potrebbero farne a meno.»

Domenica scoppiò a ridere. «Le farò sapere se è un motivo sufficiente per restare, Sorella.»

«Il segreto è il franchincenso. I fiori e il miele insieme possono risultare sin troppo dolci, perciò taglio il composto con una punta di incenso.» Suor Marie Bernard bussò alla porta della stanza 307 senza ottenere risposta. «Le ragazze devono essere uscite. Peccato, nessuna compagna di stanza a darle il benvenuto.» Frugò nella tasca della tonaca e trovò la chiave appesa a un anello carico di altre chiavi. Aprì la porta e accese la luce. La stanza aveva tre letti. Due comodini erano ingombri di spazzole per capelli, libri e posacenere. In una nicchia c'era un letto con un copriletto bianco e un guanciale. Il comodino era libero. La brezza che entrava dalla finestra aperta muoveva le tendine sottili. «Il suo posto è qui, Cabrelli.» La suora posò la valigia sulla panca ai piedi del letto. «Fortunata. È una tripla.»

«Grazie, Sorella» sussurrò Domenica. La sistemazione non era una prigione, dopotutto.

Suor Marie Bernard ispezionò il suo abbigliamento con una rapida occhiata. «Le farò avere le divise, ne forniamo due. Maglietta bianca standard e grembiule con camicetta e calze regolamentari.» Posò lo sguardo sui piedi di Domenica. «Porta un 37, vero?»

«Esatto.»

«Non deve rovinare le sue belle scarpe. Le manderò il resto del corredo e la cuffietta. Potrà fare il bucato nel convento. Le ragazze le daranno le indicazioni necessarie.»

Dopodiché la suora la lasciò sola a disfare la valigia. Per prima cosa, Domenica si tolse il cappello, si inginocchiò sul letto e si affacciò alla finestra. Riusciva a vedere le navi nel porto, con le luci del ponte che brillavano specchiandosi sulla superficie dell'acqua di un blu intenso. Inalò la fresca brezza marina e chiuse gli occhi. A prescindere da dove lei si trovasse nel mondo, il mare sarebbe sempre stato la sua anima e la sua salvezza.

Domenica era decisa a non farsi intimorire dalla mole di lavoro presso il Saint-Joseph. Non aveva mai fatto parte dell'organico di un ospedale, ma era un tipo che imparava in fretta. Si chiedeva però se sarebbe mai riuscita a ricordare i nomi di tutte le suore e le infermiere, un'impresa scoraggiante in aggiunta ai turni di dieci ore cui erano sottoposte le infermiere.

Le suore confidavano nel potere taumaturgico dei santi e degli angeli con lo stesso fervore con cui credevano nella scienza della medicina moderna. Una statua della Santa Vergine Maria accoglieva i pazienti nell'atrio dell'ospedale. C'era anche una cappella al pianterreno.

La pianta dell'Hôpital Saint-Joseph era simile a quella di una chiesa. Gli ampi corridoi avevano soffitti a volta e lucidi pavimenti in marmo alla palladiana che ricordavano una cattedrale gotica. Le anguste finestre ogivali con i vetri ambrati immergevano corridoi e camere in una luce dorata. Le statue dei santi a grandezza naturale, situate nelle nicchie, sembravano sorvegliare la struttura come sentinelle. C'era un crocifisso appeso sopra ogni letto e una piccola acquasantiera accanto a ogni porta.

Nel dormitorio delle infermiere, tuttavia, regnava uno spirito tutt'altro che religioso. L'unico altarino di Casa Fatima era di carta, ed era dedicato a Robert Taylor, l'affascinante attore americano noto per le sue folte sopracciglia nere. In camera, una volta terminato il turno, le ragazze si rilassavano, fumavano e spettegolavano mentre la radio trasmetteva musica swing a tutto volume. Incollavano alla cornice dello specchio delle fotografie patinate di Ronald Colman, Spencer Tracy e Clark Gable, e più di uno dei loro idoli del cinema aveva un'impronta di rossetto sulla guancia in bianco e nero. Le infermiere attive al Saint-Joseph avevano le provenienze più svariate – Filippine, Cuba, Stati Uniti, Giamaica, Irlanda, Liberia e Italia –, ed erano state reclutate dalle monache attraverso la loro rete di istituti scolastici. Ma, a prescindere da quale parte del mondo arrivassero, tutte andavano pazze per i divi del cinema americano.

C'erano due tipi di infermiere che operavano a tempo pieno al Saint-Joseph. Un gruppo era composto da quelle che, avendo preso i voti, portavano la veste monacale; nell'altro gruppo, invece, le ragazze si cucivano abiti alla moda, conoscevano i balli più in voga del momento, si insegnavano a vicenda un inglese e un francese passabili e si aiutavano ad acconciarsi i capelli.

Il sabato sera, libere dagli impegni di lavoro, le infermiere si trasformavano in giovani donne spensierate. Sostituivano le uniformi bianche con i migliori vestiti da festa che possedevano. Marsiglia pulsava di musica jazz e di chiacchiere disimpegnate sino all'alba, e il ronzio dei macchinari delle fabbriche lasciava spazio alle risate. Le ragazze si perdevano nelle danze, sulle varie piste da ballo disseminate lungo la *promenade*. Marinai, soldati di fanteria e persino uomini eleganti in abiti confezionati nella londinese Savile Row diventavano loro partner per una sera. Gli americani erano soprannominati "Burma", perché odoravano di legno di cedro e di vaniglia, come l'omonima schiuma da barba diffusa negli Stati Uniti.

Quando non era di turno, Domenica e le sue nuove colleghe facevano anche lunghe passeggiate in città. Si sedevano intorno alla fontana rococò di Palais Longchamp o salivano sul battello diretto al Vieux Port e concludevano la giornata in Rue du Panier, sorseggiando uno Chablis ghiacciato e mangiando delicate *escargots* cucinate con burro e aglio.

«Domenica, vieni con noi. C'è una serata danzante sul molo. Suona un gruppo nuovo.» Stephanie Arlette, una collega di Chicago, non perdeva mai l'occasione di spassarsela.

Domenica posò il giornale. «Sembra invitante, ma stasera preferisco restare in camera.»

«Di nuovo?» Stephanie si lasciò cadere sul letto accanto a quello di Domenica. «Non avrai intenzione di passare di nuovo la tua giornata libera a scrivere a tua madre, vero?»

«Pensavo di scrivere al dottor Petrucci, tanto per cambiare un po'.»

«È carino?»

«È vecchio, non va bene per te.»

«Non si può mai sapere.» Via via che i capelli si asciugavano, Stephanie si tolse le striscioline di stoffa che aveva usato come bigodini per farsi le onde. Scrollò i riccioli biondi. «Io mi sposerò soltanto per soldi.»

«È un motivo valido come un altro» intervenne Josephine Brodeur, una smilza ventiquattrenne giamaicana intenta a limarsi le unghie.

Stephanie indossò il suo abito di organza blu e si accovacciò davanti a Domenica per farsi chiudere la zip sulla schiena. «Sei sicura di non voler venire con noi?»

Josephine accompagnò la calza di seta sino alla coscia. «Non conoscerai un bell'uomo e non ti innamorerai mai finché rimani in questa stanza a scribacchiare.»

«Forse Domenica non vuole innamorarsi.»

«Non ci credo.» Josephine si infilò la seconda calza. «Io mi sono innamorata tre volte. Funziona così: immagina di essere sulla montagna più alta del mondo e che qualcuno ti spinga giù da un dirupo. L'innamoramento è la sensazione che provi fra il momento in cui vieni spinta giù e quello in cui tocchi il suolo.»

«Io mi sono innamorata una sola volta, di un tipo» ammise Stephanie. «E spero di non rivederlo mai più.»

«Non mi sento pronta a essere spinta giù da una montagna. Preferirei passare la giornata libera a dormire» disse Domenica sorridendo alle sue compagne di stanza.

«Non intendevo rovinarti tutto.» Josephine si sedette e agganciò le calze alla giarrettiera. «Ognuna di noi è diversa. Magari quando succederà a te ti sentirai bene come in un bagno caldo.»

«E io non intendevo farlo sembrare meno bello di quanto

può essere in realtà.» Stephanie si spruzzò una nuvola di profumo. «Solo che quando finisce è terribile.» Preparò la pochette da sera. «Lo schianto è tanto disastroso quanto è stato fantastico il sentimento che hai provato prima. Ma vale sempre la pena di rischiare.»

Domenica diede una scorsa al giornale. «Per stasera è previsto l'attracco dell'*Arandora Star*. Pare che ci sia un Vanderbilt a bordo. E forse anche William Powell. Domani invece arriverà la *Avila*. Le navi gemelle della Blue Star Line, tutte e cinque, faranno scalo a Marsiglia.»

«Quando manderanno da queste parti Clark Gable, fammelo sapere.» Stephanie si passò la spazzola fra i capelli. «Sino ad allora possono anche tenersi le loro stupide navi.»

«A me basta che i treni continuino a funzionare. Vorrei tornare a casa, un giorno» disse Domenica piano.

Josephine scoccò un'occhiata a Stephanie. «Certo che tornerai a casa prima o poi. Ma nel frattempo dovresti goderti la vita qui. Io e Stephanie siamo preoccupate per te. Dovresti svagarti un po'. Non usare quell'assurda punizione del tuo parroco come scusa per startene rintanata nel dormitorio. Suor Marie Bernard ha detto che sei libera di andare e venire come ti pare. Le regole italiane non valgono in Francia» disse Josephine con tono gentile.

«Ti farebbe bene prendere un po' d'aria fresca. E questo non significa stare seduta davanti alla finestra a guardare il mare.» Stephanie chiuse le tende sottili davanti alla finestra spalancata.

«Ha ragione. Fai una passeggiata. Vai a vedere i turisti sul lungomare. E facci sapere come si vestono le donne chic.»

Domenica le salutò allegramente. «D'accordo, ragazze.»

«E tienimi da parte un Vanderbilt!» scherzò Stephanie.

Josephine e Stephanie uscirono lasciando dietro di sé una languida scia di profumo, rispettivamente di *My Sin* e di *Joy*. Un giorno, molto tempo dopo, la fragranza di gardenie e di rose avrebbe suscitato in Domenica il ricordo della Francia. Si era fatta delle amiche vere a Marsiglia. Forse era stato il comune amore per la loro professione a legarle, o forse l'esperienza di vivere e lavorare insieme le spingeva a contare l'una sull'altra: fatto sta che Domenica aveva trovato delle amiche di cui sentiva di potersi fidare. Lei custodiva i loro segreti e loro facevano altrettanto con i suoi. Soltanto suor Marie Bernard e le sue compagne di stanza erano a conoscenza del motivo per cui Domenica era arrivata al Saint-Joseph, e non la giudicavano per questo. Domenica Cabrelli era lontana da casa, sì, ma non era sola.

21 marzo 1939

Cara mamma,

non sento più nostalgia di casa. I giorni volano, presto sarà passato un altro mese, e il momento in cui potrò tornare si avvicina sempre di più. Le suore ci tengono molto occupate. Dobbiamo essere sempre presenti alla Messa e, su questo punto, le ragazze che vengono dall'Africa danno del filo da torcere a suor Marie Bernard. Non essendo cattoliche, non vedono perché sia così importante essere tanto assidue. Io consiglio loro di andare comunque in chiesa, abbassare la testa e pensare a qualsiasi cosa le renda felici. Se ne sono uscite con delle trovate davvero buffe! Una di loro durante i Vespri immagina di preparare olio di cocco.

Ti ricordi di Josephine? Ha risparmiato una somma quasi sufficiente per andare a New York City e realizzare il suo sogno di lavorare all'ospedale di San Vincenzo laggiù. Le suore sono disponibili a scrivere lettere di referenze per farci trovare un posto più facilmente. Ogni volta che mi chiedono se me ne serve una, io rispondo: «Sì, per farmi tornare a Viareggio!».

Stephanie è uno spasso. È un'infermiera in gamba, ma a fine turno deve andare a ballare o a divertirsi in qualche modo.

Suor Marie Bernard ci sta insegnando come curare le ferite riportate in battaglia, anche se qui a Marsiglia si parla poco di guerra. Dice che, guerra o non guerra, in ogni caso dobbiamo imparare a gestire le emergenze.

Come sta il babbo? Fammi sapere, ti prego. Aldo sta ancora facendo addestramento in Calabria. Mi ha addirittura mandato una lettera, sai? Sembrava così maturo! Speriamo che continui così!

Ti voglio bene,
Domenica

La guardia si era assopita sulla sedia nella sua postazione all'ingresso del dormitorio quando Domenica lasciò cadere la lettera indirizzata a sua madre nella cassetta della posta in partenza sulla scrivania. Si legò i nastri del cappello di paglia sotto il mento e uscì.

La musica proveniente dal molo era sottolineata dal gemito saltuario della sirena di una nave e dal rumore delle barche che sfregavano contro i piloni del pontile. Il molo, segnato dalle intemperie, scricchiolava sotto i piedi di Domenica: mancava qualche asse e il parapetto si stava sgretolando. Attraverso i buchi si vedeva lo sciacquio dell'acqua bassa contro gli scogli sottostanti. Era il segno inequivocabile di un conflitto imminente: i lavori di manutenzione delle opere pubbliche erano sospesi perché la manodopera era ufficialmente richiesta altrove, e comunque non aveva senso riparare delle strutture che rischiavano di essere distrutte a breve. Meglio lasciar andare le parti deboli e puntellare quelle più solide.

Domenica si unì alla folla che si era raccolta sulla banchina per ammirare la *Arandora* ormeggiata in porto. Era così imponente che, con la sua mole e le sue linee sinuose, oscurava la vista del cielo notturno. Il fasciame esterno era di un bianco smagliante, con rifiniture in rosso acceso e blu scuro. Due stelle blu sui fumaioli contrassegnavano il transatlantico come uno dei cinque più esclusivi che avessero mai solcato i mari. Domenica fece un passo indietro e si alzò in punta di piedi per avere una visione globale e cogliere appieno la sua maestosità. I lucidi anelli di ottone brillavano catturando la luce delle fiaccole che illuminavano il molo. I ponti superiori iniziarono a popolarsi di passeggeri vestiti in abiti eleganti che si apprestavano a sbarcare in una fila ordinata. La passerella fu abbassata con un gran clangore di catene che sbatterono a terra con un colpo sordo.

«Eccoli, arrivano!» urlò una giovane francese. Un quartetto di fiati iniziò a suonare un motivetto vivace. La fluttuante parata di signore raffinate che scesero dalla passerella l'una dopo l'altra era uno spettacolo; indossavano abiti di raso a vita bassa dai colori vivaci, con cappelli a tesa larga coordinati, abbelliti da ciuffi di tulle simili a vaporose matasse di zucchero filato.

Un gruppo di reporter che lavoravano per i giornali francesi si accalcarono intorno a una giovane donna con una camicetta bianca di pizzo dalle maniche a farfalla. *Dev'essere un'artista famosa*, pensò Domenica mentre i fotografi tempestavano la ragazza di flash, avvolgendola in un balenio bianco e accecante. Domenica allungò il collo per cogliere almeno uno scorcio della sconosciuta che avanzava lentamente, attorniata da fotografi e curiosi. Ci restò male quando scoprì che non si trattava di Janet Gaynor né di Myrna Loy, bensì dell'ennesima bella ragazza che faceva il giro del mondo su un panfilo di lusso. Non c'erano star del cinema, né esponenti dei Vanderbilt, né ballerine russe a bordo dell'*Arandora Star*. Le sue compagne di stanza sarebbero rimaste deluse quanto lei.

Decise di percorrere il molo in tutta la sua lunghezza prima di rientrare al dormitorio. Davanti a un locale molto frequentato si era radunata una piccola folla per ascoltare una band che era uscita a suonare in strada. Ben presto anche gli avventori si riversarono fuori e presero a ballare sul molo. Domenica era rapita dalla musica quando sentì delle mani stringerle la vita e sollevarla da terra. Lo sconosciuto la fece volteggiare in aria per qualche istante, per poi rimetterla a terra con delicatezza.

«La prossima volta me lo chieda, prima di farmi fare un volo senza preavviso» sbottò Domenica un po' irritata.

«Mi scusi. L'ho vista muoversi a ritmo di musica.»

Il giovanotto si allontanò in cerca di una partner di ballo meno scontrosa. Non era da lei rimproverare una persona colta da un impulso spontaneo, soprattutto se c'era di mezzo la musica, ma l'ultima volta che i suoi piedi si erano staccati da terra era stata a Carnevale, quando aveva ballato con Silvio.

Alla domanda delle ragazze, che le avevano chiesto se fosse mai stata innamorata, lei aveva risposto di no, anche se, per la verità, non poteva esserne certa. L'unico sentimento che aveva provato per qualcuno non era stato impetuoso o drammatico. Non aveva mai sperimentato vertiginose cadute dalla montagna, né momenti di trepida attesa con il cuore in gola, perché il suo primo amore era iniziato con un'amicizia. Aveva amato Silvio Bartolini prima come amico, un sentimento pratico e solido che, dentro di sé, sapeva sarebbe durato per sempre. E anche se lui non le apparteneva, lei lo amava lo stesso. Non era forse quella la natura del vero amore? Desiderare la felicità dell'altro più della propria? O questo la rendeva una pappamolle senza spina dorsale? *Sta per sposare un'altra, Domenica*, rammentò a se stessa. *Non ti appartiene*. E questo era quanto.

17

Il secchiello che suor Marie Honoré aveva piazzato nel corridoio al primo piano dell'ospedale, sotto la perdita nel soffitto, era quasi pieno di pioggia. Domenica lo svuotò, lo rimise al suo posto e attese il suono secco della prima goccia d'acqua che filtrava dal buco nel tetto.

Appese la cartellina con le note del turno di visite a un gancio vicino alla porta e tornò alla sua postazione nell'atrio. Si udiva soltanto il ticchettio del grande orologio da parete. Si sfilò le scarpe. Erano le 2:05 del mattino. Ogni volta che le toccava il turno di notte, Domenica faceva in modo di guardare l'ora quando la lancetta scattava sulle 2:05, il giorno e il mese della data di nascita di sua madre. Sbadigliando, pensò di andare nella saletta delle infermiere in fondo al corridoio per farsi una tazza di tè. Una collega aveva preparato i macaron. Alla fine preferì mettersi comoda contro lo schienale e distendere i muscoli.

Olivier Desplierre, quindici anni, era di turno insieme a lei quella notte. Il custode lottava per non cedere al sonno sulla sua sedia. Domenica provò un moto di compassione per quel ragazzo – le ricordava suo fratello Aldo. Gli posò delicatamente una mano sulla spalla.

«Scusi, infermiera Cabrelli» disse Olivier riscuotendosi di colpo.

«Ti verrà il torcicollo se dormi così. C'è una brandina nella 13. Va' pure.»

Domenica tirò fuori da sotto la scrivania una cesta di bende di stoffa pulite. Aveva appena cominciato a piegarle in quadratini più piccoli quando l'occhio le cadde su una lamina di luce che filtrava da sotto la porta chiusa della cappella. Forse un vagabondo vi si era introdotto di soppiatto mentre lei faceva il suo giro di controllo. Le suore avevano messo in guardia lei e le sue colleghe dai senzatetto che tendevano a usare l'ospedale come un parco pubblico.

Domenica spalancò la porta della cappella e disse ad alta voce «*Bonjour*» per poi sbirciare all'interno. I banchi erano vuoti. Tirò un sospiro di sollievo. Evidentemente la luce che aveva visto veniva dalla fiamma eterna che ardeva tremolante sull'altare accanto al tabernacolo. Si fece il segno della croce con l'acqua benedetta dell'acquasantiera e stava per uscire quando il portone d'ingresso dell'ospedale si spalancò di colpo.

Un rumoroso gruppo di uomini che puzzavano di nafta e fumo, con la pelle coperta di fuliggine, si riversò nell'atrio. Domenica pensò che fossero vigili del fuoco, ma a una seconda occhiata si accorse che le loro uniformi, o ciò che di esse era rimasto, dovevano essere state bianche e blu. Alcuni erano a torso nudo, altri scalzi. Facevano un tale baccano che Domenica non riusciva a capire cosa stessero dicendo con il loro spiccato accento inglese. Il più alto del gruppo era entrato reggendo un ferito tra le braccia. I suoi compagni aprirono un varco con deferenza per farli passare.

Anche il viso dell'uomo alto era coperto di polvere di carbone. Domenica non sarebbe stata in grado di fornire nemmeno un dettaglio su quel gigante, perché quando alzò gli occhi su di lui fu colta da una strana sensazione. Le parve che le luci tremolassero. Avvertì uno sfarfallio allo stomaco. Il battito accelerò. Il rumore nell'atrio parve spegnersi di colpo. Domenica diede un'occhiata all'orologio; la lancetta dei secondi ticchettava come al solito. Alzò gli occhi al soffitto, certa che le lampadine si fossero bruciate mutando la chimica di luce e buio nell'atrio, invece il lampadario continuava a diffondere una brillante luce bianca.

«C'è stato un incendio. Quest'uomo ha avuto la peggio. Ha urgente bisogno di un medico» le disse il soccorritore.

Il giovane Olivier, svegliato dal trambusto, si fece largo tra gli infortunati e si avvicinò a Domenica.

«Chiama il dottor Chalfant. Suona il campanello di Casa Fatima e vai a chiamare suor Marie Bernard in convento.»

«Subito.»

«Mi segua.» Domenica condusse l'uomo con il marinaio ferito tra le braccia nella sala visite più vicina. «Può stenderlo qui. Ho mandato a chiamare il dottore. Lei può lavarsi nel lavandino.» Si voltò per andarsene.

Lo sconosciuto le afferrò il braccio. «Rimanga qui con lui, la prego.»

«Devo pensare agli altri feriti» disse lei con calma. «È il protocollo dell'ospedale.»

«Per favore, gli dia un'occhiata. Era nella sala caldaia» spiegò l'uomo in tono concitato. «Non ha più ripreso conoscenza dopo l'esplosione.»

«È sotto shock. Deve vederlo il dottore.»

«La prego. Non può cominciare a dargli un'occhiata lei?»

Domenica posò le mani sul corpo del paziente. Osservò le sue ferite. Quando gli toccò il viso, l'uomo sbatté le palpebre e aprì gli occhi. «Si riprenderà. Andrà tutto bene» lo rassicurò. Gli sollevò la testa e la sostenne con un cuscino.

Suor Marie Bernard si precipitò nella stanza mentre si allacciava la divisa da infermiera sulla tonaca. «Cosa abbiamo qui, Cabrelli?» chiese lavandosi le mani.

«Ha perso conoscenza. Abrasioni sul petto, una brutta bruciatura al braccio sinistro e una ferita profonda sulla gamba. Questo a un primo esame.»

«Me ne occupo io. Lei intanto sgombri l'atrio. Assegni i pazienti ai vari ambulatori dando la priorità ai più gravi.»

«Sì, Sorella.»

Stephanie, ancora con i bigodini in testa, si unì a loro. «Eccomi, Sorella. Attendo istruzioni.»

Suor Marie Bernard le rivolse una rapida occhiata e prese in mano la situazione. «Arlette, prenda il mio posto qui. Pulisca la ferita al braccio e proceda alla fasciatura. Il dottore si occuperà della gamba.»

Il marinaio che aveva soccorso il commilitone seguì la suora e Domenica fuori della stanza. Si sforzò di capire quello che si dicevano mentre percorrevano il corridoio, ma suor Marie Bernard aveva abbassato la voce in modo che soltanto Domenica potesse sentirla. «Veda di far togliere i bigodini all'infermiera Arlette quando ha finito.»

«Sì, Sorella.»

«Che razza di infermiera è quella che, svegliata da un sonno profondo in piena notte, ha il rossetto sulle labbra?»

«Un'infermiera che non stava dormendo, Sorella.»

La suora si rivolse all'uomo. «Lei chi è?»

«Sono il capitano della *Boidoin* e questi sono i miei uomini. Il mio equipaggio.»

«Mi serve il vostro elenco presenze. Dobbiamo identificare i feriti. Accuratamente» disse al capitano. «Si occupi lei della registrazione, Cabrelli. E dia un'occhiata al capitano. Non mi piace quello che vedo sul suo collo.»

«Sì, Sorella.» Domenica si accostò alla suora e le chiese: «È un'azione di guerra?»

«Chi ci capisce qualcosa ormai?» Suor Marie Bernard si avviò in corsia per controllare l'assegnazione dei letti.

Il capitano seguì Domenica lungo il corridoio. «Quella monaca è scorbutica.»

«Sarà felice che sia altrettanto diretta ed efficiente quando si occuperà dei membri del suo equipaggio.» Domenica aprì la porta della medicheria, che in quel momento era vuota.

«Bernard è un nome strano per una donna.»

«È per via del santo. San Bernardo di Chiaravalle. Era francese. Fondò l'Abbazia di Clairvaux e ampliò l'ordine dei Cistercensi.»

«Oh, sì, i famosi Cistercensi.»

«Devo darle un'occhiata.»

«Perché?»

«Per prendere nota delle sue condizioni prima che la veda il dottor Chalfant.» Domenica staccò la cartellina dal gancio e prese una matita. «Qual è il suo nome, capitano?»

«John Lawrie McVicars.»

«Quanti anni ha?»

«E *lei* quanti ne ha?» chiese lui di rimando.

«Meno di lei, è evidente.» Domenica posò la cartellina sul tavolo e si chinò per esaminargli il collo. «Com'è successo?»

«Sunterland si è aggrappato a me.»

«Sunterland è il paziente della 1?»

«Sì, proprio lui.»

McVicars aveva la faccia di uno di quei tipi attraenti e spregiudicati che finiscono sulle copertine dei romanzetti americani da quattro soldi, abituati a passarsi le ragazze tra compagni di dormitorio come un pacchetto di sigarette o una scatola di cioccolatini. Il capitano aveva un profilo fiorentino. L'accento era inglese, ma Domenica sapeva che, secoli prima, molti italiani si erano spinti verso nord. Il naso e il mento importanti le ricordavano quelli della sua gente. La familiarità alimentò la compassione in quella circostanza. Aveva folti capelli castani. Sembrava superare tutti i suoi uomini in statura, ma quanto a corporatura, non era affatto un fuscello, anzi, era saldo e robusto, con le spalle larghe. I denti erano dritti, con un luccichio dorato tra i molari, gli occhi verdazzurri come il Mar Tirreno in estate. Come poteva un uomo così lontano dalla sua terra natale ricordarle casa? Quando lo guardava, Domenica si sentiva travolgere dalle onde calde e spumose del mare che tanto amava. Non sapeva da dove provenissero quelle sensazioni, perciò non aveva idea di come controllarle. Durante la formazione da infermiera aveva imparato come prendersi cura dei pazienti mantenendo un certo distacco emotivo. L'uomo che aveva fatto irruzione in ospedale portando tra le braccia un membro del suo equipaggio aveva abbattuto quel muro.

174

«Tutto a posto, signorina?» chiese McVicars notando il suo turbamento.

Domenica arrossì. «Ho fame. Tutto qui.»

Si infilò una mano in tasca per prendere la matita, ma questa cadde a terra e, rotolando, andò a finire sotto il lettino delle visite. Domenica si inginocchiò e allungò la mano per cercare di recuperarla.

«È l'ultima matita rimasta a Marsiglia?»

«Le perdiamo in continuazione. E la suora si irrita quando succede. Con la guerra che incombe, la grafite inizia già a scarseggiare.»

«Sono sicuro che la sua matita ci farà fare un passo avanti verso la vittoria.»

«Non si può mai sapere, capitano.» Domenica trattenne un sorriso. Aprì l'armadietto e porse un pigiama grigio a McVicars. «Vada dietro il paravento e lo indossi. Lasci l'uniforme e la biancheria intima nella cesta, penseremo noi a lavare e stirare tutto.»

«Non c'è bisogno che io mi cambi.»

«Sono le disposizioni dell'ospedale. Deve farlo. In caso contrario, sarà la suora in persona a infilarle il pigiama. Non la metta alla prova. L'ho vista all'opera più di una volta.»

McVicars si ritirò dietro il paravento mugugnando.

«Melanie. È così che l'ha chiamata la suora?»

«*Cabrelli*. Ci chiama per cognome.»

McVicars emerse da dietro il paravento in pigiama e andò a sedersi sul lettino. Domenica gli tamponò la ferita sul collo. Lui era abbastanza vicino al suo viso da poterle contare la spruzzata di lentiggini sul naso. Si scostò. «Preferisco aspettare il dottore. Potrebbe trovare qualcosa» borbottò.

«Credo di sapere cosa potrebbe trovare.» Domenica medicò la ferita e la coprì con una garza.

«Una lacerazione così profonda da richiedere un intervento chirurgico?»

«No. Un paziente difficile.»

«Cabrelli. Un'italiana a Marsiglia, in Francia. Perché? Non mi dica niente. È una storia triste, vero? Senza famiglia. Senza amici. Senza casa. Le suore l'hanno accolta perché non aveva un posto dove andare. Le hanno insegnato i rudimenti del mestiere in cambio di un lavoro non retribuito, ma lei sapeva che l'istruzione che le fornivano poteva fruttare molto di più, così ha deciso di estinguere il debito con le buone Sorelle in questo ospedale scalcagnato.»

«In realtà vengo da una buona famiglia. Non sono stata cresciuta dalle suore. Mi sono guadagnata il mio diploma da infermiera a Lucca prima di trasferirmi qui. Questo ospedale non è scalcagnato, è semplicemente affollato. E le cure sono gratuite, perciò le suore non hanno soldi per la manutenzione. Lo tenga presente quando uscirà di qui. Getti qualcosa nella cassetta delle offerte per i poveri che si trova nell'atrio.»

Domenica si congedò mentre McVicars si distendeva sul lettino in attesa del dottore. Si addormentò nel giro di pochi minuti.

Il dottor Chalfant entrò in corsia. Era un tipo sulla quarantina dalla corporatura esile, con una zazzera di capelli rossi e arruffati. Da lontano, con il suo camice bianco, sembrava un fiammifero acceso. Osservò l'infermiera Cabrelli che aiutava un paziente a fare un bagno ghiacciato.

«*Docteur*, tra un minuto la accompagno nelle sale visita.»

«Cabrelli, devo parlarle» disse suor Marie Bernard.

«Me ne occupo io» intervenne Josephine prendendo il posto di Domenica.

Domenica seguì la suora in corridoio.

«Sorella, ho ordinato i bagni ghiacciati perché non sapevo come altro trattare delle ustioni così gravi. Durante il corso avevo appreso che un bagno ghiacciato è il primo passo per alleviare il dolore. Mi perdoni se ho scavalcato il mio...»

«Ha fatto un ottimo lavoro, Cabrelli. Non so come lei sia

riuscita a mettere in riga le infermiere, ma hanno preso ordini da lei meglio di quanto abbiano mai fatto con me.»

Domenica si passò l'orlo del grembiule sul viso, si appoggiò al muro e chiuse gli occhi.

McVicars la scorse dal fondo del corridoio. La raggiunse e le si accostò appoggiandosi a sua volta contro il muro. «Ho visto come sono sistemati quasi tutti i miei uomini. Ottimo lavoro. Lei è un capitano migliore di me.»

«Sono soltanto un'infermiera.»

«Diventiamo amici, Cabrelli. Prima la stavo soltanto prendendo in giro.»

«Ah sì? I suoi uomini hanno compilato le schede?»

«Tutti tranne Donnelly. È analfabeta.»

«Dove ha preso quella vestaglia?»

«Suor Aloïse o qualcosa del genere.» McVicars si annodò la cintura in vita. «Le piace?»

«Il medico sta facendo il giro delle visite» disse lei avviandosi lungo il corridoio. «Deve farsi trovare sul lettino ad aspettarlo.»

«Vorrei seguirla e imparare a orientarmi nell'ospedale, se me lo consente. Dovrò passare a controllare i miei uomini.»

«È semplice. Ci sono due piani e trenta stanze.» Domenica indicò la direzione delle stanze continuando a camminare. «Il nostro non sarà un ospedale elegante, ma è di buon livello.» Domenica spingeva uno strabipante carrello di biancheria lungo il corridoio. McVicars la seguiva.

«Ha qualche marinaio in famiglia?» indagò lui.

«Nessuno. Ma amiamo il mare. Viviamo sulla costa. Conta qualcosa?»

«Dipende. Di che mare stiamo parlando?»

«Il Tirreno.»

«Il Mar Tirreno! Lo conosco bene. E anche il Golfo di Genova, più a nord, è blu come la notte. Ho bellissimi ricordi di quel porto.»

«Ne sono sicura. E conosce Viareggio?»

«No. Abbiamo attraccato a Gioia Tauro. La conosce?»

«È molto più a sud sulla costa tirrenica.» Domenica si chinò per recuperare un cumulo di lenzuola sporche che mise nella cesta della biancheria.

«Quindi lei non è semplicemente una ragazza francese che imita l'accento italiano, giusto?»

«Gli inglesi pensano che tutti gli accenti siano falsi tranne il loro.»

«Ma io non sono affatto inglese! Sono scozzese. Non se n'è accorta?»

«Come si fa a capire la differenza?»

«C'è una differenza abissale! È mai stata in Scozia?»

«No. Conosco solo la mia città natale e Marsiglia. Ho visto due Paesi in vita mia. La Francia è il secondo.» Domenica spinse il carrello nella stanza adibita a lavanderia. McVicars entrò con lei. Là dentro c'era un caldo infernale. Le macchine emettevano un rumore assordante. Una suora con il grembiule e una cuffietta in testa stava facendo passare un lenzuolo nello strizzatoio. Un'altra, vestita allo stesso modo, azionava la stiratrice professionale che sprigionava nuvole di vapore passando sul tessuto. Entrambe guardarono McVicars e poi si scambiarono un'occhiata.

«È un paziente» spiegò Domenica mentre svuotava il carrello e separava i pigiami dell'ospedale dagli asciugamani per passarli al lavaggio.

McVicars urlò per sovrastare il frastuono. «Le piacciono la pioggia e il freddo?»

Domenica scosse il capo.

«Ci farà l'abitudine. I pascoli verdi, i laghi, le persone. Le piacciono gli scozzesi, vero?»

«Non ne conosco nessuno.»

«Conosce me.»

«Ho appena fatto la sua conoscenza, capitano. Ma non la userei come metro di paragone per la sua gente. Certo che lei è diretto, eh?»

McVicars scoppiò in una risata. «Lo sono, vero?»

«Ma la cosa non mi dà fastidio.» Domenica prese una pila di lenzuola pulite dall'armadio della biancheria da letto. «Lei è soltanto spaventato.»

«Che cosa?» McVicars finse di non udirla mentre la seguiva fuori della lavanderia per tornare in corridoio. «Le faccio presente che sono noto per il mio coraggio.»

«Ha condotto i suoi uomini in ospedale stanotte. Alcuni sono più malconci di altri, ma se la caveranno tutti. È stato fortunato.»

«Non la penserebbe così se vedesse com'è ridotta la *Boidoin*.»

McVicars seguì Domenica in medicheria e le rimase accanto mentre lei preparava il lettino sostituendo il lenzuolo con un altro pulito. «Secondo lei, potremmo diventare amici?» chiese per la seconda volta.

Domenica lo aiutò a sedersi sul lettino. «Ci vuole tempo per diventare amici.»

«Be', è chiaro che lei è una ragazza sveglia, dalla mente rapida. Che ne pensa? Pensa di poter diventare mia amica? Le piaccio? Non le piaccio? Sta riflettendo? È indifferente? Indecisa?»

«Lei parla troppo.» Domenica gli alzò la gamba per farlo stendere.

«Come ci è riuscita? Sono tre volte la sua stazza.»

«Teli caldi» annunciò Josephine aprendo la porta con una spintarella del fianco e sorridendo al capitano.

McVicars si passò una mano sul viso. «Come le pare che vada, infermiera?»

«Meglio» disse Josephine.

«E lei, Cabrelli, che ne pensa?»

«Non vedo una gran differenza. Josephine, come andiamo in reparto?»

«Abbiamo pulito i ragazzi. Il dottor Chalfant sta controllando le fasciature. Suor Marie Honoré ha già addormentato tre pazienti leggendo loro le Scritture a voce alta.»

«Perdonateli.» Il capitano, mortificato, scosse la testa. «Dite alla sorella di leggere loro i risultati delle corse dei cavalli. Quelli sì che li terranno svegli.»

«Devo andare.» Domenica si voltò apprestandosi a uscire.

McVicars le afferrò la mano. «La sua collega ha detto che la situazione è sotto controllo.»

Domenica si liberò la mano con delicatezza. «Non è lei il mio superiore. È il mio turno e sono in servizio. Motivo per cui vorrei farle una domanda.»

Quale?»

«Le farebbe piacere una tazza di tè, capitano McVicars?»

Stephanie fece capolino dalla porta. «Domenica, c'è bisogno di te in reparto.»

«Mi scusi, capitano. Il tè e i macaron sono nella saletta del personale in fondo al corridoio. Si serva pure.»

18

Via via che su Marsiglia spuntava il sole, l'atrio dell'Hôpital Saint-Joseph veniva inondato di luce. Olivier, esausto, stava passando lentamente lo straccio avanti e indietro sul pavimento.

«Cosa ci fai ancora qui?» chiese Domenica togliendogli lo spazzolone di mano.

«Suor Marie Bernard ha detto che non potevo andarmene finché non avessi fatto uscire l'odore di bruciato da qui.»

«Potrebbe volerci un bel po'. Meglio spruzzare dell'acqua di colonia qua e là.»

Olivier sorrise e riprese lo spazzolone per terminare il suo lavoro. «E *lei* perché è ancora qui, mademoiselle?»

«Perché sono io la responsabile finché non inizia il prossimo turno.»

L'ospedale era tranquillo mentre Domenica faceva il suo solito giro per accertarsi che tutto fosse in ordine. Tutti i marinai della *Boidoin* erano stati visitati e assistiti, e dormivano tranquilli nei loro letti al primo piano. Le infermiere del primo turno del mattino erano già in cucina per preparare la colazione per i pazienti. Il profumo del caffè appena fatto e dei croissant caldi si diffondeva nel corridoio. Per quanto Domenica fosse affamata, il pensiero del letto era più allettante del cibo. Appose la firma di fine turno e prese il registro con sé. Si fermò davanti alla cappella per farsi il segno della croce e d'un tratto si ricordò di un'ultima incombenza che si era ripromessa di portare a termine. Entrò nella cappella e si chiuse la porta alle spalle. Si inginocchiò davanti all'altare. L'ambiente era freddo e buio, il profumo dei garofani riempiva l'aria. Sistemò la Bibbia sul leggio e dispose le ampolline, il campanello e i tovaglioli di lino sul tavolino di fianco, pronti per la Messa.

«Non sono riuscito a trovare la luce.» Una voce maschile ruppe il silenzio.

Domenica scrutò nel buio. «Capitano McVicars?»

«Non sto pregando.»

«Non è un'accusa.»

«E lei cosa sta facendo?» chiese il capitano con aria innocente.

«Suor Claudette mi ha chiesto di predisporre il necessario per la Messa.»

«È domenica?»

«Celebriamo la Messa tutti i giorni. E lei che cosa sta facendo?»

«Mi stanno stirando l'uniforme. Non so come sia riuscita la lavandaia a togliere le macchie d'olio, ma ce l'ha fatta. Mi sono offerto di baciarla.»

«E lei ha accettato?»

«Questo resta un segreto fra Madame Esther DeGuisa Wing e me.»

Domenica fece per andarsene.

«Resti qui» disse lui.

«La Madre Superiora sta aspettando la relazione scritta sui ricoveri.»

«Qualsiasi persona abbia la qualifica di "superiore" nel nome andrebbe tenuta in attesa, non foss'altro che per insegnarle l'umiltà. Venga a sedersi accanto a me.»

Scivolò in mezzo al banco per farle posto. Poi allargò le braccia sullo schienale come fossero ali.

Domenica si sedette all'estremità della panca, il più lontano possibile da lui. «Lei è cattolico?»

«No. No. No. No.»

«Un "no" è più che sufficiente.»

«Le grandi melodie suonano meglio in un'armonia in quattro parti. Signorina Cabrelli, forse lei non lo sa, ma non ci sono molti cattolici in Scozia. Sono stati cacciati via.»

«Conosco la storia.»

«Allora perché me lo ha chiesto?»

«Proprio perché conosco la storia, so che l'ultimo posto in cui vorrebbe trovarsi un buon protestante è una cappella cattolica. Perciò mi è venuto spontaneo pensare che fosse cattolico.»

«Mi è permesso di ridere qui dentro?»

«Il capitano è lei. Può fare quello che vuole.»

«Chi è quel tipo?» chiese McVicars indicando una statua.

«È Bernardo di Chiaravalle. Il santo di cui le parlavo.»

«Giusto. Quello. Sembra malato.»

«È francese. San Bernardo fu dichiarato dottore della Chiesa.»

«A parer mio, un santo dovrebbe apparire vigoroso, in modo che il devoto abbia qualcosa cui aspirare, qualcuno da emulare. Anche la statua risulterebbe migliore, non trova? La Chiesa cattolica dovrebbe andare in Scozia a cercarsi un campione del lancio del tronco, un tipo con le gambe robuste, e farlo posare come modello per le proprie statue. Quel San Bernardo non vale il bronzo di cui è fatto. Non affiderei la mia anima a un tipo mingherlino con le spalle spioventi e il mento sfuggente, e lei?»

«Troppo tardi. Gli ho già rivolto le mie preghiere.»

«Lo sa che lei ha esattamente diciassette lentiggini sul naso?»

«E lei ha l'incisivo leggermente scheggiato. Quello di sinistra» ribatté prontamente Domenica.

«Sono caduto da cavallo.»

«Come sta il cavallo?»

«Se n'è andato tempo fa, purtroppo. Avevo dieci anni.»

«Le suore l'hanno invitata a colazione. Non trovandola nel letto che le era stato assegnato, ho pensato che avesse lasciato l'ospedale. Avrà una fame da lupi. Posso accompagnarla in refettorio mentre esco.»

«Se quelle sante donne tenessero qualche biscotto nel cassetto, non sarei così affamato.»

«Non le ho poi portato il suo tè.»

«Ahi, ahi. Negligenza sul lavoro, Cabrelli. Ma va bene lo stesso. Ho mangiato un macaron con una bella bionda.»

«Quindi alla fine è riuscito a orientarsi nell'ospedale.»

«Già. E poi ho bevuto un bicarbonato con suor Marie Honoré. Lei è una suora?»

«No.»

«Bene. A me le suore fanno paura.»

«Perché?»

«Si spostano sempre in gruppo. Si muovono tutte insieme come uno sciame di api.»

«Lei è il secondo uomo in un mese che mi chiede se sono una suora. Dovrei prendere la domanda come un invito a diventarlo?»

«Dipende. Che rapporto ha lei con le api?»

Il refettorio delle suore era allegro e luminoso. Nel grande camino in pietra in fondo alla sala scoppiettava un fuoco vivace, con fiamme arancioni e una griglia sulla quale erano posati tre bollitori per il tè. Un grande specchio appeso sopra il caminetto rifletteva l'immagine delle suore intente a far colazione, sedute a un lungo tavolo al centro della stanza.

«La Madre Superiora vorrebbe conoscerla» sussurrò Domenica. «Vada.»

«Qual è?»

«Quella che porta al collo il crocifisso più grande. A capotavola.» Domenica osservò McVicars che, in pigiama e vestaglia, si avvicinava titubante alla Madre Superiora. Cercò di nascondere un sorriso divertito.

«La ringrazio, Madre delle Madri, per aver prestato le vostre attente cure ai miei uomini.» Il capitano fece cenno a Domenica di raggiungerlo. «Infermiera, mi perdoni, qual è il suo nome?»

«Cabrelli.»

Schioccò le dita. «Infermiera, le spiace ripetermi il suo nome di battesimo?»

«Domenica.»

«L'infermiera Domenica Cabrelli ha fatto un ottimo lavoro.»

«È una delle nostre novizie di maggior talento.»

«Una novizia di solito manca di esperienza. La signorina Cabrelli, invece, ha gestito il reparto come un generale ieri notte.»

«Novizia, nel suo caso, significa che è all'inizio del percorso per diventare una suora dell'ordine di San Giuseppe dell'Apparizione.»

McVicars guardò Domenica. «Mi aveva detto di non essere una suora.»

«Non lo sono, infatti. Prego per diventarlo.»

La Superiora squadrò il capitano dalla testa ai piedi. «Capitano, posso vedere le sue mani?»

Le mani di McVicars erano arrossate e mostravano lievi ustioni superficiali.

«Capitano, insisto affinché si faccia medicare quelle ferite dall'infermiera Cabrelli. Non vorrà rischiare l'infezione.» La Madre Superiora si rivolse a Domenica. «Lo riporti qui per la colazione dopo essersi presa cura di lui.»

La medicheria era impeccabile. Il pavimento di piastrelle era immacolato come i vetri delle finestre, che erano così limpidi da far pensare che il telaio ne fosse privo.

Il capitano McVicars evitò di guardare mentre Domenica puliva delicatamente lo strato superficiale della sua pelle bruciacchiata. Gli fece immergere le mani in un catino pieno di acqua e ghiaccio. «Mi dispiace, ma se applico le bende senza aver pulito bene le scottature, resterà la cicatrice. Ha delle belle mani, sarebbe un peccato.»

«Non la ringrazierò di certo per il dolore. Ma per il complimento, sì. Parla inglese molto bene, signorina Cabrelli.»

«Di sicuro meglio del francese. Sono spesso di turno con Mary Gay Mahoney, una delle infermiere. Anche lei è scozzese. Ha una splendida coperta di lana sul suo letto. Ha detto che è stata prodotta nel suo Paese.»

«Come farà a rinunciare a tante cose belle se prenderà i voti?»

«Una suora non deve rinunciare alla bellezza. È uno dei più grandi doni che Dio ha fatto al mondo, no? Ecco la sua fede nuziale.» Domenica la mise al sicuro nel taschino del pigiama fornito dall'ospedale. Abbottonò la pattina.

«È un anello con il sigillo militare. Me lo sono guadagnato nella Grande Guerra.»

«Ma all'epoca era soltanto un ragazzino.»

«Sedici anni. È per questo che lo porto al mignolo. Nel frattempo le mani sono cresciute più dei piedi, a quanto pare. Mi riprometto sempre di farlo allargare.»

«Mio padre saprebbe metterlo a misura. È un orafo. E anche tagliatore di pietre preziose.»

«Oh, allora lei è come Santa Caterina: una giovane dell'alta società, una signorina, per così dire, un po' spregiudicata per quei tempi, che abbandonò la sua vita agiata per entrare in convento. Mi perdoni l'ovvietà, ma è quella che noi scozzesi chiamiamo assicurazione contro gli incendi. Dedicate la vostra vita alle opere buone, guadagnandovi così un lasciapassare che vi permetterà di sfuggire alle fiamme dell'inferno quando verrà la vostra ora.»

«Per essere un protestante, la sa lunga sui santi della mia religione.»

«Leggo.»

«Allora saprà anche che non tutti i gioiellieri sono benestanti. Mio padre si guadagna da vivere con il suo lavoro e, come qualsiasi artigiano, aspetta di essere pagato. E mentre spera di ricevere una nuova commissione, la nostra famiglia va avanti facendone a meno mentre mia mamma va in ansia e si preoccupa.»

«Più carestia che abbondanza, dunque.»

«Noi italiani non soffriamo mai la fame. Mangiamo con giudizio. Viviamo sul mare, perciò possiamo contare sulla pesca.

E poi abbiamo le castagne, il tarassaco e le uova. E i pomodori. Facciamo il pane in casa. Ma questo lo sa. È stato in Italia.»

«Mia madre cucinava la carne e preparava il porridge, ma in casa non mancava mai una bottiglia di buon whisky per poter mandare giù tutto quello che non ci piaceva.»

«Una bella dieta per un clima freddo.»

«Non ho mai mangiato una castagna.»

«Sono deliziose.» Il pensiero di sua madre che preparava le caldarroste davanti al fuoco d'un tratto la rattristò.

«L'ho turbata.» McVicars tirò fuori le mani dall'acqua. «Non volevo farla piangere.»

«Tenga le mani nel ghiaccio.» Domenica si asciugò una lacrima con la manica.

«Farò il bravo se mi dice che cosa l'ha fatta piangere» disse lui rimettendo le mani nel catino.

«Ho pensato a mia madre.»

Domenica prese una mano di McVicars. La asciugò delicatamente e spalmò una densa pomata antisettica sulle abrasioni.

«Che cos'è?»

«Miele.»

«Come quello che si mette nel tè?»

«Come quello che si usa in medicina. Le monache hanno le loro arnie in giardino. E preparano l'antisettico con il miele. Pare che la gente venga da tutta la Francia per comprare un barattolo di questo miele.» Domenica fasciò la mano ustionata con una benda di cotone. «Ne ho preso un vasetto anch'io e lo uso come crema per il viso.»

«Dovrebbero imbottigliarlo e venderlo a tutte le donne, così diventano belle come lei.»

Domenica distolse lo sguardo da McVicars e soffocò una risatina compiaciuta. Aveva curato molti pazienti uomini in ospedale. Per la maggior parte le erano così grati che la definivano un angelo caduto dal cielo. Peccato fosse saltato fuori che dicevano la stessa cosa a tutte le infermiere.

Domenica gli fasciò l'altra mano. «Come la sente?»

«Non avverto il minimo dolore.»

«Ora le verrà servita la colazione. Quando avrà mangiato e la sua uniforme sarà stirata, potrà tornare alla sua nave e riprendere la navigazione verso la meta cui era diretto.»

«Signorina Cabrelli? Mi sono innamorato di lei.»

Domenica rise.

«No, dico sul serio. Le mie mani erano infuocate e ora sono avvolte delicatamente come un neonato.» McVicars alzò le mani. «So qualcosa della vostra procedura di lavoro. Una volta ho estratto un proiettile dalla pancia di un uomo sul campo di battaglia – be', non era proprio un campo di battaglia, era la saletta interna nel mio locale preferito, un pub chiamato Tuck's, a Glasgow – ma gli ho salvato la vita. Non credo però di aver mai alleviato il dolore di un'altra persona. Lei lo ha fatto.»

McVicars seguì di nuovo Domenica in refettorio. Era stordito dalla fame ma non aveva appetito. Gli facevano male le articolazioni ma non avvertiva dolore. Non era del tutto presente a se stesso e non capiva perché.

La Madre Superiora approvò le fasciature sulle mani di McVicars. Ringraziò Domenica e la invitò a fare colazione insieme al capitano. Quell'invito era un evento raro, e Domenica accettò, umilmente grata. Il capitano si sedette accanto al fuoco e Domenica lo intrattenne raccontandogli aneddoti sulla sua terra e sulla sua famiglia. Lui beveva ogni parola mentre consumava il miglior pasto della sua vita. La confettura di fragole del croissant gli esplose in bocca come una dolce giornata estiva. La soffice omelette insaporita alle erbe si scioglieva in bocca. Il caffè era il più carico e caldo che avesse mai bevuto da quando la *Boidoin* aveva fatto scalo in Colombia. Quella non era una fame ordinaria che poteva essere saziata con un buon pasto; anche l'anima del capitano aveva fame in quel momento. Si domandò se l'infermiera italiana dagli occhi nocciola avesse qualcosa a che fare con la strana sensazione che provava.

McVicars si soffermò a osservare le infermiere che entravano nella cappella in fila indiana. La Cabrelli fece un cenno nella sua direzione. Il capitano ricevette una gratificante dose di ammiccamenti e sorrisi anche da parte delle altre colleghe. Le monache entrarono subito dopo. Suor Marie Honoré gli sorrise prima di chinarsi per togliere il cuneo di legno da sotto la porta della cappella e chiuderla. McVicars udì il prete mormorare le preghiere iniziali mentre si apprestava a lasciare l'Hôpital Saint-Joseph attraverso la stessa porta che aveva varcato la sera prima, trovandosi faccia a faccia con la statua della Vergine Maria. Si fermò un istante e alzò lo sguardo su quel volto rassicurante. Si tastò il taschino dell'uniforme e tirò fuori l'anello d'oro. Prese un foglietto di carta e una matita dal bancone e scribacchiò in fretta poche parole di ringraziamento.

23 marzo 1939

Reverenda Madre Superiora,

grazie di tutto. Gli uomini della Boidoin *vi saranno eternamente grati. Per ora, vogliate accettare questo anello come ricompensa per il vostro straordinario servizio.*

Con sincera gratitudine,
  Capitano John Lawrie McVicars

Avvolse l'anello nel biglietto e lo depositò nella cassetta delle donazioni accanto al portone d'ingresso. Dopodiché lasciò l'ospedale e tornò al molo, dove capì come funzionava il mondo.

19

Aprile, 1939

Stephanie spense l'abat-jour. Josephine si tolse le pantofole e scivolò sotto le coperte.

«Le suore dovrebbero alzare il riscaldamento la sera» si lamentò Josephine.

«Presto farà talmente caldo che ti dimenticherai quanto è stato freddo l'inverno.» Stephanie allargò la coperta extra piegata ai piedi del letto e si coprì meglio.

Domenica si tirò su e serrò bene la finestra.

«Ecco da dove veniva l'aria fredda.»

«Scusate, ragazze.»

«Niente posta oggi?»

«L'ho messa sul tuo tavolo» rispose Domenica.

«Non per me» precisò Stephanie. «Dicevo per te.»

«No, niente posta» disse Domenica.

«Ero sicura che non ci saremmo liberate del tuo capitano tanto presto.»

«Lui non è il *mio* capitano» ribatté Domenica, sulla difensiva.

«È che certi uomini sono lenti.» Josephine sprimacciò il suo guanciale con un pugno e si voltò sul fianco.

«Signore, è passata solo una settimana» fece notare Stephanie. «È nella fase in cui sta combattendo.»

«Contro chi?»

«Se stesso. Sta combattendo con i suoi sentimenti.»

«Perché dovrebbe farlo?» chiese Domenica tirandosi su a sedere.

«Vedete, gli uomini non ci desiderano realmente. Vorrebbero che noi non esistessimo, così non dovrebbero arrendersi. A loro sta bene girare il mondo senza vincoli. Altrimenti perché mai un uomo sceglierebbe di imbarcarsi?» argomentò Stephanie.

«Certo che tu hai una conoscenza enciclopedica della psicologia maschile» osservò Josephine, ammirata.

«Non mi importa se mi scrive o no. Non voglio farmi coinvolgere in una storia con un marinaio» ribadì Domenica.

«Sei *già* coinvolta. E comunque, lui è un ufficiale» sottolineò Josephine.

«In ogni caso, mai sposare un marinaio» iniziò Stephanie. «Preferiscono prendere il largo piuttosto che cercare un approdo. Domenica si ritroverebbe con una nidiata di bambini da crescere da sola, e il capitano farebbe perdere le sue tracce.»

Domenica si rigirò nel letto. Se non altro, aveva scoperto cosa pensavano del capitano le sue amiche più care. Era stata una lunga giornata. Quando recitava le sue preghiere, la vita monastica assumeva contorni sempre più confortanti. Ancora una volta, mentre scivolava nel sonno, pensò alla possibilità di diventare suora. Con il mondo esterno in tumulto, sarebbe stato un sacrificio così grande? Domenica anelava alla serenità e alla pace che derivavano dalla profonda conoscenza del proprio cuore. Presto avrebbe scoperto se esso apparteneva alle suore di San Giuseppe o al capitano.

Il campanello del quarto piano di Casa Fatima suonò tre volte, segnalando che c'era un visitatore all'ingresso. La portinaia si mise in comunicazione con l'interno del piano e invitò Domenica a scendere al pianterreno. Lei era intenta a pulire la camera approfittando del giorno libero; indossava una salopette sbiadita e una camicetta di cotone. Stephanie l'aveva aiutata a legare dei bigodini di stoffa per arricciare i capelli, sicché Domenica aveva la testa piena di nastrini spaiati. «Ci sono visite per lei, signorina» disse l'addetta alla portineria.

Il capitano McVicars scattò in piedi. «Buongiorno, signorina Cabrelli.» Era in borghese. Indossava un triste abito grigio con una cravatta blu.

«C'è un funerale?»

«No, questo è il mio vestito migliore.»

«Le sta bene» concesse Domenica.

«Sono a Marsiglia da una settimana.»

«Undici giorni» lo corresse lei.

«Così tanto? Ho lavorato qui al porto. Senza sosta, 24 ore su 24, naturalmente. Ho cercato di rimettere in sesto la vecchia *Boidoin* in modo che possa tenere il mare.»

«E ci è riuscito?»

«Quasi.»

Domenica elaborò attentamente la sua litania di scuse. Quando, undici giorni prima, si era congedata da lui dopo colazione, aveva sperato di rivederlo, e presto. Ma era raro, se non impossibile, che i pazienti tornassero in ospedale una volta dimessi.

McVicars fornì un'altra giustificazione per non essersi fatto vivo prima. «È un periodo strano per chi è imbarcato su una nave mercantile. Alcune delle solite rotte sono chiuse o subiscono interruzioni e...»

«Capisco.»

«Mi sono preso una licenza e mi sono ricordato che aveva il sabato come giorno libero. È evidente che in questo momento non è al lavoro.»

Domenica si tastò i bigodini. «Questo è l'unico giorno che ho per sistemarmi i capelli» disse timidamente.

«Lo vedo.» McVicars proseguì. «Ho pensato che era un po' pallida quando ci siamo visti l'ultima volta, e così mi chiedevo: le andrebbe di fare un giro in macchina? Ne ho noleggiata una. Una decappottabile. Non va oltre i 50 chilometri all'ora, ma noi non li supereremo, perciò dovremmo essere a posto.»

«Va bene.»

«Va bene che io abbia noleggiato una macchina, o va bene venire a fare un giro con me?»

«Entrambe le cose. Mi lasci solo andare a prendere il cappello.»

Domenica risalì in camera. Entrò e si appoggiò alla porta, immobile e ansante.

«Che ti prende?» chiese Josephine alzando gli occhi dal libro che stava leggendo.

«Il capitano è qui. E io ho appena accettato un invito a fare un giro in auto con lui.»

«Stephanie!» chiamò Josephine ad alta voce.

Stephanie accorse con la cesta del bucato appoggiata sul fianco. «Che succede?»

«Domenica ha un appuntamento con il capitano.»

Josephine spinse Domenica su una sedia. Stephanie lasciò cadere a terra il cesto della biancheria. Lei e l'amica si misero al lavoro. Josephine le sfilò i bigodini e la pettinò, mentre Stephanie passava in rassegna i vestiti nel piccolo armadio di Domenica e tirava fuori un abitino scollato in madras e un paio di sandali. Inginocchiandosi, si affrettò a farglieli indossare legando il cinturino alla caviglia. Entrambe aiutarono l'amica a infilarsi il vestito. Domenica si piegò verso lo specchio e si passò un velo di rossetto sulle labbra.

«Ecco la borsetta.» Josephine gliela mise tra le mani. «Ci sono degli spiccioli nella tasca laterale. Possono farti comodo. E ora vai.»

«Aspetta!» la bloccò Stephanie prendendo la boccetta di *Joy*, il suo profumo. Diede una spruzzatina sul collo di Domenica. «Fila via, svelta!»

Domenica si affrettò a tornare giù, lasciando dietro di sé una scia di profumo di rose e vaniglia. Il capitano si alzò e la osservò compiaciuto.

«Vado bene così?» Si toccò i capelli.

«Una visione.»

«Grazie.»

«Ha dimenticato il cappello, però.»

La Route de la Gineste si snodava come un nastro argentato che legava le verdi colline da un lato e una vertiginosa parete di rocce bianche dall'altro. Ogni volta che la strada piegava in un tornante, uno spicchio di mare di un azzurro intenso faceva capolino dalla valle che si apriva oltre la costa frastagliata.

McVicars superò un castello ricco di torri merlate e continuò a inerpicarsi sulla strada di montagna. «Qui ha soggiornato Napoleone.»

«Napoleone è venuto anche dalle mie parti, o almeno così narra la leggenda. Sua sorella Paolina visse in una villa sulla spiaggia con il suo principe italiano. Napoleone conferì il titolo di Granduchessa di Toscana a un'altra sua sorella, Elisa.»

«Un fratello generoso. Si prendeva cura dei propri famigliari.»

«I despoti sono noti per essere inclini a favorire i membri della propria famiglia. Noi, invece, non ce la passiamo altrettanto bene.»

«Lei non è venuta a Marsiglia per sua volontà, vero?»

«In effetti sto scontando una punizione.»

«Che cosa ha combinato?» chiese McVicars incuriosito.

«Non c'è nulla di divertente, capitano.»

«Non sarà una spia, voglio sperare.»

«No. Ci sono pochi intrighi nella mia situazione. Sono andata contro i precetti della Chiesa durante l'esercizio della mia professione. Il mio superiore, il dottor Petrucci, ha fatto in modo di mandarmi qui per evitare che venissi radiata. Secondo lui, alla fine il prete si dimenticherà della mia trasgressione all'etica religiosa. Ma credo che il dottore non sappia bene con chi ha a che fare.»

«E quale errore imperdonabile avrebbe commesso?»

«Ho consigliato come evitare l'ennesima gravidanza a una giovane madre di tre figli.»

McVicars reagì con un fischio. «In un Paese cattolico?»

«Non ne conosco altri.»

Il capitano cercò la mano di Domenica in quel catorcio di macchina e cambiò marcia. Lei non la prese, ma si voltò verso di lui.

«Capitano McVicars, lei è sposato?»

McVicars riportò la mano sul volante. «Signorina Cabrelli! È scortese da parte sua farmi una domanda simile! Secondo lei, la inviterei a fare una gita fuori porta se fossi un uomo sposato?»

«Spero di no.»

«Non ha nulla da temere, mi creda. Non sono sposato, né ho intenzione di sposarmi in futuro. Le do la mia parola d'onore. Senza contare che ho donato il mio anello d'oro alle Sorelle di San Giuseppe per ringraziarle dei servizi resi al mio equipaggio.»

«Se è per questo, non si fa che parlare di lei in convento e nel dormitorio delle infermiere.»

«Davvero?»

«Certo. È il beniamino delle mie giovani colleghe. La trovano affascinante. Attraente e generoso, dicono.»

«Grazie. In effetti sono tutte caratteristiche in cui mi riconosco.»

«Eppure è riuscito a rimanere scapolo. Immagino che se avesse voluto sposarsi lo avrebbe già fatto.»

«Che cosa intende dire?» Il capitano distolse gli occhi dalla strada e si voltò a guardare Domenica.

«Un uomo dev'essere sistemato entro i quarant'anni.»

«Chi le ha detto questa sciocchezza sugli uomini?»

«Mia madre.»

«Suppongo che debba dare ascolto alle opinioni di sua madre.»

«Spero che non la giudichi una domanda inopportuna. Perché non si è sposato?»

«Le donne che sposano un marinaio fanno in modo che il marito rinunci alla vita di mare. Motivo sufficiente per evitare il sacro vincolo del matrimonio. Io amo la mia libertà.»

«Anch'io.» A quel punto Domenica gli prese la mano. «Sa che quando si tiene la mano di qualcuno, il cuore di entrambe le persone beneficia del contatto? Cala la pressione sanguigna.»

«Non sapevo di avere problemi di pressione.»

«Ora non li avrà.»

Il Café Normande, situato su una collina appena sopra Cassis, era una vecchia fattoria con un orto in mezzo a campi di lavanda. Domenica udiva il lieve ronzio delle api al lavoro sulle spighe violette mentre passeggiava in quell'esplosione di colori e profumi. Raggiunta la cima della collina, si fermò a contemplare la campagna francese ai suoi piedi. Da lassù vedeva i tetti di Cassis e oltre, dove i pendii rocciosi incontravano il mare. Le faceva piacere sentire il sole caldo sulla pelle. Finalmente aveva trovato in Francia quello che aveva lasciato dietro di sé in Italia: il calore. McVicars la chiamò. Lei lo raggiunse in giardino, dove lui aveva predisposto il loro pranzo.

«Eccoci qua. Spero le piaccia.» McVicars la servì.

«Sembra tutto delizioso.»

McVicars si sedette di fronte a lei. «Coraggio, assaggi.»

Domenica addentò il croissant imburrato e farcito con sottili fette di prosciutto.

«È di suo gradimento?»

Lei annuì. Lui versò un bicchiere di vino per lei e uno per sé. Alzò il bicchiere. «Questo lo producono qui, nella fattoria. Alla sua.» Ne bevve un sorso.

Domenica fece altrettanto. «Anche noi produciamo il nostro vino, sa?»

«È buono come questo?»

«Sì, eccome.»

«È rischioso offrire un vino da tavola a un'italiana.»

«Avevo solo quattro anni quando l'ho assaggiato per la prima volta. Naturalmente molto annacquato. Il vino, la vendemmia, la pigiatura e le botti per la fermentazione fanno parte della nostra vita.»

«In Scozia non ci fanno toccare alcolici finché non siamo abbastanza grandi per berli di nascosto. E poi alcuni di noi continuano a bere di nascosto per tutta la vita. Gli italiani e i francesi, invece, hanno l'approccio giusto. Cominciano a bere presto, così spengono sul nascere il desiderio smodato ed evitano la dipendenza.»

«E ora gli italiani sono nemici giurati dei francesi. Com'è potuto accadere?»

«Il nemico della porta accanto è sempre il più pericoloso» disse il capitano.

«Vorrei poterli fermare.»

«Avrà la sua occasione.»

«Sono vestito troppo elegante per l'occasione?» chiese lui d'un tratto addentando il croissant.

«Direi di no, ma quando l'ho vista in giacca e cravatta ho dovuto cambiarmi.»

«Non è salita in camera per mettersi in ghingheri per farsi ammirare, vero? Perché se lo ha fatto, è arrivata tardi. Io ero già ammirato.»

John McVicars si protese sul tavolo e la baciò. Quel bacio la colse di sorpresa. Domenica assaporò il vino sulle labbra di lui. La baciò di nuovo, con tenerezza. Quando lei riaprì gli occhi, sentì il sole caldo sulla pelle e la brezza fresca che li accarezzava. La temperatura del mondo che li circondava era semplicemente perfetta per loro.

«Non avrei dovuto rubarle questo bacio» disse il capitano. «Mi perdoni.»

Domenica si sporse verso di lui e lo baciò. «È perdonato.»

«Venga con me» disse McVicars alzandosi. La prese per mano.

Domenica lo seguì lungo un sentiero stretto che si insinuava nella fitta vegetazione dietro la fattoria. Il bosco era buio. Gli alberi che fiancheggiavano il sentiero erano giganteschi, il sole faceva appena capolino tra il fogliame. Domenica udì uno scrosciare d'acqua e cercò di capire da dove venisse. Scrutò oltre il dirupo in cerca di un fiume, ma non vide nulla.

Il capitano la condusse verso quel suono. Dalla cima di una montagna scendeva una cascata che, superando una cresta rocciosa, si abbatteva nel dirupo sotto forma di nastri d'acqua limpida, perdendosi nelle sue profondità.

«Davanti a tutto questo mi viene da pensare una cosa» disse McVicars sopra il rumore dell'acqua. «Dovrebbero portare qui i generali di tutto il mondo prima di fargli sganciare le loro stupide bombe.»

La cascata era una meraviglia. Domenica, in piedi alle spalle di McVicars, gli allacciò le braccia intorno alla vita e posò la testa sulla sua schiena. Lui strinse più forte le braccia di lei intorno a sé e intrecciò le dita con le sue. Rimasero là finché il sole del pomeriggio assunse il colore di una pesca matura.

Domenica Cabrelli aveva passato ore e ore della sua vita a pregare. I rituali della fede le avevano dato conforto, ma nessuno di essi era in grado di eguagliare la serenità di quel momento. Nemmeno la famiglia, dove aveva sempre trovato consolazione e sollievo, si avvicinava alla sensazione di pace che trovava fra le braccia del suo capitano. Forse John McVicars le avrebbe fatto vedere il mondo con occhi diversi, in modi che l'avrebbero aiutata a dimenticare tutto ciò che aveva perduto. Forse lui era la bussola che le avrebbe indicato la strada da percorrere.

McVicars voleva rendere felice Domenica. Era un desiderio che non aveva mai provato nelle sue precedenti relazioni, da cui aveva imparato a defilarsi con un tale tatto che la giovane corteggiata si accorgeva a malapena che lui se n'era andato per sempre. Ma Mademoiselle Cabrelli era diversa. Anche lui voleva dimenticare, e si domandava se la piccola infermiera italiana avrebbe potuto aiutarlo a realizzare il suo sogno più grande: una vita felice, un traguardo che, per gli altri, sembrava sin troppo facile da raggiungere.

20

Domenica abbassò lo sguardo sulle sue scarpe bianche. La sera prima si era ritrovata troppo stanca per pulirle, ma era evidente che avevano bisogno di una bella lucidata. Agitò il flaconcino di sbiancante e ne versò un pochino sulla pezzuola che passò sui graffi che segnavano la tomaia.

«Ehi, Cabrelli. Posta.» Mary Gay Mahoney le consegnò un pacco. «A quanto pare hai uno spasimante in Scozia.»

«Grazie.»

«Prego» rispose in italiano. «Visto? Un mese in un convento a Parma, e una scozzese sa parlare la tua lingua.»

«Mi piacerebbe saperne di più sulla tua gente.»

«Chiedimi quello che vuoi. Sono nata e cresciuta a Drimsynie. L'unica famiglia cattolica in paese. È così che mi hanno trovato le suore. In riva a un lago. Cercano le più derelitte.»

«In Scozia come si fa a sapere se un uomo ha un debole per te?»

«L'unica prova dell'amore di un uomo è vedere con quanta cura tratta la mucca di famiglia.»

«E se non possiede una mucca?»

«Ti arrangi.»

Domenica aprì il pacco.

9 aprile 1939

Cara signorina Cabrelli,

le auguro una splendida domenica di Pasqua. Le sono molto grato per le medicazioni e le premure che mi ha rivolto. Anche mia madre si è meravigliata quando ha notato come sono state curate le mie mani, visto che è stata la prima a stringere quei pugnetti grassottelli quando sono nato. Il suo unguento al miele mi ha risparmiato le cicatrici dell'ustione. Le mie estremità non somigliano più a due zamponi e hanno le dita affusolate di un duca, proprio com'erano prima dell'incidente. Ho condiviso il vasetto di miele che mi ha regalato con l'equipaggio della Boidoin. *I miei uomini non hanno che complimenti per le suore e per la schiera di infermiere, ciascuna delle quali è "perfetta come una rosa" parole loro, non mie.*

Il croissant al prosciutto che abbiamo mangiato insieme a Cassis è diventato il mio spuntino preferito nonché un ricordo piacevolissimo. I suoi baci davanti alla cascata renderanno insignificante qualsiasi bacio io possa ricevere nel corso della mia vita. È stata una piacevolissima compagnia. Insieme a questa mia troverà un piccolo dono uscito dai telai di Dundee.

Capitano John L. McVicars
    Boidoin Star

Domenica aprì il pacchetto e tirò fuori un involucro di carta velina legato da un nastro. Sciogliendo il nastro, si ritrovò tra le mani una sciarpa di morbido cashmere nelle tonalità del lilla e del violetto. Quei colori le ricordarono le sfumature della lavanda delle colline sopra Cassis, e si domandò se il capitano avesse scelto quella sciarpa per lo stesso motivo.

«Suor Marie Bernard ha suonato la campanella» disse Josephine mentre indossava il vestito della festa.

«L'abbiamo sentita.» Stephanie si appuntò un velo sui capelli. «Sei pronta?» Poi si rivolse a Domenica in italiano: «Andiamo. Vedi? Ho imparato bene quello che mi hai insegnato.»

Domenica si avvolse la sciarpa di McVicars intorno alle spalle. Le infermiere si avviarono insieme verso il giardino del convento.

«La tua sciarpa è davvero molto chic» commentò Josephine, ammirata.

«Finalmente ho l'occasione per sfoggiarla.»

«Mademoiselle Cabrelli, alla fine ci è cascata anche lei!» le disse Stephanie prendendola in giro bonariamente. «Lo stavamo aspettando. Cominciavamo a temere che volessi prendere il velo!»

«Non farlo!» intervenne Darlene Heck, un'infermiera strumentista che salutò il gruppetto con un cenno entrando nel giardino. «Mai prendere decisioni importanti quando si è esauste. Queste suore sono esperte nello sfinire le ragazze.» Darlene distribuì a ciascuna di loro un sacchettino di velluto contenente una corona del rosario. «Dono delle Sorelle.»

«Secondo voi Bernadette approverebbe tutto questo chiasso nel giorno della sua festa?» sussurrò Stephanie. «Sembrava così modesta.»

Josephine si avvolse il rosario intorno al polso e tra le dita. «Per suor Marie Honoré è una buona scusa per mettere le mani sullo champagne d'annata conservato nella cantina del convento.»

«Grazie a Dio non le piace bere da sola» disse Stephanie facendosi il segno della croce.

Le gemme primaverili, di un tenero verde, facevano capolino sui rami degli alberi di limoni. Le suore si inginocchiarono sull'erba morbida, imitate poco dopo dalle infermiere. Mentre le donne erano raccolte in preghiera a capo chino, il ronzio delle api nelle arnie addossate al muro di cinta sembrava sottolineare il cantilenare di suor Marie Bernard che guidava il gruppo nella recita del rosario. Presto le loro litanie sovrastarono il ronzio di quegli insetti operosi.

A prescindere dai rispettivi Paesi d'origine, tutte le infermiere, nel giorno della festa di Santa Bernadette di Lourdes, protettrice degli ammalati, diventavano francesi. Quando il sacerdote chiese alle suore e alle infermiere di pregare in silenzio per le proprie intenzioni personali, Domenica si guardò intorno e pregò per il piccolo esercito dell'Hôpital Saint-Joseph che la proteggeva, senza dimenticare un marinaio scozzese che sperava stesse pensando a lei in quel momento.

John Lawrie McVicars stava attraversando il Kelvingrove Park di Glasgow con un libro in mano. Il titolo non aveva importanza, perché non intendeva leggerlo. Il suo scopo era strettamente utilitario. Conservava dei fogli di carta da lettere tra le pagine e delle buste azzurre nei risguardi. McVicars era capace di mettersi seduto nel cuore di Glasgow con un libro dalla copertina rigida in equilibrio sulle ginocchia e la penna stilografica che teneva nel taschino della giacca, e decidere di scrivere una lettera in qualsiasi momento gli andasse di farlo.

Su una nave un marinaio impara a occupare poco spazio, perciò diventa un'abitudine anche quando è sulla terraferma. Gran parte degli strumenti di cui disponeva McVicars avevano molteplici scopi. Era forgiato dalla sua vita sotto le armi. Si era arruolato nella Marina mercantile quando era diciottenne; aveva trascorso più anni in servizio che da civile. Tirò fuori il coltellino tascabile e aprì con cautela una busta timbrata Marsiglia, Francia. Sorrise, pregustando il piacere di leggere la prima lettera che riceveva da Domenica Cabrelli.

17 aprile 1939

Caro capitano,

spero che la guarigione delle sue mani stia proseguendo bene. Ho comprato una boccetta di acqua santa di Lourdes in occasione della festa di Santa Bernadette. Mary Gay sospetta che quell'acqua in realtà esca dal rubinetto della chiesa di Saint Joseph, ma anche se non è garantito che venga proprio da Lourdes, è stata comunque benedetta.

Lei è l'unico paziente cui suor Marie Bernard abbia mai donato un barattolo del suo speciale unguento al miele. Anzi, le ragazze mi dicono che di solito lo raziona. Le ho espresso tutta la sua gratitudine. Si è letteralmente illuminata quando le ho riferito il suo messaggio. Sappia che è molto amato qui al Saint Joseph. Quando si sente giù di morale, ricordi che le suore di San Giuseppe dell'Apparizione pregano per lei.

Mio fratello Aldo, arruolato nell'esercito italiano, è stato assegnato a un'operazione sul campo in Tunisia. Nella cartolina che mi ha mandato ha scritto semplicemente "Sono qui". Non so se questo significhi qualcosa oltre alla sua incapacità di scrivere una lettera degna di questo nome. Le suore hanno appreso, tramite i loro canali, che presto ci sarà un annuncio importante. Come recita l'antico adagio, se vuoi sapere cosa fa il re, chiedi al contadino o, nel mio caso, alle monache.

Mia madre mi ha detto che Villa Borbone a Viareggio è stata requisita dai fascisti. Hanno scelto la residenza più opulenta della città e se ne sono impossessati per i loro scopi. Mi ha anche riferito che i fascisti stanno occupando tutta la costa. Lucca, la città più vicina alla mia, sta cambiando rapidamente. Le seterie sono state convertite alla produzione di uniformi militari.

A proposito, grazie per la sciarpa che mi ha mandato: mi ricorda lei e un tempo più felice.

Un bacio,
Domenica

McVicars era preoccupato. Un'emigrata italiana, che lavorava in Francia in un ospedale cattolico, presto si sarebbe ritrovata senza lavoro e senza nemmeno un Paese dove stare. Sapeva come evolvevano queste situazioni. Le suore non sarebbero più state in grado di proteggere le loro infermiere, e così le avrebbero licenziate. Domenica non sarebbe stata al sicuro né in Francia né in Italia.

McVicars prevedeva che, con ogni probabilità, la sua missione successiva lo avrebbe portato da qualche parte nell'emisfero meridionale. La *Boidoin* era stata requisita dal governo britannico e lui sarebbe stato assegnato a un'altra nave. Come Domenica, sarebbe stato costretto a lasciare la posizione che occupava in quel momento per fare un salto nel buio. Con la sua esperienza e il suo grado, era probabile che lo spedissero lontano da casa e da Domenica Cabrelli, sin dove potesse portarlo la nave.

21

Glasgow, maggio 1939

I primi immigrati italiani, appena arrivati in Scozia, avviavano un'attività commerciale. Facevano gelati, aprivano pizzerie e imparavano a preparare *fish and chips* a regola d'arte. La carnagione olivastra, gli occhi e i capelli scuri li distinguevano dai robusti scozzesi dalla pelle chiara e gli occhi azzurri. Le loro donne erano altrettanto attive e intraprendenti e lavoravano fianco a fianco con gli uomini nei bistrot e nei pub. Gli italiani si sposavano e avevano figli, e nel giro di tre generazioni, gli italo-britannici erano diventati parte del tessuto sociale del Paese, conferendo al tipico filato di lana scozzese nuova consistenza, forza e colore.

Arcangelo Antica rappresentava la seconda generazione della sua famiglia italo-scozzese a vendere gelati con il suo carrettino a Glasgow. Suo fratello – il più sveglio e più ambizioso dei due, secondo Arcangelo – si era stancato della vita da ambulante e aveva fatto un prestito per aprire una vera e propria gelateria. Il negozio era abbastanza fiorente da permettergli di sostenere la famiglia in Scozia e mandare quanto restava dei guadagni a casa, a Bardi. Arcangelo era felice di vendere in strada il gelato che produceva suo fratello.

Seguiva un percorso collaudato attraverso le vie di Glasgow che iniziava con i quartieri a ovest e finiva al molo. Avendo ormai raggiunto i settant'anni, gli capitava di domandarsi per quanto tempo avrebbe potuto continuare quel lavoro da ambulante. Poteva contare su una clientela affezionata, ma la concorrenza nel settore stava diventando più agguerrita. I connazionali arrivati di recente proponevano una serie di novità allettanti quali granella di arachidi, zucchero filato e *waffles* caldi con panna. Per quanto riguardava le vendite, invece, Arcangelo Antica rimaneva fedele al passato. Durante il suo solito giro si metteva a canticchiare, in genere un brano tradizionale italiano, e con la sua esibizione attirava i clienti. Sapeva che i bambini sceglievano il suo carretto non perché il suo gelato fosse il migliore, ma perché offriva una scusa per vedere l'uomo con tre dita. Da giovane, infatti, aveva perso due dita della mano destra in un incidente nella cava. Aveva trasformato quella menomazione in un'esca per vendere di più.

«Generale Antica!» lo salutò McVicars dall'altro lato della strada.

«Dov'è stato questa volta, capitano?»

«Oh, be', quasi sempre in mare aperto. Ma per un po' siamo rimasti in rada a Marsiglia.»

«Buon per lei, McVicars. La Francia. Belle donne.»

«Mi sono lustrato gli occhi a vederle.» McVicars si frugò in tasca. «Mi darebbe un gelato?»

«Come questo?» disse Antica riempiendo una coppetta con del gelato alla vaniglia. «Lasci stare, oggi offre la casa» aggiunse porgendoglielo. «Voglio che i nostri marinai siano forti.»

«Secondo lei ci siamo?»

«Oh, sì, presto. E non lo penso soltanto io. Al pub lo dicono in tanti. Ne sanno più dei giornali.»

«Non so se il suo amico, il Duce, ha il fegato per entrare in gioco.»

«Non è mio amico. Anzi, è fonte di imbarazzo per la mia gente. Mia madre diceva sempre: "Solo perché sono italiani, non vuol dire che sono buoni". Ci sono persone buone e persone cattive ovunque. A proposito, come sta sua madre? È un bel po' che non la vedo in giro.»

«La signora McVicars se ne sta rintanata nella sua vecchia

casa con gli scuri chiusi. Ha vissuto la Grande Guerra e ha deciso di starsene ben nascosta finché l'Inghilterra non si deciderà a prendere una posizione adeguata. Se entreremo in guerra contro la Germania, si rifugerà nel seminterrato e vi resterà sino a quando non sarà tutto finito.»

«Mi dispiace.»

«È troppo da sopportare per lei.»

«Dovrebbe lasciare Glasgow e ritirarsi in campagna. Non può accompagnarla suo fratello mentre lei è imbarcato?»

«Sarebbe difficile. Il reverendo McVicars attualmente si trova in Nuova Zelanda, impegnato nell'ennesima missione per convertire i pagani.»

«Dovrebbe rimanere laggiù finché la situazione non torna tranquilla.»

«Se conoscesse mio fratello, saprebbe che è il primo a volersi tenere lontano dai guai.»

«L'opposto di quello che fa lei.»

McVicars rise. «In effetti, sì. Sa che ho conosciuto una sua connazionale in Francia? Un'infermiera italiana.»

«Come si chiama?»

«Domenica. Di cognome fa Cabrelli.»

«Cabrelli. Hmm… Sembra un cognome toscano.»

«È di Viareggio. Conosce il posto?»

«Certo, bellissima spiaggia!»

«Io ho navigato nel Mar Tirreno in lungo e in largo.»

«Ecco perché ha l'occhio da triglia. C'è qualcuno che la aspetta a riva.»

«Non ne sono sicuro. Sono settimane che non ricevo una lettera da parte sua. Naturalmente con le suore non si sa mai; magari le stanno facendo scavare trincee nel sud della Francia e non ha tempo per scrivermi.»

«Scherza, ma si capisce che è preoccupato» disse Antica. «È evidente che questa signorina le piace davvero.»

McVicars si prese un momento per pensare. «Moltissimo, amico mio.»

«Di solito quella che vogliamo è quella che non possiamo avere.»

«È davvero così, Antica? Non condivido questa pillola di saggezza. Sa quanti approdi ci sono lungo la costa? Innumerevoli. Sa quante donne vivono in quelle città portuali? Impossibile contarle. Io sto davanti a lei ora, un uomo. Un uomo in un mare di donne pronte ad annegarlo.»

«Va bene! Centinaia. Migliaia. Ma la ragazza che lei vuole è soltanto una. E soltanto una può salvarla.» Antica suonò la campanella del suo carrettino e lo spinse verso il molo. «Cabrelli. Un nome che trilla come una campanella.» Tirò la cordicella e diede un'altra scampanellata. «Bellissimo!»

22

Marsiglia, luglio 1939

Il Giardino degli Angeli dell'Hôpital Saint-Joseph era un'oasi di pace per le suore, nonché una fonte di ulteriori introiti per il bilancio dell'ordine monastico. All'interno delle mura di cinta le monache coltivavano ortaggi e lavanda, recitavano il rosario davanti al tabernacolo della Beata Vergine e allevavano le api per produrre miele. Le colonie di quegli insetti operosi erano ospitate in una lunga fila di cassette di legno nere disposte contro il muro di fondo, su cui si arrampicavano delle deliziose bignonie arancioni.

«Infermiera Cabrelli, venga qui!» Suor Marie Bernard chiamò Domenica prima di accendere l'affumicatore.

Domenica si riparò gli occhi dal sole con la mano mentre procedeva tra file di lattuga, cetrioli e peperoni gialli. Notò un turbine di neve nera nell'aria e, guardando meglio, capì che si trattava di uno sciame di api che si librava sopra la propria arnia. Le suore investivano le cassette con il getto di fumo bianco di un affumicatore, un recipiente di latta arrugginito dotato di un beccuccio da cui fuoriusciva il fumo ottenuto bruciando trucioli di legno di cedro. In questo modo le api erano costrette a rientrare nell'arnia come soldati in una trincea.

«Non le piace questo odore?» chiese la suora chiudendo il beccuccio. «A me ricorda il mio caro papà, che fumava il sigaro. Il cedro brucia come il tabacco, sa? In fretta e senza lasciare troppi residui. Suo padre fuma?»

«No, usa saltuariamente il tabacco da fiuto.»

«Quindi è un fumatore occasionale. Che è quello che intendeva Dio. Fumare di tanto in tanto non fa danno, ma tutti i giorni fa male.»

«Io non fumo, Sorella.»

Suor Marie Bernard sorrise. «Buon per lei. Vorrei che convincesse le sue colleghe a smettere, è un'abitudine deleteria. Ma una giornata libera, una puntatina al pub e qualche sigaretta di troppo sembrano viaggiare di pari passo. Anche le infermiere hanno bisogno di un po' di svago.»

«Fumare le mantiene snelle e asciutte, o almeno così sostengono» disse Domenica ridacchiando. «La Madre Superiora mi ha detto che voleva parlarmi.»

«Sì. Mi spiace doverla informare che le Sorelle di San Giuseppe non si occuperanno più della gestione di questo ospedale. La Madre Badessa ci ha chiesto di trasferire la struttura alla casa madre nei pressi di Tours.»

Le suore non volevano allarmare le infermiere con false dicerie, né rendere più preoccupanti le notizie che leggevano sui giornali o sentivano alla radio passandole poi di bocca in bocca. In ogni caso, Domenica Cabrelli si trovava in una posizione pericolosa.

«Vorrei tanto poterla portare con me, ma non è possibile» disse la suora. «Lei è cittadina italiana e temo che il suo Paese si stia preparando a schierarsi dalla parte sbagliata. Noi non siamo in grado di garantire la sua incolumità. Però c'è un posto presso il convento di Dumbarton, in Scozia.»

«La prego, Sorella. Non voglio andare in Scozia. Mandatemi in qualsiasi altro posto.»

«È l'unica opportunità che possiamo offrirle. Laggiù le suore gestiscono una scuola chiamata Notre Dame de Namur. Hanno bisogno di un'infermiera qualificata. La Madre Superiora ha già preso accordi al riguardo.»

Le speranze di Domenica di tornare in Italia dopo aver scontato la sua punizione si infransero. Aveva scritto a McVicars con fiducia, ma non aveva ricevuto nulla in cambio, nemmeno una lettera. Era chiaro che il capitano aveva cambiato idea su di lei. Si sentiva una sciocca a essersi innamorata di quell'uomo. Ogni pensiero rivolto a lui scatenava una spirale di rimpianti che la faceva pentire di avergli scritto delle lettere così ricche di coinvolgimento emotivo.

«Le forniremo una divisa adatta per il viaggio, con il simbolo della Croce Rossa. Acquisteremo i biglietti che le servono, compreso quello per il traghetto per la traversata della Manica. Contiamo di farla partire il 14 luglio, giorno della Presa della Bastiglia.»

«Grazie, Sorella.» Ma Domenica non provava gratitudine. Anzi, aveva la netta sensazione di essere manipolata. Forse il lavoro in Scozia era un'altra punizione perché, alla fine, aveva scelto di non prendere i voti. Il lavoro all'ospedale di Marsiglia avrebbe dovuto permetterle di riconquistare la libertà dopo l'increscioso incidente di Viareggio. Finì per domandarsi se avrebbe mai più rivisto la sua famiglia.

Domenica tornò in ospedale con la mente offuscata. Non udì il cinguettio degli uccellini in giardino, né lo strombazzare dei clacson delle automobili, e neppure la musica a tutto volume che si sprigionò da una decappottabile appena sfrecciata davanti al Saint-Joseph. Presto sarebbe stata sradicata un'altra volta, senza il suo consenso.

Ci sarebbero volute ancora alcune settimana prima che le suore chiudessero l'ospedale e tornassero alla casa madre. C'erano pazienti da trasferire, bagagli da preparare e scartoffie da sistemare.

Anche le ospiti di Casa Fatima sarebbero partite – per tornare a casa o, come Domenica, per essere riassegnate a una destinazione più sicura. A una a una, come perle sfuggite dal filo rotto di una collana, le giovani donne si sparpagliarono in tutte le direzioni. Domenica salutò Josephine e Stephanie, che avevano accettato un posto di lavoro a Londra. Promisero di rimanere in contatto. Le suore fornirono referenze e passaporti, procurarono i permessi necessari e organizzarono la sistemazione ottimale per ciascuna delle loro infermiere. Domenica aveva cercato di convincere almeno una delle ragazze a seguirla in Scozia, ma non ci era riuscita. Il dolore di perdere le sue amiche era devastante quanto quello di essere stata ignorata dal capitano. Si riteneva in grado di superare il fallimento di una relazione sentimentale, ma temeva che non si sarebbe mai ripresa dal distacco dalle sue amiche.

Quando salì sul treno a Marsiglia per affrontare il primo tratto del lungo viaggio che l'avrebbe condotta sino in Scozia, Domenica Cabrelli indossava la cuffietta e la divisa con una vistosa croce rossa sul davanti. Si impose di assumere l'aria dell'efficiente infermiera professionale per evitare di attirare l'attenzione su di sé. Un treno l'avrebbe condotta a Parigi, e un altro a Calais, dove avrebbe preso il traghetto sino a Dover. Di qui, di nuovo in treno, avrebbe raggiunto Londra e poi, proseguendo verso nord, sarebbe finalmente arrivata a Glasgow. In totale, dalla Francia alla Scozia, ci sarebbero volute quindici ore.

I violenti temporali lungo il tragitto causarono ritardi poiché i binari erano allagati e le carrozze venivano investite da forti raffiche di vento. Come se non bastasse, faceva talmente caldo che Domenica non riuscì a chiudere occhio. Non aveva appetito. Quando finalmente la tempesta si calmò, Domenica indugiò nel passaggio fra un vagone e l'altro per godere dell'aria fresca dopo la pioggia. Luglio fu un mese inclemente per molte ragioni, compreso il tempo ostile. Il mondo stava cambiando, portando Domenica con sé.

Scozia

Quando il controllore obliterò il suo biglietto per Glasgow, Domenica pianse di sollievo per essere sopravvissuta a quel viaggio massacrante funestato anche dal cattivo tempo. Si concesse una tazza di caffè bollente e un morbido pasticcino scelto dal carrello dei dolci. Prima aveva lo stomaco troppo sottosopra per fare uno spuntino, ma ora che era quasi giunta a destinazione, era stata assalita da una fame irrefrenabile.

Il treno era stipato di uomini in divisa. L'atmosfera era triste, anche se di tanto in tanto si poteva cogliere una risata o uno scambio di battute durante una partita a carte improvvisata. La maggior parte dei militari scese a Liverpool. Domenica si sentì meglio quando il treno si lasciò alle spalle la città. Il porto le era apparso come un muro grigio di navi da guerra così massicce che impedivano di vedere il mare e oscuravano il cielo. Il senso di claustrofobia che aveva avvertito poco prima si dileguò via via che il treno avanzava sbuffando verso nord, dove le Highlands erano verdi e il cielo non aveva confini.

Ma i pensieri negativi continuavano a turbare la sua mente. Domenica era in ansia per i suoi genitori. Aveva visto con i suoi stessi occhi le esercitazioni dei sommergibili al largo della costa viareggina. Se gli italiani stavano operando nel Mar Tirreno insinuandosi come serpenti sino alla costa ligure, di certo avevano intenzione di scendere in campo. Suo padre non era un combattente e sua madre parlava troppo. I fascisti sapevano essere crudeli con gli anziani; prima di lasciare Viareggio, Domenica era stata testimone di episodi che confermavano la loro brutalità.

Aprì il sacchetto che le aveva dato suor Marie Bernard. Vi trovò un barattolo di confettura di lamponi, un'intera confezione di cracker, una barretta di cioccolato, una bottiglietta di whisky e un flaconcino della miracolosa pomata al miele prodotta nel convento. Domenica spezzò un quadretto di cioccolato e lo assaporò lentamente, lasciandolo sciogliere sulla lingua. Disse una rapida preghiera per ringraziare di quelle leccornie e un'altra per far sì che la fortuna continuasse ad assisterla. Se aveva bisogno di un segno per avere la garanzia che sarebbe andato tutto bene, lo trovò; in fondo al sacchetto la suora aveva depositato una corona del rosario.

Marsiglia, agosto 1939

La scampanellata all'ingresso dell'Hôpital Saint-Joseph ricordò a Mary Gay che aveva promesso alle suore di staccare il supporto della campanella, che doveva essere imballato e portato via con l'ultimo giro di spedizione degli scatoloni alla casa madre. In qualità di novizia, le erano stati affidati compiti che richiedevano di essere giovani e robusti.

Mary Gay scese le scale di corsa per andare a rispondere, scansando abilmente le scatole accatastate nell'atrio. Aprì il portoncino.

Un giovane e attraente seminarista con indosso una lunga tonaca nera e un saturno a tesa larga tirò fuori un fascio di posta da una consunta sacca di cuoio e consegnò il tutto nelle mani di Mary Gay.

«È in castigo?» scherzò lei.

«Può darsi. Hanno pensato che fosse più opportuno mandare un religioso anziché un laico. Ci sono persone che hanno paura del cappello.» Diede un colpetto all'orlo della tesa.

«Che cosa sta succedendo là fuori?»

«Difficile a dirsi. È una città di gente che finge che non cambierà nulla. Domani passerò a ritirare la posta per l'ultima volta.»

Mary Gay lo ringraziò e tornò dentro. Chiuse il portoncino con il catenaccio, si sedette su uno scatolone e diede una scorsa alla posta. Fischiò quando si imbatté in un'inconfondibile busta azzurra indirizzata a Mademoiselle Domenica Cabrelli. Le venne in mente quando l'infermiera italiana era arrivata a Casa Fatima. Mary Gay aveva sperato che Domenica sarebbe entrata nell'ordine con lei, ma era apparso subito evidente che Domenica non si sarebbe fatta suora. E ora quella lettera lo confermava.

L'indirizzo del mittente era di Glasgow e recava il sigillo del capitano John L. McVicars. Il timbro postale indicava la data del 10 agosto 1939. Mary Gay tirò una riga sul recapito dell'ospedale e inoltrò la lettera a Dumbarton, in Scozia. Prima di posare la busta sul mucchietto insieme alle altre, disegnò un piccolo Sacro Cuore sul retro come portafortuna.

23

Viareggio, oggi

Annina attendeva suo nonno all'ingresso dell'ospedale.

Olimpio spinse la porta a vetri con slancio. «Dov'è?»

«C'è il dottore con lei. Seguimi.»

«Che cosa è successo?»

«Mi stava insegnando a fare lo strudel e ha dovuto sedersi. Dopodiché è svenuta.»

«Le hai dato la pillola?»

«Quale pillola? Non mi ha parlato di nessuna pillola. L'ho portata qui il prima possibile.»

«Grazie a Dio.»

Uscirono dall'ascensore insieme.

«Da questa parte, nonno.»

Olimpio affrettò il passo; quando vide il nome di sua moglie sulla porta della stanza, si precipitò dentro. Annina lo seguì a ruota.

«Matelda!» Olimpio era senza fiato.

«Perché sei così affannato?» chiese Matelda con calma. Era seduta sul suo letto d'ospedale.

«Mi hai fatto prendere un colpo.» La baciò.

«Ho avuto un piccolo mancamento. Niente di grave. Annina ha insistito perché venissi in ospedale anche se non c'era motivo di…»

«Sei svenuta, nonna.»

«Non avevo mangiato.»

«Avevamo appena pranzato.»

«Be', non avevo mangiato abbastanza.»

«Hai mangiato un piatto di minestra, un petto di pollo e un'insalata di pomodori e mozzarella. Ah, e due fette di pane.»

«Bene. Allora forse ho esagerato.»

«Hai preso la pillola questa mattina?» le chiese Olimpio.

«Non ne avevo bisogno.»

«Evidentemente sì, invece.» Lui la baciò sulla fronte. «Tu mi farai morire.»

«Ma prima fammi uscire di qui. Sai che gli ospedali non sono un bel posto per la gente sana.»

Annina e Olimpio si scambiarono un'occhiata.

«So che pensate che sia una stupidaggine» disse Matelda «ma è così. Ci sono più germi qui dentro che in una stazione della metropolitana».

L'infermiera entrò con un carrello pieno di macchinari per controllare i parametri vitali della paziente. «Scusate, se volete accomodarvi fuori, dovrei controllare i valori della signora.»

«Io rimango» si offrì Annina.

«Esci» le ordinò Matelda. «Lascia che l'infermiera raccolga i suoi dati. Prima ve ne andate, prima lei può punzecchiarmi dove vuole, e prima posso tornarmene a casa mia, che è il posto dove devo stare.»

Olimpio e Annina uscirono in corridoio.

«Si riprenderà presto» disse lei con una punta di agitazione.

Olimpio annuì, ma non era fiducioso come sua nipote. Non era la prima volta che il cuore capriccioso di Matelda la faceva finire all'ospedale, ma era la prima volta che qualcun altro in famiglia oltre a Olimpio ne era a conoscenza.

Nicolina saltò in macchina sul sedile del passeggero mentre suo marito Giorgio metteva in moto. Afferrò la cintura di sicurezza con uno strattone e se la allacciò per affrontare il tragitto da Lucca a Viareggio.

«Rilassati, Nic.»

«Io li ammazzo tutti e due.»

Giorgio le prese la mano. «Smettila.»

«Come possono farmi una cosa simile? Mi chiamano per qualsiasi sciocchezza tranne quando c'è in ballo la vita.» Nicolina allontanò bruscamente la mano del marito come una bambina capricciosa. «Grazie al cielo Annina era con lei, altrimenti non avrei saputo niente. Mio padre è fin troppo bravo a mantenere i segreti e mia madre pensa di essere immortale. Quei due vivono nel loro piccolo mondo, come piccioncini affezionati, lasciando noi ignari di tutto finché non subentra una crisi.»

«Olimpio è migliorato negli ultimi tempi. Ti ha dato delle responsabilità. Ti ha incaricato di accompagnare tua madre dal medico, no?»

«Una volta. Un'unica volta, Giorgio.»

«Magari non volevano farti preoccupare.»

«Se mi dicessero le cose di volta in volta quando succedono, non sarei così preoccupata. Potrei prepararmi. Invece vengo a sapere le cose a fatto compiuto. È ingiusto da parte loro. L'anno scorso mia madre ha avuto un mezzo infarto e mio padre non me ne ha mai fatto parola. L'ho saputo per caso in panetteria, perché Ida Cascarano mi ha fermato per chiedermi notizie.»

«Non c'erano stati danni permanenti.»

«Non è un buon motivo per tacermi quello che è successo. E poi, come fanno a sapere se non ha riportato danni permanenti? Chi ha fatto gli esami? Dove sono gli esiti?»

«Non sono un medico. Ti riferisco soltanto quello che mi ha detto tuo padre.»

«Così nessuno sa nulla.»

«Ha il cuore debole. La diagnosi è questa.»

«Sono state prese delle decisioni e io, la figlia, sono stata tenuta all'oscuro di tutto. Avrei dovuto essere informata. Avrei dovuto sapere cosa stava succedendo» insistette Nicolina piangendo. «Sono la loro unica figlia femmina.»

«Nic, la tua famiglia ha un problema. Quando qualcuno si ammala, non provano compassione. Si arrabbiano, come se uno si ammalasse per far dispetto agli altri.»

«Intendi *me*. Dillo pure chiaramente. Non so gestire il fatto che mia madre sia malata.»

«Sei arrabbiata. Sto solo dicendo questo.»

«Certo che sono arrabbiata. Mi precipito da loro ogni volta che hanno bisogno di me. Mio fratello invece si presenta soltanto a pranzo e viene trattato come un principe. A me toccano solo le cose brutte e mai niente di bello.»

«Matteo e Rosa hanno chiamato per chiederci come possono darci una mano.»

«È tutta scena. Si offrono di aiutare e incrociano le dita sperando che non ci venga in mente di approfittarne. Mio fratello, il ragazzo d'oro. È sempre stato così. Qualsiasi cosa faccia, Matteo è sempre riverito. Qualsiasi cosa faccia io, vengo sempre giudicata. Ti immagini come avrebbe reagito mia madre se avessi divorziato da te e mi fossi risposata? Be', non sarebbe mai successo, perché non avrei mai sottoposto i miei genitori a un dispiacere simile. Sono l'unica a rendersi conto di quello che sta succedendo?»

«È chiaro che tuo fratello è il prediletto.»

Nicolina Tizzi urlò il proprio nome all'addetta dell'accettazione e si diresse immediatamente verso l'ascensore lasciando Giorgio a firmare il registro. Si insinuò sull'ascensore stipato. Raggiunto il piano, scese e percorse il corridoio a passo deciso finché trovò la camera di sua madre.

Matelda era sola, addormentata in un letto d'ospedale. Tutto nella stanza aveva un accenno di verde, compresa Matelda. Nessuno aveva mai un bell'aspetto sotto quelle luci fredde, e forse era quello il punto. Nicolina si soffermò a osservare i lineamenti di sua madre.

L'arco del sopracciglio sinistro, benché perfettamente disegnato, si interrompeva in un punto, lasciando un piccolo spazio che di solito Matelda infoltiva con un lieve tratto di matita marrone. Quel giorno non l'aveva fatto. Era solita portare il rossetto, ma in quel momento sulle sue labbra era rimasto soltanto un velo di rosa pallido. Il naso dritto e sottile, che qualsiasi donna le avrebbe invidiato, le conferiva un profilo nobile. Il segno sulla guancia lasciato dal gabbiano era sbiadito.

Vedendo la madre immersa in un sonno così serafico, Nicolina cominciò a sentire la sua mancanza anche se non se n'era ancora andata. Il pensiero di tutto ciò che avrebbe perso se Matelda fosse morta sostituì la rabbia e lasciò spazio a una vergogna incontrollabile. *Che cosa diamine avevo in testa?*

Nicolina scoppiò a piangere come la piccola protagonista di una fiaba che all'improvviso si trova sola nel bosco mentre si fa sera. Il sole stava calando rapidamente. Presto il bosco sarebbe stato troppo buio per poterne uscire, e senza la luce non c'era speranza di ritrovare la strada di casa. Nicolina cadde in ginocchio e affondò il viso nel lembo del lenzuolo che ricadeva dal fianco del letto.

«Mamma!» Annina si precipitò da sua madre, inginocchiata sul pavimento in lacrime.

Olimpio entrò nella stanza subito dopo. «Nicolina, cosa stai facendo?»

Matelda si svegliò di soprassalto. «Che succede?»

Poi arrivò Giorgio, seguito dal cognato Matteo con la moglie Rosa.

«Nic!» Giorgio, con indosso la sua uniforme da carabiniere, andò accanto alla moglie e si tolse il berretto.

«Nicolina, perché stai piangendo?» Matteo era frustrato. Si tolse gli occhiali da sole, li chiuse e li mise nella tasca della giacca.

«Matteo!» esclamò Matelda illuminandosi.

Rosa, una napoletana energica, confortò Nicolina.

«Mamma.» Matteo baciò sua madre e le prese la mano.

Matelda gli sorrise come se stesse guardando in faccia Dio. «Sei qui.» Tirò un sospiro di sollievo, rasserenata.

«Sì, mamma. Sono qui. Ascolta, che cosa hai detto a Nicolina per sconvolgerla sino a questo punto?»

«Io non ho aperto bocca» ribatté Matelda incrociando le mani sopra il risvolto delle lenzuola. «Mi ero finalmente appisolata. Stavo cercando di riposare un po' quando all'improvviso mi sono svegliata e mi sono trovata Nicolina disperata al mio capezzale, come se fossi già morta.»

«Va tutto bene, Nicolina. Non piangere.» Matelda agitò la mano in direzione di sua figlia. «Mi riprenderò, stai tranquilla.»

«Hai sentito, Nic? La mamma si riprenderà presto» disse Matteo senza staccare gli occhi da sua madre.

Annina portò una scodella di brodo a sua nonna. «Vado a prendere il caffè. Qualcuno ne vuole?» Tutti alzarono la mano. «Torno subito» promise Annina.

Quando uscì in corridoio, vide suo padre e zia Rosa seduti in sala d'attesa. Mandò un messaggio a Paolo.

«Ho portato la nonna in ospedale. »
    «Tutto bene?»
    «Non so.»
    «Ti amo.»
    «Ti amo anche io. »

Olimpio, Nicolina e Matteo erano seduti intorno al letto di Matelda e la guardavano sorbire il brodo. «Mi state fissando» disse lei. «Mi state fissando tutti.»

«Siamo solo noi quattro, come ai vecchi tempi» disse Matteo. «Mi piace.»

«Mi dispiace, Nicolina» disse Olimpio con dolcezza. «Non voglio vederti così agitata.»

«Tu non hai fatto niente di sbagliato, papà. Ti sei limitato a eseguire gli ordini.»

«Quali ordini?» chiese Matelda.

«Non tocchiamo questo tasto» disse piano Matteo.

«Non capisco. Voglio capire.» Matelda si pulì delicatamente la bocca con un tovagliolo di carta. «Evidentemente sono dura di comprendonio.»

Olimpio si sedette sul letto e le prese la mano. «So che ami Nicolina e...»

«Olimpio, ti prego, non trattarmi con sufficienza.» Matelda tirò via la mano. «Amo mia figlia e amo mio figlio. Sono la mia vita. Arriva al dunque.»

«Quello che sta cercando di dire papà è che dobbiamo essere gentili l'uno con l'altro» intervenne Matteo.

«Soprattutto ora, mamma. Abbiamo bisogno di pace. Niente discussioni. È meglio per la tua salute.»

«Non sono stata io a farla piangere» disse Matelda con tono risoluto.

«Mamma.»

Nicolina si lasciò andare contro lo schienale della sedia. Aveva il viso gonfio per il pianto. Si era raccolta i lunghi capelli neri in una crocchia in cima alla testa. «Papà, va bene così. Matteo, non preoccuparti. Sto bene.» Si rivolse a sua madre. «Ora vediamo di rimetterti in sesto» disse stancamente mentre le chiazze sul suo viso diventavano di un rosso sempre più acceso.

La raffica incessante di *bip* che arrivavano dalle macchine cui era collegata Matelda riempiva il silenzio della piccola stanza come lo sfarfallio di uno sciame di farfalle. «Tu non stai bene, Nicolina. Tu hai un problema con me.»

«Perché tratti Matteo meglio di come tratti me.»

«Non è colpa mia» disse Matteo.

«In che senso lo tratterei meglio, esattamente?»

«In questa famiglia le donne sono soggette a regole diverse. Come maschio, lui si può concedere il lusso dell'insuccesso. Alla figlia femmina, invece, non è concesso fallire. Le figlie devono essere virtuose e lavorare sodo, devono essere magre e attraenti, devono fare bella figura. Insomma, devono essere semplicemente perfette. I figli maschi possono fare quello che gli pare.

Matteo ha l'atteggiamento allegro e rilassato e la fronte liscia di un principe che ha vissuto solo bei momenti. Io ho tre anni in meno di lui eppure ne dimostro venti in più perché vivo sotto la costante pressione di essere giudicata. Ne ho abbastanza. Mi arrendo.» Nicolina, stringendo i fazzoletti nel palmo, gettò le braccia in aria, sconfitta.

«Nicolina.»

«Lasciala sfogare, Olimpio. È chiaro che ha bisogno di liberarsi di un peso. Vai avanti, Nicolina.» Matelda allargò le mani come a voler dare la sua benedizione. «Cos'altro vorresti dire?»

«Se non sono abbastanza brava, perché ci si aspetta che io mi sobbarchi il peso più gravoso? So che mi vuoi bene, ma il tuo amore è sempre stato subordinato a delle condizioni. E lo è ancora.»

«In quale altro modo può amare una persona?» chiese Matelda. «Ami perché devi farlo, no? Non è che si possa scegliere.»

«Mamma, per favore, basta» intervenne Annina.

Nicolina sospirò. «Non posso.»

«Nicolina, smettila immediatamente.» Olimpio era stanco di quel lungo giro sulla giostra del dolore. «Dannazione, si tratta di tua madre. Lei è fatta così. Non puoi pretendere che cambi ora, a questo punto della sua vita. Di tutte le madri del mondo, lei è quella che ti è capitata. E per quanto ne so, nonostante i suoi difetti, ti è andata più che bene. Non è più possibile cambiare le cose. Il tempo è scaduto. Quella parte della tua vita è archiviata. Anche tu sei madre. C'è una generazione in mezzo. Tu hai Annina e Giacomo. Matteo, tu hai Arturo e Serena. Presto vi renderete conto di dove vi porta la vita. Vostra madre e io sappiamo cosa vi aspetta perché ci siamo già passati. Siamo ridondanti come genitori, e prima o poi lo sarete anche voi. Il nostro lavoro è concluso. Se vostra madre ha avuto delle mancanze, se *io* ho avuto delle mancanze, bene, cercate di fare meglio di lei – e soprattutto, meglio di me! Ma smettiamola con queste sciocchezze. Non fanno bene né a te, Nicolina, né a lei.

Non cambierà assolutamente nulla. E fanno male anche a me e a tuo fratello. Vogliamo la pace in famiglia.»

Nicolina si alzò e si avviò verso la porta. «Scusatemi.»

Matteo la bloccò e le sussurrò qualcosa all'orecchio. Lei si voltò e tornò vicino al letto. Si chinò e baciò sua madre sulla guancia. «Scusami, mamma.»

Infine lasciò la stanza chiudendosi la porta alle spalle.

24

Lucca

Annina indossò la sua migliore camicia da notte di seta. Le spalline sottili le scivolarono dalle spalle mentre si lavava i denti. Si spruzzò il suo profumo preferito, si passò un velo di gloss sul labbro inferiore e andò in soggiorno. Aveva appena preso in mano un libro quando udì la chiave nella serratura.

Entrando in casa, Paolo si tolse la giacca che puzzava di fumo stantio. Annina si sventolò la mano davanti al naso.

«Appendila fuori della finestra.»

«Io non ho fumato. Tutti gli altri sì, però.» Buttò la giacca su una sedia.

«Dove sei stato?»

«Al bar.»

«Hai visto i tuoi amici?»

«No, ero solo.»

«Stasera. Ma la volta scorsa?»

«Ero con amici. Perché tutte queste domande?»

«Mi sta bene che tu esca, ma lo fai tutte le sere.»

«Mi annoio qui da solo.» Paolo si sedette sul divano.

«Mia nonna è in ospedale. La rincuora avermi accanto.»

«Vorrei che ti preoccupassi anche di cosa potrebbe rendere felice me.»

«Sei serio? Ho una nonna malata. Sai bene che mi rendi felice. Non capisco perché fai tante storie.»

«Non ho ottenuto il lavoro.»

«Mi dispiace.» Annina andò a sedersi accanto a lui sul divano. «Non importa, Paolo. Comunque sarebbe stata dura vivere a Roma. È una città costosa. E saremmo stati lontani dalla famiglia.»

«Tu non credi che io possa procurarmi un lavoro, guadagnarmi da vivere dignitosamente e prendermi cura di noi due, non è così?»

«Ma figurati! Certo che puoi farlo. Vedrai che presto troverai il posto giusto per te.» Non appena quelle parole le uscirono di bocca, si rese conto di averle già dette diverse volte. Paolo non ci credeva più, non più di quanto ci credesse lei. Annina prese la sua giacca.

«Ci penso io» borbottò lui accennando ad alzarsi per appenderla fuori della finestra.

«Lascia stare.» Annina prese un attaccapanni dall'armadio, vi appese la giacca, aprì la finestra e la agganciò alla bacchetta della tenda per farle prendere aria. «Il fumo impregna il tessuto.»

«Ho baciato una ragazza al bar stasera.»

D'un tratto Annina si sentì la bocca asciutta e il cuore in tumulto. «Perché l'hai fatto?»

«Così. L'ho fatto e basta.» Paolo si prese la testa fra le mani. «Non so.»

«Perché me lo stai dicendo?»

«Perché ti dico sempre tutto.»

Paolo andò in bagno.

Annina si sentiva cedere le gambe. Si sedette.

Paolo tornò pochi minuti dopo e si sedette sulla sedia davanti a lei. «Mi dispiace.»

«Eri ubriaco?»

«Un pochino.»

«Abbastanza sobrio da sapere cosa stavi facendo, quindi.» Lei incrociò le braccia sul petto.

«Stavo cazzeggiando. Nel momento stesso in cui l'ho baciata, mi sono sentito uno schifo. Ti amo. Tu sei tutto per me.»

«*Tutto*. Che cosa vuol dire?»

«Quello che ho sempre detto. Che voglio passare la mia vita con te.»

Annina fu travolta da un impeto di rabbia. «Che tipo di bacio è stato?»

«In che senso?»

«Che tipo di bacio?»

«Non un granché. Stavamo chiacchierando.»

«Di cosa?»

«Lei aveva rotto con il suo ragazzo e aveva deciso di fare una sfida con se stessa baciando un uomo al giorno sino a trovare quello giusto per iniziare una nuova relazione.»

«Come si chiama?»

«Non lo so.»

«Hai chiacchierato con una donna, te la sei baciata e non sai nemmeno come si chiama?»

«Non gliel'ho chiesto.»

Annina gli lanciò un'occhiata furibonda.

«Che cosa pretendi da me? Ho fatto un errore. Non volevo dirtelo. Non avrei dovuto.»

«Quindi l'alternativa sarebbe tenere i segreti? Quello che non avresti dovuto fare è baciare un'altra donna mancandomi di rispetto, che tu me lo dica oppure no. È una cosa che riguarda più te che me.»

Annina andò in camera da letto e tornò con una coperta e un cuscino. «Stanotte dormi qui.»

Lui cercò di prenderle la mano. «Sono mortificato.»

«Davvero?»

Paolo aveva le lacrime agli occhi. Annina non l'aveva mai visto piangere. Aveva un aspetto orribile. «Non puoi baciare una ragazza a caso in un bar quando sei arrabbiato con me» gli disse con tono neutro.

Annina andò nella loro minuscola camera da letto e chiuse la porta. Strappò il poster della romantica spiaggia del Montenegro. Non ci sarebbe stata nessuna luna di miele con i catamarani che fluttuavano sulle acque immobili illuminate dalla luna.

Si sedette sul bordo del letto mentre i loro progetti futuri scivolavano via come sabbia tra le dita. Le lacrime di Paolo erano una cosa, ma dov'erano le sue? Abbandonarsi a un bel pianto la faceva sempre sentire meglio, purificata, in un certo senso. Ma stavolta Annina non riusciva a piangere, il che significava che la vera sofferenza sarebbe arrivata dopo.

Matelda era seduta sulla sedia accanto al letto. Diede un morso al biscotto prima di tuffarlo nel tè pallido dell'ospedale. «Li hai fatti tu questi?» chiese a Nicolina.

«No, li ha fatti Rosa. Non sono buoni?» Nicolina stava rifacendo il letto di sua madre con le lenzuola portate da casa.

Matelda diede un altro morso. «Un po' troppo lievito, forse.»

«È più brava come cuoca che come pasticcera.» Nicolina infilò il guanciale in una federa di raso. «Ma a Matteo non importa. Lui la venera.»

«Già» confermò Matelda ridacchiando. «Dicono che il matrimonio è più bello la seconda volta. Io non lo saprò mai.»

«Nemmeno io, mamma.»

«Tu e tuo fratello siete molto simili a me e allo zio Nino.»

«Credi?»

«Non lo pensi anche tu?»

«Noi non battibecchiamo così tanto, mamma.»

«Ormai non litigo più con Nino.»

«Davvero?»

Matelda scosse la testa. «Mi ha aiutato a ricordare una storia ambientata in India che ci raccontava sempre mio nonno.»

«Quella dell'elefante?»

«Non dirmi che la conosci anche tu.» Matelda mise da parte il tè.

«Certo. Nonno Silvio la metteva in scena per me e Matteo. L'aveva imparata dal bisnonno Pietro.»

«Quando ve la raccontava?»

«Quando restavamo a dormire dai nonni. Quando tu e papà

eravate in viaggio. Quella storia ci piaceva perché era spaventosa ma aveva anche una morale, come tutte le belle storie.»

«Io ne ricordavo una parte, e tuo zio Nino ha aggiunto il crollo nella miniera. Ma nessuno dei due ricorda come finisce. Tu lo sai?»

«Fammi pensare.» Nicolina si sedette sul bordo del letto. «C'era un incendio e l'elefantessa stava trainando un pianale carico di rubini. Quando uscì dalla miniera, il carico era così ingombrante che grattò il soffitto, e questo provocò una frana che ostruì il passaggio per uscire. Fu allora che scoppiò l'incendio all'interno.»

«E a quel punto morì il cornac, giusto?» chiese Matelda.

«Resistette, ma poi il fumo lo stordì, scivolò giù dall'elefante, cadde a terra e morì.»

«Schiacciato? Mi pare che sia rimasto schiacciato dal pianale.»

«Non me lo ricordo, mamma. L'elefantessa, libera dal cornac, dalle catene e dalle bastonate, prese a correre. Arrivò in città…»

«Karur!»

«Esatto. Tutti uscirono di casa per accoglierla e festeggiarla. I rubini avevano un valore inestimabile e lei aveva salvato la città. La portarono al fiume. Lei tuffò la proboscide in profondità, la riempì di acqua fresca e si fece una sorta di doccia ristoratrice. Poi aspirò dell'altra acqua e se la fece scorrere sul dorso. Mi piaceva tantissimo quel passaggio. Nonno Silvio era così buffo quando arricciava il naso e faceva le smorfie per simulare il muso.»

«Anche mio nonno era bravo a coinvolgerci» disse Matelda sorridendo al ricordo.

«Sono sicura che è stato lui a insegnare la messinscena a nonno Silvio.»

«È questo il bello di avere tutte le generazioni di una famiglia riunite sotto lo stesso tetto» disse Matelda con un pizzico di nostalgia. «Tutti condividono le stesse storie. Vai avanti.»

«Qui arriva la parte triste. L'elefantessa ripensò ai suoi piccoli

coli e a quando li portava a bagnarsi nel fiume. Ricordò le loro facce benché se ne fossero andati da tempo. Era già abbastanza deprimente, ma poi c'era una svolta. L'elefantessa, stremata, si sdraiò sulla riva del fiume. Aveva la testa appoggiata a terra per riposarsi quando percepì il rombo della montagna che crollava, divorata dall'incendio. Capì quello che era accaduto e pianse.»

«Quindi alla fine non morì?»

«Non nella versione che conosco io. Perché, mamma? Sei delusa?»

«Niente affatto. Ricordo il messaggio che voleva comunicare: abbiamo una sola vita da vivere ed è importante viverla al servizio degli altri, a prescindere da quanto ci può costare. La nobile elefantessa aveva donato la propria vita per la città.»

«È questa la morale, secondo te? Io l'ho intesa in un altro modo. Per me era la storia di come le donne, rappresentate dall'elefantessa, vengano maltrattate e perdano i propri figli solo perché sono più utili se trasportano rocce anziché essere libere.»

«Nicolina, le fiabe della buonanotte non sono dichiarazioni politiche. Non lo erano per tuo nonno, che te le raccontava, te lo garantisco. Voleva che voi bambini sapeste da dove venivano le pietre preziose che tagliamo. Che estrarle implicava una buona dose di sacrifici.»

«Quella storia mi ha sempre fatto venir voglia di andare in India.»

D'un tratto Annina entrò nella camera di ospedale, si chiuse la porta alle spalle e scoppiò in lacrime.

«Ma cos'ha questa stanza?» disse Matelda guardando Nicolina. «Devo cambiarla al più presto!»

«La stanza non c'entra. Il dolore ci segue ovunque andiamo.» Nicolina andò incontro a sua figlia. «Che cosa è successo?»

«Sono stata troppo occupata negli ultimi tempi, ho trascurato un po' Paolo e lui è uscito una sera e ha baciato una sconosciuta in un bar.»

«Questo non va bene. Mi dispiace, tesoro.» Nicolina strinse la figlia a sé.

«Frequenta regolarmente altre donne?» chiese Matelda.

«Sì. No. Soltanto una, dice. L'aveva appena conosciuta. Non ricorda il suo nome.»

Nicolina scambiò un'occhiata con Matelda, che le rispose con un cenno d'intesa. Poi, rivolgendosi alla nipote e battendo dei colpetti sul letto, disse: «Vieni, siediti qui. Se la storia dell'elefante indiano è vecchia, quella dell'uomo italiano che va in giro a baciare le sconosciute nei bar lo è ancora di più». Matelda prese la mano di Annina.

«Sembra una cosa di poco conto» disse Nicolina.

«Non per me. Io mi fidavo di lui.»

«Deve farsi perdonare» disse Matelda.

«Ci sono cose che non si possono perdonare. Non posso sposare un uomo che si dimentica di me così facilmente.»

«Ha confessato?» chiese Nicolina.

«Subito.»

«Ha fatto un errore. Vuoi davvero troncare la relazione per un banale errore?»

«Devo troncare all'ottava volta che lo fa? Devo troncare quando avremo un bambino e lui uscirà tutte le sere senza dirmi dove va? Dove sta il limite?» Annina guardò prima sua madre, poi sua nonna.

«Sei tu a tracciare la linea di confine» disse Matelda. «Ma deve essere una linea, non una recinzione di filo spinato. Non puoi fare la guardia al tuo futuro marito. È meglio non prendere decisioni affrettate, e soprattutto non così definitive, se prima non hai parlato con un prete.»

Nicolina avvolse sua figlia in un abbraccio. «Ecco la soluzione della nonna a quasi tutti i problemi.»

«Perché i sacerdoti hanno già sentito tutto nel confessionale» spiegò Matelda. «Se c'è un peccato, c'è anche qualcuno che si è inginocchiato al buio per confessarlo. Il prete saprà farti ridimensionare lo sbaglio, vedrai.»

Don Vincenzo era il parroco di Lucca. Veniva dal nord, da un paesino delle Alpi lombarde dove la neve copriva le vette con un cappuccio bianco simile a zucchero filato. Ogni tanto, nelle sue omelie, faceva qualche battuta sulla polenta che i parrocchiani più vecchi, con origini montanare, sembravano apprezzare molto. Anche se il prete non aveva nemmeno cinquant'anni, ad Annina appariva anziano. Quando sua nonna si riferiva a qualcuno definendolo "in gamba", di solito significava che non era giovane, ma in forma per la sua età. Ecco, Don Vincenzo era decisamente *in gamba*. Sembrava un orso bruno: alto, corpulento e con la testa grossa.

Paolo era più interessato al prete e ai suoi consigli di quanto non lo fosse Annina. In effetti il suo fidanzato era più religioso di lei. Baciava la medaglietta che portava al collo ogni sera prima di addormentarsi e come primo gesto la mattina appena sveglio. Era devoto alla Madonna di Fatima. Il giorno della sua festa partecipava alla processione e recitava il rosario.

«Iniziamo con una preghiera» disse don Vincenzo da dietro la scrivania. Annina e Paolo chinarono la testa. «Potete prendervi per mano.»

Paolo posò la mano su quella di Annina, che la tenne ostinatamente sul bracciolo della sedia.

«Sacro Cuore di Gesù, insegnaci a pregare, aiutaci a pensare e invitaci ad amare.»

Paolo e Annina mormorarono "Amen".

«Non capisco». Il prete si mise comodo buttando i piedi sulla scrivania e appoggiandosi allo schienale della sedia. «Avete terminato il corso prematrimoniale. Abbiamo fatto le pubblicazioni sul bollettino parrocchiale. Mi sono segnato il giorno del vostro matrimonio sul mio calendario. Come potete immaginare, ho una fila di giovani innamorati del quartiere che aspettano di fare il corso preparatorio. Ora Annina mi chiama e mi dice che c'è un problema. Come posso aiutarvi?»

«È stato un periodo stressante» iniziò Annina.

«Tra i sacramenti, il matrimonio è il peggiore quanto a stress.

Ne ho celebrato… be', diciamo un centinaio, e quasi sempre ho riscontrato grande tensione. Due nuclei famigliari. Una parte indossa uno smoking e tiene in mano una tanica di benzina, e l'altra parte indossa un abito tutto balze e volant e tiene in mano un fiammifero.»

«Ero convinta che i matrimoni fossero qualcosa di magico» disse Annina con tono pacato.

«Possono esserlo, oppure segnare il punto più basso di un rapporto di coppia, dal quale si può soltanto risalire. Parlo dello stress, intendiamoci. Alla fine comunque sparisce. Allora, avete individuato il motivo del vostro nervosismo?»

Né Paolo né Annina risposero alla domanda.

«Che cosa vi sta succedendo?»

«Annina è arrabbiata con me. Ho fatto un errore.»

«Imperdonabile» specificò lei.

«Non esiste nulla di imperdonabile.» Don Vincenzo abbassò le gambe e si protese verso la giovane coppia. «Ce lo insegna Gesù, sapete? Commetti il peccato, lo alleggerisci con la grazia di Dio e cerchi il vero perdono per te stesso dalla persona che hai ferito. In sostanza: perdona, dimentica, riprovaci.»

«Noi non siamo arrivati nemmeno alla fase uno. Lei si rifiuta di perdonarmi.»

«È così, Annina?»

«Sono ferita e furiosa.»

«L'ho notato da come hai stretto il bracciolo della sedia quando Paolo ha tentato di prenderti la mano. Ti si sono persino sbiancate le nocche.»

«Paolo mi ha tradito.»

«Un bacio! Un bacio in un locale.» Paolo sbottò, esasperato. «Non so neppure come si chiama la ragazza.»

«Sei uno smidollato» lo accusò Annina.

«Sto cercando di migliorare. L'unica persona che posso cambiare è me stesso.»

«Se solo ti sbrigassi a farlo!» disse lei, pungente.

Don Vincenzo interruppe il battibecco fra i due alzando la

voce. «Questa faccenda sta andando avanti? Con la ragazza senza nome, intendo.»

«No, don Vincenzo. Assolutamente no. Ma questo a lei non importa. Vuole crocifiggermi per un unico errore.»

«Sei sinceramente pentito, Paolo?» chiese il prete.

«Sa benissimo che lo sono. Mi sono confessato. Mi ha assolto sabato scorso. Ho chiesto ripetutamente il perdono di Annina. Quante volte e in quanti modi devo ripeterlo? Sì, mi dispiace. E mi vergogno per quello che ho fatto. Tutta la famiglia lo sa, la sua e la mia, e mi danno addosso da tutte le parti.»

«Paolo, ti assolvo da tutti i peccati, per la seconda volta. Annina, ti esorto a perdonare Paolo.»

Annina era stupefatta. «Non vuole conoscere i dettagli?»

«Non ne ho bisogno.»

«Ma le servono per capire Paolo, suo padre, gli uomini della sua famiglia. Gli Uliana. Hanno tutti difficoltà a essere fedeli.»

«Uno zio! Uno zio con un'amante a Foggia!» esplose Paolo agitando le mani in aria.

«Apprezzerei se si schierasse dalla mia parte, don Vincenzo, e prendesse le mie difese» insistette Annina.

«A che pro?»

Annina boccheggiò. «Mi sentirei sostenuta.»

«Certo che ti sostengo. Ma il mio compito è anche quello di difendere l'amore. L'amore che provate l'uno per l'altra.»

«Io ho chiesto perdono. Non sono più tornato in quel locale. Non ho cercato quella ragazza. Non mi importa nulla di lei. Amo Annina.»

«Gli chieda perché è successo» continuò Annina imperterrita senza staccare gli occhi dal prete.

«Credo che lo sappia. Sta cercando di cambiare.»

«Io *sono* cambiato! Tu vuoi soltanto vedermi soffrire. Vuoi controllarmi. Vuoi aver ragione a tutti i costi.»

«Be', ho il diritto di sentirmi ferita, non trovi?»

«I diritti acquisiti sono riservati ai re. In Italia ci siamo liberati della monarchia settantacinque anni fa. E comunque, siamo tutti re agli occhi di Dio. Cosa pensate che desideri Dio in questa situazione? Paolo, rispondi tu per primo» disse don Vincenzo.

«Desidera che io faccia il possibile per migliorare.»

«Buona risposta. Annina?»

«Desidera che io faccia ciò che è giusto.»

«E se ti dicessi che vuole che anche *tu* sia migliore?»

«Sarei confusa» ammise Annina. «Io non ho fatto nulla di sbagliato.»

«Questo non aiuta a risolvere il problema. Essere nel giusto può farti sentire superiore, ma saresti sola. Credo che Paolo sia sinceramente dispiaciuto per averti ferito.»

«Non sono andato a letto con lei» piagnucolò Paolo.

Don Vincenzo prese un respiro profondo. «Paolo, vai a bere un bicchiere d'acqua. E per favore, rimani nell'atrio finché non vengo a chiamarti.»

Paolo obbedì.

Don Vincenzo si alzò dalla scrivania e andò a sedersi accanto ad Annina, sulla sedia che sino a poco prima era stata di Paolo. «Gli uomini non capiranno mai che dire stupidaggini come "Non sono andato a letto con lei" non aiuta la situazione. In realtà non è questo il punto, vero?»

«No, non lo è. Il punto è il tradimento.»

«Annina, a me non importa se sposi Paolo Uliana o meno.»

«No?»

«Chi è lui per me? Uno dei tanti parrocchiani che devo amare. Devo guardare oltre le sue colpe e perdonarlo quando viene da me in confessionale. Il mio investimento in tutto questo è la salvezza della sua anima. E della tua. Allora, raccontami di Paolo. Perché hai accettato di sposarlo?»

«Perché sa essere affettuoso e compassionevole.»

«Ma capisco che è un tipo complicato.»

«Oh, mi fa piacere che lei la pensi così! A volte mi sembra di essere pazza. Le mie amiche ci vedono soltanto il buono.»

«Perché stai ancora con lui?»

«Perché lo amo.»

«Davvero? E se ti dicessi che la maggior parte delle coppie che si presentano da me non sono in grado di essere sinceri l'uno con l'altro? Girano intorno alla verità come fa un gatto con una pallina di stagnola, a volte per anni. È la verità ciò che fa la differenza fra loro e te e Paolo. Lui è venuto dritto a casa e ti ha detto cosa aveva fatto.»

«Che differenza fa che sia stato lui a dirmelo anziché io a scoprirlo?»

«C'è una bella differenza. Sapeva di aver sbagliato. Si è fatto un esame di coscienza. Ti ha chiesto perdono e ha promesso di cambiare. È il massimo che ci si possa aspettare da un altro essere umano in qualsiasi situazione, credimi.»

«Non sarebbe ancora meglio se non ne facesse proprio di stupidaggini, invece di farle e pentirsene subito dopo?»

«Allora che cosa ci starei a fare io? Sarei fuori dai giochi.»

«Lei è terribile, don Vincenzo» disse Annina scoppiando in una risata di sollievo.

«Lo so. È per questo che mi assegnano sempre le parrocchie più problematiche. Io sono il prete tappabuchi, il chewing gum che infilano nei buchi di una barca che sta per capovolgersi, sperando che non affondi.»

«Mi spiace, don Vincenzo. Immagino che abbia molta pressione addosso.»

«Come voi. Come qualsiasi persona che cerca di amare. Io la vedo così. Ma è anche questione di impegno. Vuoi diventare una buona moglie? Preparati a faticare come chi lavora la terra. Una volta risolto un dilemma, arriva subito un'altra serie di problemi. Quando in amore fai sul serio, devi prendere altrettanto sul serio il tuo impegno a lavorarci. Non c'è modo di fuggire, sottrarsi o sparire. Non servirebbe, comunque. Non puoi evitare la sofferenza; può essere ostinata come l'amore.»

«Secondo lei, dovrei sposare Paolo?»

«Soltanto se ti aspetti il peggio. Una donna saggia una volta disse che la sposa dovrebbe vestire di nero e la vedova di bianco. La sposa piange la perdita della speranza e la vedova è finalmente libera dal dolore.»

«Non riesco a togliermi dalla mente l'immagine di ciò che ha fatto.»

«Spesso il vero mostro è il ricordo, più che la trasgressione stessa. L'infedeltà non è parte dell'amore, né un rifiuto di esso – è una mancanza di forza di volontà. Sono sicuro che anche tu l'avrai provata nella vita.»

«È successo, sì.»

«Allora sai che quella di Paolo è stata una mancanza di volontà, ma non di amore.» Don Vincenzo si alzò, tirò fuori del cassetto della scrivania un blister di gomme Nicorette e se ne fece saltare una in bocca. Diede un paio di masticate. «Che cosa vuoi tu dalla vita, Annina?»

«Volevo sposarmi e costruire una famiglia con l'uomo che amo.»

«È un lavoro.»

«Immagino di sì, Padre.»

«Un lavoro impegnativo se non conosci te stessa. Una madre non è soltanto una presenza amorevole, colei che cucina, pulisce e consola i bambini. È colei che dà l'esempio e insegna a tutti i membri della famiglia, compreso il proprio marito, come amare. Per farlo, deve conoscere se stessa. Altrimenti tenderà a rivolgersi alle persone che ama affinché riempiano i suoi vuoti. È un peso terribile da addossare al proprio marito e ai propri figli. Un lavoro, d'altro canto, può assorbire gran parte della nostra ambizione e del nostro ego, in modo da essere liberi di amare una volta rientrati a casa. Pensa al pezzetto di pane che assorbe il sugo alla fine del pasto. Prendi l'ultimo morso e il piatto è pulito. Paolo ha trovato un lavoro?»

«Non ancora.»

«E tu?»

«Io sostituirò la commessa della Gioielleria Cabrelli che al momento è in congedo di maternità.»

«Hmm.» Don Vincenzo incrociò le braccia sul petto con aria pensosa.

«Mi sta dicendo che Paolo mi ha tradito perché non ha un lavoro?»

«Non so.» Il prete la guardò dritto negli occhi. «Pensi che abbia baciato un'altra donna perché tu invece un lavoro ce l'hai?»

«Non saprei.» Annina era confusa. «Che cosa c'entra il mio lavoro?»

«Quando trovi uno scopo nella vita, cambi. Vedi le cose in modo diverso. Più chiaramente. Ami di più e meglio. Risolvi i problemi e sei in grado di aiutare gli altri a risolvere i loro perché sei forte. Senti di avere un posto nel mondo, non vivi più nel tuo piccolo microcosmo. Hai un ruolo, sei utile.»

Don Vincenzo si alzò per riportare Paolo nel suo ufficio. Annina, che aveva sperato di uscire da quel colloquio con una risposta, l'aveva trovata. Nessuno sarebbe stato più sorpreso di lei quando decise di seguire il suo cuore.

25

Quando Annina aprì la porta della Gioielleria Cabrelli alle otto in punto del mattino, suo nonno era già al lavoro nel laboratorio, chino sulla tagliatrice. Lo stridio acuto del disco rotante era il suono che la accompagnava sin dall'infanzia. Tutti i giorni dopo la scuola lei e suo fratello andavano in negozio e aspettavano che mamma Nicolina passasse a prenderli. Annina si annunciò chiamando il nonno ad alta voce, si chiuse la porta alle spalle e appese la borsetta al gancio dietro il bancone prima di accendere le luci negli espositori vuoti.

Poi sbloccò la cassaforte e tirò fuori il campionario allineando i vassoi sul bancone di cristallo. Contò gli anelli di diamanti e fece un controllo incrociato con l'elenco preparato dalla commessa in maternità. Sistemò gli orecchini a cerchio sui loro sostegni e li mise in mostra nella vetrinetta. Poi indirizzò i faretti sugli orecchini di platino tempestati di zaffiri.

Spostò le spille qua e là come pezzi degli scacchi, finché ciascuna trovò il posto ideale per essere valorizzata al massimo. La maggior parte dei clienti non avevano un'idea precisa di cosa stavano cercando. Toccava al venditore illustrare loro le varie possibilità e guidarli nella scelta. Glielo aveva insegnato il nonno Olimpio. Il cliente non acquistava un gioiello, bensì una storia. Le donne posavano gli occhi su pezzi che le facevano sentire belle o che ricordavano loro un tempo in cui erano state felici. Invece gli uomini, quando compravano un gioiello per una persona cara, volevano semplicemente il meglio.

«Ho sistemato tutto, nonno. Le vetrinette sono pronte.»

Olimpio si tolse gli occhiali protettivi, andò nello showroom e controllò il lavoro di Annina. «Hai occhio.»

Lei scoppiò a piangere. «Non ricevo un complimento da secoli, scusami.»

«Paolo non ti fa mai complimenti?»

«Litighiamo spesso in questo periodo. Dopo il colloquio con don Vincenzo le cose erano migliorate, ma ora sono peggiorate di nuovo. Dice che non gli do abbastanza attenzioni. Penso che dipenda dal fatto che sono preoccupata per la nonna. Vorrei venire a stare da voi. Potrei aiutare te e aiutare lei a riprendersi.»

«Forse arriverà il giorno in cui avremo bisogno di te, ma non ora. Io mi prenderò cura della mia Matelda, tu devi prenderti cura del tuo Paolo.»

Annina alzò le tendine e aprì la porta del negozio. C'era già una cliente in attesa sul marciapiede. Annina la accolse con un sorriso. «Benvenuta da Cabrelli.» Si avviò dietro il bancone per servirla.

Annina strappò un pezzo di stagnola dal rotolo. Sbirciò dentro al forno. La coscia, le ali e il petto di pollo erano dorati e stavano terminando la cottura su un letto di riso e funghi aromatizzati con uno spicchio d'aglio. Aprì lo sportello del forno e coprì la teglia con il foglio di alluminio. Abbassò la temperatura. Mise da una parte la verdura di contorno e apparecchiò per uno il tavolo del salotto. Tornò in cucina e condì l'insalata. Non appena udì la chiave nella toppa, il suo cuore prese ad accelerare per l'ansia.

«Hai cucinato?» chiese Paolo, ancora sulla soglia. Osservò Annina, che aveva un aspetto incantevole.

Lei annuì. «Ti ho preparato la cena.»

Paolo notò il tavolo preparato per una persona. «Vai fuori?»

«No.»

«Sei vestita per uscire.»

«Ti lascio.» Annina aprì la porta della camera. Lui vide le valigie sul letto. «Ho messo l'anello di fidanzamento nella scatolina sul comò. Stavo per scriverti un biglietto, ma ho pensato che fosse da vigliacchi, così ti ho aspettato.»

«Fai sul serio?» Paolo si lasciò cadere sulla sedia, come se qualcuno l'avesse spinto bruscamente.

«Penso sia importante dire ciò che si pensa di persona» disse lei con calma.

«Ok.»

«Non abbiamo controllo su nulla, tranne su come vogliamo vivere. E io scelgo di non vivere più in questo modo.»

«Stiamo attraversando un periodo difficile, Nina. Sta diventando tutto molto serio» disse Paolo guardandosi le mani.

«Non è così.» Annina pensò di dire *Per me è stato tutto molto serio sin dall'inizio*, ma resistette alla tentazione di iniziare l'ennesima discussione. Era stanca di litigare con lui. Andò in camera a prendere i bagagli. Li trascinò sino alla porta di casa. Si infilò gli stivaletti.

«Sta piovendo» disse lui.

«Lo so.»

Annina indossò l'impermeabile. Paolo le si avvicinò. «Non farlo. Ti prego, resta con me.»

«Il problema sono io.» Sorrise. «So che la gente dice sempre così quando chiude un rapporto, ma in questo caso è la pura verità.»

«Non riesci a perdonarmi.»

«Ti ho perdonato. E una volta fatto, ho scoperto che la faccenda non finiva lì.»

Paolo era confuso. Annina era calma.

«Ho dovuto perdonare anche me stessa. E quando l'ho fatto, ho trovato il coraggio di provare a fare di me qualcosa di diverso dalla persona che sono con te. Ho sbagliato a fare di te il mio scopo nella vita. Non era giusto.»

«So che discutiamo troppo, ma ci amiamo.» Paolo le prese le mani e le strinse fra le sue.

Annina amava Paolo, ma non poteva restare perché c'era qualcuno che aveva più bisogno di lei. «Perdonami» disse aprendo la porta. Poi raccolse i bagagli e uscì sotto il temporale.

L'ascensore dell'ospedale era pieno di giovani specializzandi in camice bianco quando le porte si aprirono davanti ad Annina, che reggeva un vassoietto con due tazze di tè e una zuppa pronta per sua nonna. «Aspetto il prossimo» disse prontamente.

Uno specializzando attraente le rivolse uno sguardo ammirato e disse: «Prego, prego, possiamo stringerci un po'».

Annina si insinuò nell'ascensore. Il giovane le tenne la porta aperta quando scese. Lei, compiaciuta, sorrise tra sé mentre percorreva il corridoio sino alla stanza della nonna.

Posò la borsetta sulla sedia e diede un bacio a Matelda.

«Non c'è bisogno che tu venga a trovarmi tutti i giorni.»

«Mi va di farlo.»

«Il nonno mi ha detto che ti stai prendendo cura delle mie piante. Come sta l'hibiscus?»

«Si aprono dei bei fiori rossi quando esce il sole.»

«È così che dovrebbe fare.»

«Si sta bene a casa tua. È molto tranquillo.»

«Resta quanto vuoi. A volte fa bene prendere le distanze da tutto» disse Matelda. «Ti aiuta a capire, e subito dopo vedi le cose in prospettiva e riesci a trovare il modo di sistemarle.»

«Può darsi. Per ora sono felice di poter trascorrere più tempo con te.»

Annina accostò la sedia al letto della nonna. «Vorrei che mi raccontassi che cosa è successo quando la bisnonna andò in Scozia.»

«Hai bisogno di sentire la storia di una donna che sopravvive alla perdita dell'uomo che ama?»

«Immagino di sì, nonna» Annina le porse una tazza di tè. Tolse il coperchietto all'altra tazza e si sistemò sulla sedia.

Matelda premette il pulsante per sollevare la testata del letto in posizione seduta. Lisciò il risvolto del lenzuolo sul copriletto. Chiuse gli occhi e riportò alla memoria la prima casa che avesse mai conosciuto, in un posto che da sempre viveva nei suoi sogni.

26

Dumbarton, Scozia, autunno 1939

Le suore di Notre Dame de Namur gestivano una scuola in un vecchio castello che si affacciava sul fiume Clyde. Il convento e la scuola erano situati a nord di Glasgow, nel punto in cui il Clyde si allargava in corrispondenza di Havoc Road per poi sfociare nell'Atlantico. Il fatto che il fiume si gonfiasse e si espandesse proprio in quel punto faceva sì che le monache fossero le prime a osservare la flottiglia quotidiana di portaerei, navi e chiatte a destinazione bellica. Riponevano fiducia nella possibilità che la guerra potesse essere vinta in base al dispiegamento di forze che osservavano dalla loro torretta, ma recitavano il rosario ogni giorno per suffragare le loro speranze.

I giardini fioriti di Notre Dame erano incastonati come gioielli nel paesaggio ondulato che circondava il convento. Le suore coltivavano granturco, fagiolini, lattuga, cetrioli e patate nel campo dietro il convento. Inoltre avevano piantato degli alberi da frutto lungo il sentiero che portava al fiume. Grazie alla loro semplice attività, che svolgevano in una vecchia rimessa adibita a laboratorio, potevano disporre di una fornitura di latte e panna freschi su base quotidiana e di insaccati su base stagionale.

L'anno scolastico era iniziato, come da calendario, il 5 settembre 1939. Tutte le stanze del convitto erano occupate. In qualità di membro dello staff, a Domenica era stata assegnata una stanza fuori dell'edificio principale. Una tenda divideva il suo piccolo studio dalla zona privata, una cella con una finestra, un letto e un lavandino. Se avesse avuto intenzione di farsi suora, quella sistemazione avrebbe costituito una buona pratica per abituarsi alla vita monastica. L'unica differenza fra la sua vita e quelle delle monache era la libertà di cui poteva godere nelle giornate di riposo. Invece di passare le ore in clausura, immersa nella preghiera, Domenica si recava a Glasgow.

Quel giorno, come ogni sabato mattina, ritirò la posta nella foresteria. Sorrideva mentre tornava all'edificio principale scorrendo le buste i cui mittenti spaziavano dall'Indiana, USA, a Parigi, Francia. Riconobbe la grafia scomposta di Mary Gay su una busta azzurrina che risultava inoltrata dall'Hôpital Saint-Joseph. Il suo cuore prese a battere più forte quando vide l'indirizzo del mittente nell'angolo a sinistra. Aprì la busta con le mani tremanti. La lettera era scritta a macchina e recava il logo della Marina mercantile in cima. Il timbro postale era del 10 agosto 1939. Erano passati quasi tre mesi da quando era stata scritta. Doveva già ritenersi fortunata che le fosse arrivata.

Gentile signorina Domenica,

spero che questa mia la trovi in buona salute.
Le scrivo per informarla che devo porre fine alla nostra corrispondenza. Sono in missione e mi sarà impossibile comunicare con lei. Non mi resta che augurarle ogni bene e ringraziarla per la sua amicizia.

Capitano John Lawrie McVicars

Domenica ripiegò il foglio e lo infilò di nuovo nella busta. Si domandò se avesse realmente conosciuto quell'uomo. Il periodo di lutto per John McVicars era finito. Non avrebbe più pianto per lui.

Si infilò il cappotto, si mise la lettera in tasca e prese il sentiero che conduceva al fiume. A ogni passo che faceva, sentiva montare la rabbia. Era furiosa con se stessa per essersi innamorata di un marinaio, una categoria che godeva di una pessima reputazione in ambito sentimentale. Aveva creduto che John McVicars fosse l'eccezione.

Domenica rabbrividì al pensiero che il capitano potesse aver dettato la lettera al commissario di bordo, perché significava che al mondo esisteva un estraneo che aveva saputo che McVicars non la amava prima che lo venisse a sapere lei. L'uomo che lei riteneva capace di grandi slanci di tenerezza era anche freddo e insensibile. Il capitano non era coraggioso, in realtà; si era nascosto dietro lo stemma della sua carta intestata. Domenica si domandò come aveva potuto lasciarsi ingannare sino a quel punto.

Raggiunse la riva del Clyde, dove le suore avevano costruito una piccola banchina. Tirò fuori la lettera dalla tasca e la tenne per un po' fra le mani, poi la piegò dandole la forma di un aeroplanino. Aguzzò la vista, mirò il punto in cui il fiume si arrotolava in onde saltellanti per gettarsi in mare, e lo lanciò con forza. La lettera volteggiò un poco nell'aria prima di atterrare sull'acqua, una macchiolina azzurra immediatamente inghiottita dalla corrente. Un atteggiamento così freddo meritava un finale ancora più freddo. Domenica si sentiva più leggera mentre tornava al convento. McVicars le aveva dato un buon motivo per farsi dimenticare. Ora poteva strapparselo dal cuore per sempre.

Quando Domenica era ancora una ragazzina, sua madre e sua zia le avevano raccontato di una donna che era emigrata all'estero e aveva sposato un brav'uomo polacco che aveva conosciuto in treno. A detta di tutti era un gran lavoratore, e pure ricco, ma non era italiano. Alla fine le differenze fra i due li avevano portati all'infelicità, aveva spiegato la zia. E in quel momento la madre di Domenica aveva sentenziato: «Quando sposi un uomo del tuo paese, sai quanto sale mette nelle sue pietanze».

Domenica aveva passato l'autunno del 1939 cercando di abituarsi al suo nuovo lavoro a scuola. Le suore celebravano ogni giorno di festa da Ognissanti all'Avvento e poi sino a Natale allestendo decorazioni e organizzando una serie di messe speciali e novene. Domenica non aveva tempo di provare nostalgia di casa, né di pensare a qualsiasi altra cosa che non fosse il suo lavoro, perché le monache esigevano la piena partecipazione dello staff a tutte le funzioni religiose. Le mancava il Saint-Joseph e la cerchia di amiche che si era fatta a Marsiglia. All'arrivo dell'inverno si sentiva sola come non le era mai successo da quando aveva lasciato l'Italia.

Il clima scozzese non aiutava di certo il suo stato d'animo. L'inverno precoce e straordinariamente rigido aveva costretto allievi e insegnanti a stare ritirati al chiuso. Gli studenti in convitto presso Notre Dame de Namur non poterono tornare a casa per Natale a causa di una terribile tempesta di neve che impedì qualsiasi spostamento. Le suore e il personale insegnante fecero del loro meglio per intrattenere i piccoli allievi con giochi e varie attività. Un'ondata di influenza che dilagò nel dormitorio tenne Domenica molto impegnata e, nel contempo, le diede un assaggio di come dovesse sentirsi una madre di tanti bambini. Concluse che esistevano donne nate per avere una famiglia numerosa, e che lei non era tra queste.

Attizzò il fuoco nella cucina del convento gettando qualche pezzo nero e lucido di carbone sui ceppi ardenti. Il fuoco riprese vita, sprizzando fiamme blu e volute di fumo bianco che salirono lungo la canna fumaria.

Domenica ripescò nella mente il procedimento per preparare il tradizionale dolce natalizio di mamma Netta. Il giardiniere le aveva procurato burro e uova. Usò due tazze di farina e due di zucchero, che amalgamò in una ciotola con un cucchiaio d'acqua. Le suore avevano messo delle ciliegie sotto spirito durante l'estate, e le ultime scorte sarebbero state il tocco ideale per arricchire l'impasto. Le pescò dal barattolo di vetro e le aggiunse lentamente al mix di farina e zucchero, versando mezza tazzina di sciroppo prima di mescolare con decisione. Lasciò il composto a riposare, si sedette davanti al fuoco e iniziò a spaccare qualche noce mettendo da parte i gherigli. Ne aprì abbastanza da riempirne una tazza. L'operazione richiese più tempo del dovuto perché sgranocchiava le noci mentre lavorava. Le aggiunse al composto. Infine versò il tutto in una tortiera e la mise in forno.

D'un tratto sentì bussare alla porta della cucina. Pensò che fosse il giardiniere che portava lo strutto per cucinare l'oca al forno per Natale. Invece era un ometto anziano, uno sconosciuto. Teneva un grande secchio in una mano e una cassa di bottiglie nell'altra. Entrò in cucina e si scrollò la neve dagli stivali pestando i piedi a terra.

«Si può?»

Domenica prese una scopa di saggina per togliergli la neve dal pastrano. «Venga, mi dia pure il cappotto. Lo mettiamo ad asciugare davanti al fuoco.

«Mi scusi, non volevo disturbarla.»

«Ma lei è italiano.»

«Sono scozzese di prima generazione. Quelli che chiamano italo-britannici. O in gergo *tallies*. Il mio nome è Arcangelo Antica.».

«Da che parte dell'Italia viene?»

«Bardi.»

«La conosco. Io sono di Viareggio.»

«No!»

«E mi manca molto, specialmente ora che è Natale. Che cosa ha portato?»

«Gelato e prosecco per le monache, per il loro pranzo di Natale. Il gelato va nella ghiacciaia» si raccomandò Antica. «Che cosa sta preparando?»

«Il dolce natalizio tipico della Toscana.»

«In Emilia-Romagna, la mia gente prepara la spongata.»

«Quella con il cedro candito?»

«Esatto. Lei è una novizia?»

248

«No, no. Sono l'infermiera della scuola.» Gli tese la mano. «Domenica Cabrelli.»

«Bellissima!» Invece di stringerle la mano, gliela baciò.

«Cabrelli! So tutto di lei. Conosce il mio amico, il capitano McVicars.»

Lei annuì educatamente.

«Gran bravo ragazzo.»

Domenica fece un sorriso forzato. Aveva sperato che McVicars fosse un bravo ragazzo, ma non aveva avuto grandi conferme in questo senso.

«Fatemi sapere se al convento serve qualcos'altro da Glasgow.»

«Riferirò.» Domenica aiutò il suo connazionale a rimettersi il cappotto. «Buon Natale» gli disse.

Antica uscì e si avviò sotto la neve. Domenica lo osservò dalla finestra imboccare lo stretto sentiero già liberato dalla neve che portava verso la strada. I campi erano argentati, illuminati da una luna piena che pendeva come un cabochon di un azzurro chiaro nel cielo scuro. Per un istante pensò di prendere il cappotto e di seguire quell'uomo. Sentiva il bisogno di stare con una famiglia italiana, anche se non era la sua. Invece si protesse le mani con due strofinacci e tolse dal forno il dolce di Natale di sua madre. In cuor suo sperava che, ovunque si trovasse, in quel momento la sua famiglia stesse facendo la stessa cosa.

27

Dumbarton, primavera 1940

La primavera in Scozia era un'esplosione di colori. Le mucche pezzate se ne stavano adagiate su pascoli di un verde brillante. Le pecore assembrate sui fianchi delle colline formavano macchie bianche e rosa, gli occhietti scuri e le corna brillavano come pelle di vernice nera. Libere dai pesanti cappotti e dai maglioni di lana, le donne di Glasgow sembravano sbocciare nei loro vestiti color pastello e svolazzavano per le strade come farfalle variopinte.

Domenica prese il tram che l'avrebbe portata in città. Indossava il suo abitino leggero più bello.

Gironzolò per i quartieri della zona ovest, fermandosi a curiosare nelle vetrine, godendosi la giornata. I negozi gestiti dagli immigrati italiani esponevano in bella mostra ceramiche di Deruta, filati di Prato, olio d'oliva calabrese. Domenica aveva promesso alle suore di portare loro un'autentica torta salata alla toscana per cena. Nel tardo pomeriggio pensò che fosse arrivato il momento di mantenere la promessa.

I fratelli Franzetti in Byers Road erano specializzati in torte salate, con una sottile crosta ricoperta da pomodorini rosolati a fuoco lento sino a diventare caramellati e arricchite da una pioggia di parmigiano reggiano. Quand'era stagione, non poteva mancare qualche sottilissima scaglia di tartufo, dopodiché si mettevano le torte nel forno a legna e tutta la zona ovest della città era permeata dal profumo di funghi. Volendo si poteva aggiungere uno spicchio d'aglio tagliato a fettine, per poi irrorare il tutto con olio d'oliva. Domenica aveva l'acquolina in bocca al pensiero di quelle prelibatezze, il che, di conseguenza, scatenava in lei la nostalgia per la cucina di sua mamma. Si consolò pensando che non sarebbe passato molto tempo prima di tornare a casa.

Ordinò una torta salata da asporto. Quando il giovane Franzetti rise, gli cadde una ciocca di capelli neri sulla fronte, e bastò questo per ricordarle un vecchio amico. Domenica trovò posto a un tavolino esterno, dove si sedette in attesa che la pizza cuocesse. Il ristorante era pieno di clienti; i bambini, invece, si scatenavano per strada rincorrendo un pallone con un bastone nodoso. Vedendoli giocare le venne in mente Viareggio, dove i ragazzini si divertivano allo stesso modo. Tutto sommato, nella sua percezione, non era passato così tanto tempo da quando anche lei era bambina. Quando la palla andò a sbattere contro la sua sedia, lei la raccolse prontamente, e fu quasi tentata di unirsi al gioco. Vi rinunciò e la restituì ai ragazzini che, afferrandola al volo, le urlarono «Grazie» in coro.

Quell'enclave italiana, come il pomeriggio che aveva passato in quella zona della città, erano un vero balsamo per il suo spirito. Sino ad allora non si era resa conto di quanto le mancassero la sua lingua e la sua gente. La vita che aveva vissuto prima di essere allontanata da Viareggio ora le sembrava idilliaca, che lo fosse stata davvero oppure no, e ne sentiva terribilmente la mancanza. A volte il profumo di pomodori e aglio gratinati al forno bastava a ricordarle il tempo perduto, lontano dai suoi affetti più cari.

Franzetti le portò un bicchiere di vino della casa e una fetta di pizza per ingannare l'attesa. Lei chiuse gli occhi e bevve un sorso; quel sentore forte le pizzicò il naso, proprio come le succedeva con il vino da tavola fatto da suo padre.

I ragazzini che giocavano in strada urlarono di gioia e scoppiarono a ridere quando un uomo alto e robusto rubò loro la palla che si stavano passando e la trattenne tenendo le braccia alzate sopra le loro teste. Presero a saltare intorno a lui per cercare di recuperarla. L'uomo ne fece un gioco e improvvisò una piroetta, come se fosse un addestratore di animali in una festa di paese che sfidava i bambini a competere con lui per conquistarsi uno scellino come premio.

Dopo qualche minuto intervennero le donne Franzetti, che ordinarono ai bambini di smetterla di infastidire il cliente che intendeva entrare in pizzeria. Quando l'uomo si voltò nella sua direzione, Domenica si sentì mancare il respiro.

Il capitano John Lawrie McVicars restituì la palla al ragazzino che lo incalzava.

«Lo conosce?» chiese la moglie del titolare.

Prima che Domenica potesse rispondere, McVicars la vide. Era troppo tardi per sfuggire all'incontro, i loro occhi si erano incrociati.

McVicars era sorpreso. Cosa ci faceva Domenica in Scozia? La cosa doveva importargli? In fondo lei aveva smesso di scrivergli. E lui non era tipo da star male per una donna. Era chiaro che i sentimenti di Domenica erano cambiati. McVicars era pronto ad accettarlo. Per lui era facile evitare situazioni spiacevoli: si imbarcava e spariva per il tempo sufficiente per farsi dimenticare. Ma in quel caso, inaspettatamente, aveva sperato di rivedere Domenica, non foss'altro per accertarsi che stesse bene.

Quanto a Domenica, ogni volta che pensava al capitano, lo immaginava lontano, in mare aperto. Questo la aiutava a relegarlo in qualche angolo remoto della sua mente. Era rimasta troppo ferita dal suo silenzio per azzardarsi a fantasticare di imbattersi in lui a Glasgow, ma si era ripromessa, se mai fosse accaduto, di fargli sapere che non aveva mai incontrato una persona più maleducata di lui.

I ragazzini circondarono di nuovo il capitano come un turbine, pregandolo di restare a giocare. Due di loro gli si appesero alle braccia. Lui li sollevò come se fossero bilancieri, su e giù. «Basta così, Nunzio» disse a uno dei ragazzi rimettendolo a terra. «Sei diventato troppo pesante per questo vecchio giochino dei manubri.»

Le donne della famiglia Franzetti si scusarono e rimandarono i ragazzini a divertirsi per strada mentre McVicars finalmente entrava nel locale.

A Domenica fu consegnata la pizza che aveva ordinato. Pagò e promise di ritornare. Si era appena voltata per sfuggire all'incontro con il capitano quando lui le si avvicinò.

Se ne stava impacciato davanti a lei senza sapere cosa dire. Di certo nemmeno lei aveva idea di come rompere il ghiaccio. McVicars si massaggiò gli avambracci che ancora bruciavano nel punto in cui si erano appesi i bambini. Lei ricordò la sensazione che le avevano trasmesso quelle braccia intorno al corpo e si sentì arrossire. Si vergognava dell'errore di valutazione che aveva fatto supponendo che al capitano importasse qualcosa di lei. Il rossore si trasformò in una vampata di rabbia.

McVicars, dal canto suo, voleva un confronto con Domenica per capire perché aveva ignorato le sue lettere. Immaginava che avesse incontrato un altro e che non sapesse come dirglielo. Dopotutto era una bella ragazza, e ancora in età da marito. Si sentì salire la temperatura al pensiero che Domenica potesse aver conosciuto un altro scozzese che vinceva il confronto con lui.

Domenica gli fece un cenno di saluto con il capo, lo aggirò e si avviò verso l'uscita.

«Signorina Cabrelli?» la chiamò lui.

Non volendo dare spettacolo, Domenica si fermò, decisa ad affrontarlo.

«È proprio lei, quindi. Che cosa ci fa in Scozia?»

«Ci lavoro» rispose lei seccamente.

«La trovo bene. Ha preso i voti?»

«Le pare che io indossi il velo?»

«Direi di no. A meno che non abbiano cambiato tutte le regole, e queste non comportino più il nubilato.»

Domenica non rise alla sua battuta.

«Bel vestito, comunque» buttò lì.

«L'ho fatto io.»

«Ha talento anche come sarta.»

«Mia madre è convinta che sia le donne che gli uomini debbano saper cucire. Mio fratello sa farsi le camicie da solo. Lei sa cucire, capitano?»

«Siamo arrivati a questo punto? Chiacchiere futili su quella peste di suo fratello Aldo?»

Domenica era pentita di avergli parlato della sua famiglia. «Mi scusi, devo andare.» Uscì dalla pizzeria.

McVicars ebbe un momento di esitazione, ma uscì a sua volta per seguirla.

«Bella, eh?» commentò il giovane cameriere mentre abbassava la tenda sull'entrata.

McVicars non gli rispose. Si affrettò a rincorrere Domenica, ma era sparita. Uno dei ragazzini gli indicò l'angolo. Il capitano lo ringraziò e svoltò nel viale, appena in tempo per vedere lei che lo attraversava. La gonna del suo vestitino azzurro svolazzava e si gonfiava come una campanella. McVicars si domandò se si fosse mai trovato davanti una visione così incantevole.

«Signorina Cabrelli!» la chiamò di nuovo. Stavolta affrettò il passo per raggiungerla.

Domenica salì i gradini che portavano alla fermata del tram. Non lo aveva sentito. Lui si mise a correre. Il tram, nel frattempo, era arrivato. Le porte si aprirono; i passeggeri scesero. Domenica salì sulla carrozza affollata e prese posto. Le porte si stavano chiudendo quando McVicars tentò di entrare. Dovette forzarle per aprirle e sgusciò dentro mentre il mezzo usciva dalla stazione. Fece correre lo sguardo nella carrozza in entrambe le direzioni cercando di individuare Domenica. Riconobbe le sue scarpe in fondo alla carrozza e si avvicinò facendosi largo fra i passeggeri.

«Conosce qualcuno a Dumbarton?» chiese lei evitando di incrociare il suo sguardo.

«Soltanto lei.»

Il tram sferragliava sui binari mentre si apprestava a entrare nella stazione di Dumbarton. Lo stridìo delle ruote e il frastuono della carrozza affollata impedivano a McVicars di parlare con Domenica, ma anche se avesse potuto farlo, sarebbe stato inutile, perché lei guardava ostinatamente davanti a sé tenendo la pizza in grembo.

Quando scese, a McVicars non restò che seguirla.

«Devo parlarle» le disse.

«Farebbe meglio a tornarsene a Glasgow» ribatté Domenica voltandosi, e affrettò il passo. «Non abbiamo nulla da dirci.»

«Perché ce l'ha con me?»

«Non ce l'ho con lei. Pensavo che fossimo amici e non ho apprezzato il suo comportamento.»

«Il *mio* comportamento?» McVicars era confuso.

«Il tram passerà fra pochi minuti. C'è una comoda panchina dove può aspettarlo. Addio, capitano.»

«C'è qualcun altro? Ha conosciuto una persona? Mi dica solo questo.»

«E perché mai dovrebbe importarle? Mi ha scritto che non voleva avere più avere contatti con me.»

«Cosa? Non è vero! Mi mostri la lettera.»

«L'ho buttata nel Clyde.» Domenica seguitò a camminare. McVicars continuava a seguirla.

«Aspetti! No. Mi ascolti. Io non le scritto nessuna lettera dicendole una cosa simile. Semmai è stata lei che ha smesso di scrivermi.»

«Le ho scritto lettere su lettere ogni settimana.»

«Non le ho mai ricevute!» insistette McVicars.

«Le ho spedite al suo indirizzo di casa.»

«La prego. Mi scriva ancora.»

«No, non lo farò.»

«Ancora una lettera a Tulloch Street. Credo di sapere che fine hanno fatto le sue lettere. Se non avrò sue notizie, capirò che non ha più alcun interesse per me.»

Domenica si chiuse la porta d'ingresso del convento alle spalle. Chiamò la cuoca e le consegnò la pizza. Poi salì nella sua stanza. Scostò le tende, fece scattare la levetta e aprì la finestra. Vide McVicars tornare alla stazione e salire sul tram mentre iniziavano a cadere le prime gocce di pioggia.

28

Ogni giorno McVicars andava incontro al postino all'angolo della strada per vedere la posta prima che venisse consegnata al n. 28 di Tulloch Street. Si avvalse della scusa che aspettava l'ordine di imbarco e intendeva intercettare la lettera prima che arrivasse a casa e mettesse sottosopra sua madre. Alla fine della settimana arrivò una busta azzurra destinata a lui proveniente da Dumbarton. McVicars era felice. Invece di ritirarla e aprirla, diede istruzioni al portalettere di consegnare tutto come al solito, compresa la lettera di Domenica. Prima di tornare a casa, attese finché non fu certo che sua madre avesse già preso visione della posta. Una volta entrato, si diresse subito in cucina. La posta era sul tavolo. Diede una rapida scorsa. La lettera di Domenica era sparita.

McVicars udì degli strani colpi provenire dal giardino sul retro. Sbirciando dalla finestra della cucina, vide sua madre intenta a battere con una pietra su un mattone smosso del muretto di cinta per livellarlo con gli altri. McVicars uscì di casa e vagò per le strade di Glasgow sino al tardo pomeriggio.

Le ore fra il tè e la cena gli parvero le più lunghe della sua vita. Si sentiva defraudato della propria felicità, cosa difficile da accettare, perché era stata la sua stessa madre a rubargliela insieme al tempo. Rientrò a casa con il cuore pesante mentre si stava facendo buio. Attese in camera sua al primo piano che sua madre salisse le scale per andare a letto. Era facile evitarla, visto che lei non cercava mai la sua compagnia, non gli preparava da mangiare né gli faceva il bucato. Per lui la casa in cui era nato era soltanto un posto dove dormire finché non arrivava la chiamata per reimbarcarsi. Si accese una sigaretta e attese che sua madre si addormentasse.

Quando gli parve arrivato il momento giusto, aprì piano la porta e fece capolino in corridoio. Lo aveva fatto spesso quando era più giovane; sapeva come sgusciare davanti alla camera da letto dei suoi genitori senza far rumore né lasciare tracce. Scese le scale in punta di piedi e uscì in giardino passando dalla cucina. Accese un'altra sigaretta e, usando il fiammifero per farsi luce, trovò la pietra che sua madre aveva abbandonato a terra. La usò per picchiettare i mattoni finché non trovò quello smosso. L'operazione richiese un po' di tempo, tanto che la cenere della sigaretta che gli penzolava dalla bocca arrivò quasi a bruciargli le labbra. Gettò il mozzicone a terra prima di rimuovere il mattone. Trovò un fascio di lettere in un sacchetto di carta ficcato nel nascondiglio.

Una volta tornato nella sua stanza, McVicars posò le lettere di Domenica sulla scrivania. Si distese sul letto e si apprestò a leggerle. Iniziò dall'ultima, inviata da Marsiglia. Era datata 9 luglio 1939.

Caro capitano McVicars,

mi resta ben poco da dire. Penso alle lettere che non hanno ricevuto alcuna risposta. Capisco, o credo di aver capito, il motivo per cui ciò è avvenuto. Devo aver scritto qualcosa che l'ha offesa. Se è così, le chiedo di perdonarmi. O forse un'altra donna, molto più adatta di me, ha incrociato il suo cammino. In questo caso, spero che sia una buona amica per lei.

Con i migliori cordiali saluti,
Domenica Cabrelli

La madre di McVicars aveva aperto le buste con cura usando una forcina per i capelli. Lui tirò fuori tutte le lettere e le dispose sul tavolo in ordine cronologico. Impilò i fogli metodicamente, come fossero pagine di un libro, per poi sedersi alla scrivania davanti alla finestra. Avvicinò la lampada e prese a leggere le lettere con calma. Non le lesse una volta, e nemmeno due, bensì tre, per assicurarsi di aver capito bene le intenzioni di Domenica. Mentre appoggiava l'ultimo foglio da una parte, un laghetto blu sembrò allargarsi sulla scrivania.

McVicars si appoggiò allo schienale e si dondolò sulle gambe posteriori della sedia. Con le mani dietro la nuca, guardò la luna e pensò alla ragazza italiana. Ora che aveva letto le lettere, capiva la sua reazione. Si vergognava che sua madre le avesse intercettate, non tanto per il contenuto, ma perché avrebbe dovuto spiegare quella grave scorrettezza a Domenica. Quale giovane donna con un futuro promettente avrebbe voluto far parte di una famiglia simile? Se c'era una cosa che sapeva di lei, era che la famiglia era fondamentale nella sua vita. Invece ecco con chi aveva a che fare: un uomo di quasi quarant'anni con una madre che era riuscita a far scappare un figlio in Nuova Zelanda e l'altro in mare. John McVicars era un marinaio itinerante che faceva in modo di rimanere lontano diversi mesi all'anno, più di quanti ne trascorresse a casa. Suo padre, perito in mare, aveva rappresentato una delusione per sua moglie, la quale sosteneva che fosse morto soltanto per farle dispetto. La vita di Grizelle McVicars ruotava intorno a una profonda amarezza. Considerava quasi doveroso rendere la sua famiglia infelice quanto lo era lei. La sua mancanza di rispetto per la privacy di John non era dettata da una comprensibile preoccupazione per la felicità di suo figlio; al contrario, era l'estremo tentativo di tenerlo legato a sé dopo che gli altri uomini della sua vita l'avevano abbandonata.

John finì l'ultima sigaretta che si era arrotolato quel pomeriggio.

Erano le due del mattino. Raccolse tutte le lettere e le mise da parte nell'ordine in cui erano state scritte. Liberò l'altro lato della scrivania. Prese la carta da lettere, le buste e una penna dal cassetto.

Si sfregò gli occhi. Rimase a pensare per qualche minuto senza prendere in mano la penna, ma quando lo fece, non smise di scrivere sino a che non ebbe terminato. Dubitava che le sue parole sarebbero servite, ma questo non gli impedì di provarci.

3 aprile 1940

Cara Domenica,

ho letto soltanto ora, per la prima volta, le lettere che mi hai mandato. Tredici in tutto. Mia madre me le aveva nascoste per motivi che non capisco. Tuttavia non posso ritenerla l'unica responsabile per la distanza che è venuta a crearsi fra noi. Lettere o no, io sarei dovuto tornare a Marsiglia per incontrarti e chiarire tutto. Il tempo perso è solo colpa mia.

Mi sono reso conto che l'unica volta in vita mia in cui ho trovato un po' di felicità è stata in tua compagnia. Se ti sembra strano, prova a immaginare un uomo che sinora preferiva condurre una vita solitaria in mare e che tornava a casa da sua madre soltanto in licenza. Mi limitavo a depositare il mio bagaglio a terra e poi passavo ore al pub aspettando il momento in cui potermi imbarcare di nuovo. Casa mia non mi riempie di piacevoli ricordi come fa Viareggio con te, ma credo che questa sia l'unica differenza fra noi. Per il resto siamo simili come due gocce d'acqua, come dite voi in Italia.

Sai, ogni sera, prima di addormentarmi, ripenso alla notte in cui ci siamo conosciuti. Mi rivedo seduto nella cappella dell'Hôpital Saint-Joseph insieme a te. Ricordo ogni tua singola parola. C'era profumo di incenso nell'aria, e mi sono sentito trasportare in un porto esotico dove esistevamo soltanto noi due. Le mie mani bruciavano quella notte, ma non avvertivo alcun dolore perché mi interessavano i tuoi pensie-

ri su qualsiasi argomento. Abbiamo parlato, sì, eppure non c'è stato tempo sufficiente per discutere con la profondità che avrei desiderato. La nostra conversazione mi ha aiutato a fare chiarezza e ti sono ancora grato per avermi dedicato del tempo. Nei mesi che sono seguiti trovavo pace ogni volta che ricordavo quella conversazione. Me la ripetevo nella mente prima di addormentarmi e il ricordo mi purificava la coscienza. Non provavo una tale serenità da quando ero ragazzino.

Tu hai delle opportunità nella vita. Molti corteggiatori, ne sono sicuro. E meriti il meglio, naturalmente. Io sarei l'ultimo a poter pretendere il tuo affetto in quella stellare schiera di uomini, lo so. Ma dubito assai che qualsiasi altro uomo potrà mai amarti quanto me. Per quanto so fare, nel mio modo imperfetto, ti capisco, e prego che anche tu, a modo tuo, possa ricambiare il mio amore.

John

«Ecco un'altra delle buste azzurre del tuo capitano» disse suor Matelda consegnando la posta a Domenica. «Una al giorno. Da due settimane. Quel poveretto deve avere un terribile crampo alla mano. O lo sposi o lo ucciderai, per come stanno andando le cose.»

«Sorella, lei che cosa farebbe?»

«Con un uomo?» Suor Matelda aveva all'incirca la stessa età di Domenica. Quando una giovane donna si avvicinava ai trenta, le sue possibilità di trovare marito diminuivano drasticamente, ma questo non sembrava costituire un problema per Domenica. «Io ho scelto un'altra strada, o meglio, è stata lei a scegliere me. Quindi non sono la persona giusta per dare consigli sentimentali.»

«Se fosse innamorata di un uomo che non le ha causato altro che dubbi e sofferenze, gli darebbe una seconda possibilità?»

«Se parliamo di George Garrity della contea di Cork, ho dovuto lasciarlo quando ho intrapreso il noviziato. L'ho lasciato a Macroom, nella disperazione più nera. Mi hanno raccontato che si sentiva depresso e inutile come una sedia senza gambe dopo che gli ho spezzato il cuore. Ma in qualche modo, alla fine, si è rimesso in piedi. Si è sposato cinque anni dopo, quando io ho preso i voti. Una ragazza adorabile. Mary Rose McMasters di Killarney. Ha i capelli fiammeggianti come un tramonto, mi hanno detto. Hanno sei figli ora. L'amore trova sempre la sua strada, supera tutti gli ostacoli.»

«Quindi non si è mai pentita di essersi fatta suora?»

«In certi giorni sì. Ho lasciato la casa di mio padre nella speranza di vivere un'avventura. Macroom non offriva nulla del genere. Ma, seguendo la volontà del Signore, l'avventura l'ho trovata qui. Insegnare mi piace e me la cavo con la calligrafia. Ho i miei interessi. L'amore di Dio mi fa interrogare sulla mia vita, e quello stesso amore mi dà anche le risposte quando ne ho bisogno.»

«Io desidero la pace.» Domenica si alzò e andò alla finestra.

«Non hai più pensato di prendere i voti?»

«Quando tutto questo sarà finito, e lo sarà, voglio tornare a casa. Sono italiana e il mio posto è laggiù. Mi mancano la mia città e la mia famiglia, e il mio lavoro in ambulatorio. Se mi facessi suora, dovrei rinunciare a tutto. E temo di non essere abbastanza altruista per farlo.»

Suor Matelda annuì. La capiva. «Alcuni di noi trovano la propria strada nel mondo ovunque ci capiti di essere. Tu invece hai un posto dove desideri tornare. Non è affatto un'aspirazione egoistica. Semplicemente significa che sai dove sei più utile e amata.»

«A casa.» Domenica stringeva tra le mani la lettera del capitano. Suor Matelda rientrò in convento. Domenica si spinse sino al fiume, si sedette sulla riva e aprì la busta.

Nella camera di John McVicars le tende erano tirate. Una sottile lama di luce indugiava sul davanzale sotto gli scuri avvolgibili. Si girò nel letto per ripararsi dalla luce e serrò di nuovo gli occhi per finire il sogno che aveva lasciato in pieno svolgimento. Riuscì a tornare alla scena in cui si era interrotto quando la luce lo aveva svegliato.

Dove stai andando?, gridò a Domenica, che stava volteggiando a mezz'aria.

Il vento le faceva svolazzare il vestito e sollevava il suo corpo sempre più in alto sino alle nuvole. Lui non riusciva a raggiungerla.

Dove stai andando?, le urlò di nuovo.

Quando McVicars aprì gli occhi, era accaldato e aveva la bocca secca. Si ricordò il sogno. Domenica era irraggiungibile. Era uno di quei sogni in cui hai una cosa da fare e non riesci a portarla a termine perché hai i piedi inchiodati a terra.

Un'altra chance, pensò. Si alzò in fretta, si vestì e preparò il borsone. Piegò le lettere appoggiate sulla scrivania, le rimise nelle buste e le legò con uno spago. Le infilò nella tasca dell'uniforme, poi scese le scale. Infine lasciò il borsone accanto alla porta prima di raggiungere sua madre in cucina.

«Vuoi i fagioli con il pane tostato? O il bacon?»

«Niente.»

«Come hai dormito?»

«Agitato. Madre, me ne vado da questa casa.»

«E dove vai?»

McVicars non rispose. Tirò fuori di tasca il fascio di lettere. «Cosa sono queste?»

La donna sbiancò. Gli voltò le spalle e tolse il bollitore dal fuoco.

«Mi hai tenuto nascoste queste lettere. Perché?»

«Nessuno dei miei figli deve finire con una *tally*.»

«È un'infermiera. E una persona perbene.»

«So tutto di lei» ribatté Grizelle con un sorrisetto ironico.

«Certo. Perché hai aperto la mia posta, hai letto le *mie* lettere e poi le hai fatte sparire.»

«Sono arrivate a casa mia.»

McVicars era furioso, ma anni di esperienza gli avevano insegnato che la sua rabbia non sarebbe servita a far smuovere sua madre e indurla a prendere in considerazione il suo punto di vista. «Sto andando da lei, ammesso che mi voglia ancora dopo quello che hai fatto.»

«Non ti vorrà» gli assicurò sua madre.

«Credevi davvero che fingere di essere me, spedendo una lettera che non ho firmato, battuta a macchina sulla tua vecchia Underwood, mi avrebbe impedito di sposare la donna che amo?»

McVicars afferrò il borsone e uscì di casa.

Grizelle aprì il *Daily Mirror* sul tavolo della cucina. Dopo aver letto la prima pagina, passò lentamente alla seconda. Si aggiustò gli occhiali sul naso e aguzzò la vista per leggere un articolo che catturò subito la sua attenzione.

THE DAILY MIRROR

Editoriale di John Boswell

Ci sono oltre 20.000 italiani in Gran Bretagna. Soltanto Londra ne ospita più di 11.000. L'italiano tipo che vive nella capitale è insopportabile. Si sistema qui in pianta più o meno stabile e lavora sino a raggranellare una somma di denaro sufficiente per comprarsi un piccolo appezzamento di terreno in Campania o in Toscana. Spesso evita di impiegare manodopera locale. Trova molto più conveniente far arrivare dei parenti in Inghilterra dalla propria città natale. E così le barche riversano sulle nostre coste delle Francesca e Maria dagli occhi scuri, vari esemplari di Gino, Tito e Mario dalle folte sopracciglia nere, sicché oggi ogni colonia italiana in Gran Bretagna

e in America non è nient'altro che un calderone brulicante di bollente politica italiana. Camicie Nere. Fascismo. Persino il proprietario del baretto sotto casa, soli-
tamente tranquillo e rispettoso della legge, viene colto
da un'improvvisa frenesia patriottica solo a sentir fare il
nome di Mussolini... Siamo graziosamente permeati da
piccole cellule di potenziale tradimento. Una minaccio-
sa tempesta si sta addensando sul Mediterraneo. E noi,
nella nostra ottusa, stupida tolleranza, la stiamo aiutando
ad acquistare forza.

Grizelle McVicars prese una matita e cerchiò la parola "tradimento". *Tornerà*, si disse fiduciosa.

Amedeo Matteucci, il gioielliere, aveva ricevuto un telegramma
da suo cugino, residente a Londra, datato 28 aprile 1940: *Ci vediamo a Brighton. L.M.*
Il telegramma, in codice, veicolava un serio avvertimento.
Matteucci doveva immediatamente portare fuori dal negozio il
suo importante assortimento di preziosi. Sua moglie spulciava
i giornali al piano di sopra e prendeva nota in italiano delle notizie di rilievo che conservava in un contenitore di farina vuoto. Ritagliava gli articoli riguardanti emigrati italiani che erano
stati pizzicati nelle strade di Londra per aver commesso piccoli
crimini, o anche solo perché erano sospettati. I trafiletti parla-
vano di gioco d'azzardo, produzione illegale di alcolici, spac-
cio di superalcolici sul mercato nero e ricettazione di gioielli.
La verità era che bastava avere un cognome italiano per essere
implicati.
Presto Matteucci ebbe la conferma che si stava preparando
qualcosa di terribile. Il dignitario di corte di Holyroodhouse si
presentò senza preavviso a ritirare il set composto da *broche* e
spillone di rubini commissionato dalla famiglia reale. Gli accordi prevedevano che Matteucci avrebbe conservato i gioielli

sino alla cerimonia prevista per la primavera. *Evidentemente sanno qualcosa*, si disse il gioielliere. Consegnò le spille senza ricevere in cambio alcuna spiegazione per l'improvviso cambio di programma.

Fidandosi dell'avvertimento urgente del cugino, nel giro di due giorni Matteucci e suo figlio tolsero i preziosi dalle vetrinette e li sostituirono con copie perfettamente identiche per non destare sospetti.

Quando il nemico è invisibile, devi esserlo anche tu.

Matteucci avvolse i gioielli in un panno morbido di mussolina, li nascose sotto il cappotto e si recò alla Messa mattutina. Invece di uscire dalla chiesa dalla porta principale, scese furtivamente dalla sacrestia alla cripta, e nascose i preziosi nel muro della Saint Andrew's Cathedral.

Il campanello della porta del negozio tintinnò. Padre e figlio erano nel retro, intenti a riordinare gli strumenti del mestiere. Si scambiarono un'occhiata. Matteucci fece cenno a suo figlio di non muoversi. Si tolse il grembiule e andò in negozio.

«Come posso esserle utile, signore?»

«Mi manda Antica, il gelataio.» Il capitano si era rasato e indossava l'uniforme. «Capitano John McVicars. Sto cercando un orologio da donna.»

Matteucci estrasse dalla vetrinetta un vassoio foderato di velluto. C'erano due orologi d'oro: uno con il cinturino in pelle, l'altro con una combinazione di pelle e metallo. Il gioielliere li piazzò sul ripiano di vetro del bancone. Erano gli ultimi due pezzi di valore che conservava in negozio. Aveva in mente di metterseli al braccio in caso di emergenza.

«È per una ragazza speciale. Vedo orologi come questi al polso di qualsiasi altra donna a Glasgow. Non mi fraintenda, sono bellissimi, ma io cercavo qualcosa di particolare.»

«Per quale occasione?»

«Un'occasione memorabile.»

«Mi descriva la ragazza.»

«È bellissima.»

«Buon per lei!»

«Sì. Ed è un'infermiera.»

«Allora l'idea di regalarle un orologio è davvero azzeccata. Le serve un orologio da tasca, però. Tutte le infermiere lo portano. Ne ho uno che ho appena rimesso a nuovo ed è disponibile alla vendita. Ma è costoso. È antico, un pezzo unico. Vuole vederlo?»

McVicars annuì. Matteucci andò nel retro e tornò con l'orologio. Il suo piano era quello di incaricare un mediatore di vendere il pezzo su commissione qualora si fosse trovato ad aver bisogno di liquidità.

«Perché il quadrante è capovolto?» chiese McVicars studiandolo.

«Un'infermiera necessita di un orologio che possa consultare con una rapida occhiata, senza dover ruotare il polso. Ha un movimento a rubini, il che significa che segna sempre l'ora esatta, non sgarra di un secondo. Di estrema importanza quando si controllano le pulsazioni.»

«Mi piace la pietra.»

«Non potrà trovare nulla di simile in Scozia, e nemmeno nelle Isole Britanniche, mi creda.»

«Potrebbe farmi un'incisione?»

Matteucci consultò il figlio voltandosi a guardarlo. La penna per l'incisione era già stata impacchettata. Piccolo fece cenno di no con la testa.

«Mi dispiace, signore. Non possiamo effettuare incisioni.»

«La prego, vorrei che incidesse la scritta *Domenica e John*. Sono venuto da voi perché la ragazza è italiana. Pensavo che avreste fatto del vostro meglio per lei.»

«La ragazza è in Italia ora?»

«No, per fortuna lavora qui in Scozia, nel convento di Dumbarton.»

Matteucci pensò di avvertire l'uomo che la sua fidanzata poteva essere in pericolo. Una persona di nazionalità italiana in Scozia rischiava di essere accusata di appartenere alla quinta colonna. Ma il gioielliere non poteva escludere che il capitano fosse in missione esplorativa per capire in che misura gli italoscozzesi fossero a conoscenza di una potenziale retata. Quanto al fatto che fosse raccomandato da Antica – il gelataio ambulante conosceva tutti –, non era una garanzia sufficiente per non essere diffidenti. Perciò Matteucci tenne la bocca chiusa.

«Non è necessario che incidiate i nostri nomi per intero, basterebbero anche solo le iniziali J e D. La prego. Vorrei chiedere a questa ragazza di sposarmi.»

«Be', in tal caso…» Matteucci portò l'orologio al figlio nel laboratorio sul retro.

«Papà, ho già messo via il necessario» sussurrò Piccolo.

«Tiralo fuori. Accontenta il cliente.»

Le colline dolcemente ondulate e i prati che circondavano il convento di Notre Dame de Namur sfoggiavano una straordinaria tavolozza di verdi. Le rose rosse di Sharon intorno alla statua della Vergine Maria erano in fiore. I boccioli fucsia della peonia ciondolavano dagli steli delicati lungo i vialetti, pronti ad aprirsi da un momento all'altro.

Il giardino di Calendimaggio era un tripudio di azalee rosa e giacinti azzurri. Il laghetto artificiale era punteggiato da ninfee bianche simili a merletti che galleggiavano sull'acqua blu notte. Le suore che pregavano sulle sue sponde chiamavano il laghetto "lo specchio del paradiso".

John McVicars camminava nervosamente avanti e indietro davanti al convento.

Suor Matelda sbirciò attraverso le tendine. «A forza di andare su e giù, sta tracciando un solco nel prato.»

Domenica guardò fuori della finestra. «C'è qualcosa che lo turba.»

«È innamorato, ecco cos'ha.»

«Riesce a capirlo da questa distanza, Sorella?»

«Faresti meglio ad andare a parlargli, prima che sprofondi

nel terreno e di lui restino soltanto le mostrine. Non l'hai torturato abbastanza?»

«Può darsi.» Domenica ammiccò a suor Matelda. Si avvolse nello scialle che McVicars le aveva spedito e lo raggiunse.

Il capitano aveva un aspetto regale nella sua impeccabile uniforme blu. Ricordò un alto ufficiale della Marina mercantile che una volta gli disse: «Le nostre uniformi sono così resistenti che ti sostengono quando hai perso coraggio». E McVicars aveva un gran bisogno di coraggio quella mattina. Mentre Domenica gli andava incontro, a ogni passo che faceva, il cuore di lui accelerava i battiti. Aveva l'impressione che il suo futuro fosse nelle mani di quella ragazza.

«Le suore sono preoccupate per il loro pratino» disse Domenica.

«È vietato camminare qui?» chiese lui.

Domenica provò compassione per il povero capitano. Non era del suo solito umore gioviale, sempre pronto alla battuta o a una replica pungente; in quel momento appariva vulnerabile. «Perché sei qui, John?»

Lui prese un respiro profondo. «Domenica, io so di non essere degno di te...»

«E sei venuto apposta da Glasgow per dirmi questo?»

«No, sono venuto sin qui per chiederti di sposarmi.»

Domenica affondò le mani nelle tasche del suo grembiule da infermiera. Non si aspettava addirittura una proposta di matrimonio. Pensava che fosse venuto per chiederle se intendeva riprendere a frequentarlo. Se avesse saputo che McVicars avrebbe preso una simile iniziativa, si sarebbe messa l'abito azzurro. Invece indossava la divisa. Sembrava destinata a non essere mai vestita in modo appropriato quando lui aveva qualcosa di importante da dirle. Forse era quello il punto. Non c'era tempo per le strategie; ciò che contava era la loro connessione, non il balletto che lo precedeva. Soppesò l'idea di una vita senza di lui contro l'eventualità di restare al suo fianco per gli anni a venire. Domenica non era un tipo impulsivo, ma in quel momento scoprì che poteva esserlo. Desiderava quell'uomo; aveva preso una decisione la sera stessa in cui si erano incontrati.

«Cosa c'è che non va?» chiese lui.

«Non è così che me l'ero immaginato.»

McVicars si guardò intorno. «Non piove. C'è una temperatura gradevole. Mi sono fatto tagliare i capelli e ho indossato l'uniforme. Mi sono pure spruzzato un po' di acqua di colonia.»

«Tutto questo per me?» lo stuzzicò lei.

«Se non è abbastanza, dimmi cosa vuoi che faccia e lo farò.»

«Certo che è abbastanza, John. Sarò ben lieta di sposarti.»

McVicars prese Domenica tra le braccia, la strinse forte e le coprì il volto di teneri baci. Lei lo baciò freneticamente prima di affondare il viso nell'incavo del suo collo. Il profumo agrumato dell'acqua di colonia le ricordò l'Italia, e quel pensiero la rattristò. Nella sua terra, per tradizione, una proposta di matrimonio veniva festeggiata da tutta la famiglia. McVicars la sollevò facendola volteggiare nell'aria, e questo le bastò per sorvolare sul fatto che le circostanze del loro fidanzamento non erano ideali. Poi lui la depositò delicatamente a terra e si frugò in tasca. «Questo è per te.» Le porse una scatolina rivestita di vellutino della gioielleria Matteucci.

Lei la aprì e tirò fuori l'orologio. Ai suoi occhi non poteva esistere un regalo di fidanzamento migliore. Domenica era una donna dotata di senso pratico, e quello era un dono funzionale, non soltanto prezioso ed elegante.

«Il gioielliere mi ha fornito qualche dettaglio su questa pietra. Si chiama avventurina e viene dal Mozambico. L'oro della cassa viene dall'Argentina, crede, e i rubini del meccanismo dall'India. Sono piccolissimi, ma ci sono.»

«Brillano. Piccole lacrime rosse.»

«O gocce di pioggia. In questo orologio c'è una pietra da entrambi gli emisferi della Terra. In un certo senso, è più grande del mondo. E io ho intenzione di fartelo conoscere, il mondo. Ci sono posti in cui non vedo l'ora di portarti.»

«Io non vedo l'ora di scoprirli insieme a te.»

«E ovviamente funziona!» John le avvicinò l'orologio all'orecchio. «Sarà vicino al tuo cuore più di un anello. Mi piace pensarlo. È come una medaglia.» McVicars glielo appuntò sul davantino della divisa. «Con l'augurio che il tempo a nostra disposizione non si esaurisca mai.»

Domenica sfiorò l'avventurina verde con le dita. «Che cosa ho fatto per meritare una cosa tanto bella?»

«Mi hai detto di sì.»

«Ti avrei detto di sì anche prima.»

«Davvero? Quando ti sei innamorata di me?» chiese lui.

«Quando ti ho trovato nascosto nella cappella dell'ospedale. E tu?»

«Dopo colazione» confessò John. «Prendo le decisioni migliori quando ho la pancia piena.»

Domenica avvolse le braccia intorno alla vita del suo promesso sposo e lo baciò. Quando chiuse gli occhi e avvertì il sapore delle sue labbra, non si sentì più in Scozia. La Francia era già sbiadita dalla sua memoria. Invece, si ritrovò catapultata a Viareggio, di cui conosceva ogni strada e ogni casa, il numero esatto di passi necessari per andare da un'estremità all'altra del lungomare, il calore accogliente della cucina di sua madre in inverno e la prima brezza primaverile sotto la pergola dei giardini Buoncorso dove, se eri fortunato, ricevevi un bacio sotto i grappoli d'uva che maturavano al sole. John McVicars faceva parte di tutto ciò che lei riteneva importante; la sua vecchia vita e quella nuova si intrecciavano nella dolcezza del suo bacio.

Domenica Cabrelli si ritrovò quindi felicemente fidanzata con il capitano McVicars, notizia che rallegrò anche le suore di Notre Dame de Namur, perché significava che McVicars, venendo da Glasgow, era abbastanza vicino da poter effettuare riparazioni in caso di necessità. Nel giro di qualche giorno, infatti, McVicars tamponò una perdita in cucina, sistemò il lampadario del refettorio e si prese persino la briga di riempire una grande buca che si era aperta nel vialetto lastricato che dava accesso al convento. Il capitano ricordava il nome di ciascuna suora, anche se era difficile distinguerle, con quelle tonache tutte uguali. Da parte loro, le suore ridevano delle sue battute e ammiravano l'energia che portava al convento. Non guastava affatto, poi, che McVicars fosse un giovanotto attraente, con quegli occhi blu come l'Atlantico alla confluenza del torrente di Clerkhill con il fiume Clyde. Del resto, le suore apprezzavano la bellezza in tutte le sue forme, compreso il garbato McVicars, perché era un dono di Dio.

Domenica e McVicars portarono avanti un corteggiamento garbato, e non sempre per scelta, mentre percorrevano i sentieri del giardino del convento. Le monache frequentavano gli stessi luoghi quando si dedicavano alla preghiera, e non perdevano mai di vista i due innamorati.

«Quando noi due saremo sposati, le suore verranno con te?»

Domenica scoppiò a ridere. «In effetti sembra che si moltiplichino quando vieni a trovarmi. Si sono affezionate a te.»

John stava chinando il capo per baciarla quando notò un velo nero svolazzare attraverso gli alberi. Si tirò indietro a debita distanza. «Sono peggio delle cavallette. Forse dovremmo scappare.»

«Mia madre e mio padre sarebbero anche peggio.»

«Ne dubito.» McVicars le offrì il braccio.

«Quando saprai qual è la tua assegnazione?»

«I marinai della Marina mercantile sono gli ultimi a saperla.»

«Quindi abbiamo tempo?»

«Dipende da quello che farà l'Italia.»

Domenica sussultò. Detestava i fascisti e le cattive intenzioni del loro capo. Mussolini era stato nominato dal re, eppure il suo volere sarebbe stato decisivo per il destino del popolo che non lo aveva eletto. Lo detestava perché era colpa sua se lei non poteva tornare a casa.

«Mi riporterai a Viareggio un giorno?»

«Certo!»

«Non per una visita. Per viverci.»

«Sarei felice di vivere in qualsiasi posto del mondo tu voglia stare.»

«A volte penso che potremmo andare da qualche parte e ricominciare tutto daccapo. In America, ad esempio.»

«Davvero?» McVicars sorrise.

«Potremmo scoprire un nuovo Paese insieme. Ho sentito cose meravigliose al riguardo. Dicono che gli anelli da afferrare alle giostre sono d'oro.»

Lui si guardò intorno in cerca di occhi curiosi prima di attirarla a sé. «Sai cosa amo di te? Il fatto che credi a queste favole. Ma se vuoi constatarlo di persona, ti ci porterò. Ho un cugino che vive a New York. Lavora in un cantiere navale.»

«Tu sapresti fare quel tipo di lavoro?»

«Farei qualsiasi cosa per provvedere a te. Quando saremo sposati, ti lascerai alle spalle il lavoro da infermiera. Niente più ustionati cui togliere la fuliggine di dosso, né manacce insanguinate da bendare o ferite da cucire. Finito. Desidero che ti occupi dei nostri bambini, piuttosto.»

«Certo. Gli ordini del capitano vanno sempre rispettati?»

«Di solito sì» disse lui timidamente.

Domenica sorrise. «Tu rinunceresti a imbarcarti per me?»

«Sarai tu a decidere riguardo il lavoro» borbottò McVicars. «Non ti chiederò di rinunciare a nulla di ciò che ami.»

«Nemmeno io» promise Domenica.

John McVicars restò a guardare la processione in onore della festa del Corpus Domini che sfilava davanti a lui. L'ostensorio dorato era tenuto in alto, ben in vista, dal sacerdote. Dietro di lui la Madre Superiora portava la pisside, una coppa d'oro contenente le ostie consacrate da distribuire durante la Comunione. Seguivano le ragazze della scuola, tutte vestite di bianco, con un piccolo bouquet di rose rosse in mano. Domenica, insieme alle insegnanti, chiudeva il corteo.

Il custode abbassò il cordone di velluto che separava la processione dalla gente che osservava. I fedeli, capitano compreso, si accodarono ed entrarono in chiesa. Da bravo protestante, McVicars non aveva mai messo piede in una chiesa cattolica. Quella era la prova che avrebbe fatto qualsiasi cosa per amore, per Domenica Cabrelli.

John attese la sua fidanzata al termine della celebrazione. In tasca teneva le due fedi d'oro che aveva comprato da Matteucci quella stessa mattina. Suor Matelda si era assunta l'incarico di organizzare un matrimonio militare, approvato dal Vaticano, per il giorno dopo. Domenica si era trasferita nella foresteria del convento. McVicars l'avrebbe raggiunta lì una volta sposati.

Non gli piacque l'espressione che vide sul viso di Domenica mentre gli veniva incontro dopo la Messa.

«Non lo farà. Il prete si rifiuta di sposarci.»

«Che cosa? È suo dovere farlo. Ci sono quattro scellini pronti per lui. D'accordo, posso salire a cinque.»

«Fa sul serio.»

«Le suore non possono fargli cambiare idea?»

«No, ma suor Matelda suggerisce di andare a Manchester.»

«Ma sono tre ore di treno.»

«Ha già chiamato il prete. Se partiamo subito, arriveremo al tramonto. Don Fracassi ci aspetta.»

Don Gaetano Fracassi chiuse il registro sulla sua scrivania. Si guardò intorno nella sagrestia di Saint Alban's Ancoats con il cuore pesante. Per quanti sforzi facesse, era sempre in arretrato sui pagamenti delle spese della sua povera parrocchia. La caldaia era fuori uso, il tetto aveva delle falle e il muro di cinta del cimitero stava crollando per l'età e la lunga esposizione alle intemperie.

La chiesa aveva bisogno di fondi. Il vescovo aveva lasciato ai preti della zona il compito di racimolare denaro attraverso l'imposizione di decime e l'organizzazione di iniziative benefiche.

In preda alla disperazione, l'autunno precedente, don Fracassi aveva pensato di affittare la sala parrocchiale per le riunioni delle assemblee civiche. Il suo cliente migliore si era rivelata la sezione fascista locale, composta prevalentemente da inglesi seguaci di Oswald Mosley, ma anche da parrocchiani, cittadini inglesi di origine italiana che frequentavano gli incontri riempiendo la sala al limite della capienza. Fracassi si teneva lontano dalla politica, ma non teneva i politici lontano dal salone parrocchiale, nella misura in cui erano disposti a pagare.

Il prete si alzò dalla scrivania urtando accidentalmente il catino che aveva piazzato sul pavimento per raccogliere l'acqua che gocciolava dal soffitto. Prese la scopa dietro la porta, avvolse uno straccio intorno alle setole e lo passò per terra. Poi aggirò la zona ancora bagnata e andò a sedersi vicino al camino in attesa che si asciugasse. Frugò nella tasca della tonaca e sbucciò l'arancia che aveva tenuto da parte a pranzo. Gustò prima la buccia, anche se era leggermente amara. Mangiò gli spicchi uno alla volta, facendoli esplodere in bocca per lasciar indugiare il sapore dolce del nettare sulla lingua. Quel sapore lo catapultava nella sua Italia, dove arance e limoni crescevano a profusione. La prima cosa che aveva imparato in Inghilterra era stata che gli agrumi erano difficili da trovare, e costosi. Una volta finito, gettò gli scarti nel fuoco e si fregò le mani. L'olio rilasciato dalla buccia si diffuse nell'aria come una fragranza su una bella donna. Si lasciò andare contro lo schienale e appoggiò i piedi doloranti sulla griglia.

La povertà che Fracassi aveva patito in Italia durante la sua infanzia aveva avuto un ruolo determinante nella decisione di farsi prete. Aveva sviluppato una certa umiltà a proposito delle proprie ambizioni e una maggiore propensione a rendersi utile agli altri. Quando gli era stata affidata una parrocchia a Manchester, si era trovato inserito in una grande comunità di immigrati italiani. Parlava spesso la sua lingua durante l'omelia la domenica, il che dava conforto ai suoi conterranei. A sessantaquattro anni, don Fracassi manteneva vivo lo spirito italiano in

Inghilterra perché i suoi fedeli, come lui del resto, non avevano mai dimenticato la terra d'origine.

I colpi alla porta lo fecero trasalire, anche se attendeva visite. Si pulì le mani passandosele sulla tonaca e si avviò alla porta strascicando i piedi. La coppia che aspettava era arrivata. Don Fracassi accolse i due giovani e sorrise quando la donna, presentandosi in italiano, spiegò con una certa veemenza la situazione in cui si trovavano. Entrò nella stanza seguita dal suo fidanzato, uno scozzese robusto e di bella presenza che indossava un'uniforme.

Don Fracassi celebrò il rito nuziale. Benedisse le fedi alla luce del focolare. La sposa si inginocchiò davanti alla statua della Vergine Maria per ricevere la benedizione, mentre suo marito rimase in piedi, a testa china, con la mano sulla spalla di lei.

Infine lo sposo diede al prete una corona, un'offerta generosa per una cerimonia celebrata in segreto. Il prete accettò di buon grado. Augurò loro ogni bene. Aprì la porta e seguì con lo sguardo i novelli sposi allontanarsi di corsa sotto la pioggia.

Domenica e John erano inzuppati dall'acquazzone quando entrarono nella loro stanza in una locanda fuori Manchester. John si apprestò ad accendere il fuoco mentre Domenica appendeva i cappotti ad asciugare alla mensola del camino. Aprì un cestino pieno di cibarie. Aveva preparato lei stessa dei taralli da mangiare con formaggio e olive. C'era anche una pagnotta di pane fresco, più un barattolo di peperoni sott'olio con le alici e due scatole di sardine. Tirò fuori una bottiglia di vino e persino delle ciliegie sciroppate provenienti dalla dispensa delle monache. Posò i tovaglioli di cotone che aveva stirato accanto a due piccoli bicchieri da vino sul tavolo.

Rabbrividì mentre John si dava da fare per attizzare il fuoco. Ben presto la legna iniziò ad ardere, lanciando fiamme arancioni su per la canna fumaria. Finalmente un po' di calore dopo una giornata fredda e umida.

«E questo cos'è?»

«Il nostro banchetto nuziale.»

John sollevò Domenica fra le braccia. «Non ho fame. Non ancora.»

La baciò. Avrebbe voluto farlo sin da quando don Fracassi aveva dato loro la sua benedizione, ma in qualche modo non gli era sembrato giusto esibirsi davanti al vecchio prete. Avrebbe voluto baciarla mentre andavano alla stazione, ma avevano dovuto correre sotto il diluvio per evitare di perdere il treno. E anche durante il tragitto aveva dovuto astenersi dal baciare sua moglie. Lei era una ragazza riservata, aveva pensato, e il sentimento che li univa non era qualcosa da mostrare a degli estranei, bensì da vivere con trasporto in privato. Ora però erano soli. All'improvviso tutto era diventato semplice. Qualsiasi esitazione avessero avuto era stata spazzata via dalla pioggia. C'erano soltanto Domenica e John, un fuoco vigoroso e un letto di piume.

John prese sua moglie fra le braccia e la adagiò delicatamente sul copriletto, come se fosse fatta di un cristallo così fragile da frantumarsi se stretto troppo forte. Lei gli prese il viso tra le mani e guidò le sue labbra sulla sua bocca. Quel contatto le riempì il cuore, riempì la stanza, e avrebbe riempito la sua vita. C'era soltanto John Lawrie McVicars in quel momento, e il calore del fuoco che aveva acceso e alimentato per lei.

Quando le labbra di John trovarono il suo collo, i suoi baci pieni di tenerezza la ripagarono della profonda solitudine che aveva provato da quando aveva lasciato l'Italia. Nulla, per quanto meraviglioso, era riuscito ad appagarla prima di allora. Non era più sola al mondo. Aveva un compagno, un uomo di cui si fidava, in cui credeva e che ammirava. Il suo amore rimediava a tutto ciò che aveva perduto. Un giorno avrebbe rivisto la sua famiglia, e lui ne avrebbe fatto parte.

John provava per Domenica un amore più grande di quanto il suo cuore potesse contenere. Sino a quel momento aveva vissuto una vita senza radici. Non aveva mai percepito la casa di sua madre in Tulloch Street come veramente sua. Ora desiderava una casa degna di sua moglie. Era pronto a costruire una nuova vita con Domenica, e a offrirsi a lei con tutto se stesso. Il suo passato era stato inghiottito come la lettera che Domenica aveva gettato nel Clyde. Tutto il dolore era sparito, come l'inchiostro sulla carta cancellato dalla risacca. L'amore, a quanto pareva, sapeva dare rifugio ai reietti e risollevare gli spiriti affranti, ma prima di allora John non aveva mai immaginato che fosse l'amore di una donna a poter fare entrambe le cose.

Suor Matelda aveva lasciato una lettera nella foresteria. Le mani di Domenica tremavano mentre apriva la busta. Si sedette davanti alla finestra e iniziò a leggere.

6 giugno 1940

Mia cara Domenica,

le suore del Sacro Cuore di Lucca mi hanno assicurato che questa lettera ti sarebbe arrivata. Ti tranquillizzo. Io e papà siamo in buona salute. Stiamo per lasciare Viareggio e trasferirci in collina, dove staremo più al sicuro. I Gregorio e i Mamaci verranno con noi. Abbiamo informato anche gli Speranza, invitandoli a raggiungerci. La loro situazione è difficile, ma tuo padre è convinto che i rapporti di Speranza con il Vaticano possano essergli di aiuto. Speriamo. Tuo fratello Aldo è sempre in Africa, Reggimento Puglia. La sua ultima lettera era brevissima, ma anche lui sta bene. Confidiamo che le Sorelle si prendano cura di te finché non potremo stare di nuovo insieme. Prega. Pregheremo anche noi. Ricorda che tua madre, tuo padre e tuo fratello ti vogliono bene. Questa è l'ultima lettera che ti scrivo finché non saremo fuori dalla guerra. Le Sorelle d'ora in poi non potranno consegnare altra posta.

Mamma

Il capitano entrò nell'annesso del convento, si sedette sullo sgabello accanto alla porta e si tolse gli stivali da lavoro. «Com'è andata oggi, signora McVicars?» gridò. Non ricevendo risposta, andò a cercarla. Vide la lettera della mamma di Domenica sul tavolo. La lesse.

In quel momento Domenica apparve sulla soglia. «Non li rivedrò più» disse.

29

Venezia, estate 1940

Il disco abrasivo emetteva uno stridio acuto mentre Romeo Speranza, il piede premuto sul pedale, levigava delicatamente il rubino. Sottili filamenti di polvere rossa si levavano nell'aria per poi ricadere sul piano di lavoro. Un carato. Taglio Peruzzi. Dopo gli ultimi giri del disco, l'esperto tagliatore alzò la pietra davanti a sé esponendola alla luce del pomeriggio che filtrava dalla finestra al piano terra. Il rubino aveva il colore saturo del vino di Borgogna, un rosso talmente intenso da apparire praticamente porpora. Pulì la gemma con un morbido panno di cotone tenendola fra pollice e indice.

Agnese prese il rubino lucidato e si inginocchiò per rimetterlo nella cassettina di sicurezza e poi nella cassaforte incassata nel pavimento. «Romeo, le scarpe.»

Speranza se le guardò con occhio critico. La pelle rosso scuro era coperta dalla polvere della tagliatrice. Si pulì le mani con uno straccetto che teneva infilato nella tasca posteriore dei pantaloni da lavoro.

«C'è un lustrascarpe in Calle Sant'Antonio.»

«Dovrei andarci ora?»

«Non si lucidano certo da sole» osservò Agnese con l'accenno di un sorriso. «Ma affrettati a tornare. Evita di fare tappa al Bar Maj. Verrei con te, ma devo preparare la *challah* per lo Shabbat.»

«Va bene» disse Speranza prendendo il cappello.

Si abbottonò il gilet e si diresse verso la piazza costeggiando il canale. In alto, il cielo sembrava riflettere l'opaca superficie blu dell'acqua. Passò davanti a ceste traboccanti di pesce fresco appese ai paracolpi in legno nell'acqua gelida del canale. Presto l'aria si sarebbe riempita del fumo dai sentori di bosco sprigionato dagli sperlani e dalle sardine che venivano grigliati per la cena del venerdì.

Sotto la volta di un palazzo montava la guardia un uomo in divisa da Camicie Nere, con la mano sul calcio del fucile che teneva appeso alla spalla. Speranza pensò al tempo in cui non c'erano né guardie né fucili a Venezia. Ora la città era invasa da militari in uniformi improvvisate. Erano ovunque, più numerosi dei piccioni.

La piazza rigurgitava di ambulanti provenienti da ogni parte del mondo. Le loro voci rimbalzavano contro i muri mentre offrivano le loro merci. Gli acquirenti gironzolavano fra i banchi a caccia di qualche tesoro speciale. I venditori, per contro, presentavano i loro prodotti – argenti, tessuti preziosi, pelletteria, ceramiche – con stile, desiderosi di chiudere la giornata con un buon affare. Speranza passò davanti al banco dei tessuti. Le suore, con le loro tonache blu scuro e i soggoli candidi, valutavano la qualità della lana e tiravano sul prezzo con il mercante scozzese. Le contrattazioni erano vivaci. Speranza riusciva a stento a udire i propri pensieri.

Dov'è questo lustrascarpe? si chiese mentre si inoltrava in Calle Sant'Antonio. Come al solito, sua moglie non si era sbagliata. L'uomo che cercava lo stava aspettando. In realtà era poco più di un ragazzino smilzo con la pelle color mogano. Gli fece un cenno e si piegò in un profondo inchino mentre il suo cliente si avvicinava alla sedia.

«Pulizia e lucidatura? Sei lire.»

«Sì, grazie.» Romeo Speranza si lasciò cadere sulla sedia. Il ragazzo gli slacciò le stringhe e si mise al lavoro. «Mia moglie non sopporta le scarpe sporche, anche se è così che si riducono quando si lavora.»

«Vostra moglie è una bellissima donna.»

«Lo dici di tutte le donne veneziane, scommetto. Di dove sei?»

«Etiopia.»

«La terra della sabbia bianca e dell'oceano color zaffiro.»

«La conoscete!»

«C'è una miniera di quarzo avventurina là. Sono stato in Nord Africa per comprare avventurine e spinelli. Poi sono sceso più a sud in una miniera di diamanti.»

«Il Capo di Buona Speranza. Ma non c'è niente di buono e nessuna speranza da quelle parti. Solo pirati. Più roccia da rubare che da scavare.»

«Com'è possibile?»

«Mio padre e mio fratello lavorano in una miniera laggiù. Condizioni terribili. E certi giorni i padroni non danno paga. Rubano ai lavoratori. Ecco perché sono qui. Posso lucidare scarpe e guadagnare di più di mio padre in una giornata. Un giorno posso portare miei soldi a casa per aiutare la mia famiglia. Vorrei lavorare in campagna. Io so lavorare la terra.»

«Per farlo dovresti andare a nord.»

«Vostra moglie ha detto che ci sono fattorie vicino a Treviso, a nord. Campi di mais e grano.» Il ragazzo alzò gli occhi dalle scarpe per guardare Speranza.

«Sì. Campi verdi. Cielo azzurro. E, in lontananza, le cime innevate delle Dolomiti. Io e mia moglie viviamo in una fattoria nei dintorni di Treviso durante l'estate.»

«I vostri figli lavorano nella fattoria?»

«Non abbiamo figli.» Speranza rispose con un sorriso, ma in realtà il riferimento ai figli era da sempre una spina nel cuore per lui. Non aveva potuto dare un figlio ad Agnese, il sogno più grande di sua moglie.

«La signora è forte.»

«Sì, lo è. È una madre per tutti.»

Il giovane lustrascarpe sorrise. «Io ho una madre forte.» Si raddrizzò, con lo straccio in mano. «Ecco fatto.»

Romeo si guardò le scarpe. «Bene, ora si vede la pelle. E, cosa ancora più importante, la vedrà anche la signora Speranza.»

«Bella pelle.»

«Pelle fiorentina, la migliore.» Speranza si frugò in tasca. «Le scarpe devono essere comode. Si lavora meglio.»

Il lustrascarpe era scalzo.

«Ho un negozio in Calle Soranzo. Una gioielleria. Passa da me domattina e vedremo come realizzare il tuo sogno di lavorare in una fattoria.» Speranza porse sette lire al ragazzo.

«Mille grazie, signore. Mille grazie.»

«Magari cambierai idea quando conoscerai la mia vacca.»

«Lavorerò sodo.»

«Sarai costretto. La vacca è irascibile, il maiale è stupido e l'asino ha una zampa malandata.»

«Capisco.»

«Dove dormi?»

«Sotto il ponte» rispose il giovane etiope indicandolo.

«Come ti chiami?»

«Aimo.»

«Allora vieni a trovarmi domani, d'accordo, Aimo?»

«Lo farò, signore.»

Speranza si avviò verso il negozio. Si fermò di colpo quando si rese conto di quanto era emerso dalla conversazione con il giovane lustrascarpe. Agnese non lo aveva mandato in Calle Sant'Antonio per una semplice lucidatina. In realtà lo scopo era fargli conoscere quel ragazzo, in modo che l'ingaggio risultasse frutto di una sua iniziativa. Probabilmente aveva già preso accordi con lui per assumerlo alla fattoria. Romeo sorrise. Era una tattica tipica di sua moglie.

Lo scampanio della chiesa accompagnò il sole che iniziava a scendere all'orizzonte. L'ala blu della notte andava lentamente calando sulla città. Venezia si colorava di una patina argentea sotto la luce smorzata. L'uno dopo l'altro i palazzi che abbellivano i canali sprofondavano nell'ombra, come i santi nelle loro nicchie in una chiesa buia quando le candele si spegnevano.

282

L'isola di Murano scintillava in lontananza, illuminata dalle fiamme che danzavano nelle fornaci per la lavorazione del vetro gettando un balenio nell'aria e formando un alone bianco nel cielo notturno. *Ogni luogo è sacro quando tramonta il sole*, rifletté Speranza mentre, nell'oscurità incombente, si affrettava verso casa, da Agnese, per celebrare lo Shabbat.

Liverpool, 9 giugno 1940

Il transatlantico all'ancora nel porto era così alto e ingombrante che impediva di vedere la luna. Il gemito degli ormeggi suonava come un coro di lamenti dei fantasmi. La bellezza si era presa una vacanza sulle banchine di Liverpool, anche se le navi che le affollavano erano imponenti. Una squadra di uomini lavorava giorno e notte per riconvertire l'*Arandora Star* in modo che fosse pronta all'impiego in operazioni belliche.

In un primo tempo l'*Arandora* aveva trasportato le truppe alleate evacuate dalla Norvegia e dalla Francia. La Marina inglese aveva approntato un piano di riconversione, prontamente messo in atto dai portuali britannici. La nave requisita sarebbe entrata a far parte della flotta mercantile a Liverpool per trasportare i prigionieri di guerra dei Paesi appartenenti all'Asse.

Le banchine di Liverpool furono presto affollate da schiere di irlandesi che si riversarono in città in cerca di lavoro. Le requisizioni erano soltanto una parte dell'ordine di prepararsi alla guerra; anche i gallesi stavano costruendo navi atte allo scopo. Le linee di produzione erano attive a tempo pieno grazie al lavoro di costruttori navali, tecnici e maestranze che dovevano preparare una nuova flotta di sottomarini e incrociatori militari. Gli scali di costruzione lungo l'insenatura del porto erano stipati da una miriade di imbarcazioni di ogni dimensione, acquisite o costruite dalla Corona.

La Gran Bretagna aveva dichiarato guerra nel settembre 1939. La Germania aveva attaccato i Paesi Bassi e la Francia nel maggio 1940. Gli operai che lavoravano nei cantieri navali sperimentarono un'escalation nel carico di lavoro e l'urgenza di portare a termine in tempi brevi i compiti a loro assegnati. Tutte le imbarcazioni idonee alla navigazione, dagli skiff ai transatlantici, furono requisite per difendere l'isola. Gli inglesi avevano già riportato perdite in Francia ed erano stati umiliati a Dunkerque, ed erano pronti a fare qualsiasi cosa per recuperare. Erano decisi a mostrare al mondo che le navi migliori venivano costruite a Liverpool.

Negli intervalli fra un turno di lavoro e l'altro i pub erano affollati di operai. Si presentavano per bere una pinta con i vestiti sporchi di vernice grigia e bianca, mentre altri avevano chiazze di vernice rossa perché avevano dipinto una croce alta quindici metri sulla poppa dell'*Arandora*. Quel simbolo su una nave adibita a ospedale era il chiaro indizio che presto la guerra sarebbe esplosa sulle isole britanniche come l'eruzione di un vulcano, scatenando un inferno di fuoco con le bombe incendiarie sganciate dalla Luftwaffe.

Liverpool era un importante snodo militare sulla costa nord-occidentale inglese. Chi non dava da mangiare ai marinai, non cuciva le loro uniformi, o non offriva loro un tetto, non veniva considerato un suddito leale. Liverpool non era più una città di gente operosa che portava avanti le proprie attività; era diventata il fulcro della macchina organizzativa della guerra.

Si fecero sforzi encomiabili per preservare la magnificenza dell'*Arandora Star* e delle navi gemelle, sfruttando nel contempo le sue dimensioni e la sua potenza a vantaggio dello sforzo bellico. Le finiture in mogano con intagli a mano e le carte da parati William Morris erano state coperte con pesanti teli di cotone. I sontuosi lampadari di cristallo, che un tempo ornavano le cabine di rappresentanza come gioielli, erano accuratamente protetti da teli di mussolina leggera. La loro rimozione avrebbe comportato il rifacimento della rete elettrica dell'intera nave, e non c'era tempo per farlo. Quel che restava dell'antico splendore architettonico e decorativo del transatlantico fu cancellato, con la sola eccezione della sala da pranzo del capitano, che rimase intatta.

Una notte accadde che tre ragazzini del posto, di circa dodici anni, si inoltrarono furtivamente sul molo imbracciando dei fucili ad aria compressa. Si muovevano rapidamente acquattandosi dietro i piloni e comunicandosi a gesti di restare giù, finché concordavano di avanzare verso il nascondiglio successivo, con l'obiettivo di avvicinarsi il più possibile all'*Arandora Star*.

Per un po' rimasero a guardare una squadra di uomini intenti a fissare con il martello l'ultimo tratto di recinzione di filo spinato che proteggeva il ponte più basso. Allungando il collo, videro che anche i livelli superiori erano stati cintati nello stesso modo. I ponti di coperta, un tempo aperti e pieni di passeggeri che prendevano il sole sulle sdraio o giocavano a carte, ora non erano altro che gabbie vuote. Presto l'elegante transatlantico sarebbe stato completamente avvolto da una rete, come se fosse anch'esso un prigioniero.

I piccoli sabotatori udirono le chiacchiere degli operai che, finito il turno di lavoro, lasciavano la nave per andare al pub. Attesero finché l'unico suono percepibile fu quello della nave che beccheggiava e scricchiolava, intrappolata nello stretto bacino di costruzione come una balena grigia.

«La più grande e la più bella di tutte» commentò uno dei ragazzi.

«La riempiranno di sporchi *tallies* per rispedirli tutti al loro Paese, l'Italia.»

«Come fai a saperlo?»

«Il mio vecchio ha detto che presto faranno una retata e li cacceranno via. Qui ci rubano il lavoro. Sono ladri.»

«Tuo padre sta lavorando?»

L'amico fece cenno di no con il capo.

«Ecco il guaio.»

I ragazzi, nascosti dietro il cancello del molo, continuarono a osservare i cambiamenti apportati all'esterno dell'*Arandora*.

«L'hanno foderata di filo spinato in modo che i *tallies* non possano saltare giù.»

A un certo punto un ragazzo puntò il suo fucile ad aria compressa verso la prima fila di scialuppe di salvataggio allineate su un fianco della nave. «Questo è per mio zio, che è disoccupato da un anno. I *tallies* gli hanno soffiato il posto alla catena di montaggio di Evermeade.» Prese la mira e premette il grilletto. Si sentì un *ping* quando il proiettile rimbalzò sulla recinzione del ponte.

«Ehi, amico!» disse quello dalla zazzera rossa. «Sei proprio una schiappa!»

«Provaci tu, allora» si difese il compagno, risentito.

Il rosso agì con calma. Socchiuse gli occhi, li puntò oltre il calcio del fucile e seguì meticolosamente la linea rossa della zavorra della scialuppa sospesa a poppa. Stabilizzò il tiro e con mano ferma prese la mira. Fece fuoco. Il proiettile colpì in pieno la zavorra di gomma, che iniziò a sgonfiarsi. «Questo sì che è per tuo zio.»

I ragazzi fecero scoppiare diverse scialuppe l'una dopo l'altra, prendendole di mira tutti insieme. Coordinando i tiri, i pallini colpivano i bersagli contemporaneamente.

Quando udirono il fischio dell'ennesimo gommone che si sgonfiava diventando inutilizzabile, scoppiarono a ridere. Poi abbassarono le armi. Avevano perso interesse in quel giochino. Il ragazzino dai capelli rossi ebbe un capogiro che gli fece perdere l'equilibrio; inciampò e ruzzolò giù dal terrapieno finendo tra il molo e la linea di approdo. Gli altri due si lanciarono giù dopo di lui, concludendo la loro incursione fra le risate.

30

Glasgow, 10 giugno 1940

Da neosposi, non appena tornati da Manchester, John e Domenica si erano stabiliti nella foresteria annessa al convento di Notre Dame de Namur su invito delle monache stesse. Lei continuava il suo lavoro come infermiera della scuola, mentre suo marito si rendeva utile.

Suor Matelda stava aspettando che Domenica finisse di medicare un'allieva che si era procurata un taglio alla mano giocando. Domenica alzò gli occhi e, dall'espressione sul viso della suora, capì immediatamente perché era lì.

«L'ha fatto?»

Suor Matelda annuì. «Mussolini ha dichiarato guerra a Inghilterra e Francia e si è alleato con la Germania.»

Domenica si sentì morire. Quella notizia significava che di lì a poco suo marito si sarebbe imbarcato. I suoi genitori sarebbero rimasti sfollati in campagna. Le famiglie si sarebbero sfasciate e gli amici sparpagliati, e nessuno sarebbe stato al sicuro. La luna di miele era finita e non c'era modo di sapere com'era la vita dall'altra parte della barricata.

11 giugno 1940

Matteucci si guardò intorno nell'appartamento sopra la gioielleria nel quartiere più occidentale di Glasgow. Sua moglie Carolina aveva lasciato una tazza da tè con il piattino sul tavolo e un bollitore sui fornelli. Lo toccò per assicurarsi che lei avesse seguito le sue istruzioni. L'aveva fatto. Era caldo al tocco. Accese la luce vicino alla finestra e alzò gli scuri a metà, dopodiché scese di corsa le scale per andare in negozio.

Piccolo aveva quasi finito di sistemare gli espositori. Aveva riempito i vassoi di velluto di esemplari falsi, copie dei gioielli che suo padre aveva nascosto. Ripose le imitazioni al loro posto per far sembrare tutto regolare. Alzò lo sguardo. «Li sento vicini, papà. Sbrigati.»

«Comincia ad andare tu» sussurrò Matteucci prima di spegnere tutte le luci del negozio e abbassare le tende. Era già nel retrobottega quando si ricordò degli orologi d'oro. Sgattaiolò in negozio al buio e cercò la chiave. Gli venne in mente che se l'era messa in tasca. Aprì il cassetto tremando. Li sentiva, erano nell'isolato vicino. Li udiva scandire i loro slogan violenti, insieme al rumore di vetri in frantumi. *Hanno preso i Franzetti.* Gli si gelò il sangue.

«Papà, *svelto!*» lo sollecitò Piccolo dalla soglia.

Matteucci seguì il figlio nel retro e gli consegnò gli orologi d'oro. Mentre il giovane si apprestava a scendere la scala a pioli, Matteucci sparse sulla scrivania delle carte di nessuna importanza e sul piano di lavoro degli strumenti da tagliatore che aveva già intenzione di vendere. Poi si inginocchiò e strisciò sotto il tavolo per seguire il figlio nello scantinato. Posò i piedi sul primo piolo. Diede un ultimo sguardo circolare per accertarsi di aver messo al sicuro tutti i pezzi di valore.

«Papà, muoviti!» gli bisbigliò Piccolo. Amedeo abbassò la botola sopra la testa, si assicurò che fosse ben chiusa e finalmente scese con l'aiuto del figlio.

In precedenza Matteucci aveva coperto la botola con un pezzo di moquette perfettamente coordinato a quella sotto il tavolo. Aveva manomesso il pedale della macchina da taglio nella speranza che, con un po' di fortuna, tornasse da solo al suo posto e che la botola passasse inosservata. Pregò che lo stratagemma funzionasse.

Carolina si fece il segno della croce quando il marito si sedette accanto a lei sulla panca in quel buco umido. Piccolo spense la fiammella tremolante della lampada a olio. La figlia dodicenne di Matteucci, Gloriana, che era terrorizzata dal vuoto e dall'oscurità, si rincuorò un pochino quando la madre la attirò a sé.

La ragazzina sedeva sul paniere avvolto in una coperta, contenente i viveri essenziali. C'era una grande bottiglia d'acqua con un'unica tazza di alluminio appesa al collo. Sotto la panca erano ficcate altre coperte e cuscini. Avevano portato anche la radio e una lattina d'olio di scorta per la lampada. La signora Matteucci aveva imballato i piatti e i bicchieri che si erano portati dietro dall'Italia, e ora le casse ingombravano quello spazio angusto. Suo marito era troppo spaventato per essere arrabbiato con lei. Si era nascosto addosso il denaro e i documenti. D'un tratto si udì un miagolio.

«Nero?» esclamò Amedeo con un sobbalzo. La bambina lo raccolse e lo strinse a sé. Il gattino smise di miagolare, come se avesse capito la situazione.

Matteucci spense la lampada a olio.

«E se appiccano il fuoco?» sussurrò Carolina.

«Non bruceranno ciò che è loro» replicò Matteucci indicando a sinistra e a destra, riferendosi all'emporio e al bar di fianco, che erano gestiti da scozzesi.

Piccolo si portò un dito davanti alla bocca e indicò in alto.

I Matteucci udirono il rovinio della vetrina che andava in frantumi e i ripetuti colpi d'ascia che si abbattevano sulla porta del negozio sfondandola. Poi udirono delle voci. Lo slogan "Sporchi italiani" proveniente dalla strada fu seguito dal fracasso degli espositori che venivano sfasciati a randellate a uno a uno. La moglie di Amedeo chiuse gli occhi e strinse la figlioletta al petto, recitando silenziosamente il rosario mentre il lavoro di una vita veniva distrutto. Piccolo non riuscì a trattenere un impeto di rabbia e suo padre dovette faticare per impedirgli di prendere la scala e affrontare i saccheggiatori.

«Mei-tiu-zii?» urlò uno dei teppisti con tono cantilenante e derisorio. «Mei-tiu-zii?» La pronuncia errata del loro cognome era un chiaro segnale che quei facinorosi in realtà non sapevano nemmeno chi stessero aggredendo. Il pavimento tremava con violenza sopra le teste di Amedeo e dei suoi famigliari mentre gli sciacalli attraversavano il laboratorio con le loro scarpacce. Avevano un passo così pesante che i Matteucci temevano potessero sfondare il parquet, peraltro già deformato.

Rimasero fermi, impietriti, quasi senza respirare. Udirono delle risate che li raggelarono.

«Distruggi la macchina» disse un uomo.

«Non riesco a muovere la rotella» disse un altro.

«Prendi quei fogli.»

I consueti suoni del laboratorio, il ronzio del disco da taglio, il tintinnio degli strumenti, erano sostituiti da una sinistra *ouverture* di violenza, i colpi delle mazze che si abbattevano sul piano di lavoro. I vandali presero gli attrezzi del mestiere che Matteucci aveva sparpagliato sulla scrivania e usarono anche quelli per distruggere tutto ciò che c'era intorno. Mentre mandavano in frantumi la vetrina e persino specchi e cornici, Matteucci sentiva sul proprio corpo ogni mazzata inferta al suo negozio. Infierirono anche contro le lampadine, finché del lampadario non rimase che la catena alla quale era appeso.

«Andate di sopra!» sbraitò un uomo. «Fate piazza pulita!»

L'appartamento era il regno della signora Matteucci. Afferrò la mano di suo marito e la strinse forte mentre immaginava i materassi di piume sventrati e la sedia a dondolo che suo marito aveva costruito con le proprie mani quando era incinta di Piccolo sfasciata senza pietà. Si figurò i montanti della sedia intagliati a mano divelti dai loro alloggiamenti e i pattini della base spezzati in due. Una rovina. Pensò alla cameretta di Gloriana e alla sua casa delle bambole. «Fissay l'ho portata con me» sussurrò Gloriana a sua madre. Sebbene fosse ormai troppo grande per giocare alle bambole, la ragazzina custodiva la bambola di pezza come un tesoro poiché era stata sua madre a realizzarla per lei quando era piccolina. Non avrebbe permesso a una banda di delinquenti di distruggere il prezioso lavoro della sua mamma.

Altri uomini irruppero in casa Matteucci; salirono le scale con passo pesante per poi tornare in negozio dopo pochi minuti facendo di nuovo tremare il pavimento. Tutta la famiglia udì i passi spostarsi dal fondo del negozio verso l'uscita, e poi il tintinnio del campanello quando la banda uscì da quello che ormai era soltanto un telaio vuoto. Matteucci si prese la testa fra le mani. La porta del negozio era una vera e propria opera d'arte, impreziosita dal miglior vetro istoriato prodotto nelle vetrerie di Edimburgo. *Stanno distruggendo le loro stesse creazioni*, pensò.

Dopo qualche minuto di silenzio, certo che se ne fossero andati, Piccolo sussurrò «Torniamo su, papà», e riaccese la lampada a olio.

Matteucci fece cenno di no con il capo, spense la lampada e alzò lo sguardo proprio mentre il pavimento del laboratorio riprendeva a scricchiolare sopra le loro teste. Evidentemente qualcuno aveva capito dove si erano nascosti.

Altri passi pesanti si unirono a quelli del primo uomo. Erano arrivati i rinforzi.

Nello scantinato, i Matteucci non osavano muoversi. Poco dopo, i passi che si erano fermati per qualche istante in un certo punto della stanza ripresero a muoversi e si avviarono verso l'uscita. Si udì di nuovo un tintinnio quando gli intrusi varcarono la porta scardinata.

«Se ne sono andati» sussurrò Carolina.

«Vado a vedere» disse Piccolo.

Suo padre lo bloccò con decisione. «Non torneremo su finché non sorgerà il sole.»

«Ho paura, papà» disse Gloriana con un fil di voce.

«Non preoccuparti. Sono dei vigliacchi. Non faranno vedere i loro brutti musi alla luce.»

«Ma, papà…» cercò di ribattere Piccolo.

«McTavish verrà a cercarci domattina all'alba. Se ci dirà che non c'è più pericolo, andremo su. Ma sino ad allora, resteremo qui.»

La famiglia Matteucci si sistemò alla meglio nel suo nascondiglio.

Il padre di Amedeo era un immigrato che, al suo arrivo in Scozia, aveva sposato una connazionale. Matteucci si sentiva in debito nei confronti della Gran Bretagna per la vita serena che si era potuto concedere con moglie e figli. La famiglia aveva fatto fortuna a Glasgow. Scozzese orgoglioso, Matteucci si era unito all'esercito britannico e aveva preso parte alla Prima guerra mondiale in Francia combattendo nella Battaglia della Somme. Sia lui che la moglie partecipavano attivamente alla vita della comunità. Carolina dirigeva il Thistle Sewing Circle, uno dei circoli femminili più vecchi della città, dedicato ai lavori di cucito. La figlia Gloriana aveva vinto un concorso scolastico con un tema intitolato "Scozia per uno e per tutti". Il figlio maggiore, Piccolo, era innamorato di Margaret Mary McTavish, una ragazza appartenente a una famiglia di antica tradizione scozzese, il cui padre era il proprietario dell'emporio di fianco alla gioielleria. Era stato proprio Lester McTavish ad avvertire Matteucci della notte di razzia organizzata contro gli italo-scozzesi. Ne aveva sentito parlare dopo la Messa, durante una riunione riservata alle persone originarie di Glasgow. Quella mattina l'uomo si era precipitato a casa per mettere in guardia il suo amico. E poiché non c'era abbastanza tempo per fuggire, avevano ideato insieme un piano per scampare alla spedizione punitiva. E ora lo stavano mettendo in atto.

Matteucci accese la lampada a olio. Pensò a casa sua, ma non si figurò le verdi colline emiliane di Bardi, coperte di girasoli, bensì le Highlands scozzesi, dove aveva portato Piccolo a fare escursioni sin da bambino. Matteucci aveva insegnato al figlio a pescare nello stesso fiume dove lui aveva imparato a pescare da ragazzino. Si accampavano all'aperto e mangiavano lamponi selvatici sotto il sole. L'erica ingentiliva le colline immergendole in una tavolozza di sfumature dal rosa al violetto. Matteucci trovava l'aria delle Highlands la più dolce che avesse mai respirato. Ma quelle montagne e tutto ciò che poteva donargli il fiume non gli appartenevano più. Lo scozzese che c'era in lui avrebbe voluto reagire, mentre l'italiano sperava soltanto di riuscire a tenere duro. Matteucci si sentiva un uomo senza patria, anche se era stato disposto a sacrificare la sua vita per essa. Era stata pura fortuna se non era morto in guerra, perché la lealtà seguiva soltanto una direzione.

Se Matteucci considerava ormai la Scozia il suo Paese, Domenica era rimasta profondamente legata all'Italia. Non aveva mai smesso di sperare di tornare a Viareggio, ma il destino l'aveva tenuta lontana da casa. Era sposata al capitano ora, e questo la rendeva scozzese. In cuor suo, però, mettendo da parte la politica e la superbia dei potenti, lei restava un'italiana e sarebbe morta come tale. Suo fratello si sarebbe ritrovato a combattere contro suo marito. I suoi genitori erano nascosti in collina, e se la famiglia era la sua vita, significava che anche una parte di lei si stava nascondendo.

Con il passare del tempo Domenica aveva cominciato a innamorarsi della Scozia, nonostante qualche sporadico attacco di nostalgia. In un primo momento non era riuscita ad apprezzarne la bellezza perché sentiva terribilmente la mancanza di casa sua. Aveva barattato, a malincuore, le onde calde del Mar Tirreno con i freddi marosi dell'Oceano Atlantico. Ma alla fine aveva fatto pace con quel nuovo scenario. L'amore aveva cambiato il suo modo di vedere le cose, ed era un costante promemoria dell'educazione che aveva ricevuto e dei doveri che le spettavano. Aveva imparato che il marito aveva la priorità assoluta, perciò l'aveva piazzato al primo posto. Domenica si prendeva cura di John. Cucinava per lui, teneva in ordine la casa e continuava a lavorare nella scuola per mettere da parte il necessario per potersi permettere una casa tutta loro un giorno. Era decisa a fare la sua parte. Quella mattina aveva preparato il borsone di John. La sua uniforme era pronta sul letto. Ma le restava una cosa da fare prima che lui partisse.

«Togliamoci il pensiero, Domenica» disse John.

La seguì in giardino, con indosso canottiera e pantaloni, e si sedette sulla panca. Lei gli legò un lenzuolo intorno al collo come se fosse la mantellina del barbiere. Lo pettinò con cura. Poi sollevò una ciocca di capelli e diede un taglio netto.

«Attenta all'orecchio, tesoro» le disse John. «Devo sentire il nemico.»

«Sono le curve che sono difficili. Non ti muovere.»

«Sono sicuro che stai facendo un buon lavoro.»

«Il mio meglio.»

«Non chiedo altro. Facciamo un gioco. Diciamo che io non mi imbarco e che restiamo in questo cottage per il resto dei nostri giorni.»

«Verrebbero a prenderti.»

«Ho detto che facciamo finta. È una simulazione. Per una volta non essere così concreta.»

«Devo esserlo. Sono io il problema. Un'italiana in Scozia.»

«Non credo che i tedeschi avranno la meglio sulle monache. Non l'hanno fatto per secoli. Nemmeno in Germania.»

Domenica gli tolse la mantellina improvvisata dalle spalle e la scrollò nel cespuglio.

«Mi piace» disse John guardando il suo nuovo taglio nello specchio a mano. «Penso che così possa bastare. Ma mi raccomando, metti via le forbici. Sei una frana come parrucchiera. I nostri figli sembreranno dei fessacchiotti se li conci così.»

Domenica abbracciò suo marito e si tenne stretta a lui. Gli diede un bacio sul collo.

«Signora McVicars.» Il capitano voleva far l'amore con sua moglie. La baciò. «Lo sai che dovremo fare a meno di questo?»

«Non sarà per molto.» Gli scompigliò i capelli appena tagliati.

John diede un'occhiata all'orologio. «Abbiamo comunque la mattina davanti.»

«Adesso?» Domenica rise e rientrò di corsa nel cottage. Suo marito la seguì chiudendosi la porta alle spalle. Poi si voltò e diede una mandata.

15 giugno 1940

Grizelle McVicars, in piedi davanti alla finestra nella sua casa di Tulloch Street, osservò suo figlio John aprire il cancelletto a sua moglie. Gemette alla vista della coppia. Non riusciva a credere che suo figlio avesse avuto la sfacciataggine di portare quella *tally* a casa sua.

«Che cosa ti ha detto quando l'hai chiamata?» chiese Domenica mentre John le cedeva il passo.

«Non granché. Ma ti ricordo che è stata una tua idea. È troppo tardi per tornare indietro ora.»

Il giardino davanti a casa era invaso da gigli dallo stelo lungo che facevano capolino tra disordinati cespugli di bosso. La vernice gialla del vecchio rivestimento esterno si stava sfaldando e il tetto della veranda era sfondato nei punti in cui il legno aveva ceduto a causa delle piogge violente dell'inverno.

«Avresti dovuto ridipingere la casa di tua madre.»

John lanciò un'occhiataccia alla sua neosposa e bussò.

Grizelle McVicars andò alla porta per accogliere il figlio e gli porse la guancia invitandolo a darle un bacio. Indossava un sobrio abito nero e scarpe marroni. I capelli bianchi erano raccolti in una treccia.

«Mamma, vorrei presentarti mia moglie, Domenica» disse John.

Domenica le tese la mano. Grizelle la ignorò. «Bene. Entrate, allora» disse dopo essersi guardata in giro per capire se i vicini avessero assistito alla scena.

John guardò Domenica e alzò gli occhi al cielo.

I due seguirono la donna in cucina. Aveva preparato dei biscotti sul tavolo. Il bollitore fischiava sul fuoco. Domenica e John si sedettero.

«Ho ricevuto la chiamata.»

«Vedo che sei in uniforme. Dove sei destinato?»

«Mi è stato chiesto di mantenere il massimo riserbo.»

«Ma io sono tua madre.»

«Non vogliono che diamo dettagli. In questo modo nessuno sa nulla.»

«Capisco. A tua moglie l'hai detto?» chiese, pur continuando a ignorare la presenza di Domenica.

«Sì, mamma.»

«Ma a tua madre non puoi dirlo.»

«No, mamma.»

«E tu cosa farai?» chiese Grizelle rivolgendosi alla nuora.

«Continuerò a lavorare come infermiera.»

«Mamma, hai intenzione di offrirci un tè?»

«La teiera è lì» disse Grizelle, e si allontanò.

«Ho detto qualcosa di sbagliato?» chiese Domenica, preoccupata.

John si alzò. «Tu rimani qui.»

Andò in soggiorno. Sua madre non c'era. Lanciò un'occhiata nella veranda attraverso la zanzariera. Non era nemmeno lì. Salì al piano di sopra. Bussò piano alla porta della sua stanza. «Mamma?»

Lei non rispose.

John provò ad aprire la porta. Sua madre era in piedi davanti alla finestra e gli voltava le spalle. «Mamma?»

«Vai fuori da casa mia e non tornare mai più.»

«Mamma…» John notò che sua madre stava stropicciando il fazzoletto con un tale nervosismo che di sicuro l'avrebbe strappato.

«Ti ho detto di non tornare mai più in questa casa. Ti sei sposato a mia insaputa. Con una cattolica. Una *tally*. Non me l'hai presentata prima di andartene di casa e me la porti qui ora, quando è troppo tardi e non posso fare nulla per impedirti di commettere questa sciocchezza? E credi che io possa accettarlo?»

«Hai fatto di tutto per impedire questo matrimonio. Sono venuto qui per darti la possibilità di scusarti.»

«Ti rendi conto che li stanno rastrellando? Li stanno cacciando dal Paese perché sono coinvolti in decine di episodi di tradimento. Non ci si può fidare di loro. I *tallies* sono sporchi. Giocano d'azzardo, vendono alcolici, rubano il lavoro ai nostri giovani perché in Scozia la carnagione scura è considerata esotica. Bene, vedrai quanto saranno esotici quando verranno spediti in mare come delinquenti qualsiasi. Churchill non si è mosso in maniera abbastanza tempestiva, a mio parere.»

«Mamma!»

«Le loro donne sono tutte puttane. Ma questo lo sai già.»

«Non ti permetto di parlare di mia moglie in questo modo. Glasgow non è più un posto sicuro per la brava gente. Tu e quelli del tuo stampo, siete voi i responsabili della violenza dilagante.»

«Le persone che la pensano come me sono più numerose di quanto credi.»

«Non lo metto in dubbio. Ma so per certo che mio padre si vergognerebbe di te.»

«E pensi che me ne importi qualcosa? Era una canaglia. E chi lo vedeva mai? Era sempre in mare. E quando era a terra, beveva.»

«Aveva le sue buone ragioni, con una moglie impicciona come te. Lui non avrebbe mai aperto la posta di un altro. Come hai potuto fare una cosa simile? Sai quanto tempo abbiamo perso a causa tua?»

«Mi pento di non averle bruciate, quelle lettere. Ma non potevo distruggerle sapendo che un giorno sarebbero state tutto ciò che mi restava di te. Ma ora non mi interessa più. Sono contenta che tu le abbia trovate. Non so cosa ti porterà la guerra. Quel che sarà, sarà. Io ti ho perso per sempre il giorno in cui hai sposato quella donna.»

Domenica aspettava suo marito in veranda, davanti alla porta. Lui uscì e la raggiunse.

«Andiamocene» le disse dando un'occhiata alla casa per l'ultima volta. «Non metterò mai più piede qui dentro.»

«Cambierà idea, vedrai» lo rincuorò Domenica.

John tenne la mano di Domenica per tutto il tragitto del tram che li riportava in convento. Lei non gli fece pesare la sua delusione; non voleva turbare suo marito dopo il rifiuto della madre, e poi, a cosa sarebbe servito mostrare reazioni emotive in quel momento? Le decisioni venivano prese da uomini che non avevano considerazione per donne come lei. Il tram scampanellò mentre loro scendevano. Le espressioni sul viso dei passeggeri sotto la pensilina, in attesa di salire a bordo, erano cupe come il cielo sopra la loro testa.

«Sta per piovere» disse Domenica.

«Già. Proprio una giornataccia.»

«Gli stivali e l'impermeabile sono nel borsone. Ti ho stirato le camicie e ho rinforzato i bottoni dell'uniforme. Si erano allentati.»

«L'ho notato.» John batté dei colpetti sui bottoni della giacca. «Grazie.»

Si avvicinarono all'ingresso del convento. Domenica non voleva varcare il cancello, e lui non se la sentiva di lasciarla. Così rimasero lì a guardarsi negli occhi, conservando ogni istante come se fosse una pietra preziosa.

Quand'era bambina, Domenica aveva tenuto in mano uno zaffiro scintillante da sei carati. L'intermediario che stava trattando con suo padre in negozio le aveva permesso di tenerlo nel palmo della mano per un po'. Domenica ricordava di averlo trattenuto così a lungo che quel signore aveva dovuto chiederle di restituirglielo per rimetterlo al sicuro. Non aveva più visto il colore di quello zaffiro sino a quando non aveva incontrato il capitano, i cui occhi avevano lo stesso irresistibile scintillio azzurro.

Domenica strinse suo marito, e lui si abbandonò nel suo abbraccio.

C'era un punto fra l'orecchio e la spalla di Domenica, nell'incavo del collo, che McVicars adorava. Lì si concentrava il suo profumo, di rosa e vaniglia. John amava rifugiarsi in quella curva deliziosa ogni notte da quando si erano sposati, e quando si svegliava al mattino era piacevolmente sorpreso di aver dormito fra le braccia di sua moglie. Prima di Domenica era agitato e dormiva male. Si chiese se sarebbe riuscito a prendere sonno anche solo per brevi intervalli sino al momento in cui sarebbero stati di nuovo insieme.

«Non voglio imbarcarmi. Ed è la prima volta in vita mia che mi capita di dire una cosa simile.»

«E pensare che temevi che fossi io ad allontanarti dal mare.»

«In questo momento vorrei che tu potessi farlo.»

«Ma tu ami il mare.»

«Non quanto te.»

«Sai una cosa, capitano McVicars? Quasi ti credo.» Domenica fece un passo indietro ed esaminò la sua uniforme. «Riposati tutte le volte che potrai.»

«Lo farò.

«E mangia un'arancia ogni volta che te ne offriranno una.»

«Lo farò.»

«Sii un costruttore di pace. E mi raccomando, sii prudente.» Glielo fece promettere. «E prega.» Si frugò in tasca. «Questa ti aiuterà a ricordarti di farlo.» Gli mostrò una medaglietta appesa a una catenina. «È Nostra Signora di Fatima. Ti proteggerà.» Si alzò in punta di piedi e gli allacciò la catenina al collo. «Tienila sempre con te.»

John prese sua moglie fra le braccia e si congedò da lei con un lungo bacio appassionato. «La prossima volta che mi vedrai, i capelli saranno cresciuti e non ci sarà più traccia di questo orribile taglio.»

Domenica rise e lo salutò con la mano.

Mentre percorreva il vialetto per tornare al tram che lo avrebbe riportato a Glasgow per prendere il treno per Liverpool, dove avrebbe trovato gli ufficiali e l'equipaggio dell'*Arandora Star* sul molo ad aspettarlo, John provò una fitta al cuore. L'ultima cosa che ricordò fu la risata trillante di Domenica che risuonava dentro di lui come una campanella.

31

Liverpool, 15 giugno 1940

McVicars, sulla passerella dell'*Arandora Star*, alzò lo sguardo. Da marinaio aveva constatato con i suoi occhi quanto potesse essere selvaggio il mondo e crudeli gli uomini. Era stato percorso da un brivido davanti a una balena arpionata nelle isole Aleutine e aveva ancora gli incubi al ricordo di una lotta brutale fra due marinai che si era conclusa con il lancio fuori bordo e la morte di uno dei due contendenti. Era stato testimone di ogni genere di situazione disperata in mare aperto, ma non aveva mai visto una nave subire uno scempio simile. L'*Arandora Star* era fasciata di filo spinato. Si sentiva sopraffatto dalla vergogna mentre si accingeva a prendere servizio. La rabbia diede un'ulteriore spinta ai suoi passi quando si diresse nella sua cabina situata sul ponte superiore, all'ultimo livello della nave. Gli era stato assegnato il grado di primo ufficiale, incaricato di assistere il capitano nella conduzione della nave.

McVicars tirò fuori del bagaglio l'alta uniforme e la appese nel piccolo armadio della sua cabina. Posò le scarpe per terra e chiuse il portello di boccaporto. Guardando fuori dell'oblò non vide altro che una distesa azzurra. Le acque di Liverpool erano libere. Flotte di navi erano all'ancora nel porto, in paziente attesa di ricevere un'assegnazione. L'una dopo l'altra, presto avrebbero levato gli ormeggi e preso il largo per compiere la propria missione. McVicars tamburellò sullo spesso vetro dell'oblò prima di aprirlo. Il telaio era di legno di ciliegio verniciato. I particolari dei bordi e della chiusura erano di un elegante ottone lucido, solo il massimo della raffinatezza, come c'era da aspettarsi da un transatlantico della Blue Star Line. Era chiaro che si trattava di una lussuosa nave transoceanica requisita dal governo per le sue dimensioni e la sua capienza, ma era impossibile nasconderne i dettagli più lussuosi. *Questa doveva essere la mia luna di miele*, pensò. Era ansioso di ricevere ordini e di scoprire dov'era diretta la nave. Aveva avuto qualche vaga informazione al riguardo. Girava voce che avrebbe dovuto raggiungere il Canada, ma non sapeva quale fosse lo scopo di quella traversata. Chiuse l'oblò e uscì per presentarsi a rapporto dal suo superiore.

Mentre percorreva i corridoi della nave, notò che le pareti erano state rivestite di tela cerata e il pavimento era coperto da tappetini di gomma con lo scopo di salvaguardare il lucido parquet di noce. I lavori erano stati fatti così di recente che l'odore di vernice permeava ogni passaggio. Un triste grigio militare e un bianco smagliante sostituivano le rifiniture oro e argento che decoravano la nave ai tempi dei suoi viaggi di piacere.

«Agli ordini, capitano Moulton.» McVicars si presentò al comandante con il saluto militare. Moulton era un signore anziano con i capelli bianchi, delle folte basette e una macchia di uovo sul davanti della sua uniforme. *Deve aver fatto una tradizionale colazione all'inglese*, si disse McVicars, *perché porta quella macchia come fosse una medaglia della Legion d'Onore*.

Moulton restituì il saluto militare al primo ufficiale. «Sono troppo vecchio per questo lavoro» disse sorridendo, e aggiunse: «Lo ero già dieci anni fa».

«A me sembra in ottima forma, signore» mentì McVicars.

«In una forma decente per gestire questa bagnarola di lusso, sì. Affidano gli incarichi più stimolanti ai più giovani, com'è giusto che sia. Questo spiega perché noi due siamo stati assegnati all'*Arandora*.» Moulton rise.

McVicars si associò ridacchiando. «Forse hanno bisogno della nostra saggezza, signore.»

«Per fare cosa? Per trasportare prigionieri? Da quando il governo inglese è diventato guardia carceraria? Se fosse stato per me, non avrei mai accettato l'incarico.»

«Chi sono questi prigionieri?» si informò McVicars.

«Ci sono nazisti dichiarati, e naturalmente intellettuali e professori tedeschi. Circa cinquecento in tutto. Nessuno di loro parteggia per l'Inghilterra. Il gruppo più numeroso sarà composto da italo-scozzesi e alcuni italiani provenienti da altre province.»

«Italo-scozzesi?» McVicars sbiancò.

«Sì, dai ragazzini agli uomini di ottant'anni. Circa 730 in tutto. Le autorità li individuano e poi li arrestano.»

«Che cosa hanno fatto?»

«Per lo più sono sospettati di appartenenza alla quinta colonna. Non possiamo permetterci di avere spie in mezzo a noi. Sono stati internati a Warth Mills. Noi li lasceremo a St. John's, Terranova. Ci sono dei campi di prigionia laggiù.»

«Perché il Canada? Perché non le Orcadi?»

«C'è un'altra nave anche per le isole» disse Moulton.

McVicars aveva conosciuto molti italo-scozzesi prima di incontrare Domenica. Non aveva appena comprato le fedi nuziali da Matteucci? «In realtà molti di quelli che vengono considerati stranieri ostili sono cittadini scozzesi. Solo perché hanno un cognome italiano, non è detto che siano simpatizzanti di Mussolini.»

«Le autorità non sono in grado di distinguere un *tally* perbene da uno che non lo è, perciò devono espellere tutti» spiegò Moulton. Sbirciò il suo primo ufficiale da sopra gli occhiali. «Perché le interessa, McVicars?»

«Mia moglie è un'immigrata italiana. Sarà costretta a lasciare la Scozia?»

«Farebbe meglio a restare nascosta per tutta la durata del conflitto. Se vuole che stia al sicuro.»

McVicars decise di mandare un telegramma a Domenica non appena i termini della traversata fossero stati chiari e definiti. Quella non era la nave mercantile sulla quale avrebbe voluto imbarcarsi, né la Scozia che conosceva, ma non si sarebbe tormentato per i cambiamenti. Domenica lo amava, ed era l'unica cosa che contava in quel momento.

Londra, 17 giugno 1940

Ettore Sabatini, l'elegante maître del Savoy Hotel, si sedette nella cucina dell'albergo per una colazione leggera prima di iniziare la giornata lavorativa. Ritirò dal fuoco un pentolino di latte fumante usando uno strofinaccio avvolto intorno al manico. Stava versando la schiuma di latte nella tazzina di espresso quando una goccia cadde sulle sue scarpe di vernice. Imprecò, posò il pentolino sui fornelli e si pulì la scarpa con lo strofinaccio. Finì di versare il latte, mise da parte il pentolino, poi alzò la fiamma e gettò una noce di burro in una padella e vi ruppe due uova dentro. Gli albumi iniziarono a sfrigolare. Diede un giro al macinapepe direttamente sulle uova che si stavano rapprendendo.

Sabatini si mise un tovagliolo pulito sulla spalla. Appoggiato al bancone con le braccia incrociate sul petto, fece un bilancio della propria vita. Aveva una moglie in Italia che aveva appena dato alla luce un bambino. Sua madre stava bene. Era riuscito a mandare in patria abbastanza denaro per costruire una casa sulle colline nei dintorni di Firenze. Il Savoy Hotel gli aveva appena dato un aumento. Aveva un buon lavoro. Fece scivolare le uova dalla padella al piatto. Aveva preparato un tovagliolo di lino e le posate d'argento sul tavolo dello chef, con un giornale accanto al coperto. Udì bussare forte alla porta. Raramente il lattaio batteva con tanto vigore. Sabatini andò ad aprire.

Due amici poliziotti lo seguirono in cucina. Chapman e Walker passavano regolarmente da lui per mangiare un boccone dopo il doppio turno del sabato sera. L'hotel aveva buoni rapporti con i tutori dell'ordine locali.

«Signori, siete leggermente in anticipo per lo spuntino di fine turno.»

«Ci dispiace, Sav» iniziò Chapman, e lanciò un'occhiata al collega.

Sabatini sorrise. «Per cosa?» Sapeva bene, attraverso i suoi contatti, che i due erano venuti per lui, ma prima voleva sentire i reati di cui veniva accusato, un diritto che, senza dubbio, doveva ancora spettare a tutti i sudditi di Sua Maestà.

«Tutti i nemici stranieri devono essere deportati immediatamente» spiegò Chapman.

Sabatini si accese una sigaretta. Lavorava in Inghilterra da diciassette anni. Viveva in una cameretta nello stesso albergo in cui lavorava sette giorni su sette e serviva l'élite di Londra in maniera eccellente. Non era né un nemico né uno straniero, ma un servitore.

«Be', ecco, questo è quello che dicono» si affrettò a precisare Walker. «Anche se noi non lo pensiamo.»

«Certo che non lo pensate. Perché non è vero.» Sabatini sorrise. Il maître aveva attraversato un numero sufficiente di momenti difficili nella vita da sapere che era inutile andare nel panico in quella circostanza. Decise di tenere le sue emozioni nascoste con cura, come i fazzoletti da taschino. «Devo chiamare il mio avvocato perché mi raggiunga alla stazione di polizia?»

«Purtroppo no. Dobbiamo metterti su un treno per Liverpool.»

«Non saprei come muovermi in un cantiere navale, signori.»

«Da lì sarai trasferito in un campo di prigionia. Il Primo Ministro vuole che tutti gli italiani siano immediatamente espulsi dal Paese.»

Sabatini annuì. Non c'era modo di uscire da quel guaio. La sua madrepatria si era schierata dalla parte sbagliata e ora lui avrebbe pagato personalmente lo scotto di quella scelta.

«Perdonaci» disse Walker con tono piatto. «Abbiamo visto il tuo nome sulla lista e volevamo essere sicuri che fossero degli amici a venirti a prelevare, per rendere la cosa il più dignitosa possibile.»

Sabatini sospirò. «Prima di andare, posso finire la mia colazione?»

Walker e Chapman si sedettero a tavola accanto a lui. Sabatini passò a ciascuno un tovagliolo di lino prima di versare tre tazze di caffè. Stava posando la zuccheriera e il bricchetto del latte sul tavolo, quando d'un tratto gli venne in mente un ospite americano che aveva servito in hotel anni prima. L'uomo, parlando delle vicende fallimentari della sua vita, si era espresso con un proverbio, che a Sabatini era apparso un po' sibillino. *Chi è ricco è ricco finché non lo è più*. In quel preciso istante Sabatini capì appieno il significato di quella frase. Il maître si sedette, spiegò il tovagliolo, se lo posò sulle ginocchia e mangiò le uova ormai fredde.

Manchester

Don Gaetano Fracassi alzò gli occhi oltre la balaustra dell'altare dove stava distribuendo la Comunione e vide due poliziotti entrare dall'ingresso in fondo alla chiesa di Saint Alban's Ancoats. Si tolsero il berretto e indugiarono accanto all'acquasantiera, l'uno a sinistra, l'altro a destra, immobili e risoluti come le statue di San Pietro e San Paolo sull'altare.

Il prete continuò a distribuire le ostie ai comunicandi inginocchiati lungo la balaustra. Un parrocchiano avanti con gli anni faceva da chierichetto. Teneva in mano la patena quando, alzando lo sguardo, si accorse della presenza dei poliziotti. Il piattino dorato che reggeva sotto il mento di un fedele cominciò a tremare nella sua mano.

Dopo aver ricevuto la Comunione, i fedeli si fecero il nome del Padre e tornarono ai loro posti. Don Fracassi riportò le ostie avanzate all'altare. Chiuse il coperchio della pisside d'oro e la mise da parte. Bevve il vino che era rimasto e pulì il calice con il purificatoio. Piegò con cura le varie pezzuole e infine rimise la pisside con le ostie nel tabernacolo.

Poi si sedette per la riflessione dando le spalle ai fedeli. Dopo qualche minuto si alzò per impartire la benedizione finale con un ampio segno della croce. Di solito Fracassi intonava l'inno di chiusura dirigendosi all'uscita della chiesa per salutare il suo gregge prima che si disperdesse. In quella circostanza, invece, disse: «Fratelli, questa mattina vorrei che lasciaste la chiesa prima di me».

I parrocchiani si scambiarono qualche occhiata, confusi. Poi, guardandosi intorno, si accorsero della presenza dei poliziotti.

«Non allarmatevi» disse il prete con tono pacato. «Questi uomini stanno soltanto eseguendo gli ordini.»

Invece di uscire, il piccolo gruppo di fedeli si raccolse ai piedi dell'altare per esprimere gratitudine al loro Pastore. Il sacerdote li benedisse a uno a uno e consigliò loro di essere strumenti di pace e di rientrare nelle loro case senza creare disordini. Quando la chiesa fu vuota e rimasero soltanto lui e i poliziotti, don Gaetano li raggiunse.

«Don Fracassi, la dichiariamo in arresto.»

Il prete annuì. Si voltò e fece una genuflessione davanti all'altare. Nella fretta aveva lasciato aperta la porticina del tabernacolo. Ci avrebbero pensato le Sorelle a chiuderla, quando sarebbero andate a ritirare i paramenti d'altare.

Glasgow

Amedeo e Piccolo Matteucci erano fermi sul marciapiede davanti al loro negozio, in attesa che la polizia andasse a prelevarli. Avevano preparato una valigia ciascuno, secondo le prescrizioni di legge. Indossavano il loro completo migliore e le scarpe lucide. Matteucci portava anche il Borsalino che la moglie gli aveva regalato per il suo ultimo compleanno. Piccolo, invece, aveva optato per il vecchio Fedora marrone del padre che era ancora in buono stato.

Lester McTavish, il loro corpulento vicino scozzese, proprietario dell'emporio adiacente alla gioielleria, li raggiunse. «Meglio mostrarsi collaborativi con questa gente. Sarete di ritorno in men che non si dica. Parlerò io con le autorità. Non preoccupatevi.»

«Sa dove ci porteranno?» chiese Matteucci.

«All'isola di Man o in una delle Orcadi.»

«E per quanto tempo?» aggiunse Piccolo.

«Un paio di settimane, credo, il tempo che gli occorrerà per distinguere gli immigrati buoni da quelli cattivi.»

«Due settimane» ripeté Matteucci con disappunto. «Io non ho tempo per queste sciocchezze. La mia attività andrà a rotoli.»

«Aiuterò io sua moglie come potrò. Terrà il negozio aperto e riceverà gli ordini finché voi non tornerete. Guardate al vostro arresto come a un piccolo intoppo. Prenderete un po' di sole, vi godrete un po' di meritato riposo, e la guerra sarà finita in un lampo» li rassicurò McTavish. «Se non altro, siamo in estate.»

La moglie e la figlia di Matteucci li guardavano dalla finestra del primo piano. Matteucci temeva che, se le donne fossero scese ad aspettare con loro sul ciglio della strada, la polizia avrebbe avuto un ripensamento e avrebbe arrestato l'intera famiglia.

Margaret Mary McTavish si avvolse uno scialle intorno alle spalle mentre chiudeva la porta del negozio di suo padre per raggiungere gli uomini.

«Sbrigati, Margaret Mary» disse McTavish sorvegliando la strada in entrambe le direzioni. «Saranno qui da un momento all'altro.»

«Sì, papà.»

Piccolo seguì Margaret Mary in gioielleria. «Volevo salutarti come si deve» disse lei sorridendo.

Piccolo la attirò a sé e affondò il viso nella sua capigliatura ramata. Respirò il familiare profumo di gelsomino e la baciò teneramente. «Quando torno parlerò a tuo padre.»

«Sarà meglio» disse Margaret Mary dandogli uno scherzoso schiaffetto sul braccio per poi coprirgli il viso di baci. Quando con la coda dell'occhio vide suo padre voltarsi verso la vetrina, allontanò Piccolo. «Va'» disse.

«Non puoi portarti il telescopio, Arcangelo. Non c'è posto» disse sua moglie Angela mentre gli risistemava la valigia per l'ennesima volta.

«Ce lo farò stare.»

«No, invece. Formaggio o telescopio? Mangiare o sognare? Devi fare una scelta. Puoi rinunciare a guardare le stelle, ma non puoi morire di fame. Prendi il formaggio, piuttosto. Voglio essere sicura che mangi. Ti ho messo una bella baguette lunga.»

«Sarò di ritorno fra un paio di giorni. C'è sin troppo pane e formaggio qui dentro.»

«Ci saranno altri che hanno portato cose inutili dimenticando i viveri. Vedrai, una scorta ti farà comodo. Mi ringrazierai.»

Antica era in piedi dall'altra parte del letto che condivideva con sua moglie da quarantasette anni. «Sì, Angela. Dividerò il formaggio. E il salame.»

«E la grappa.»

«E anche la grappa.»

«Ci sono tre paia di calzini. Tre mutande...»

«Basta, ti prego. Dopo tutti questi anni ho imparato cosa mettermi quando mi alzo al mattino.»

«Volevo solo dirti che cosa ho messo in valigia» disse la donna chiudendola con uno scatto.

Quando la moglie fu uscita dalla stanza, Antica prese il telescopio che aveva costruito con le sue mani. Il tubo ottico era in legno di betulla, un legno abbastanza tenero da poter essere modellato in un cilindro. L'oculare e le lenti erano opera del gioielliere. Matteucci aveva tagliato il vetro e smussato i bordi con una lima. C'erano voluti diversi tentativi per arrivare a un risultato soddisfacente. Dopodiché Antica aveva montato la lente insieme alla manopola per la messa a fuoco e agli anelli di fissaggio del tubo. Sistemò il telescopio sul treppiede che aveva costruito. Tutte le serate senza pioggia lo avevano visto sul tetto di casa sua nella zona nord di Glasgow a contemplare il cielo stellato sopra la sua testa. Tese l'orecchio per tenere sotto controllo i movimento della moglie. Tolse la camicia in più e un paio di mutande per fare spazio al telescopio. Lo sistemò tra il formaggio e i calzini e chiuse la valigia.

«Arcangelo» lo chiamò sua moglie. «Sono arrivati.» La voce di Angela lo riscosse. Lo aspettava in fondo alle scale. Quando il marito la raggiunse, lei lo abbracciò e lo baciò ripetutamente.

«Basta così.» Prese il viso di sua moglie fra le mani. «Tornerò.»

Bury

Sabatini era seduto vicino al finestrino sul treno affollato che attraversava la campagna inglese. La mattina era iniziata con una nota positiva, ma la situazione era precipitata. Sabatini si era ritrovato ad attendere in coda con altri italo-britannici che arrivasse un treno con un numero di carrozze sufficiente per trasportarli tutti. Ora stava ascoltando le conversazioni dei soldati britannici per carpire qualche informazione sul rastrellamento, ma rimase deluso nel constatare che ne sapevano meno di lui.

Il treno passò davanti all'ippodromo che Sabatini conosceva bene; era stato convertito in una base operativa per la gestione dei prigionieri. Poi sfrecciò davanti all'area riservata al circo; di tigri ed elefanti non c'era più traccia da tempo; al loro posto, sotto il tendone a strisce arancioni, erano radunati i prigionieri di guerra tedeschi in attesa di essere trasferiti nei campi di internamento. Il treno era un ronzio di commenti, supposizioni e reazioni sdegnate di emigrati italiani che si sentivano offesi a essere equiparati ai nazisti.

Ma non capiscono? rifletté Sabatini. *Esistono solo due fazioni in una guerra. E guarda caso, sfortuna vuole che l'Italia sia dalla parte sbagliata*. Di solito lui si teneva fuori dal dibattito politico, ma come ogni altro lavoratore ragionevole in Gran Bretagna osservava il rigido sistema classista e aveva le sue opinioni al riguardo. O servivi o venivi servito, non c'era una via di mezzo fra le due condizioni.

Le fabbriche tessili si erano rapidamente convertite alla produzione di uniformi militari invece che di gonne e camicette. Le case private si erano trasformate in centri di reclutamento, e gli edifici pubblici in ospedali militari. Là dove una volta si producevano tessuti di lana, cristalli e porcellane, ora c'erano fabbriche vuote, prive di macchinari, che aspettavano di essere riempite di nemici stranieri. Non era soltanto il governo a voler espellere dal Paese uomini e ragazzi italiani; anche buona parte dell'opinione pubblica sosteneva questa posizione. Se prima le scuole erano affollate di bambini seduti ai loro banchi, ora c'erano prigionieri chiusi nelle aule, in attesa che venisse presa una decisione sulla loro sorte. Tedeschi, austriaci, italiani, nazisti, fascisti, intellettuali. Tutti sospettati, tutti considerati nemici stranieri.

In breve tempo, grazie alle soffiate di vicini e amici scozzesi, nei negozi e nei ristoranti degli immigrati italiani si sparse la voce che arresti e deportazioni erano sempre più frequenti. Alcuni di loro erano così desiderosi di mostrare al governo inglese quanto fossero disponibili a collaborare che facevano la valigia addirittura prima del tempo e aspettavano sul ciglio della strada di essere portati via. I pochi che si nascondevano dalla polizia venivano ben presto scovati e accorpati agli altri.

La ragnatela di linee ferroviarie da nord e da sud convergeva nei dintorni di Manchester. I binari che correvano lungo il fiume Irwell non avevano visto un flusso così costante di carrozze dirette verso le banchine della stazione di Manchester da quando il cotonificio era diventato operativo. Quando gli uomini di tutte le età scendevano dal treno a Bury, trovavano altre centinaia di uomini sulla banchina in attesa di essere selezionati e smistati.

I prigionieri di guerra italiani erano stati rastrellati da un capo all'altro dell'Inghilterra. Radunati in gruppi, non opponevano resistenza. Ascoltavano attentamente e seguivano le istruzioni delle guardie sempre pronte a imbracciare il fucile in caso di disordini.

I terreni abbandonati di Warth Mills erano considerati una sede ideale per un campo di prigionia, secondo coloro che si occupavano di logistica. I prigionieri venivano passati in rassegna in spazi cintati e messi in fila indiana come bestie mandate al macello. Una volta forniti i nomi e i dati personali, potevano entrare nell'ex cotonificio. I locali avevano una capienza di circa duemila uomini, e anche se quel giorno il numero era salito a tremila, riuscirono a stipare tutti dentro l'accampamento di fortuna. Recinzioni di filo spinato correvano lungo l'intero perimetro del complesso. L'ingresso era sorvegliato da guardie armate.

Quando i prigionieri entrarono, sempre in rigorosa fila indiana, non trovarono sedie, panche o letti; soltanto un'enorme struttura sudicia che si estendeva per quasi un ettaro. In lontananza si intravedeva un gruppo di prigionieri di un lotto precedente, impegnati a spazzare il pavimento per i nuovi arrivati. Si scoprì che si trattava di docenti di Oxford, uomini di religione ebraica con radici in Germania e Austria, sospettati di essere spie. Gli italo-britannici ritenevano che quei professori non fossero una minaccia per il governo inglese, almeno tanto quanto non lo erano loro. Ma non importava. Erano tutti comunque dalla parte disarmata.

L'ex opificio era in condizioni disastrose. L'aria era pesante, impregnata dei filamenti di cotone dei telai. C'era del grasso sui pavimenti, probabilmente lasciato dai macchinari. I pannelli di vetro del lucernario erano talmente luridi che non lasciavano filtrare nemmeno uno spiraglio di luce. In più di un punto erano rotti o incrinati e lasciavano entrare freddo e pioggia. I muri erano anneriti dalla muffa.

Ai prigionieri vennero forniti dei sacchi di iuta che, riempiti di paglia, avrebbero dovuto fungere da letto. Una volta terminata quell'operazione, i prigionieri rimasero a chiedersi che cosa li aspettasse poi. I più giovani si sedettero sui borsoni, alcuni si appoggiarono alle valigie posate a terra in verticale a far da schienale. Coloro che stavano per lasciare quel posto scrutavano i nuovi arrivati alla ricerca di un viso familiare.

La confusione è madre della paura, e la mancanza di informazioni alimentava l'ansia dei prigionieri. Nessuno aveva spiegato esattamente perché erano stati portati a Warth Mills e quale sarebbe stata la loro destinazione.

Antica si mise in coda per prendere un sacco e della paglia per farsi un letto.

Matteucci e il figlio, ritirarono il kit per i pasti: un piatto, una ciotola e un bicchiere di alluminio, forchetta e coltello. Niente cibo a riempire il piatto.

Sabatini entrò nel capannone dopo rispetto agli altri, poiché era sceso dal treno con l'ultimo carico di prigionieri. Si guardò intorno, cercando di valutare la situazione in quell'enorme struttura stipata di uomini sino al limite della capienza. Si domandò dove potesse trovarsi la cucina.

Don Fracassi entrò ancora più tardi, trovandosi parecchio indietro nella fila rispetto a Sabatini. Era stato trasportato a Warth Mills con un camion militare insieme ad altri trenta uomini, su un pianale dotato di panche con posti a sedere per una decina di persone.

Si unì ai compagni con la sua lunga tonaca nera e il collarino ecclesiastico bianco, e tutti si scostarono in segno di rispetto per farlo passare. Chinarono il capo e sussurrarono un saluto. Il vecchio prete annuì mostrando gratitudine, e proseguì sino in fondo al vasto padiglione.

Sabatini gironzolò in quell'ambiente affollato alla ricerca di qualche volto familiare, consapevole che l'aspetto più importante dei doveri di un maître d'hotel era stabilire contatti e relazioni. I suoi occhi caddero su un gruppetto di tre uomini riuniti sotto una finestra. Sembrava il gruppo perfetto per lui. Aveva bisogno di un drink e loro stavano sorseggiando della grappa. Si infilò una mano in tasca per contare le sigarette. Gliene erano rimaste esattamente tredici, quanto bastava per arrivare a fine mattina.

«Signori» disse avvicinandosi ad Antica, Matteucci e Piccolo. «Da dove venite?»

«Glasgow.» Piccolo gli porse la mano, presentando sé e gli altri.

«No, intendevo in Italia. Di dove siete originari?»

Antica si illuminò. «Bardi, in Emilia.»

«Io sono toscano. Vengo dall'entroterra, in collina.»

Antica gli fece posto sulla sua valigia. «Prego, si accomodi.»

Sabatini si sedette. «Cosa pensate di questa faccenda?» Descrisse un cerchio in aria con la sigaretta.

«Io ho fatto la Grande Guerra, non c'è nulla che abbia un senso in tutto questo.»

«Io sono stato arrestato nella cucina dell'albergo in cui lavoro. Stavo iniziando la mia giornata, come sempre.»

«Non ho mai conosciuto un cuoco che indossa delle scarpe di vernice.» Matteucci offrì ai compagni dei taralli.

Sabatini ridacchiò. «Sono maître al Savoy. Vivo nell'hotel. Ho visto molte cose da quando sono lì e pensavo che mi avessero arrestato perché potrei dire due o tre cosine sul gioco d'azzardo che dilaga là dentro. Metà del Gabinetto di Churchill siede al tavolo verde.»

«Gli scriva» suggerì Antica. «Se conosce il Primo Ministro, gli scriva e gli dica che questo è un errore terribile.»

«Lasciamo che facciano le loro strategie. Questo è un messaggio per Mussolini, niente di più. Churchill non tollera le spie e ha sacrificato gli italiani per puntualizzare la sua posizione.»

«Ma noi non siamo il nemico. Siamo sudditi leali!» insistette Matteucci.

«È quasi impossibile provare la propria lealtà. È un po' come l'amore, può essere dimostrato soltanto con la reciprocità» spiegò Sabatini.

Antica gli versò un po' di grappa. Il bicchiere di latta era quello regolamentare in dotazione alla Marina britannica. Sabatini lo ringraziò e fece ruotare il distillato sul fondo del bicchiere. Ne bevve un sorso. Dapprima gli bruciò la gola, poi il calore si diffuse in tutto il corpo.

«A un uomo abituato ai bicchieri di cristallo non piacerà il gusto del metallo» osservò Antica.

«Ormai non importa a cosa sono abituato o cosa mi piace, signori, importa ciò che posso sopportare.» Sabatini si guardò intorno. «Ciò che *possiamo* sopportare. Sono felice di avere dei nuovi amici.»

Don Fracassi aveva trascorso la serata a confortare i prigionieri. La mattina dopo trovò un angolo adatto e allestì un altare improvvisato utilizzando la propria valigia. Vi sistemò sopra la tovaglia, il calice, la patena e la pisside come se fossero sull'altare di marmo di Saint Alban's Ancoats. La polizia era stata così gentile da consentirgli di portare con sé gli strumenti essenziali del suo ministero prima di metterlo su un treno diretto a Warth Mills. Don Fracassi aprì il breviario e fece il segno della croce. Qualcuno si tolse il cappello e lo imitò.

Presto nel capannone si diffuse la notizia che il prete stava celebrando la Messa. «Preghiamo» disse Matteucci, e si voltò verso l'altare. Sabatini era scettico. Sussurrò ad Antica: «Io ho fede soltanto nel contadino che produce il burro per i miei scampi». Ne rimase convinto sino al momento in cui il brusio generale calò trasformandosi in un silenzio riverente dove l'unica voce che si udiva era quella dell'anziano prete.

«Fratelli, data la situazione in cui ci troviamo, può sembrare che la speranza sia andata perduta. Ma vi assicuro che Dio ci sta ascoltando.»

Antica si avvicinò per sentire meglio il messaggio. Piccolo posò la mano sulla spalla di suo padre. Sabatini tirò fuori una sigaretta, poi guardò l'altare e timidamente la ripose nella scatola. Anche lui si mise ad ascoltare quanto stava dicendo il prete.

Don Fracassi proseguì. «Lui non vi abbandonerà. Lui non vi dimenticherà. Ma voi dovete pregare. Dio conosce il vostro cuore. San Bernardo di Chiaravalle era il saggio dottore della fede. Costui incoraggiava a riflettere sul passato. A farci pace. Non potete controllare il male che vi è stato fatto. Non potete tornare indietro e rimediare al bene lasciato in sospeso. Non potete recuperare il tempo sprecato. Ma potete guadagnarvi la salvezza. Aprite il cuore al Suo amore. Tutto vi verrà perdonato. Troviamo la forza nella nostra fede. Ne abbiamo bisogno, fratelli. Ne abbiamo un disperato bisogno.»

Antica rabbrividì nell'udire le parole di don Fracassi. Quel sacerdote sapeva qualcosa?

«Perdonatemi, fratelli. Non ho ostie a sufficienza per distribuire la Comunione a tutti. Quando sono stato prelevato in chiesa, ho portato con me solo l'indispensabile.»

Agli uomini non importava. Si inginocchiarono per la consacrazione. Antica aprì la valigia. Sorrise pensando a sua moglie, che aveva insistito perché si portasse dietro del pane per il viaggio. Anche in quel caso ci aveva visto giusto. Antica diede un colpetto sulla spalla dell'uomo inginocchiato davanti e gli porse il pane. L'uomo annuì, chiamò a sua volta l'uomo davanti a lui e gli diede il pane affinché lo passasse avanti e così via, sino ad arrivare all'altare improvvisato di don Fracassi. Questi ringraziò per il pane e proseguì la celebrazione. Pregò per il dono di Antica e lo consacrò. Spezzò il pane e invitò i presenti a comunicarsi. Un prigioniero in prima fila si alzò, pronto a fare da chierichetto. Altri divennero assistenti e aiutarono a organizzare le file in modo ordinato affinché il sacerdote potesse raggiungere tutti.

Iniziò dagli uomini più vicini all'altare. Spezzò qualche briciola, ne posò una sulla lingua del primo prigioniero, poi un'altra e un'altra ancora. Ogni comunicando si fece il segno della croce prima di tornare a inginocchiarsi. Quando don Fracassi arrivò ad Antica, in fondo alla fila, era rimasto solo un piccolo pezzettino del pane consacrato.

«È stato lei a fornirlo?»

Antica annuì.

«Grazie.»

Antica tenne il capo chino. Non era più andato in chiesa dopo l'incidente che gli aveva menomato la mano. «Non sono degno, Padre.»

«Certo che lo sei, fratello mio.»

Don Fracassi attese. La Comunione che gli somministrò era una briciola così piccola che dovette prenderla fra pollice e indice.

Antica rialzò il capo. Il sacerdote posò la Comunione sulla sua lingua. Antica ricevette il pane della vita e si sentì redento.

Durante la notte, mentre gli uomini dormivano sui loro sacchi pieni di paglia, l'enorme spazio dell'ex cotonificio pareva sollevarsi e abbassarsi con un suono simile al respiro di una balena. La luce della luna inondava l'ambiente attraverso i vetri rotti del soffitto. Antica era seduto sul suo giaciglio con la schiena contro il muro. Non riusciva a prendere sonno. Fece correre lo sguardo sul pavimento della fabbrica. Le sagome arrotondate dei corpi a riposo nell'oscurità gli ricordavano la stagione del raccolto nella fattoria vicino a Bardi, quand'era ragazzino. Allora era solito osservare dalla finestra suo padre che camminava per i campi alla luce della luna. Accarezzava le spighe di grano e fischiettava. Per far crescere qualcosa in questo mondo, prima di tutto è necessario darle amore. Antica si domandò se avrebbe mai visto qualsiasi cosa tornare a crescere. Avrebbe dovuto sopravvivere a quella situazione ma, nel profondo della sua anima, non aveva la certezza che fosse possibile.

32

1° luglio 1940

Dopo un internamento di due settimane, i prigionieri di Warth Mills ricevettero l'ordine di prepararsi a partire. Sabatini decise di radersi prima del trasferimento. Usò il catino che i quattro uomini avevano condiviso, intinse il pennello nella schiuma e si tagliò la barba con cura. Poi pulì gli strumenti che aveva usato e li ripose in un astuccio da viaggio in pelle. Indossò la camicia più pulita che aveva, insieme alla cravatta. Chiuse i polsini con dei gemelli preziosi che brillavano alla luce.

«Sono rubini o granati?» chiese Matteucci.

«È lei il gioielliere, me lo dica lei.»

«Mi servirebbe una lente di ingrandimento. I miei occhi non sono più tanto buoni.»

«Dovrà accontentarsi della mia parola, allora. Sono rubini.»

«Sa da dove vengono?»

Sabatini alzò le spalle. «È importante?»

«Solo se un giorno intendesse venderli. I rubini migliori sono quelli indiani.»

«Non gliel'ho detto? Questi vengono proprio dall'India.»

Scoppiarono entrambi in una risata.

Mentre i prigionieri si mettevano in fila per essere portati alla loro destinazione, scoprirono che si sarebbero spostati a piedi.

Le scarpe lucide, le camicie stirate e i completi di buon taglio che indossavano al momento dell'arrivo erano ormai sciupati. Dopo aver consumato il vino, i salumi e il formaggio preparati dalle mogli e dalle madri, le loro valigie erano più leggere. Nel giro di tre giorni avrebbero sentito di nuovo i morsi della fame. Rivolgendosi a suo figlio, ad Antica e a Sabatini, Matteucci bisbigliò: «Restiamo uniti».

Quell'unica fila di uomini malconci uscì lentamente dall'ex cotonificio e si immise nella strada snodandosi per tutto il tragitto sino alla banchina.

«Ci stiamo dirigendo verso l'area portuale» disse Piccolo con tono neutro.

Gli uomini, con le rispettive valigie, si avvicinarono in silenzio alla passerella dell'*Arandora Star*.

Si fermarono all'ombra dell'enorme scafo. Quella muraglia di acciaio bianco era così alta che le stelle blu sui due fumaioli sembravano avere le stesse dimensioni di due gemelli da polsino. «Ragazzi, questo è un transatlantico di lusso.»

«Se non altro, sarà sicuro» commentò Matteucci con un sospiro.

«Stiamo parlando della Blue Star Line» precisò Sabatini, che conosceva la reputazione della compagnia di navigazione e il suo precedente splendore. «Qui sopra il cibo sarà sicuramente migliore» disse con tono scherzoso, e accennando un sorriso aggiunse: «A patto che me ne occupi io, beninteso».

«Ne avevo abbastanza di quel cotonificio. Non mi importa dove ci porteranno» disse Piccolo.

«Dovrebbe importartene, invece. Non saremo gli unici prigionieri su questa nave» disse Sabatini apprestandosi a salire sulla passerella. «Non guardare in alto. Tedeschi.» Sul secondo ponte sopra la linea di galleggiamento, dietro il filo spinato, dei prigionieri di guerra tedeschi incombevano su di loro. Fissavano insistentemente gli italiani che salivano a bordo. Presto tra le loro fila si diffuse la voce che gli italo-scozzesi, leali sudditi britannici, erano considerati alla stregua di pericolosi nazifascisti.

«Non ci hanno nemmeno riservato una cavolo di nave» si lagnò Matteucci. «Siamo costretti a viaggiare con questa gentaglia tedesca.»

«Questa, però, è sin troppo grande per una navigazione limitata alle isole britanniche» notò Piccolo.

«La vecchia signora! Era una vera bellezza ai suoi tempi» esclamò Sabatini mentre saliva sul ponte. Le vestigia della vita precedente di quel transatlantico di lusso non potevano essere oscurate completamente. Gli ampi ponti e corridoi erano rimasti imponenti. Le linee slanciate dello scafo e dell'albero erano pur sempre apprezzabili dal punto di vista estetico.

«Io non la trovo così bella, imprigionata com'è nel filo spinato» osservò Matteucci.

I prigionieri si disposero in fila indiana in mezzo alle due ali di soldati britannici schierati sui lati del salone d'ingresso con i fucili in spalla, e si diressero a poppa, verso le scale che li avrebbero condotti ai loro alloggi.

«I *tallies* sotto» sbraitò il commissario di bordo. «Padre, lei si metta da una parte e aspetti.»

Don Fracassi seguì le istruzioni.

«Gli italiani in terza classe, ovvio» ironizzò Antica mentre scendevano le scalette anguste verso la pancia della nave, che conteneva il locale caldaia, il carbonile e le cabine riservate all'equipaggio. Più gli uomini scendevano, più la temperatura aumentava. Il puzzo di nafta e di carbone che bruciava nel forno ammorbava il corridoio.

Sabatini condusse i compagni nella prima cabina ai piedi della scala, la più lontana dalla sala macchine e la più comoda per salire. Essendo alloggiati sotto la linea di galleggiamento, non avrebbero avuto luce né aria fresca. Gli oblò erano sigillati ermeticamente. Posarono i bagagli sulle brandine e cominciarono a togliersi le giacche e le cravatte per difendersi dal gran calore.

«Quattro uomini in una cabina per due.»

«Certo, mi pare giusto» disse Piccolo, sarcastico, lasciandosi cadere sulla branda.

I quattro uomini avevano stretto amicizia a Warth Mills condividendo informazioni, pane e sapone. L'improbabile quartetto aveva passato ore a valutare le diverse opzioni anche se, da prigionieri quali erano, non ne avevano nessuna. L'ansia circa il trasferimento li aveva svuotati di energia. La sistemazione angusta e il caldo eccessivo li fecero piombare in uno stato di intorpidimento. Si distesero sulle brandine, appiccicati l'uno all'altro. Non era ancora sera, ma il sonno era l'unico sollievo alla loro sofferenza. *Troppo* sonno, però, rendeva un uomo debole, ricordò loro Sabatini. Furono svegliati bruscamente dalle urla di una guardia.

«Il comandante vi concede di salire in coperta.»

Sabatini, fermo sulla soglia della stanza, diede un'occhiata al corridoio. Ogni cabina era strapiena di prigionieri. Se tutti quegli uomini fossero usciti contemporaneamente, si sarebbe formato un ingorgo. «Signori, iniziamo dalla cabina più vicina al locale caldaia. Le latrine sono in fondo alla scala di boccaporto. Le scalette portano sul ponte. Cerchiamo di procedere in maniera ordinata.»

«Sì, sì. Agli ordini, Comandante» urlò di rimando uno dei prigionieri. I suoi compagni scoppiarono a ridere ma seguirono i suggerimenti di Sabatini. Mentre le cabine si svuotavano, il maître vide sfilare davanti a sé prigionieri di tutte le età, da ragazzini di tredici anni a uomini di settantacinque.

«Così saremo gli ultimi a salire sul ponte» si lamentò Piccolo.

«Stiamo creando un clima collaborativo. Fidati. Ne avremo bisogno più tardi» spiegò Sabatini.

«Non so cosa darci per un tè Mazawattee» disse Antica. «Caldissimo. Un bel tè in una tazza della collezione Lady Carlyle, con tanto di piattino.»

«Io preferirei una birra.» Piccolo si tamponò il sudore che gli imperlava la fronte.

«Mia madre mi diceva sempre: "Se hai caldo, non pensare al freddo; pensa ancora più caldo e ti raffredderai"» intervenne Antica.

«Vada avanti» disse Sabatini. «Continui a sognare.»

«Ho una tazza di tè davanti a me. Arriva il carrello dei dolci con una montagna di biscotti, tramezzini e praline di cioccolato. Prendo le pinze d'argento e mi servo una brioche con una spolverata di zucchero a velo. Una ciotolina di burro uscito dalla zangola la mattina stessa per guarnirla. Chiudo gli occhi e inalo il vapore che sale dalla tazza. Madagascar. Sri Lanka. Le isole» fantasticò Antica.

D'un tratto McVicars entrò nella loro cabina. «Bene, bene, bene. Ecco i miei concittadini. Zona ovest di Glasgow!»

«McVicars! Il nostro lupo di mare!» Antica si alzò per andare a salutare il suo vecchio amico. «Come ha fatto a trovarci?»

«Vi ho visto sulla lista» rispose McVicars. Aveva un tono allegro, ma gli bastò dare un'occhiata a quella cabina angusta per provare una fitta al cuore. Non riusciva nemmeno a stare dritto ed era costretto a ingobbire le spalle. Quello non era il modo di trattare degli esseri umani, non era il modo di trattare i suoi amici.

«Ettore Sabatini» si presentò il maître tendendogli la mano.

«È il nostro nuovo amico» spiegò Antica. «È maître d'hotel al Savoy.»

«Mi spiace non poterle offrire una sistemazione migliore» disse McVicars stringendogli la mano.

«Be', è accettabile. E la ringraziamo per essere venuto a cercarci.»

«Ma guardate un po' che figurone fa il mio amico nella sua impeccabile uniforme da capitano!» esclamò Antica.

«Sono primo ufficiale a questo giro. Il grado di capitano è soltanto un ricordo, purtroppo.»

McVicars fece capolino in corridoio, controllando a destra e a sinistra. La coda per le latrine e poi su per il ponte scorreva a ritmo costante. Chiuse la porta.

Aprì la giacca e dalle tasche interne spuntarono un pacchetto di biscotti, un pezzo di cheddar e due pasticci di carne, patate e cipolle cotti al forno e avvolti in un tovagliolo. Gli uomini si passarono il cibo. Poi McVicars frugò nella tasca posteriore e tirò fuori una fiaschetta di whisky. E per finire, accostò l'indice alle labbra.

«Quest'uomo è un santo!» sussurrò Antica. «Non sono più in grado di reggere il mare. Un goccio di whisky mi aiuterà a mettermi a posto lo stomaco.»

«Bene, quando berrà quel goccio, veda di fare un brindisi al suo vecchio amico che ormai è un uomo impegnato» gli disse McVicars. «Ho poi sposato la Cabrelli.»

«Congratulazioni! L'ho conosciuta al convento, sa? A Natale. Gran bella ragazza.»

«Mi aveva detto del vostro incontro.» McVicars era convinto che aiutare gli italiani avrebbe fatto piacere a Domenica. Frugando di nuovo in tasca, tirò fuori un panetto di burro. «Per il pane al mattino. Ma non fatelo sapere a nessuno. Ho assistito a degli ammutinamenti per molto meno. A colazione servono caffè e panini. Il caffè è molto carico, ma potete macchiarlo con della panna. Il burro spalmato sul pane può aiutare. Cercherò di farvi spostare sopra la linea di galleggiamento. Datemi un po' di tempo.»

Sabatini batté le mani e se le sfregò mentre fantasticava. «Può riferire che so cucinare?»

«Qual è il piatto che le riesce meglio?»

«Tutti. Uova. Patate. Arrosti. Spaghetti! Mi bastano un po' d'acqua e della farina.»

«Informerò gli addetti alla cambusa, signore.» McVicars guardò fuori in corridoio. «Ora devo andare.»

«John, può dirci dove ci stanno portando?» chiese Antica afferrando il braccio del suo giovane amico.

McVicars lo rassicurò battendogli dei colpetti sulla mano. «Canada. Dai sette ai dieci giorni di traversata. Ma a volte queste bagnarole ci mettono di più, perciò non prendetemi troppo in parola.»

Un'espressione disperata si dipinse sul viso dei prigionieri.

«Via via, non agitatevi. Ci sono io a bordo» li rassicurò lui.

«Arriveranno altre gallette! E riuscirò a portarvi via di qui.» John McVicars se ne andò, lasciando gli uomini meglio di come li aveva trovati.

«Dormirò bene stasera» disse Matteucci assaporando l'ultimo boccone. «Il pasticcio di carne è l'orgoglio della Scozia.»

«È davvero ottimo» ammise Sabatini. «Mi sarebbe piaciuto visitare Glasgow, ma lavoravo sette giorni alla settimana e non ho mai trovato il tempo di farlo. Non mi sono mosso da Londra.»

Gli uomini si passarono la fiaschetta di whisky. Antica ne bevve un sorso. «Come può una cosa così perfetta non essere italiana?»

«Perché sono gli scozzesi ad aver inventato i superalcolici. Diamo loro questo merito. Potrebbe aiutarci. In questo momento non c'è nulla di peggio che essere italiano o essere discendente di un italiano» concluse Matteucci. «I nazisti, sopra di noi, vengono trattati meglio. Loro si prendono luce e aria fresca.»

«Non ci hanno nemmeno rivolto un'accusa precisa. Ci hanno arrestato senza motivo.» Piccolo era deciso a cercare giustizia. «Hanno fatto un errore madornale e presto se ne renderanno conto.»

«Magari no. Churchill pranza al Savoy di tanto in tanto. Una persona piacevole. Uno dei membri del suo Gabinetto, mediocre biscazziere che non si è mai perso una serata di blackjack al mercoledì o un secondo giro gratis al tavolo, mi ha detto che la minaccia della quinta colonna era reale. Sin dall'inizio esisteva un piano per mandare in galera gli italo-inglesi per tutta la durata della guerra. E poi, visto che non ci sono riusciti, hanno fatto un'enorme retata per sbatterci direttamente oltreoceano. A loro non importa se siamo innocenti; in quanto italiano, sei comunque inaffidabile. Mi sono permesso di fargli notare che se Churchill ci avesse bandito dal Paese non ci sarebbero più stati né gelati né pizze sino alla fine della guerra. Io scherzavo, naturalmente, lui invece no. È stato Churchill stesso a dare l'ordine. Ha detto: "Prendeteli tutti al guinzaglio". Quel "tutti" siamo noi. Che sia giusto o meno, ci hanno acciuffato.»

«Se ci comporteremo bene, ce la caveremo» li rassicurò Matteucci. «Seguiremo i loro ordini e saremo a casa quanto prima.»

«E se staremo vicino al *suo* amico McVicars, staremo anche meglio» concluse Sabatini.

L'uomo riesce a dormire se ha speranza.

Matteucci, Piccolo e Sabatini, vestiti della sola biancheria intima, dormirono sonni tranquilli sulle loro brandine, certi che il peggio fosse ormai alle spalle. Seguendo la rotta di Moulton, l'*Arandora* puntò verso nord, oltre l'isola di Man, attraversò il Canale del Nord fra il Mull of Kintyre e l'Irlanda del Nord, e superò Malin Head in direzione ovest. Entro l'alba la nave si sarebbe trovata in mezzo all'Oceano Atlantico, diretta in Canada, dove gli uomini sarebbero rimasti internati sino alla conclusione del conflitto.

Antica si rivoltò sul suo lettino in preda all'inquietudine. Quella cabina angusta sotto la superficie dell'acqua lo soffocava. Scivolò dal suo scomodo giaciglio e, senza far rumore, si vestì. Afferrò il telescopio e uscì dalla porta aperta in punta di piedi. Prese piacevoli boccate di aria fresca salendo la scaletta che portava sul ponte. Non appena sentì la brezza dell'oceano, l'ansia si allentò. Alcuni compagni prigionieri dormivano appoggiati alla parete, russando beatamente. Antica si appoggiò contro il parapetto e respirò a pieni polmoni.

C'era uno spiraglio tra la rete di filo spinato e il ponte. Forse erano soltanto una trentina di centimetri o poco più, ma lo spazio era sufficiente per inclinare il telescopio attraverso la rete e osservare il cielo notturno senza trovare ostacoli. Contò le stelle che formavano la Cintura di Orione e poi spostò la lente per trovare Venere e Giove, una coppia di agate scintillanti in una distesa di blu intenso. La disperazione che lo opprimeva svanì alla vista di tanta maestosità.

Antica prese la configurazione astrale come un segno che sarebbe andato tutto bene. Si sentiva sollevato, soprattutto dopo la promessa di McVicars di prendersi cura di loro. Sapeva che quel ragazzo scozzese era un tipo che manteneva la parola. Antica sbadigliò e si distese sulle assi del ponte cullando il telescopio fra le braccia. Il reticolo di filo spinato era a pochi centimetri dal suo naso, ma la cosa non lo disturbava. Si era rassegnato alla sua condizione di prigioniero. Il tempo avrebbe dimostrato che quelle centinaia di uomini di origine italiana erano persone perbene che lavoravano sodo, con delle famiglie altrettanto perbene da mantenere. La verità era chiara come il sole, e presto tutti l'avrebbero saputa. Antica sbadigliò di nuovo. L'aria al largo della costa irlandese era dolce e limpida. Il vecchio scivolò nel sonno.

L'*Arandora Star* era carica di uomini, dal fondo dello scafo al ponte di comando. Navigava tranquilla, protetta dalla croce rosso rubino in bella vista sulla poppa, dove un tempo c'era una pista da ballo per i 354 passeggeri di prima classe. La superficie dell'acqua si increspò appena quando la nave doppiò la costa nord-occidentale dell'Irlanda. Le scogliere rocciose dell'isola di Smeraldo si tinsero di una luce dorata mentre spuntava il mattino. John McVicars, in piedi sul ponte di comando, si accese una sigaretta.

Donegal, 2 luglio 1940

L'U47, un sommergibile tedesco, sollevò frange di sabbia emergendo dal fondo del mare lungo la costa settentrionale dell'Inghilterra. Quell'U-Boot era il fiore all'occhiello della flotta tedesca, con la sua attrezzatura moderna e il suo equipaggio perfettamente addestrato. Poteva immergersi in profondità e spostarsi nel giro di pochi secondi, rendendo i suoi movimenti impossibili da captare.

Il capitano di corvetta Günther Prien arricciò le labbra sottili mentre studiava la direzione da prendere per tornare nel Mar Nero. Stava controllando i dati sul pannello di navigazione quando notò un transatlantico che incrociava la sua rotta. Bevve un sorso di caffè amaro per poi risputarlo nella tazza e metterla da parte. Controllando meglio, si accorse che l'*Arandora Star* non era scortata e solcava il mare aperto come la *Queen Mary* durante le vacanze di Natale. Non poteva credere ai suoi occhi, ma a suo parere gli inglesi erano degli idioti, quindi non fu così sorpreso nello scoprire che la nave viaggiava da sola con oltre 1700 uomini a bordo, per la maggior parte prigionieri di guerra, completamente indifesi contro qualsiasi nemico. Sapeva che fra quegli uomini c'erano dei suoi connazionali, nazisti convinti, ma non gli importava: gli intellettuali ebrei a bordo non significavano nulla per lui. C'erano 719 scozzesi di origine italiana, cittadini britannici, e lui era ansioso di abbatterli perché aveva il *potere* di farlo.

Prien aveva ancora un siluro nel suo arsenale. Era di ritorno nel Mar Nero da un'esercitazione che lo aveva visto sferrare attacchi violenti nel Nord Atlantico. Sarebbe stata una gratificazione personale far saltare in aria quel grazioso transatlantico. Inoltre intendeva segnare un punto contro i nemici della Germania: *Non saprete il giorno né l'ora, ma lo farò*, disse tra sé con sprezzante determinazione.

Prien si prese tutto il tempo per colpire l'*Arandora*. Fece i suoi calcoli più volte.

Quando ordinò di prepararsi a fare fuoco, non era del tutto sicuro di riuscire a colpire il bersaglio.

Un siluro. Una nave da 15.500 tonnellate di stazza, non scortata, in mare aperto. Un solo colpo.

Prien diede il comando. Quell'unico siluro era imbottito di polvere di alluminio ed esanite mescolata alla cera d'api, che tratteneva l'esplosivo nella camera. Una volta detonato, il massiccio cilindro d'acciaio raggiunse l'obiettivo grazie alla forza propulsiva. Il siluro perforò lo scafo dell'*Arandora Star* squarciandolo in due, per poi esplodere nella sala caldaia e spaccarsi, facendo saltare i circuiti elettrici e mandando in pezzi quelli meccanici.

Prien sorrise, e il suo cupo sogghigno si allargò sul suo viso come una macchia d'inchiostro. L'equipaggio tedesco scoppiò in un applauso mentre l'*Arandora* riversava nuvole di nafta nell'oceano sino a sparire nel buio pesto.

Il tenente ordinò di invertire la rotta per non rischiare di essere avvistato. Il sommergibile calò sul fondo del mare e sgusciò via come un serpente, puntando verso sud. Prien urlò ai suoi uomini di procedere in immersione e, superato il Portogallo, fare rotta a est per entrare in acque amiche, quelle dei mari italiani.

McVicars aveva gettato il mozzicone di sigaretta in mare e si stava dirigendo verso la cambusa per il suo caffè mattutino quando udì un rombo seguito da una forte esplosione. La nave ondeggiò da una fiancata all'altra. Lui perse l'equilibrio e si aggrappò alla balaustra. Si domandò perché mai una nave con i serbatoi di zavorra pieni dovesse beccheggiare così violentemente da una parte all'altra. Scese la scala di boccaporto per verificare le condizioni dell'impianto elettrico e valutare il problema.

Lo scoppio fece scattare le sirene di emergenza, sconvolgendo la serenità del primo mattino. I prigionieri italiani si riversarono fuori dalle cabine e si accalcarono negli stretti passaggi nel ventre della nave. L'*Arandora* era così stipata di passeggeri che non c'era spazio per muoversi. Presto, però, gli uomini si mobilitarono e, in maniera razionale, a uno a uno fecero a turno per salire al terzo ponte. Coloro che avevano passato la notte lì istintivamente afferrarono i giubbotti di salvataggio appesi alla parete e iniziarono a passarli ai compagni sconcertati che via via li raggiungevano.

Sopra di loro, sul secondo ponte, comodamente sopra la linea di galleggiamento, i prigionieri nazisti reagirono rapidamente e irruppero dai portelli di boccaporto per salire all'ultimo livello, dove i ponti non erano imprigionati dal filo spinato. Occuparono le scialuppe in modo rapido ed efficiente. I tedeschi che erano rimasti intrappolati al secondo piano calpestarono le dita degli italiani che cercavano di raggiungerli per salire a loro volta sulle scialuppe. Dall'ultimo piano, i nazisti si affrettavano a calare i gommoni. I prigionieri tedeschi vi si gettarono senza esitazione. Si misero a vogare il più veloce possibile, spesso su scialuppe semivuote.

McVicars prese le scale di emergenza per arrivare allo scafo e coordinare l'evacuazione degli italiani. Gran parte dei prigionieri si erano radunati sul ponte, ma altri erano ancora intrappolati nel boccaporto e nei corridoi di accesso alle cabine. Alcuni erano vestiti; altri erano usciti in mutande e canottiera. Molti erano scalzi. McVicars li indirizzò verso le scialuppe. Nel frattempo arrivarono le guardie, che iniziarono a distribuire i giubbotti di salvataggio. McVicars fece correre lo sguardo sul ponte alla ricerca dei suoi amici, ma di loro non c'era traccia.

Attraverso la rete di filo spinato, gli italiani vedevano i tedeschi lanciare le scialuppe dal ponte superiore. I gommoni venivano calati sulla superficie dell'acqua, manovrati abilmente come fossero marionette. Chi controllava quelle corde determinava chi si sarebbe salvato. Gli italiani iniziarono a cercare di afferrare le scialuppe che penzolavano davanti a loro, come se le maniglie di gomma fossero gli anelli di ottone da aguantare su una giostra. Nel farlo, infilavano il braccio attraverso il filo spinato e si ferivano, lacerandosi mani, braccia e viso nel disperato tentativo di salvarsi. Alcuni presero le scale e si accodarono ai tedeschi sul ponte di coperta.

«Figli di puttana» borbottò Sabatini mentre si infilava il giubbotto di salvataggio sopra la camicia e si allacciava con forza la cinghia in vita. Anche Matteucci e il figlio indossarono il giubbotto. Le guardie incanalarono gli italiani verso gli squarci che avevano aperto nella rete di filo spinato per creare un varco che consentisse loro di buttarsi a mare e salvarsi, anche se, ovviamente, non c'era alcuna garanzia che ciò avvenisse. A Sabatini non sfuggì il paradosso che gli stessi soldati incaricati di trasportare i prigionieri al campo di internamento in Canada in quel frangente fossero autorizzati a metterli in libertà.

«Dov'è Antica?» urlò Matteucci cercando di sovrastare il frenetico vociare che c'era intorno.

«Non era sotto con noi» gridò Piccolo di rimando.

«Vado a cercarlo.»

Piccolo si voltò di scatto e afferrò le cinghie del giubbotto di suo padre per trattenerlo. «No, papà! Non puoi tornare indietro, puoi soltanto andare avanti.»

«Lo troverò io» urlò Sabatini. «Voi intanto assicuratevi una scialuppa!»

A un certo punto caldaia e forni implosero, e la nave, impennandosi a prua, subì un violento scossone che sbatté a terra tutti gli uomini sul ponte. Il deposito prese fuoco. L'odore di nafta e il fumo sprigionato dalle scorte di carne che bruciavano nelle celle frigorifere si diffondevano nei corridoi, rendendo quasi impossibile respirare. Voltandosi, Matteucci vide il fumo che si levava a ondate dalla scala di boccaporto intasando il terzo ponte. Filamenti di ardenti braci arancioni sprigionate dal fuoco sottostante sfrigolavano nell'aria pesante. Se Antica era là sotto, non sarebbe di certo sopravvissuto.

Ciononostante Sabatini si gettò nel fumo e chiamò Antica a gran voce. Fece il giro del ponte aggrappandosi al filo spinato perché non riusciva a vedere dove andava. Si ferì le mani e imprecò. La guardia ordinò agli uomini di salire. Sabatini si fece il segno della croce per il suo amico e cercò di mettersi in salvo. Salì le scale sino al secondo ponte.

«Muovetevi!» sbraitavano i militari mentre spingevano i prigionieri attraverso la barriera di filo spinato. Si udiva qualcuno recitare sommessamente il rosario tra gli italiani in attesa del proprio turno per buttarsi in acqua. Ricordavano il miracolo di Fatima e imploravano la Beata Vergine di salvarli. Non verificandosi alcun miracolo, invocavano la propria madre mentre erano sul punto di saltare. Molti di loro erano destinati a spezzarsi l'osso del collo o la schiena nell'impatto con l'acqua, per poi sprofondare nelle loro tombe fredde.

Presto l'incendio divampato dalla sala caldaia fu seguito dal lento e inesorabile innalzamento del livello dell'acqua imbarcata, provocato dall'enorme falla. Le perdite di carburante dalla caldaia alimentavano le fiamme, che fecero esplodere le rimanenti cisterne di zavorra. Il fuoco imperversava anche sulla superficie dell'acqua che scorreva nei corridoi. Dalla nave il fumo si allargava sul mare formando nuvole color antracite così fitte da occultare il sole.

Nell'oscurità che avvolgeva l'*Arandora*, i prigionieri e i membri dell'equipaggio ancora a bordo erano paralizzati dal terrore. Il rombo delle esplosioni nelle profondità dello scafo fu seguito dallo schianto delle travi d'acciaio che si spezzavano. Mentre il fumo continuava a salire sui ponti esterni, i prigionieri si ammassarono sul bordo della nave mentre l'*Arandora* si inclinava sul fianco. Per chi non era riuscito ad arrivare alle scialuppe o non si era gettato in mare, il gorgoglio dell'acqua era il suono del tempo che scorreva inesorabile e stava per scadere.

Antica era appoggiato al parapetto all'estremità del ponte più basso mentre gli ultimi prigionieri salivano affannosamente le scale attraverso il portello. Lui aveva già preso la sua decisione. Reagiva al caos con uno stato di calma. Un uomo che aveva raggiunto i settant'anni aveva vissuto una vita piena e adempiuto alla promessa biblica. Ora toccava agli altri salvarsi l'anima.

«Questo è bucato!» urlò un prigioniero italiano che non riusciva a gonfiare un gommone. «È inutile! Maledetti crucchi!» Una lancia di salvataggio carica di nazisti si stava allontanando dalla nave. Un italiano gli lanciò addosso una sedia attraverso uno squarcio nel filo spinato. «Morite affogati!» urlò salendo al piano superiore nel disperato tentativo di trovare un altro modo di salvarsi la vita. Antica, alcuni prigionieri e le guardie che li aiutavano a gettarsi in mare erano le uniche persone rimaste sul ponte inferiore. Antica sgattaiolò via e trovò un posto un po' defilato dove poter stare in pace.

Quella notte aveva sognato l'incidente nella cava di marmo che lo aveva menomato per sempre. Il suono dell'esplosione del siluro tedesco che lo aveva svegliato di soprassalto gli era parso sinistramente simile all'esplosione che gli aveva mutilato la mano. A vent'anni aveva accettato di maneggiare la dinamite perché quello era il lavoro meglio retribuito nella cava. All'epoca il giovane Antica non aveva paura di nulla. *La fame ti dà coraggio*, pensava. Il giorno dell'incidente, di buon mattino, aveva preparato gli esplosivi. Aveva misurato e caricato il cilindro con la polvere, inserito la capsula all'interno e poi il lungo stoppino, facendo attenzione a sigillare bene il tubo di carta intorno ai bordi, come se stesse pizzicando quelli della pasta sfoglia per preparare uno sformato. Era un'operazione che aveva ripetuto decine di volte. Poi era stato imbragato, sistemato su una piattaforma e calato lungo la liscia parete di marmo nero per piazzare il cilindro da accendere.

Aveva collocato scrupolosamente gli esplosivi in un cratere scavato nella pietra da un altro minatore che in precedenza aveva tagliato le cavità di nidificazione dalla base alla cima della cava.

Dall'alto i colleghi avevano assistito inorriditi alla deflagrazione, che era avvenuta prima che lui avesse il tempo di accendere la miccia. L'esplosione gli aveva amputato due dita della mano destra e gli aveva causato la perdita dell'udito da entrambe le orecchie. Non seppe mai perché l'esplosivo fosse detonato prima dell'accensione. Ipotizzò che potesse essere stata la cenere di una sigaretta dei cavatori intenti a piallare il marmo nella parete più in alto. Oppure era stata una pericolosa concentrazione di metano nella cava ad aver innescato una combustione spontanea. Non l'avrebbe mai saputo.

Sua madre lo aspettava a casa. Quando lui tornò, cercando di tirarlo su di morale, gli disse: «Sii grato al Signore. Hai ancora tre dita. Questo ti aiuterà a ricordare la Santissima Trinità». Solo diventando padre Antica avrebbe capito che la reazione di sua madre, con quella battuta che all'epoca lo aveva ferito, era stata fatta per il suo bene. La donna non voleva che suo figlio si abbandonasse all'autocommiserazione per tutto ciò che aveva perduto. Soltanto alla morte di sua madre, Antica aveva scoperto che lei aveva pianto per l'incidente occorso al figlio ogni notte per il resto della sua vita.

Antica aveva temuto che nessun'altra donna lo avrebbe mai amato con quella mutilazione. In seguito, invece, aveva trovato il grande amore fra le braccia di Angela Palermo, cui non avrebbe potuto importare di meno delle sue dita mancanti, e che aveva accettato di sposarlo. Avevano avuto sei figli, cinque femmine e un maschio che, essendo emigrati in America per lavorare con un cugino, per fortuna avevano evitato il rastrellamento. Il pensiero dei suoi figli gli strappò un sorriso. Stava infilando la mano destra in tasca quando provò una sensazione stranissima. Sentiva le due dita fantasma e aveva la percezione del tatto. La mano era tornata a essere quella di quando era giovane, prima dell'incidente sul lavoro.

Antica si intendeva di esplosivi. Un siluro era una versione in acciaio del candelotto di dinamite che aveva costruito per far saltare in aria la parete della cava. Poteva soltanto immaginare la potenza di quella bomba militare, ma era certo che il siluro che l'aveva colpita avrebbe fatto affondare la nave.

Calcolò che all'*Arandora* mancava una manciata di minuti prima di inabissarsi nell'oceano. Non era l'unico uomo a bordo a pensarla così, visto che i prigionieri si contendevano lo spazio sgomitando per tuffarsi per primi ora che le scialuppe erano al completo. Alcuni, che non erano riusciti a raggiungere i ponti superiori, si agitavano intorno a lui, alla spasmodica ricerca di una via di salvezza. Alla sua età, Antica non era in grado di aiutarli. Il peso della decisione di buttarsi non poteva ricadere su un vecchio, ma su uomini che avevano ancora una ragione per continuare a vivere.

Eppure era strano per lui arrendersi, quando non aveva fatto altro che lottare per tutta la vita. Non avrebbe mai più rivisto la sua famiglia. Non avrebbe mai più rivisto la Scozia. Non avrebbe mai fatto quell'ultimo viaggio a Bardi che aveva tanto desiderato. Com'era strano scoprire che quei sogni a lungo accarezzati non si sarebbero mai realizzati. D'un tratto Antica si sentì liberato dalla brama di ottenere qualcosa che non avrebbe mai potuto avere. I dilemmi della vita non erano più affar suo. Assistette al gran finale di quell'orribile attacco, con i giovani che si tuffavano dalla fiancata della nave come acrobati. Un adolescente fece un tuffo spettacolare, un volo d'angelo che di per sé era un'opera d'arte, e tagliò la superficie dell'acqua senza alzare il minimo schizzo. Un cerchio bianco di spuma incorniciò la sua testa, che riemerse qualche istante dopo, come se fosse il numero di un acrobata o l'apparizione finale sul palco di uno spettacolo sul mare. Il ragazzo spalancò la bocca e inalò aria. «Respira» gli sussurrò Antica.

Poi alzò lo sguardo verso il cielo del mattino, libero dalle barriere di filo spinato. Ne colse tutta la vastità. Non c'era nemmeno una nuvola. Il cielo era di un colore strano, con una patina di azzurro polvere tendente al grigio. Non appariva limpido come in un dipinto di Bellini o di Tiepolo, bensì sfaccettato come un mosaico, fatto di tessere, schegge di vetro, pezzettini di ceramica e di pietra sbriciolata, elementi frantumati che ritrovano la loro bellezza pur avendo perso la loro integrità. Si domandò se quel cielo così particolare fosse il portale celeste del purgatorio. Chiuse gli occhi e recitò un'Ave Maria. Si fece lentamente il segno della croce. Sua madre diceva sempre che nei momenti di difficoltà bisognava pregare la Beata Vergine; come qualsiasi madre, Lei avrebbe ascoltato la nostra supplica. Gli uomini che si erano salvati gettandosi in mare e quelli che avevano trovato un posto sulla scialuppa avevano evocato la propria madre prima di lanciarsi. Quindi quello che gli aveva detto la sua, di mamma, quand'era bambino, corrispondeva a verità. La pregò di andarlo ad accogliere in cielo quando sarebbe arrivato il suo momento.

«Coraggio, vecchio.» Una guardia, con il viso coperto di nafta, cercò di far indossare ad Antica il giubbotto di salvataggio sporco di morchia che teneva in mano. «Sta per affondare» disse con tono pratico, come se navi di quella stazza affondassero ogni giorno.

«Lascia stare» disse Antica liberandosi il braccio. «Lassù hanno bisogno di te» aggiunse indicando il secondo ponte. Il soldato gli lasciò il giubbotto e salì la scaletta.

Un ragazzo italiano passò di corsa davanti ad Antica. Si bloccò. «Andiamo!» lo sollecitò.

Antica sorrise e gli passò il giubbotto che gli aveva dato la guardia. «Mettitelo» suggerì.

Il giovanotto se lo infilò. «Venga con me, la aiuterò io!»

«Vai avanti tu.» Antica gli indicò il buco nella rete di filo spinato. «Non preoccuparti per me. Ci incontreremo in acqua.» Il ragazzo si buttò.

Antica si sporse dal parapetto. Il ragazzo spuntò dall'acqua. Ce l'aveva fatta! Aveva tutta la vita davanti.

Antica scrutò la superficie del mare in cerca dei suoi amici, ma c'erano così tante persone in acqua che non riusciva a distinguere i volti. Un uomo è fortunato solo nella misura in cui lo sono gli amici che si è fatto. Il loro destino è il suo destino. In questo senso, benché stesse per morire, Antica si sentiva privilegiato. Come prigioniero, non era stato messo in catene né picchiato. Non aveva patito la fame. La sera prima, il gelataio che girava con il suo carrettino era andato a letto dopo aver gustato un'abbondante porzione di pasticcio di carne seguita da un bicchierino di whisky insieme ai suoi amici Matteucci, padre e figlio. Era riuscito – impresa rara per un uomo della sua età – a trovare un nuovo amico in Sabatini. Era persino stato sollevato dal peso della sua salvezza spirituale. Don Fracassi gli aveva dato l'assoluzione. La sua anima era immacolata come una tovaglia d'altare di lino bianco.

Chi era lui per lagnarsi? Era leggermente stranito dalla piega bizzarra e repentina che aveva preso la sua vita, ma andava bene così. Non c'era nulla da temere, perché sapeva come sarebbe finita. Non restava nient'altro da fare che arrendersi, e non c'era dolore in questo. Antica, l'immigrato di origini italiane, aveva fatto fortuna in Scozia. Le strade di Glasgow erano state ferventi di vita: la *sua* vita. Conosceva per nome i bambini che incontrava durante il suo giro quotidiano ed era felice quando suonava la campanella e loro accorrevano per prendere una coppetta di gelato da lui. Si era guadagnato da vivere, abbastanza da poter mantenere la sua famiglia. I suoi figli lavoravano sodo e sua moglie era stata una compagna fedele e amorevole. Era stata una buona vita, la sua. Al pensiero il suo cuore si colmò di gratitudine, come miele caldo.

«Sei sordo, vecchio? Deciditi a saltare!» gli urlò il militare dal ponte superiore.

Antica finse di non sentirlo. L'uomo si distolse da lui, trascinato via dalla necessità di aiutare gli altri.

Antica si aggrappò al parapetto e attese che l'*Arandora* si capovolgesse. *Non conoscerai il giorno, non conoscerai l'ora*, recitavano le Scritture. Sorrise. In realtà lui conosceva il giorno e l'ora, perché li stava vivendo istante dopo istante. Anche quello era un dono, dopotutto.

Abbassò lo sguardo. Il ponte, verniciato di bianco, era nero di una poltiglia torbida che era risalita gorgogliando dalla sentina. Il puzzo, simile all'odore pungente che si respirava nella stalla quando venivano ferrati i cavalli, lo stordiva. Le fiamme avrebbero divorato la nave, se non fosse stata prima inghiottita dall'acqua. Era lo stesso destino del *Titanic*, oppure del velo del tempio che si squarciò il Venerdì Santo; Antica era convinto che la tragedia dell'*Arandora Star* unisse entrambe le cose.

I suoni si attutirono.

Le grida degli uomini che invocavano la madre divennero ovattati mentre i sopravvissuti cercavano di allontanarsi il più in fretta possibile dalla nave che stava affondando.

Antica era solo sul ponte più basso. Le caldaie continuavano a brontolare facendo tremare le assi di legno sotto i suoi piedi. Le spesse frecce rosse dipinte sulle pareti per indicare la direzione delle scale sparirono via via che la poltiglia saliva imbrattando le paratie.

In lontananza, l'ultima scialuppa procedeva sballottata dalle onde, talmente carica di passeggeri che soltanto alcuni potevano liberare le braccia per pagaiare e distanziarsi il più possibile dalla nave, sul punto di essere risucchiata dal mare. I piccoli gommoni zigzagavano nell'acqua trascinati dai capricci delle onde. Coloro che non avevano trovato posto sulle scialuppe erano aggrappati a qualsiasi oggetto di legno si fosse staccato dagli arredi interni o fosse scivolato dal ponte quando la nave si era inclinata. Antica notò una lunga balaustra di legno, un tavolo e lo schienale di una poltroncina di vimini – da tutti quei pezzi, in qualche modo, dipendeva una vita umana. I naufraghi, con le loro facce disperate rivolte alla luce, sembravano un campo di girasoli che seguivano il sole.

L'acqua era salita sino alle ginocchia di Antica.

Si sedette sul ponte, appoggiando le mani ai lati per mantenersi in equilibrio. La cacofonia degli arredi che si schiantavano mentre la nave si capovolgeva gli fece accelerare il battito.

L'acqua si insinuò sino al petto e al collo. Mentre l'*Arandora Star* sprofondava nell'Atlantico, Arcangelo Antica non trattenne il fiato, non chiamò aiuto, né andò nel panico; lasciò che l'oceano gli prendesse la vita. L'acqua era fredda, ma Antica non sentiva nulla. Si abbandonò. E la lasciò fare.

McVicars e l'equipaggio erano alle spalle del capitano Moulton. Don Fracassi spuntò dal portello di boccaporto e andò a unirsi a loro. La sua tonaca nera strisciava sul pavimento, inzuppata della nafta dei ponti più bassi. Aveva benedetto i prigionieri prima che si buttassero in cerca di salvezza. Per gli italiani, le ultime parole che udirono prima di morire furono quelle di una preghiera nella loro lingua madre. Il prete riuscì a strappare un sorriso anche a McVicars, il quale strinse la mano a pugno in segno di solidarietà nei suoi confronti. «Coraggio» gli disse don Fracassi mentre si affiancava ai membri dell'equipaggio. Moulton si spostò per guardare oltre la fiancata della nave.

«Buttati!» urlò a un ragazzo che, terrorizzato, era rimasto appeso alle reti della murata con le lacrime che gli rigavano il viso.

«Non aver paura, ragazzo!» lo rassicurò il capitano. «Puoi farcela! Salta!»

Il giovane si tuffò in mare. Moulton tornò alla sua postazione accanto ai suoi collaboratori.

John McVicars rimase a testa alta mentre l'*Arandora Star* si inabissava nell'oceano. La coffa fu inghiottita dalle profondità. John visse i suoi ultimi istanti con lo sguardo non rivolto al mare, bensì in alto, verso il cielo. I suoi ultimi pensieri furono per Domenica Cabrelli, la ragazza italiana che aveva avuto la fortuna di amare e sposare. Un sorriso gli increspò le labbra quando rivide davanti a sé quella donnina delicata con la volontà di un generale e la dolcezza di chi sa curare il corpo e l'anima. Era la persona migliore che avesse mai conosciuto. Il cuore di John era così pieno d'amore che arrivò a credere che l'amore di sua moglie potesse salvarlo. Continuò a tenere il viso rivolto verso il cielo. Il mare non era più il suo mondo, e ne aveva visto abbastanza. Abbracciò il cielo mattutino e le nuvole che avevano iniziato a screziarlo. Quelle nuvole erano così basse che aveva l'impressione di poterle toccare. Disse una preghiera con parole soltanto sue. McVicars avrebbe ritrovato la strada per tornare a Dio e, nel farlo, era certo che avrebbe rivisto la sua Domenica. Frugò sotto la giacca dell'uniforme e si portò alle labbra la medaglietta che lei gli aveva dato. La baciò.

Domenica si svegliò di soprassalto nel letto che aveva condiviso con suo marito mentre un tuono scuoteva le finestre del cottage di pietra immerso nel giardino del convento. La porta d'ingresso si spalancò a causa di una violenta folata di vento, sbattendo contro il muro. Scrosci di pioggia iniziarono ad abbattersi sul terreno mentre un lampo squarciava i nuvoloni neri. Domenica balzò giù dal letto e corse alla porta barcollando. Un forte vento di burrasca la sospinse dentro e la fece cadere. Si rialzò, chiuse la porta e la serrò con il chiavistello.

Eppure era sicura di averla chiusa bene la sera prima. Aveva chiuso anche le finestre. C'era qualcosa che non andava. Temeva che la casa fosse sul punto di crollare. Di solito Domenica non era una donna paurosa, ma fu colta da una sensazione di terrore che le impediva di muoversi. Sembrava che il mondo stesse per finire. Avrebbe atteso che la tempesta si calmasse e poi sarebbe corsa al convento, dove sapeva che avrebbe trovato un rifugio sicuro.

Piccolo era aggrappato a un pezzo della balaustra di legno dello scalone d'onore dell'*Arandora Star* che era stata gettato in acqua da un marinaio disperato rimasto senza salvagenti. Piccolo era un bravo nuotatore e per di più indossava il giubbotto di salvataggio, ma aveva visto nuotatori altrettanto bravi perdere il salvagente e annegare intorno a lui.

Quando la *Ettrick* arrivò a recuperare i naufraghi, Piccolo fu estratto dal relitto cui si era aggrappato per restare a galla. Non appena fu a bordo della nave di soccorso, di ritorno al porto di Liverpool, si mise subito in moto per cercare suo padre. Urlò il suo nome così tante volte da perdere la voce, finché trovò un uomo che aveva visto Matteucci per l'ultima volta sul ponte più alto. Piccolo continuò a passare da un naufrago all'altro, chiedendo se avessero notizie di suo padre. Il suo timore più grande divenne il dolore che lo avrebbe accompagnato per tutta la vita. Amedeo Matteucci se n'era andato per sempre.

Piccolo non scoprì mai qual era stata la sorte di Antica, anche se era consapevole che un uomo della sua età non avrebbe potuto salvare la pelle dopo un tuffo in mare aperto da quell'altezza. Neppure Sabatini era tra i naufraghi recuperati dalla nave soccorritrice, ma Piccolo immaginò che, se c'era qualcuno in grado di sopravvivere al lancio di un siluro contro un imponente transatlantico, quello sarebbe stato l'imperturbabile maître d'hotel londinese. Sabatini era una lenza di prima categoria, capace di sfuggire ai guai con nonchalance; qualsiasi nodo si formasse nella catena che lo teneva legato si sarebbe sciolto con facilità.

Tra le lacrime, Piccolo scrisse una lettera a sua madre e a sua sorella spiegando le circostanze in cui il padre era venuto a mancare. Poi ne scrisse un'altra a Margaret Mary McTavish, che incluse nella stessa busta indirizzata alla madre. Le disse che era sopravvissuto all'attacco dell'*Arandora Star*, ma che il destino aveva ancora un conto in sospeso con lui. Da Liverpool, la *Ettrick* doveva immediatamente salpare per l'Australia portando con sé i superstiti dell'*Arandora*. Non ci sarebbe stato nessuno sconto di pena per gli italo-scozzesi.

Spiaggia di Dunmore, Irlanda, 8 luglio 1940

Eleanor King faceva una passeggiata lungo la spiaggia di Dunmore tutte le mattine dopo la Messa nella Saint Patrick's Church. Camminava sulle scaglie di conchiglie nere e grigie che coprivano il litorale e scricchiolavano sotto i suoi piedi. Aveva una postura eretta per essere una donna di settantasette anni. Stava procedendo di buon passo, recitando il rosario con una mano in tasca per sgranarlo, quando qualcosa sulla spiaggia attirò la sua attenzione.

«No, un altro no!» mormorò avvicinandosi a un cadavere restituito dal mare, l'undicesimo quella settimana.

Si inginocchiò accanto a quel poveretto. Fu colpita dal fatto che gli occhi fossero ancora aperti: erano blu come il fiore del cardo. Era anche un tipo attraente. A Eleanor King piacevano gli uomini alti. La pelle era gonfia e cerea, con macchie verdastre come quelle tipiche dei morti per annegamento, ma il colorito non la turbò. Quell'uomo sembrava un dipinto. Anche la mano era gonfia, ma la fede nuziale d'oro, incastrata nel dito, era intatta. L'uniforme era ridotta a brandelli e le mostrine dorate del suo grado ancora ben visibili.

«È cattolico. Che Dio lo benedica» esclamò la donna. Scrutò la medaglietta che portava al collo. *Nostra Signora di Fatima*. Eleanor chiuse gli occhi e disse una preghiera alla Beata Vergine Maria. Poi si rialzò e si guardò intorno. Notò una coppia sull'altura sopra le dune. Richiamò la loro attenzione agitando le braccia. Loro raccolsero il messaggio. «Polizia!» gridò lei. I due andarono a cercare aiuto.

Eleanor King rimase accanto al corpo sino all'arrivo del coroner. Organizzò per lo sconosciuto un funerale cattolico con tutti i crismi. Soltanto lei, il marito Michael, il prete e l'organista erano presenti alla Messa per la sepoltura cristiana della vittima non identificata dell'*Arandora Star*.

Da qualche parte, lassù in Cielo, John Lawrie McVicars si ritrovò a sorridere per l'assurdità della situazione: una vita intera da protestante che terminava in una tomba senza nome in un cimitero cattolico in Irlanda. Quella fu la sorte di McVicars.

33

Viareggio, oggi

Annina si soffiò il naso nel fazzoletto e ne prese molti altri dalla scatola per asciugarsi le lacrime. «La storia d'amore dei bisnonni è stata davvero tragica.»

«Stai piangendo per loro o per te?»

«Nonna, ho riflettuto molto sulla mia vita. Non prendo le decisioni giuste.»

«Perché non hai mai dovuto prenderle. Goditi la gioventù. Se sei fortunata come lo sono stata io, avrai una vecchiaia molto più lunga della gioventù, perciò potrai godere della saggezza che deriva dall'esperienza. Ma devi arrivarci preparata. Ecco perché è importante trovare qualcosa che ti piace fare. A me piacevano i numeri e quindi sono diventata una contabile. La verità era che non ero un'artista e non sapevo creare gioielli, ma sono riuscita a trovare un modo per sentirmi parte attiva dell'azienda di famiglia. Ti piace sostituire Orsola?»

«Sì. E io stessa sono sorpresa. Non mi irritano i clienti troppo esigenti. Mi metto nei loro panni e capisco che quando fanno un investimento ogni dettaglio deve essere perfetto. Sono dalla loro parte.»

Matelda sorrise. «Ti trovi bene a lavorare con il nonno?»

«Non si dimentica mai di darmi la pausa pranzo.»

«Puoi imparare molto da lui.»

Annina si alzò per sprimacciare i guanciali di sua nonna. «Mi dispiace averci messo così tanto a capirlo.»

«Non importa, hai tempo. Approfitta di questa opportunità e lavoraci su per costruire il tuo futuro.»

Annina tirò via il cuscino dalla sedia e piegò quello dello schienale formando un lettino di fortuna.

«Che cosa stai facendo?» le chiese Matelda.

«Posso dormire qui sulla poltrona. È reclinabile, vedi?»

«Rimetti tutto a posto. Vai a casa e dormi in un letto come si deve.»

L'infermiera portò le medicine a Matelda. «Infermiera, dica a mia nipote di andare a casa a dormire in un letto vero. È bene che almeno una di noi due si faccia una buona notte di sonno. Questo ospedale è un circo dopo la mezzanotte.»

«Vada a casa» disse l'infermiera sorridendo.

«Ti serve qualcos'altro?» chiese Annina.

«Giancarlo Giannini, magari.»

«Spiritosa! Ci vediamo domani, allora» disse la ragazza posandole un bacio sulla guancia. Abbassò le luci prima di lasciare la stanza. «Abbiamo tutto il tempo del mondo» le assicurò.

Certo, come no!, pensò Matelda. Tutto il tempo del mondo poteva anche essere una manciata di minuti. Ridacchiò tra sé e si allungò sotto le coperte. Le macchine che monitoravano il suo respiro scandivano il tempo con ticchettii e cicalini, cullandola in un sonno profondo.

Quella notte Matelda sognò sua madre. Le si presentò davanti agli occhi con chiarezza, come se fosse ancora in vita.

Nuvole basse e diafane fluttuavano sulla spiaggia come veli da sposa in libertà.

«Che cosa hai trovato?» Domenica gridò a sua figlia, che correva sulla battigia. Allungò la mano verso di lei e la bimba le corse incontro. Aveva sei anni. Aprì le manine rivelando un assortimento di delicate conchiglie del colore dell'acqua.

«Ne hai lasciata qualcuna per gli altri bambini?»

«Ce ne sono ancora tantissime. Non le ho raccolte tutte»

disse Matelda, mettendo le conchiglie nella tasca del grembiule di sua madre.

I suoi capelli erano un nido di riccioli castani che si accendevano di riflessi dorati sotto il sole estivo. Domenica le scostò una ciocca dagli occhi.

«Il mare ne porta di più quando si alza la marea» le ricordò Matelda.

«Hai una risposta per tutto, eh?»

«Suor Maria Maddalena ha detto che bisogna sempre cercare le risposte» spiegò lei.

Domenica restò a osservare sua figlia che correva in acqua. «Non allontanarti troppo!» le gridò. «Resta vicino alla riva!» Si sentiva come sua madre, Netta Cabrelli, quando portava in spiaggia lei e suo fratello Aldo. Tutto era cambiato, eppure somigliava al passato che ricordava. I suoi genitori erano tornati a casa dalla collina dov'erano sfollati. Sapeva quanto erano felici di ospitare lei e Matelda a Villa Cabrelli; era un po' come se le cose fossero tornate come prima. Aldo era morto in Tunisia durante la guerra, e sua madre, per sopravvivere al dolore della sua perdita, aveva deciso di raccontarsi che il figlio era nell'esercito in servizio permanente. Non era la sola a ricorrere alla finzione dopo la guerra. In città nessuno si riferiva a Domenica come alla "signora McVicars"; nella loro mente lei era tornata a Viareggio redenta. Anche il prete che l'aveva bandita dalla città era morto. L'unica prova che Domenica fosse mai espatriata era la piccola Matelda.

Domenica fece correre lo sguardo lungo il litorale con aria rassegnata: non era più il parco giochi incontaminato della sua fanciullezza. La sabbia bianca di un tempo era diventata una distesa di cenere con chiazze di materiale indurito lasciato dai carri armati che vi erano passati sopra perdendo benzina.

C'erano monumenti alla distruzione lungo tutta la spiaggia. La scheggia arrugginita di una passerella da sbarco sfasciata era abbandonata nella sabbia. La riva era disseminata di buche profonde, dove il nemico aveva segnalato con il fuoco la propria presenza ai bombardieri. I sacchi di sabbia delle trincee in cui si erano rifugiati i soldati tedeschi nella loro ultima, vana resistenza contro gli Alleati erano ancora ammassati contro il molo, pronti al nulla. La diga era stata abbattuta. I massi che ancoravano il molo erano stati frantumati dalle granate. Le poche assi di legno rimaste della passerella erano spezzate; le altre erano state divelte per creare un riparo per i soldati che vi si trinceravano sotto per proteggere la linea costiera. I gradini erano malfermi o addirittura mancanti, come i denti di un pugile professionista dopo uno scontro brutale. Alla fine si era rivelata tutta una messa in scena, inconsistente come un velo. Come se il più grande dei generali potesse tenere qualcuno o qualcosa lontano da una spiaggia aperta! A guerra finita, gli italiani non avevano più munizioni, nemmeno un coltello da cucina da usare come strumento di autodifesa. Mussolini li aveva spogliati di tutto ciò che avevano e di cui avrebbero avuto bisogno per salvarsi, con l'unico scopo di salvare se stesso. Aveva fallito anche in quel senso. Che scempio. Povera Viareggio. La guerra aveva spazzato via la sua bellezza per un nemico che nemmeno la apprezzava. Il tempo sprecato era incalcolabile.

Viareggio era casa, ma ogni angolo era pieno di tristezza, se non di fame e di disperazione.

Matelda corse da sua madre.

«Guarda!» Si alzò in punta di piedi e le avvicinò al naso una conchiglia. «Guarda com'è bella!» esclamò. La conchiglia bianca era striata di azzurro, come un'opale.

«Bella, bellissima!» confermò sua madre. «Vieni, saliamo sul pontile.» Domenica prese di nuovo Matelda per mano. «Un giorno rivedrai questa spiaggia come la ricordo io. Da bambina giocavo sulla sabbia bianca. Era liscia come un copriletto di seta. C'era una distesa di ombrelloni bianchi e rossi a perdita d'occhio. Sembravano un campo di canditi. Quando stavo sul bagnasciuga, tra le piccole onde increspate dalla bassa marea, arrivavano dei pesciolini rosa che nuotavano intorno ai miei piedi facendomi il solletico.»

«Io non ho visto nessun pesciolino rosa» ammise Matelda, per poi mettersi a correre verso i gradini del pontile. Per fortuna era ancora abbastanza piccola da cogliere accenni di magia nel mondo intorno a sé. Nella sua immaginazione gli attrezzi arrugginiti abbandonati sulla spiaggia diventavano regni misteriosi; per sua madre, invece, erano sagome di dolore. Mentre saliva i gradini traballanti, la piccola si chinò per raccogliere un pezzettino di vetro incastrato fra due stecche. «Mamma! Un orologio!» urlò.

Domenica la raggiunse di corsa. «Che cosa hai trovato?» Le tese la mano. Matelda le posò nel palmo una spessa scheggia di vetro. «Matelda, non puoi raccogliere niente sulla spiaggia, soltanto conchiglie. Devi stare attenta a dove metti i piedi.»

«Spuntava...» si giustificò la bambina.

«D'ora in poi, se vedi qualcosa, scansalo, giraci intorno.»

«Sì, mamma» disse Matelda continuando a salire.

Domenica si rigirò il pezzo di vetro tra le mani. Sembrava un cronometro proveniente dal pannello di controllo di un aereo abbattuto – o forse una specie di orologio? Non riusciva a capire. C'erano dei numeri e un peduncolo di metallo che sporgeva dal vetro. Prese il fazzoletto che teneva infilato sotto la spallina della canottiera e vi avvolse l'oggetto misterioso. Avrebbe chiesto a suo padre da dove veniva quello strano orologio che non segnava più l'ora.

Si era parlato troppo di morte e di dolore negli ultimi giorni. Annina non riusciva a liberarsi dal pensiero di Matelda e la sognava anche di notte. I suoi sogni, però, al contrario di quelli di sua nonna, non riguardavano il passato; erano ambientati nel futuro. Nuove figure entravano e uscivano di scena. A volte Annina svolazzava sui tetti e sull'acqua. Era sempre alla ricerca di qualcosa e si svegliava frustrata, senza risposte. Avrebbe voluto catapultarsi negli anni a venire e portare i suoi bambini nel presente, in modo che sua nonna potesse conoscerli. Avrebbe voluto che ascoltassero le storie di famiglia direttamente dalla fonte, da Matelda. Dopotutto, sua nonna non si limitava a raccontare storie; lei *era* la storia. Matelda aveva vissuto una vita piena che non doveva andare perduta né dimenticata. La sua vita era il suo tesoro – tutto ciò che aveva appreso e sperimentato –, non gli oggetti belli e preziosi che aveva conservato. Finalmente Annina stava prestando attenzione a quella vita, e da quella avrebbe imparato. Non avrebbe mai più sottovalutato la saggezza di un anziano. Seguire quella lezione di vita era più importante che sapere quanto sale metteva sua nonna nella salsa di pomodoro. Annina sentiva la storia famigliare scorrerle tra le dita come un nastro di seta. Doveva trovare un modo per trattenerla. Si vestì per recarsi in ospedale.

Evitò di truccarsi o sistemarsi i capelli. Non c'era tempo da perdere.

Matelda si svegliò nel suo letto di ospedale con i pugni chiusi, come se stesse stringendo qualcosa. Distese le dita e si sfregò le nocche. Il sogno che aveva fatto continuava a fluttuare nella sua coscienza mentre cercava di riportare alla mente le parole di sua madre e la loro conversazione.

Matelda non si era mai riposata davvero da quando era stata ricoverata all'ospedale. Le sarebbe piaciuto dormire, ma al calar del sole, al terzo piano andava in scena un vero e proprio melodramma. I pazienti iniziavano a chiamare insistentemente le infermiere. Alcuni stavano davvero male, che Dio li benedica, mentre altri semplicemente non sapevano come usare il cellulare o il telecomando. Era inutile provare a riposare in quella notte particolarmente rumorosa, così sollevò la testiera del letto e si mise in posizione seduta.

Il suo telefono era sotto carica sul comodino. Allungò la mano per prenderlo. Fece scorrere le varie app e cliccò su *Gli intramontabili*. Apparve un elenco di film ambientati nell'Italia degli anni '50. C'erano delle valutazioni in stelline accanto a ciascun titolo, ma lei non ci badò. Continuò a scorrere l'elenco alla ricerca del primo film che aveva visto al cinema. Ricordava che suo padre le aveva fatto una sorpresa accompagnandola a Lucca per vederlo.

Fu travolta da una scarica di emozione quando trovò *Sciuscià* nel catalogo. Cliccò sul titolo, si infilò gli auricolari e appoggiò la schiena contro i cuscini. Aveva sempre pensato a quel film nel corso degli anni, ma non aveva mai avuto occasione di rivederlo. Era incredibile che riuscisse a ricordare così tante sequenze. I ragazzini che lustrano le scarpe per risparmiare il denaro necessario a comprare un cavallo, le passeggiate, il riformatorio. Il cattivo che mette nei guai i buoni. Via via che le scene si susseguivano, Matelda ripensava alla sua adolescenza a Viareggio. I suoi genitori avevano cercato di farla sentire al sicuro nel mondo, ma lei, istintivamente, provava più paura che amore, come se la paura fosse la sua emozione primaria.

Matelda interruppe il film. Sentiva un peso sul petto. Pensò alla conversazione che aveva avuto con il suo medico. E chi sapeva che il cuore poteva essere la causa della perdita di memoria? Le sembrava che il cuore dovesse contenere ogni esperienza, e che questo rendesse il muscolo più forte. Invece si era scoperto che, come una qualsiasi macchina, poteva sopportare lo stress dell'età, dell'uso e della delusione solo sino a un certo punto. Alla fine le sue componenti si sarebbero consumate. Rimase immobile ad ascoltare il battito mentre scivolava nel sonno. Quando si svegliò la mattina dopo, il dottore la stava osservando.

«Oh, dottore, è lei. Che ore sono?»

«Le 9. Come si sente, Matelda?»

«Meglio. Vorrei tornare a casa.»

«Non glielo consiglio.»

«Sapevo che mi avrebbe risposto così. Ma non sto cercando di rimettermi, perché non posso farlo. Sappiamo entrambi che ormai sono alla fine.»

«Questo non lo sappiamo, Matelda.»

«Faccio sempre più fatica a respirare. Non riesco a camminare. A volte mi capita di sentire le pulsazioni nell'orecchio, e so che questo non è un buon segno. Perciò facciamo un patto. Io metterò la maschera per l'ossigeno, farò gli esercizi di respirazione e tutto quello che lei mi dirà di fare a casa. Ma la prego, mi lasci andare. Ho chi mi aiuta, mi prepara i pasti e tutto il resto. Dottore, ho una terrazza sul mare. È così azzurro in questo periodo dell'anno che non c'è pietra preziosa estratta dalla terra che sia altrettanto spettacolare. Non voglio che l'ultima cosa di cui sento il sapore sia la vostra minestrina, che l'ultima cosa che vedo sia questo soffitto di cartongesso, che l'ultima cosa che sento siano i *bip* di questi aggeggi. Voglio vedere le onde e il cielo. Voglio sentire il canto degli uccelli e la brezza marina, e magari bere un sorso di whisky quando mi va.»

«Come andiamo oggi?» li interruppe Olimpio palesandosi sulla soglia, seguito a ruota da Annina.

«Alla grande. Gli dia la buona notizia, dottore» disse Matelda lanciandogli un'occhiata d'intesa.

«Matelda può tornare a casa.» Il medico sorrise alla sua paziente, le prese la mano e le diede una stretta affettuosa.

«Non sei contenta che abbia fatto installare l'ascensore?» disse Olimpio spingendo fuori la carrozzina di Matelda per farla entrare in casa.

«Sì, hai fatto bene.» Matelda era raggiante. Il sole entrava prepotentemente nell'appartamento disegnando strisce di luce abbagliante sulle cose che lei amava di più. «Ma sono ancora più contenta che all'epoca tu mi abbia convinto a scegliere l'attico per noi.»

Annina fece capolino dalla cucina. «Nonna, ti ho preparato un centrifugato di cavolo riccio.»

«Oh, cara, bevilo pure tu. Per me un Campari soda, grazie.»

«Arriva subito» disse Annina portando il borsone della nonna in camera da letto.

«È meglio che chiami Nicolina per dirle che siamo a casa» disse Olimpio.

«Prima portami fuori in terrazza. Voglio godermi il sole.»

Annina portò il cocktail e un brezel in terrazza alla nonna. Prese una sedia per sedersi accanto a lei. «È stata la mamma a portare i brezel. Ha detto che passerà più tardi.»

«Mi fa piacere» disse Matelda. «Anche se vi state disturbando troppo per me.»

Annina spezzò il brezel. L'interno morbido era fresco e burroso, mentre la crosta era croccante e lucida. Ne porse metà alla nonna.

«Mi mancheranno queste delizie» disse Matelda tuffandone un pezzo nel cocktail per ammorbidirlo. Lo assaggiò. «Le suore di Dumbarton ne facevano una versione scozzese. Li chiamavano *popover*. Mi mancheranno anche quelli.»

«Potremmo provare a farli» propose Annina.

«Alle volte il ricordo rende le cose più dolci» disse la nonna. «Almeno a me succede così.»

«Gli italiani non dimenticano mai quello che mangiano, se è buono.»

Matelda annuì. Annina aveva appena riassunto tutta la vita di sua nonna in un brezel all'olio d'oliva.

PARTE TERZA

CHIUNQUE ASPIRI A RAGGIUNGERE
LA VITA ETERNA NEI CIELI
DEVE TENER CONTO DI ALCUNI AVVERTIMENTI

Quando riflettete sul futuro, considerate

la Morte, nulla di più certo

il Giudizio, nulla di più severo

l'Inferno, nulla di più terribile

il Paradiso, nulla di più dilettevole

34

Glasgow, 3 luglio 1940

Domenica percorse rapidamente le strade affollate prima di fermarsi da un giornalaio. Comprò il quotidiano del mattino e gli diede una scorsa per vedere se era menzionato suo marito. Le notizie sulla sorte dei prigionieri e dell'equipaggio dell'*Arandora Star* si erano diffuse in tutta l'Irlanda e la Scozia, anche se erano disponibili solo pochi fatti certi. Suor Matelda le aveva riferito che, a quanto pareva, McVicars era morto insieme al capitano e a gran parte dell'equipaggio, ma Domenica si rifiutava di crederlo. Suo marito doveva aver trovato il modo di salvarsi e tornare da lei.

La ricerca di McVicars si era fatta più disperata via via che emergeva com'erano andate le cose. Finalmente il giornale aveva pubblicato una lista (ancorché incompleta) dei passeggeri e dell'equipaggio. Le fotografie non erano chiare: Domenica non trovò il volto di suo marito fra i sopravvissuti. Trasalì quando lesse i dettagli contraddittori dell'attacco. La storia, per come veniva raccontata, sembrava fantasiosa, i fatti piuttosto vaghi. Domenica girò pagina. *Vittime dell'attacco.* Fece scorrere il dito lungo l'elenco. Trovò il nome di suo marito. Sentì il cuore spezzarsi mentre perdeva ogni briciolo di speranza. Delle goccioline caddero sul giornale. Alzò gli occhi, ma non stava piovendo. Si portò la mano al viso. Era fradicio di un sudore febbrile.

Domenica, in piedi davanti alla porta di casa McVicars, prese un respiro profondo prima di bussare.

Grizelle apparve sulla soglia. «So perché è qui.»

Domenica la seguì in cucina. In casa c'era un forte odore di umidità, sebbene le finestre fossero aperte e il biancospino fuori fosse in piena fioritura con i suoi petali bianchi.

«Mi dispiace tanto, signora McVicars.»

Grizelle, che le dava le spalle, si aggrappò al bancone della cucina. «Sono andata in città questa mattina. Ho visto il giornale, ma non l'ho comprato. Non era necessario, lo sapevo già. Sono passata davanti all'elenco dei morti affisso al muro dell'ufficio postale. Sapevo che il suo nome era là e non volevo vederlo stampato con l'inchiostro, su un muro, in mezzo a tutta quella gente. Ma alla fine ho guardato. Era nella lista.»

«Era un figlio devoto. Il funerale...» iniziò Domenica.

«Non ci sarà nessun funerale» disse la donna senza emozione. «È morto in mare.»

«La Marina mercantile vorrebbe...»

«Non mi importa della Marina mercantile. Gli avevo detto di arruolarsi nella Marina britannica. Missioni migliori. Mi ha dato retta? No, come sempre.»

«Ma signora McVicars...»

«Si sono presi mio figlio e ora è morto. Non esiste medaglia né certificato inciso con caratteri dorati che me lo ridarà indietro. Possono tenersi i loro inutili gingilli.»

«È morto da eroe.»

Grizelle si voltò di scatto e si trovò faccia a faccia con Domenica. «Per chi? Per i *tallies*? Per la sua gente? Un branco di imbroglioni. I tedeschi? Attenzione. In men che non si dica diventeranno i nostri padroni e comanderanno loro. Hanno le bombe. Ci raderanno al suolo dal cielo con la Luftwaffe. Gli austriaci? Chi se ne importa di quelli? A loro importa qualcosa di me?»

«Ma qui si tratta di suo figlio. È giusto che venga ricordato.»

«Io ho i miei ricordi.»

Domenica trovava strano che sua suocera, una donna vittoriana, mantenesse nella tragedia lo stesso atteggiamento che mostrava in circostanze normali. Grizelle non sembrava addolorata, piuttosto rancorosa, come se fosse una seccatura che il figlio se ne fosse andato e si fosse fatto uccidere mentre serviva il proprio Paese.

Grizelle versò l'acqua calda dal bollitore nella teiera. Non offrì il tè a Domenica. Per tenerlo in caldo usò un copriteiera a forma di cottage ottenuto cucendo insieme ritagli di velluto e feltro. Il cottage aveva delle finestre e una porta. Minuscoli fiori di lillà di feltro spuntavano dalle cassette di legno sui davanzali realizzate in velluto a coste. Quel bizzarro copriteiera dava un tocco di calore a quella casa fredda. Era una casa da uomini. Raramente le donne senza figlie femmine espongono creazioni manuali così civettuole nelle loro case.

Domenica cercò di immaginare Grizelle McVicars da giovane come madre amorevole, ma era impossibile. Quella donna era abbarbicata alla sua frustrazione come le belle di giorno che facevano capolino dalle grondaie del tetto e si avvinghiavano al rame con i loro steli tenaci e arabescati simili a dita. Una vita di sofferenze aveva represso ogni traccia di gentilezza in lei. Grizelle era vittima di un'esasperazione che la divorava, facendola sprofondare sempre di più nell'abisso della sua infelicità. Non c'era modo di darle conforto. Le infermiere chiamavano questi pazienti "gli insoddisfatti patologici".

Mancava persino il rispetto delle normali convenienze. Non ci sarebbe stata l'offerta di una tazza di tè, di un biscotto, di un ricordo da condividere con la nuora.

«Signora McVicars, so che ha il cuore spezzato, e anch'io sono straziata dal dolore.»

Grizelle non manifestò alcuna reazione.

Domenica continuò. «Devo chiederle una cosa, perché lei è l'unica persona al mondo che potrebbe aiutarmi ad andare avanti.»

Grizelle si girò su se stessa. «Non ci sono soldi. Lei non ha diritto a nulla. Se anche avessi un penny in più, non glielo darei. Ha fatto parte della vita di mio figlio per pochissimo tempo.»

«Mi ha frainteso. Mi lasci finire. Non voglio denaro. Lei è sua madre ed è giusto che conservi ogni cosa di lui, compresi gli spiccioli che trova nelle sue tasche, ma se potesse darmi una foto di John gliene sarei infinitamente grata.»

Gli occhi di Grizelle si accesero di rabbia. «Se avessi una fotografia di John la strapperei in mille pezzi piuttosto che darla a lei. Lei è la ragione per cui ho perso mio figlio.»

Domenica fu accompagnata alla porta. Grizelle gliela sbatté alle spalle e la chiuse a doppia mandata. Le nuvole grigie che si erano addensate nel cielo calarono su Glasgow con il frastuono di una batteria di pentole. Il ritmico ticchettio delle gocce di pioggia sul tetto ricordò a Domenica la locanda di Manchester dove lei e John avevano trascorso la prima notte da marito e moglie. Non c'era una radio con della musica ad accompagnarli, così avevano ballato davanti al fuoco, cullati dal suono della pioggia.

John l'aveva rimproverata scherzosamente perché la ragazza italiana non ricordava mai di portare con sé l'ombrello in Scozia. Sua moglie non era tipo da pensare alla pioggia quando splendeva il sole. Domenica attese che la tempesta passasse, ma presto fu chiaro che l'acquazzone era soltanto l'inizio di qualcosa di ben peggiore. Fece una corsa sotto la pioggia senza voltarsi indietro.

Viareggio, oggi

Nella cucina di Matelda, Annina distribuì le sottili linguine appena fatte sul piano di lavoro per farle asciugare. «Come ti sembrano?» Fece un passo indietro e si pulì le mani infarinate nel grembiule.

«Servirebbe un po' più di farina per non farle appiccicare» consigliò nonna Matelda indicando la pasta fresca. «Prova. Infarina la spianatoia e tirale su, separandole a una a una.»

Annina lo fece, appendendole pazientemente allo stendipasta di legno. «È stato l'uovo in più a fare la differenza, ora la pasta ha la consistenza perfetta.»

«Bene.» Matelda si sentiva le braccia pesanti quella mattina. Le fece riposare sui braccioli della sua sedia a rotelle. Non aveva potuto aiutare Annina a impastare e tagliare le linguine, ma era ancora abbastanza in forze da impartire ordini.

Annina le porse un bicchiere di centrifugato fresco.

«Non ne ho proprio voglia» borbottò Matelda.

«Hai bisogno di vitamine. Bevilo.»

«Al diavolo voi e le vostre bevande salutari.» Matelda ne bevve un sorso. «Non fanno miracoli per nessuno.»

«Sto solo cercando di aiutarti a farti sentire meglio, nonna.» Annina si sedette sullo sgabello. «La mamma mi ha dato buoni consigli.»

«Mettere il Campari nel centrifugato, ad esempio?» disse Matelda strizzando l'occhio.

«No. Mi ha suggerito di fare una lista di tutte le domande che intendevo farti ma che sono rimaste in sospeso.»

«Allora sto davvero per andarmene.» Matelda bevve un altro sorso. «Se è così, pensi davvero che un disgustoso succo verde possa salvarmi?»

«Potrebbe, se mai ti degnassi di finirne un bicchiere. Nonna, vorrei soltanto chiarire alcune cose. Dove sei nata?»

«Nel convento di Dumbarton, in Scozia.»

«E tua madre ti ha dato il nome di una suora del convento, giusto?»

Matelda annuì. «Ho vissuto là con mia madre per quasi cinque anni. E lei ha passato ogni giorno di quei cinque anni a cercare di tornare a Viareggio. Ma con la guerra in corso rientrare in Italia era impossibile. Eppure, nonostante gli ostacoli, mia madre continuava a provarci. C'era sempre qualche idea che bolliva in pentola. Forse saremmo potute andare in Sicilia e aspettare, oppure, grazie a una lettera di raccomandazione che un prete aveva promesso di scrivere, ottenere l'estradizione in

Svizzera. Ma non si concretizzò mai nulla di tutto questo. La verità era che eravamo più al sicuro in Scozia con le suore di quanto saremmo state a Viareggio, così restammo là.» Matelda si asciugò una lacrima con un rapido gesto della mano. «Ed ecco la parte triste. Quando finalmente arrivò il momento di tornare in Italia, io non volevo lasciare la Scozia. Era l'unica casa che avessi mai conosciuto. Le storie che mi raccontava mia madre sui nonni italiani e su tutti i miei cugini erano fiabe per me. Non erano persone reali che facevano parte della mia vita; erano soltanto personaggi di una storia che non era apparsa su nessun libro. Così, la notte prima di partire, scesi dal letto, andai al convento e dissi alle suore che sarei scappata. Non volevo tornare in Italia, volevo restare con loro.»

«E tua madre cosa fece?»

«Fu l'unica volta in vita mia che mi diede uno schiaffone. Mi disse: "Sono tua madre. Il tuo posto è con me". Non ho mai più pensato di allontanarmi da lei, te lo assicuro.»

«In fondo tu eri tutto ciò che la nonna aveva.»

«Quando mia madre morì, chiamai suor Matelda. Doveva avere una novantina d'anni all'epoca, ma era ancora lucida. Ricordava bene mio padre. Disse che non era mai esistito un uomo più valoroso al mondo. Era alto, con gli occhi azzurri e i capelli castani folti e lucidi. Aveva un carattere allegro. Quando non sorrideva, fischiettava. Sai che questa è l'unica immagine che ho di lui? Il ricordo di una vecchia suora. Tutto qui.»

«Perché non hai chiesto a tua madre com'era lui?»

«Una volta in effetti le chiesi una foto, ma lei mi apparve così turbata che non osai più tornare sull'argomento. In seguito si pentì di aver avuto una reazione così brusca e mi parlò di quanto era avvenuto tra lei e mia nonna, Grizelle McVicars. Mi raccomandò: "Matelda, non diventare mai arida come la tua nonna scozzese". Ma credo di aver preso un po' del suo carattere duro, vero?»

«Avevi le tue ragioni.»

«E suppongo che le avesse anche mia nonna. C'erano molte

persone che se la passavano peggio di me, ma in qualche modo sono riuscita a prendermi anche la loro quota di aridità.»

Annina rise.

«Sono ancora arrabbiata per gli Speranza. Nessuno dovrebbe mai subire quello che hanno subìto loro. Fu allora che gli italiani se la presero con gli italiani.»

Venezia, ottobre 1943

«Che bella famiglia!» disse Speranza esaminando la fotografia arrivata dall'America. «Tesoro, come hai fatto a farti consegnare questa lettera?»

«Ho pagato Goffredo.»

«Non si è offerto di consegnarti gratis la posta che hai diritto di ricevere?»

Lei agitò la mano per liquidare l'argomento. «Le norme della buona educazione sono sparite da tempo, ormai. Non trovi che mio fratello abbia l'aria felice?»

«Sì, ma non si può dire altrettanto di sua moglie.»

«Lei ci chiede di raggiungerli in America.» Agnese era in piedi alle spalle del marito mentre lui leggeva la lettera.

«Da come la descrive, New York City sembra meravigliosa.»

«Forse dovremmo prendere in considerazione la proposta. Io potrei aiutare Frida con le ragazze e il piccolino. Venezia non è più quella di una volta. Non voglio vivere in un posto dove non siamo graditi. Tu potresti lavorare con Ezechiele. Dice che c'è talmente tanto lavoro che non riesce a gestirlo da solo. Ci sono file di negozi di preziosi nel quartiere dei diamanti. Ti immagini? Vie piene di tagliatori di pietre.»

«Ci penserò su.»

«Faresti meglio a pensarci in fretta.» Agnese portò la cena in tavola.

«A cosa serve che io ci pensi, visto che hai già deciso tutto tu?» Speranza assaggiò il carciofo.

«Parli come se fossi io a comandare, quando in realtà sono una moglie obbediente. Ovunque tu voglia andare, io verrò con te. Proprio come Ruth e Naomi. Preferisci rimanere? Rimarrò anch'io.» Gli batté qualche colpetto sulla spalla.

Agnese aveva cucinato i piatti preferiti del marito. Aveva scelto un carciofo, ne aveva allargato le foglie e lo aveva rosolato nell'olio. Aveva anche preparato dei cannelloni ripieni di pollo con aglio e cipolla, serviti con una salsa di burro e limone. Aveva steso la sfoglia per i cannelloni con quel poco di farina rimasta in dispensa. Goffredo le aveva portato un pollo che aveva trovato al mercato in piazza. Agnese gli aveva tirato il collo, lo aveva spiumato, svuotato, lavato e cucinato arrosto, come faceva di solito quando se la passavano bene.

Al calar della sera, mangiarono alla luce delle tradizionali candele dello Shabbat. Prima di chiudere le finestre per tener fuori l'arietta frizzante, Speranza si sporse per guardare il canale nelle due direzioni. Le fiaccole tremolavano riflettendosi sulla superficie dell'acqua azzurro-verdastra e formando un fascio di luce in direzione della laguna.

«Vedi qualcosa?» chiese Agnese.

«Una via d'uscita» rispose lui prima di tirare dentro la testa.

«Ascolta, non è necessario che andiamo subito in America. Cabrelli ci ha invitato a stare da loro. Si sono ritirati in collina, sopra Viareggio.»

«Che differenza c'è fra la costa adriatica e quella tirrenica? Entrambe brulicano di fascisti. No, l'unico posto dove possiamo andare è l'America.»

«Va bene. I soldi li abbiamo, possiamo pagare il viaggio. Organizzerò tutto io» propose Agnese.

«Ho saldato medaglie per le Camicie Nere. Sanno dove abitiamo. Al governo serve che i gioiellieri contribuiscano alla loro stupida propaganda. Spille e medaglie. Distintivi. Tutto.»

«Bene. Lascia che pensino che tu approvi la loro politica.»

Udirono bussare alla porta.

Agnese si affrettò a spegnere le candele dello Shabbat e spostò il piccolo candelabro sul ripiano della finestra. L'ultima cosa di cui avevano bisogno era che un estraneo li vedesse mentre praticavano la loro fede. Agnese annuì. Speranza andò ad aprire la porta.

«Goffredo!» esclamò sollevato vedendo il suo amico sull'uscio. «Entra pure.»

Goffredo seguì con lo sguardo i filamenti di fumo che si levavano dalle candele e indugiavano nell'aria. Agnese sventolò la mano per disperderli. «Grazie per il pollo. Vuoi unirti a noi?»

«Ti ringrazio, ma non posso. Sono passato per dirvi che la vostra richiesta all'ufficio passaporti è stata inoltrata ai piani alti.»

«Questa sì che è una buona notizia!» Agnese strinse le mani davanti al petto per esprimere la sua gratitudine.

«No, significa che non vi lasceranno partire. Ho cercato di far sparire la vostra pratica dicendo che si trattava di un errore, ma loro se ne sono accorti e hanno fatto la segnalazione.»

«Ma devono rilasciare i passaporti!» insistette Speranza.

«Non più.»

«Che cosa suggerisci di fare?»

«Potreste lasciare Venezia e ritirarvi nella vostra fattoria.»

«Pensavo che la città fosse più sicura» disse Speranza.

«Ma non è così.»

«Quanto tempo abbiamo?»

«Sino a domattina. Mi premeva farvi sapere quello che ho sentito. Quello che ho visto. Loro non seguono le disposizioni di legge. Voi siete brave persone, ma ormai viviamo in un mondo impazzito.»

«Ma le brave persone non sono impazzite, vero?»

«Perdonatemi, ci ho provato. Non sono io il responsabile.»

Speranza aprì la porta. Goffredo guardò a destra e a sinistra per poi sgusciare nella strada buia. Speranza chiuse la porta alle sue spalle. «Cosa ne pensi?»

«Aveva già le carte nella tasca della giacca. Lui è soltanto un messaggero.»

«Che cosa vuoi fare, Agnese?»

La donna non rispose subito a suo marito. Aveva bisogno di tempo per pensare.

Agnese passò la notte a impacchettare i suoi beni più preziosi. Nascose l'argento sotto le assi del pavimento e raccolse le porcellane in un cestino che sistemò fuori portata in fondo al ripostiglio. Preparò una valigia per sé e una per il marito. Fece il bagno, si lavò i capelli e indossò il suo vestito migliore proprio mentre spuntava il sole. Predispose il necessario per la colazione. Tolse il pentolino dal fuoco e versò un po' di latte nella scodella piena di caffè. Tirò fuori gli avanzi della *challah* per inzupparli nel caffelatte. Speranza si sedette al tavolo.

«Prendiamo la macchina e andiamo in montagna» annunciò lei.

«Ma tesoro, non ci lasceranno fare benzina. E se ci fermano, ci sbatteranno in prigione.»

«I treni sono troppo rischiosi. Ho parecchi soldi da parte. Corromperemo chi ci sarà di ostacolo in modo da raggiungere i Cabrelli» disse Agnese esponendo il suo piano.

Speranza non la contraddisse. Non voleva discutere con lei. Bevvero il caffelatte caldo e mangiarono il pane del giorno prima in silenzio. Quando ebbero finito, lei domandò: «Sei pronto?»

Fecero il giro della casa per l'ultima volta. Agnese diede una rapida rassettata al bagno e alla camera da letto. Speranza portò le valigie vicino alla porta. Agnese lo raggiunse in cucina.

«Perché hai chiuso a chiave la credenza, tesoro?» chiese Speranza.

«Perché lo faccio sempre.»

Speranza chiuse le imposte della finestra che dava sul canale e tirò la levetta di blocco.

«Perché chiudi le imposte?»

«Perché lo faccio sempre.» Speranza prese sua moglie fra le braccia e la tenne stretta a sé. «Magari saremo fortunati. Magari, quando torneremo, troveremo tutto come l'abbiamo lasciato, topi compresi. Dov'è il tuo anello?» le domandò baciandole la mano.

«L'ho dato alla signora Potenza.»

«Lo custodirà sino al nostro ritorno?»

«Così ha detto.»

Udirono dei colpi forti alla porta, poi delle urla – «Ebrei!» – seguite da altri colpi violenti. «Ebrei!» gridavano voci maschili.

Agnese guardò istintivamente la finestra come possibile via di fuga. Speranza accarezzò l'idea di salire in solaio, da dove lui e Agnese avrebbero potuto saltare da un tetto all'altro sino a raggiungere l'acquedotto. Invece fece ciò che aveva sempre fatto sin da ragazzino a scuola: affrontò i prepotenti di petto e aprì la porta.

Due giovani Camicie Nere erano ferme sui gradini del negozio di fronte a casa e lo puntavano attraverso il mirino dei loro fucili. Erano ancora adolescenti, sedici, diciassette anni al massimo. Speranza non li riconobbe come veneziani. Sentendoli parlare, notò una marcata inflessione barese. *Stanno pescando anche al sud*, pensò. *Sono già a corto di nuove reclute. È buon segno.*

Le Camicie Nere strattonarono Speranza e lo spinsero con forza sul marciapiede, anche se lui non opponeva resistenza. Agnese non disse nulla e seguì suo marito con le valigie, una per ciascuno. Alzò lo sguardo e vide i volti familiari dei vicini di casa che osservavano la scena dalle finestre che davano sulla via dove lei e suo marito avevano vissuto per trent'anni. Avevano condiviso con quella gente zucchero e farina e un tratto di vita, ma in quella circostanza nessuno diede segno di conoscere Agnese. Né lei si aspettava che lo facessero; del resto, anche lei si comportò allo stesso modo.

I due furono spinti su un camion, un veicolo militare con un telone impermeabile come tetto. Non c'era posto per sedersi. La panca lungo il perimetro del mezzo era stipata di gente. Non c'era abbastanza spazio per altri due passeggeri, ma il gruppo si strinse ancora di più per farli sedere in mezzo a loro.

Le Camicie Nere alzarono il piano di ribalta, lo chiusero

sbattendo e lo sprangarono intrappolando i coniugi Speranza all'interno insieme agli altri. Infine i soldati saltarono sulle sponde laterali del camion che stava già attraversando la piazza per andare a prelevare altri cittadini.

A Venezia stava bruciando la Casa di David, la comunità ebraica, ma non c'era né fuoco né fumo.

Il treno del primo tratto di viaggio era dotato di sedili, ma una volta giunti in Germania, al momento del trasferimento, i prigionieri furono caricati su vagoni bestiame. Agnese osservò un treno passeggeri che si muoveva lentamente nella direzione opposta, con destinazione Venezia. Appena tre anni prima lei e suo marito erano stati su quel treno dopo una vacanza in Germania. Agnese vide i tavolini con le tovagliette bianche stirate attraverso i finestrini della carrozza ristorante. C'erano flûte d'argento con una rosa su ogni tavolo. Sui binari su cui viaggiavano lei e suo marito non c'erano né musica né cene eleganti, soltanto paura, pianti soffocati, conversazioni bisbigliate e preghiere silenziose. Speranza stringeva la mano di sua moglie per tranquillizzarsi. Teneva gli occhi chiusi, perché le espressioni di terrore sul viso dei compagni di viaggio erano troppo per lui da sopportare.

Quando il treno entrò nella stazione di Berlino, i soldati nazisti separarono gli uomini dalle donne. Agnese assunse un atteggiamento stoico allontanando la mano del marito quando questi cercò di trattenerla. Sapeva che, se i loro aguzzini avessero capito che erano una coppia, li avrebbero separati per pura crudeltà. Forse, se non avessero mostrato alcun legame fra loro, avrebbero potuto cavarsela.

Speranza fu richiamato da un ufficiale, non di alto rango, ma con un'anzianità sufficiente per aver diritto a un paio di stivali nuovi. Lui non avrebbe notato quel dettaglio, ma Agnese sì. La madre le aveva insegnato a prestare sempre attenzione alle calzature di un uomo. *Le scarpe dicono tutto della persona che le porta.*

Quando Speranza la guardò, Agnese distolse lo sguardo, ma

si posò una mano sul cuore affinché suo marito capisse che apparteneva a lui.

I nazisti caricarono Speranza e altri quattro uomini della stessa fila su un furgoncino troppo piccolo per accoglierli tutti, e gettarono le loro valigie sul retro di un camion come se fossero rifiuti. L'assembramento di tante persone in spazi ristretti non era dovuto a una scarsa capacità di pianificazione da parte dei nazifascisti, ma alla convinzione che Speranza e i suoi compagni ebrei fossero animali.

I soldati prelevarono un altro uomo dalla fila. Stringeva il cappello fra le mani mentre veniva spintonato sul furgone con Speranza e gli altri. Agnese lo riconobbe. Era un ingegnere fiorentino che si era mostrato interessato a capire il movimento degli orologi. Speranza gli aveva svelato tutto ciò che sapeva sull'argomento mentre sua moglie preparava la cena.

Agnese Speranza fu sollevata nel veder portar via suo marito insieme a pochi altri. Lui aveva un'abilità. Avevano bisogno di lui. Romeo sarebbe sopravvissuto, e avrebbero dovuto nutrirlo e trattarlo bene perché lavorasse a loro vantaggio. Il pensiero la rasserenò. Era felice per lui. Il suo amore per Romeo si concretizzava nella tendenza a mettere la sua felicità davanti alla propria. Agnese non sentì nemmeno il pungolo del manganello sulle costole quando fu spinta sul treno successivo che l'avrebbe portata a Buchenwald.

35

Casa, settembre 1945

Domenica tirò i capelli di sua figlia mentre la pettinava sul treno che le portava da Genova a Lucca.

«Mamma!» esclamò Matelda strofinandosi il cuoio capelluto. «Mi fai male!»

«C'era un nodo.» Domenica le accarezzò dolcemente il punto dolorante. «Scusami.»

Matelda McVicars aveva quasi cinque anni. Pensò: *Dovresti scusarti eccome. Mi hai portato via dalla casa che amavo per fare un viaggio in treno durante il quale ho rimesso per ben due volte e non sono riuscita a dormire.*

«Sono sicura che Viareggio ti piacerà. Aspetta che arrivi Carnevale e vedrai. Ci sono delle maschere gigantesche, sfilate di carri e montagne di bomboloni.»

Matelda non voleva nemmeno sentir parlare di bomboloni, visto che aveva lo stomaco sottosopra. Voleva chiamarli *doughnuts* come si faceva a Glasgow. Non voleva niente di italiano, neppure qualcosa di dolce. Voleva che al treno spuntassero le ali come un uccello e la riportasse in Scozia.

Domenica prese le mani della figlioletta tra le sue. «Che cos'hai, principessa?»

«Non so parlare italiano, mamma. Non capirò nessuno. Avevo delle buone amiche a Notre Dame. Mi mancano Marnie e Hazel. Perché non siamo rimaste là?»

«Perché la mia famiglia – la *tua* famiglia – è qui. E le famiglie devono stare insieme per essere forti.»

Il treno entrò nella stazione di Lucca. Matelda vide sua madre inginocchiarsi sul sedile, guardare fuori del finestrino e iniziare a salutare e sorridere; di lì a poco scoppiò in lacrime, ma erano lacrime di gioia. Matelda decise che qualsiasi cosa rendesse felice sua madre era più importante di qualsiasi cosa rendesse triste lei. Si inginocchiò a sua volta sul sedile di fronte e guardò fuori del finestrino sperando di trovare qualche traccia del luogo meraviglioso che vedeva sua madre, ma non c'erano fantocci, né sfilate, né gelatai. Viaggiavano sotto un acquazzone violento come non ne aveva mai visti in Scozia. Quando arrivarono a destinazione, Viareggio non le apparve affatto invitante. Era buia e grigia come un calzino invernale bagnato. Come aveva potuto sua madre lasciare un posto verde come il convento per uno così incolore?

«Che ne pensi, Matelda?»

«Bello, mamma» mentì la piccola sforzandosi di esprimersi in italiano.

Domenica si strinse la figlia al petto. «Userai il tuo italiano e sarai sorpresa quando scoprirai quante parole conosci già.»

Matelda affondò il viso nell'incavo del collo di sua madre, dove trovò il familiare profumo di rosa e vaniglia. La guancia di Domenica era morbida e Matelda si sentì rassicurata dai suoi baci.

Il facchino aiutò Domenica con il bagaglio. Le rivolse il tipico sguardo che le rivolgevano gli uomini. Era sempre la stessa storia. Intimiditi dalla bellezza di sua madre, tendevano tutti a strafare, a parlare ad alta voce e a gesticolare per farsi notare. Si offrivano di fare qualunque cosa desiderasse. Sua madre tollerava quelle attenzioni con cortesia, ma senza incoraggiarle. Anzi, nobilitava quell'atteggiamento sin troppo galante con il suo comportamento serio. A tal scopo, in questo caso, posò la mano guantata su quella del facchino e scese dal treno da vera signora. La reazione della piccola folla che si era radunata per darle il benvenuto confermò a Matelda che, in quella cittadina di mare, sua madre era considerata una persona speciale.

Un gruppetto di donne corse incontro a Domenica per salutarla. *Devono essere le cugine*, pensò la piccola, perché sua madre le aveva raccontato tante storie sui parenti di via Firenze. La famiglia di Domenica la travolse come un turbine affollandosi intorno a lei.

Un uomo anziano si inginocchiò davanti a Matelda e le porse la mano. «Sono tuo nonno» disse. Si frugò in tasca e le offrì una mentina.

«Davvero, Pietro? Una mentina?» Netta, la nonna di Matelda, lo ammonì. «Tu devi essere Matelda.» Netta, una donna magra ed energica con una cuffia di velluto verde, stava davanti alla nipotina di cinque anni e la osservava. «Sei proprio una bella bambina. Siamo felici di avervi a casa. Io sono tua nonna.» Abbracciò la piccola e le diede un bacio.

Matelda ringraziò i nonni per la calorosa accoglienza. Sembravano simpatici. Avevano qualcosa di familiare. Domenica le aveva parlato tanto della famiglia, del Carnevale e dei vicini di casa di Viareggio. Erano gli ultimi pensieri colorati di Matelda prima di addormentarsi, perciò erano incastonati nel suo subconscio come pietre preziose nell'oro. Le piaceva aggiungere dettagli alle storie, creando un mondo tutto suo con i frammenti di quello di sua madre.

C'erano racconti di tesori nascosti, mappe rubate e bulli sulla spiaggia. Matelda sapeva anche della Gioielleria Cabrelli. Conosceva la differenza tra saldatura, sbozzatura, sezionatura, levigatura, smerigliatura e lucidatura. Sapeva come si usava la tagliatrice e come si sgrossava la pietra grezza prima di misurarla. Imparò i nomi dei vari tagli: briolette, baguette, marquise, a brillante. Sapeva come sua nonna riuscisse a ricavare dei dolcetti deliziosi dalle castagne. Pur non avendoli mai incontrati, i suoi nonni erano reali per lei come lo era sua madre grazie alle favole della buonanotte che lei le raccontava.

«Voglio vedere il mare, mamma» disse Matelda tirandole la manica. «Me l'avevi promesso.»

Domenica si chinò. «Vedrai, quando andranno via le nuvole diventerà azzurro come la cintura del tuo vestitino.»

«La porteremo noi a vederlo.» Il nonno le offrì la mano. «È vero. Quando smetterà di piovere, tornerà di nuovo azzurro» confermò.

Netta prese l'altra mano di Matelda. «Abbiamo organizzato una festa per darti il benvenuto, Piccinina!» E come succedeva in ogni paesino italiano, a Matelda fu affibbiato un nomignolo. Da quel momento chiunque avesse i capelli bianchi l'avrebbe chiamata Picci.

Soltanto il ricordo di suo padre, John McVicars, e della sua gente, gli scozzesi, sarebbe sbiadito con il tempo. La Scozia divenne un frammento del suo passato, come il filo d'oro scucito di un antico arazzo che non sarebbe stato annodato né tirato per paura di rovinare tutto. La storia dei loro anni in Scozia e della scomparsa di suo padre sarebbe stata taciuta per i successivi settantasette anni della sua vita, perché lei non si sarebbe mai voltata indietro. La storia aveva preso una piega diversa. E comunque, Matelda era italiana ormai.

Vigilia di Natale, 1945

Il dottor Petrucci aprì la scatoletta di cartone legata da un nastro. I marrons glacés di Netta Cabrelli luccicavano come diamanti color cognac. «Le mie preferite!» Petrucci si servì subito di una castagna candita e passò la scatola a Domenica. «Tua madre è sempre stata gentile con noi, anche negli anni in cui eri lontana. Ci portava sempre una torta o una pagnotta di pane fresco.»

«Era il suo modo per tenermi il posto.»

«Be', ha funzionato.» Petrucci le porse una busta. «Per la vacanza.»

La busta tintinnò quando Domenica se la mise in tasca. «Grazie, ma non doveva. Si è già prodigato per farmi tornare a casa con la mia bambina, e non potrò mai ringraziarla abbastanza per il disturbo.»

«Non hai nessun debito con me. Hai scontato la tua pena. E sono contento di riaverti con me in ambulatorio.»

Domenica si rimise il cappotto e seguì Petrucci fuori della stanza. «Non so come ci sia riuscito.»

«Era solo una questione di tempo, come avviene per la maggior parte delle cose nella vita» iniziò Petrucci. «Una volta finita la guerra, il nuovo prete è stato felice di darmi una mano. Evidentemente oggi i sacerdoti si adoperano per la redenzione. La redenzione della loro reputazione, naturalmente. Credo che provassero imbarazzo per il modo in cui sei stata trattata.»

Petrucci si infilò la scatola di marrons glacés sotto il braccio e si avviò verso casa. Domenica chiuse a chiave la porta dell'ambulatorio. Non era una consolazione scoprire che il suo esilio da Viareggio era stato un errore. Domenica amava credere che ci fosse un ordine nell'universo. La sua condanna era stata severa e ingiusta. Inalò l'aria fredda e rabbrividì. Sembrava in arrivo una bella nevicata, anche se in Toscana succedeva di rado. Stavolta sperava che succedesse, soprattutto per Matelda. Sua figlia provava nostalgia per le abbondanti nevicate di Dumbarton e le successive giornate di sole, quando le Highlands sembravano coperte da polvere di diamanti ghiacciata.

In inverno anche Viareggio era un incanto. La luce delle candele tremolava dietro le finestre delle case abbarbicate sulle colline sopra la spiaggia. Le campanelle delle porte dei negozi lungo il viale tintinnavano per il gran viavai di clienti. Le vetrine si appannavano, incorniciando il vetro con cristalli di ghiaccio.

Domenica tenne aperta la porta della gioielleria di suo padre. Ne uscì una donna con un pacchetto in mano. Indossava un elegante cappotto di lana con maniche a palloncino e polsi in mohair con bottoni color bronzo.

«Signorina Cabrelli?»

«Signora McVicars» la corresse gentilmente Domenica. «Mi perdoni, non credo di conoscerla.»

«Monica Mironi.»

Monica era davvero molto chic, con quegli stivali in pelle perfettamente lucidi. Non era la trascurata madre di tre figli che Domenica ricordava.

La donna continuò. «Be', abbiamo qualcosa in comune. Non sono più Monica Mironi. Il mio primo marito è morto in Francia durante la guerra. Mi sono risposata con un uomo meraviglioso. Magari lo conosce. Si chiama Antonio Montaquila.»

«Sì, ha un negozio a Pietrasanta.»

«Esatto. Mi ha mandato a prendere un regalo per sua madre. Mi ha detto che qui da suo padre avrei trovato qualcosa di adatto a lei, e aveva ragione. Ho scelto una bellissima spilla.»

«Mi fa piacere.» Domenica prese le mani di Monica fra le sue. «Sono felice di vederla così bene.»

«Quando sono rimasta vedova non sapevo da che parte girarmi. I bambini erano smarriti. Ma Dio aveva un piano per me. Quasi mi vergogno di aver ritrovato la felicità, quando c'è così tanta sofferenza nel mondo.»

«Ha avuto la sua parte, Monica. Si merita un po' di felicità.» Domenica rimase a guardare la signora Montaquila allontanarsi lungo il viale. Il destino le aveva risparmiato una lunga vita con un marito prepotente e le aveva offerto una seconda chance. Se quella donna era riuscita a perdonare Guido Mironi, poteva farlo anche lei.

Domenica entrò nel negozio di suo padre e salutò Isabella, l'anziana commessa che stava servendo un cliente. Gli espositori erano praticamente vuoti. Prima della guerra sarebbe stato un buon segno per il bilancio famigliare. Dopo la guerra, tuttavia, la maggior parte dei gioielli venivano venduti con pagamenti dilazionati. Sarebbero passati anni prima che suo padre recuperasse quello che gli era dovuto. Nell'Italia del dopoguerra il credito aveva sostituito il profitto.

«Abbiamo compagnia, bella» disse Cabrelli mentre Domenica appendeva il cappotto.

Silvio Bartolini si alzò dalla panca sotto la finestra. Indossava il suo completo e la sua cravatta migliori. Si scostò una ciocca ribelle dalla fronte prima di baciare Domenica su entrambe le guance. «Come stai, vecchia amica?»

«Vecchia, appunto.» Domenica rise.

«Non voglio sentir dire una cosa simile! Sei ancora una ragazzina. Guarda che pelle!» disse suo padre, e le diede un buffetto sulle guance prima di passare dal laboratorio in negozio.

Silvio, come tutti gli italiani reduci dalla guerra, era molto magro. I capelli scuri erano sempre indomabili. Il viso aveva assunto un'aria più matura, con quelle guance scavate. «Sono felice che tu sia riuscita a superare la guerra» disse.

«E io sono felice per te.» Domenica provava una sensazione che non aveva mai provato in presenza di Silvio: imbarazzo. Tentò di imbastire una conversazione parlando del più e del meno. «Cerchi un regalo? Non so cosa è rimasto.» Indossò un grembiule sulla divisa da infermiera. «Scegli qualcosa e ti farò un bel pacchetto.»

Silvio si mise le mani in tasca. Si guardò le scarpe lucide. «Non sono qui per comprare un regalo.»

Cabrelli tornò in laboratorio con un gioiello che aveva venduto. Lo affidò a Domenica perché facesse una confezione regalo. «Ho assunto Silvio da poco come tagliatore. Potresti incartarmi questo, Nica?» disse affrettandosi a tornare in negozio.

Domenica aprì la scatolina e agganciò la delicata catenina d'oro al supporto di ovatta. «Hai finito l'apprendistato?»

«Sì, ho lavorato a Firenze finché non sono stato chiamato alle armi. All'inizio ho fatto la guardia in un campo di prigionia in Friuli. Un posto orribile.»

«E poi, dove ti hanno mandato?»

«Da nessuna parte. Ho abbandonato l'esercito perché il

mio Paese aveva abbandonato me. Mi sono unito alla Resistenza sulle montagne a nord di Bergamo.»

Domenica pensò a John McVicars, che non avrebbe lasciato il servizio attivo a prescindere dalle sue convinzioni. Avvolse la scatolina nella carta dorata e la legò con un nastro.

«C'erano molti italiani convinti che ci fosse del buono nell'ideologia fascista, ma io non ero uno di quelli.»

«Nemmeno io» concordò Domenica.

Silvio sorrise. «Quindi non mi giudichi.»

«No, certo che no.» Domenica gli diede dei colpetti sulla mano. «Non posso giudicare chi si è battuto per il bene. È stato un periodo terribile, ma in mezzo c'è stata anche della gioia. Mi sono sposata con uno scozzese molto fiero delle sue origini. È morto nel naufragio dell'*Arandora Star* cinque anni fa. Abbiamo una figlia.»

«È meraviglioso. Dev'esserti di grande conforto.»

«Sì, è la mia ragione di vita. Ha quasi sei anni. Tu hai un figlio più o meno della stessa età?»

«Non ho figli.»

«Peccato. Magari, adesso che la guerra è finita, tu e tua moglie potreste pensarci.»

«Non sono sposato.»

Isabella fece capolino nel laboratorio. «Silvio? Ha chiamato Maria Pipino per dire che la cena è pronta.»

«Grazie» disse lui mentre prendeva cappotto e cappello. «Ho affittato una stanza dalla signora Pipino.»

«La pensione in via Fiume? Vai, vai, allora. La Pipino è un'ottima cuoca. Continueremo la nostra chiacchierata la prossima volta.»

«Spero proprio di sì.» Silvio salutò Domenica con due baci sulla guancia. «Ci vediamo.» Si mise il cappello. «Tuo padre è un uomo saggio, ma su una cosa si sbaglia: non sei più una bambina; sei una donna splendida.»

Prima che Domenica potesse ringraziarlo per il complimento, Silvio era già in negozio che salutava Cabrelli con una stretta di mano. Non restava che aspettare la reazione di Ida Mitrione Cascarano quando avrebbe saputo di Bartolini.

Domenica affondò le mani nelle tasche del cappotto mentre tornava a casa a piedi. Invece di prendere la scorciatoia, salì sino alla passeggiata. La luna tracciava un sentiero di luce sulla superficie del mare, increspando le onde come balze di raso nero. Gironzolò sul molo, guidata dalle luci azzurre installate dalla Marina italiana. Dal tetto di Villa Cabrelli, il lungomare brillava come un bracciale di zaffiri. Oltre a Matelda, quelle luci blu erano l'unica cosa buona che era venuta fuori dalla guerra.

La Vigilia di Natale sembrava un nuovo inizio per Domenica e sua figlia, anche se erano tornate da alcuni mesi ormai. Le vacanze stavano aiutando Domenica a riadattarsi alla vita famigliare come se non fosse mai partita, e a poco a poco Matelda si stava facendo degli amici – era un vantaggio che fosse circondata da cuginetti che l'avevano accolta volentieri e non la prendevano in giro per il suo accento buffo.

Quando viveva al convento di Dumbarton, Domenica seguiva la consuetudine della passeggiata quotidiana che aveva portato con sé dall'Italia. Passeggiava dopo cena lungo il fiume Clyde, dove l'Oceano Atlantico appariva in lontananza con le sue creste bianche e i marosi verde scuro, come a ricordarle ciò che le era stato tolto al largo della costa irlandese. Durante quelle passeggiate Domenica parlava a suo marito, nella speranza che lui la stesse ascoltando dall'altra parte. Gli raccontava di Matelda e della vita al convento. Ma, soprattutto, sentiva terribilmente la sua mancanza. Via via che il tempo passava, quelle passeggiate iniziarono a darle una prospettiva: aveva imparato a convivere con il suo dolore.

Tornando in Italia, le conversazioni unilaterali con suo marito cessarono. Ogni tanto le capitava di chiamare il suo nome, o di pensarlo intensamente quando Matelda diceva qualcosa di buffo, ma le sembrava che lui avesse smesso di ascoltarla.

Quando McVicars era morto, il suo amore aveva continuato a scaldarla come il sole; ora, a distanza di anni, quella connessione era quasi svanita. Si sentiva sola come non mai. «L'amore cambia con il tempo, ma anche il dolore» le ripetevano le vedove del posto.

Mentre saliva i gradini di Villa Cabrelli, Domenica provò una strana sensazione. Si fermò sul pianerottolo e sbirciò nella finestra sotto la quale dormiva da ragazzina. Ricordò la sera in cui Silvio Bartolini era passato a salutarla prima di lasciare Viareggio per sempre. Si sentì attraversare da un brivido al pensiero di quel bacio, ma lo attribuì all'aria fredda della sera. Entrò in casa e chiamò sua figlia.

«Aggiungi un piatto per il pranzo di Natale» disse Cabrelli alla moglie mentre gettava un ceppo nel camino e attizzava il fuoco.

«Certo, tanto qui c'è da mangiare in abbondanza.» Netta spezzettò della salvia fresca sulla lombata di maiale che rosolava nel tegame. «Che sbandato hai raccattato questa volta?»

«Probabilmente ti ricordi di lui. Andava a scuola con Domenica.»

«Fermati subito! Non mi dire che hai invitato "il bastardo"! Ho sentito che è tornato da queste parti. Me l'ha detto la signora Pipino al mercato del pesce.»

«La signora ha detto bene. Silvio Bartolini è tornato a Viareggio e alloggia nella sua pensione. È prossimo ai quarant'anni. Potremmo anche smetterla di chiamarlo "il bastardo", non ti pare?»

«D'accordo. Ma questo non significa che non lo sia.»

«È cresciuto, ha imparato un mestiere ed è davvero in gamba. L'ho preso a lavorare con me.»

«Nel nostro negozio? Non dirai sul serio!»

«È un giovanotto assolutamente presentabile. Ed è educato, molto più di quel tuo cugino di La Spezia che è venuto qui come apprendista ed è durato solo qualche mese dopodiché ha gettato la spugna. Sai di chi parlo. Quello che si dava tutte quelle arie. Passava più tempo ad andare a zonzo che a tagliare pietre nel nostro laboratorio.»

«Ignazio Sensi si dà delle arie, ma è una persona onesta. Ha fatto fruttare una cospiqua eredità, non l'ha scialacquata. Lascia che se la spassi perché ha i soldi. Alcune famiglie sono uscite dalla guerra perdendoci, altre ci hanno guadagnato.»

«A nessuno è andata meglio solo per il fatto di averla vissuta.» ribatté Cabrelli.

«Dobbiamo recuperare il tempo perduto. Abbiamo perso i nostri risparmi e non abbiamo guadagnato nulla in quegli anni. E tu cosa fai? Ti metti in casa un ragazzo con una pessima reputazione in una città che non perdona nessuno.»

«Ho bisogno di Silvio. Grazie a lui posso accettare più commesse. E comunque è un bravo tagliatore.»

«Va bene, ma non pagarlo troppo. Abbiamo una famiglia da mandare avanti, qui.»

«Netta, sei diventata troppo attaccata ai soldi.»

«Prova a vivere senza. Non voglio mai più dipendere dagli altri per mangiare. Ho ancora gli incubi per la guerra. Stare nascosti, cercare da mangiare nel bosco e chiedere l'elemosina per qualche briciola, come gli animali.»

«Non abbiamo mai dovuto chiedere l'elemosina. Siamo sopravvisuti dignitosamente. Dov'è la tua gratitudine? La nostra casa era ancora in piedi quando siamo tornati. Altri non hanno avuto la stessa fortuna.»

«Io non voglio Silvio Bartolini seduto alla mia tavola a Natale.»

«Be', io sì.»

«Hai chiesto a tua figlia cosa pensa in proposito?»

«Voglio farle una sorpresa.»

«Una sorpresa talmente grande che se ne andrà di casa. Non le farà piacere.»

«Sono vecchi amici.»

«Pietro, sei proprio un ingenuo. Mi vergogno per te.»

«Non voglio che il mio nuovo dipendente passi il Natale da solo.»

«Hai invitato Isabella? Anche lei è una tua dipendente.»

«Lei ha una famiglia.»

«Che porta avanti onestamente.»

«Netta, basta.» Cabrelli non aveva alzato la voce, ma il tono era fermo. «Silvio ha abbondantemente scontato la sua pena per un errore che non ha commesso. È un uomo buono e onesto. In questa casa non c'è spazio per i tuoi pregiudizi. È Natale. Sii umile come il povero pastore.»

Matelda corse nella cucina della nonna seguita da sua madre. Si tolse le muffole e la cuffia di lana. «Nonna, il signor Bartolini ha guidato la carrozza sulla spiaggia!»

«Sulla spiaggia?» chiese Netta sforzandosi di sorridere.

«Sì, sino alla spiaggia della Lecciona e ritorno» confermò Domenica raccogliendo cappotto e guanti della bambina.

«Sì, ed è stato divertentissimo!» continuò Matelda saltellando entusiasta. «Aveva dei campanellini attaccati alle briglie e me le ha lasciate per farle tintinnare anche quando ha riportato il cavallo al signor Giacometti. Ho detto al signor Bartolini che in Scozia abbiamo la neve a Natale, e lui mi ha detto di fingere che la sabbia fosse neve, e così ho fatto.»

«Andiamo, Matelda. Togliamoci i vestiti bagnati.» Domenica guidò la bambina su per la scala.

«Appendi il cappotto al portasciugamani in bagno» Netta urlò alla figlia.

Poco dopo Silvio si presentò sulla soglia con cappotto e cappello. «La prossima volta sarebbe bello se facesse un giro in carrozza con noi, signora Cabrelli.»

Netta tirò su col naso. «Se avrò tempo, magari verrò. Grazie per aver portato Matelda. Ai bambini piace fare un giro in carrozza a Natale.»

«Posso dare una mano in cucina?»

«Il fuoco in sala da pranzo sta per spegnersi. La legna è accatastata sotto casa.»

«Ci penso io.» Silvio si chiuse la porta alle spalle.

«Menomale che non si era ancora tolto il cappotto» commentò Cabrelli entrando in cucina. «L'hai subito messo sotto a lavorare.»

«Cerca di dare il meglio di sé. Tutti gli uomini sono modelli di educazione all'inizio. Vedremo quanto dura.»

«È un buon amico per tua figlia. E ora anche per tua nipote.»

«Finché le cose restano così e non è nulla di più per loro, può anche andarmi bene.»

«Netta, sei una romanticona!» Cabrelli prese la moglie fra le braccia, la strinse a sé e la soffocò di baci. Lei lo respinse con la spatola. «Lasciami andare, vecchio furfante.»

Cabrelli obbedì.

«Mia figlia non ha perso il suo primo marito, un pluridecorato capitano di Marina, per poi finire con un semplice apprendista» dichiarò la donna raddrizzandosi il grembiule.

«Non sarà apprendista ancora per molto.»

Silvio asciugò l'ultimo piatto del pranzo di Natale e lo sistemò sullo scolatoio insieme agli altri. La cucina di Netta Cabrelli era tornata a essere un modello di ordine e pulizia. Silvio si accertò di aver sistemato ogni piatto e ogni vassoio al suo posto.

Domenica lo raggiunse in cucina.

«Hai fatto presto» osservò Silvio.

«Matelda non riusciva a smettere di parlare della corsa in carrozza. Tutta quell'aria frizzante le ha fatto bene. Ma è crollata subito.»

«O è stata la torta della nonna?»

«Forse un po' entrambe le cose» ammise Domenica ridendo.

«E tu come l'hai trovata?»

«La torta era un po' asciutta» sussurrò lei.

«Intendevo il giro in carrozza sulla spiaggia.»

«Se mia figlia è felice, lo sono anch'io.»

«Hai fatto un buon lavoro con lei. È una bambina molto dolce ed educata.»

«Grazie.» Domenica prese lo strofinaccio e lo appese al gancio ad asciugare. «Perché hai lavato i piatti?»

«Per fare colpo su tua madre.»

«Fammi sapere se ci sei riuscito.»

Silvio rise. «La signora ha un'ottima memoria. Pensa ancora a me come al bambino grassottello che andava in giro a rubare mappe. Ora penserà a me come l'invitato a cena che ha lavato i piatti, spero. Che ne dici di fare due passi?»

Domenica e Silvio passarono in punta di piedi davanti a Netta, che si era addormentata sulla poltrona accanto al camino. Cabrelli alzò gli occhi dal libro che stava leggendo e sorrise. I due giovani si misero il cappotto e uscirono di casa.

«Un po' d'aria fresca fa piacere» disse Silvio.

«Dopo che sei stato con le braccia immerse nell'acqua calda sino al gomito, sì. Fammi vedere le tue mani.»

Silvio posò le mani tra le sue. Domenica le voltò con il palmo in alto. «Mettiti i guanti.»

Lui non accennò a obbedire al suo invito. «Sei piuttosto autoritaria.»

«Fa parte del ruolo di mamma.» Domenica infilò le mani nella tasca di lui, prese i guanti e lo sollecitò a infilarseli.

«Matelda non c'entra. Tu sei nata così. Quando eravamo bambini sapevo già come saresti diventata da grande.»

«E come sono diventata?»

«Non sei un generale. Non ancora.»

«Ti ho pensato tanto, sai?» Domenica fece scivolare il braccio sotto il suo. «L'ultima volta che ci siamo incontrati eri fidanzato. Perché non ti sei sposato?»

«Barbara era una brava ragazza, ma la sua famiglia non era molto comprensiva. So cosa significa rimanere delusi, e io ho finito per diventare una delusione per lei. Dopo averti visto a Carnevale, tornai a Parma deciso a essere sincero con lei. Tu non mi avevi mai fatto pesare la mia situazione famigliare, e questo mi diede il coraggio di dirle la verità. A Viareggio tutti sapevano che ero "il bastardo", ma a Parma no. Lei stava per diventare mia moglie e non dovevano esserci sorprese riguardo la sua famiglia o la mia. Per dirle la verità, dovevo scoprirla io stesso.»

«Hai mai incontrato tuo padre?»

«Sì, è un brav'uomo che ha fatto un errore stupido. È pentito. Be', lo era. È morto l'anno scorso.»

«Mi dispiace.»

«Mia madre lo conobbe e si innamorò di lui quando aveva diciannove anni e lui trentatré. Quando scoprì di essere incinta e glielo disse, lui le confessò di essere sposato. Fu un duro colpo per lei.»

«Immagino che fosse spaventata.»

«Decise di non chiedere aiuto alla sua famiglia, ed è così che arrivò a Viareggio. Aveva sentito che c'era la possibilità di lavorare in parrocchia e si trasferì qui.»

«Le parrocchiane di San Paolino ancora si lamentano che la chiesa non è mai più stata in ordine come quando c'era la signora Vietro a occuparsene.»

«Mia madre si era fatta degli amici meravigliosi, finché non scoprirono la mia situazione. Non ci volle molto. Sparirono tutti. Ma a Barbara piacevano mia madre e il mio patrigno. Decise di non dire ai suoi genitori della mia condizione sociale, e io ero convinto che non toccasse a me informarli. Quando suo padre, attraverso i canali giusti, fece delle indagini per scoprire qualcosa su di me, come fanno i genitori quando la loro figlia si innamora di un giovanotto squattrinato, andò su tutte le furie. Era andato dal prete per cercare informazioni sui Bartolini di Parma e non aveva trovato nulla, nessuna traccia di me sui registri della chiesa. Da lì fece una ricerca a tappeto per trovare la strana tribù composta da un unico membro cui appartenevo, il che portò alla scoperta della verità e, di conseguenza, alla fine del fidanzamento. Il signor Bevilacqua mi disse che non poteva affidare la dote di sua figlia a un bastardo e ci impedì di sposarci.

Barbara lo implorò di riconsiderare la sua decisione, ma lui rifiutò. Il ricco mette il denaro davanti a ogni cosa, davanti al suo cuore, ai suoi figli e ai tuoi interessi.»

«Anche mio marito aveva una massima a proposito dei ricchi. John diceva: "Non importa quanto sia grande e lussuosa, ogni barca finisce per puzzare di acqua di mare e di piscio".»

Silvio rise. «Sarei andato d'accordo con tuo marito.»

«Moltissimo, ne sono sicura. Ma vedi, sono passati quasi sei anni ormai, ed è come se il nostro matrimonio riguardasse qualcun altro. Quando lui è morto, mi sono ripromessa di non dimenticarlo mai, ma lui mi ha lasciato. Non sento più il suo spirito accanto a me.»

«Mi dispiace.»

«Non voglio far sembrare tutto triste. Nella mia vita c'è più gioia che dolore. Essere la moglie di John è stato bellissimo. Se mi guardo indietro, mi rendo conto che non c'è niente di più bello della sensazione di essere padrona del cuore di qualcun altro. È stato uno dei grandi doni che mi ha fatto la vita.»

Domenica e Silvio camminavano nella buia notte d'inverno tenendosi per mano. Nessuno dei due avrebbe ricordato quante volte avevano percorso il tratto di passeggiata illuminato da piccole pozze di luce azzurra. Si ritrovarono in fondo al molo, dove il pontile si protendeva nel mare come una mano avvolta nel guanto nero di un abito da sera. Silvio le si avvicinò. Lei gli posò le mani intorno al collo.

«Non mi importa che tu abbia amato lui per primo» disse Silvio.

«Io ho amato John McVicars,» disse piano Domenica, «ma non è stato il primo».

«C'è stato qualcun altro?» La voce di Silvio tradiva una certa tensione.

«Avevo conosciuto un ragazzino a scuola. Mi piaceva comandarlo a bacchetta.»

«Ti ricordi solo questo di lui?»

«Era divertente. Era forte. Aveva bisogno di me.»

Silvio strinse Domenica a sé, la sollevò da terra e le baciò l'orecchio, il collo, la guancia. Il calore del suo tocco nella sera fredda fece capire a Domenica che quello era il suo posto, una sensazione che non aveva più provato dopo la morte di John. Appoggiò la testa sulla spalla di Silvio; l'incavo del suo collo profumava di pino, come il bosco sopra Viareggio negli ultimi scampoli d'estate. Da ragazzini avevano percorso quei sentieri, avevano bevuto l'acqua del ruscello, si erano seduti all'ombra degli alberi a mangiare pane e burro. Silvio Bartolini era stato una parte importante della fanciullezza di Domenica. La sua amicizia rappresentava l'inizio di un amore che sarebbe durato tutta la vita e l'avrebbe guarita.

Silvio aveva passato anni a sperare che Domenica Cabrelli lo avrebbe aspettato. Quel sogno a occhi aperti aveva assunto aspetti diversi via via che cresceva, ma il finale era sempre lo stesso. Lei lo avrebbe amato come lui amava lei. Quando le labbra di Silvio trovarono di nuovo le sue, il tenero ricordo di una sera lontana lo colmò di desiderio. Non l'aveva mai dimenticata. Baciandole il viso sentì il sapore delle sue lacrime, che gli ricordò quello delle onde salate del Tirreno. Domenica era tornata da lui attraverso quello stesso mare che li aveva separati.

«Ho un segreto» sussurrò lui prendendole il viso fra le mani. «Sono tornato per te.»

«Come facevi a sapere che ero qui?»

«Ho chiesto di te. Sapevo dov'eri. Non conoscevo i dettagli, ma pregavo che mi avresti aspettato.» I suoi occhi scrutarono la spiaggia alle loro spalle. «Questo è il luogo dove è accaduto il peggio, il mio dolore più profondo e il mio sogno più grande. Entrambi sono dentro di me, ma ho imparato che l'amore è più forte di qualsiasi dolore.»

Domenica era immersa nel buio della sua stanza. La sua bambina e i suoi genitori dormivano. Lei non riusciva a riposare: la sua mente era un turbinio di pensieri dopo la passeggiata con

Silvio. Il suo bacio la faceva ancora tremare. Non sapeva se essere impaurita o euforica. Il suo cuore batteva all'impazzata alla scoperta di aver ritrovato l'amore. Come poteva essere accaduto? Due grandi amori in una vita in cui non si è certi di trovarne nemmeno uno.

Domenica tirò fuori il portagioie dal cassetto del comò e lo portò giù, in salotto. Il fuoco si stava spegnendo, le braci palpitavano nella graticola sopra la cenere. Accese la lampada da lettura. Esitò per qualche istante con la scatolina di velluto in grembo prima di aprirla. Tirò fuori l'orologio che John le aveva regalato per il fidanzamento. Non lo portava più da quando lui era morto, e nemmeno lo caricava. Tenne la fredda pietra verde in mano, lo capovolse e sfiorò con le dita le iniziali incise. Erano passati oltre cinque anni, e dopo la guerra aveva preso l'abitudine di portare un orologio da polso. L'orologio di John era diventato troppo pesante da portare appuntato alla sua divisa da infermiera. Apparteneva a un'altra epoca.

Rovistò tra le medagliette, ricordo dei sacramenti che aveva preso da bambina. La fede nuziale della Gioielleria Matteucci era in fondo allo scrigno. La fece rotolare tra pollice e indice. Era liscia e lucida come quando John gliel'aveva infilata al dito per la prima volta. Nessun segno, nessun graffio, nessuna ammaccatura, perché l'oro non era mai stato sottoposto al logoramento quotidiano.

Domenica ripose l'anello nel portagioie. Lo avrebbe conservato per Matelda.

Desiderava che sua figlia sapesse tutto del padre che non aveva mai conosciuto, ma non poteva mantenere viva la sua memoria senza suscitare dolore. Come infermiera, credeva nel potere della guarigione, ma come donna, non ne era altrettanto sicura.

36

Viareggio, oggi

«Apri le finestre, Annina.» Matelda era seduta a letto, sostenuta dai cuscini.

«Non credo che l'arietta della sera ti faccia bene, nonna.»

«Vuoi che dorma? Non riesco a dormire senza un po' d'aria fresca.»

Annina fece come le era stato chiesto. Si tolse le scarpe e si sedette ai piedi del letto.

«Che ti succede, Annina?»

«Stavo pensando alla famiglia Matteucci.»

«Non è stata solo tragedia. Piccolo alla fine ho sposato Margaret Mary. Mia madre è rimasta in contatto con loro. Erano l'ultimo legame con quel periodo della sua vita. E poi c'era Sabatini, il maître d'hotel.»

«Non è morto nel naufragio?»

«No, è riuscito a sopravvivere aggrappandosi a un tavolo della sala da pranzo. Gettandosi in mare si è fratturato una gamba, ma se ne è reso conto soltanto quando è stato tratto in salvo. È stato ricoverato in ospedale a Liverpool, dove è riuscito a escogitare un piano per fuggire e tornare a Londra, anziché essere imbarcato su un'altra nave come prigioniero. Il piano ha funzionato. È rimasto nascosto nella cucina del Savoy Hotel sino alla fine della guerra. Quando i Matteucci sono andati in viaggio di nozze a Londra, hanno deciso di concedersi un tè al Savoy. Piccolo ha avuto l'impressione di vedere un fantasma quando si è ritrovato davanti agli occhi Sabatini che attraversava la sala da pranzo con il suo smoking. Dev'essere stata una rimpatriata memorabile.»

«E cosa è accaduto ai Franzetti? Quelli che avevano la pizzeria?»

«Sono stati mandati in Australia e a guerra finita hanno deciso di rimanervi. A quanto ne so, i nipoti vivono ancora lì e gestiscono una catena di pizzerie.» Matelda buttò il copriletto verso Annina. «Vedo che sei interessata alla parte scozzese della famiglia, eh?»

«Mi spiego tante cose.» Annina si avvolse nella coperta e si mise seduta. «Quando parli della Scozia, ho l'impressione di esserci già stata.»

«Ti auguro di andarci un giorno.»

«E tu verrai con me.»

«Vedremo.» Matelda sorrise. «Non ci sono mai più tornata. Da piccola ho promesso a me stessa che, una volta cresciuta, mi sarei trasferita là. Ma è rimasto un sogno infantile ed è stato meglio così. Sai, non volevo ferire mia madre. La Scozia le aveva causato grande sofferenza. Aveva già vissuto sin troppi momenti dolorosi nella vita e ho giurato di non peggiorare le cose né di risvegliare in lei brutti ricordi. Con il passare del tempo, vivere in un altro posto che non fosse qui mi sembrava un tradimento. Ogni volta che io e tuo nonno facevamo un viaggio, passati tre giorni mi prendeva l'ansia e cominciavo a tormentarlo per farmi riportare a casa. Mi mancava tutto: la mia famiglia, questa casa e il mare. Ho viaggiato molto con il nonno, e in qualche occasione ci siamo trovati abbastanza vicini alle Highlands. Lui mi diceva "Andiamo". Io ero tentata dall'idea, ma non sono mai andata sino in fondo. Troppi fantasmi.»

«Vorrei avere altri cent'anni da trascorrere con te, nonna. Compresi i fantasmi e tutto il resto. Mi piace come si viveva ai tuoi tempi. Tutte le famiglie riunite sotto lo stesso tetto.»

«E non ci sbranavamo nemmeno. Questo è il miracolo.» Matelda ridacchiò. «Quando mio zio Aldo è morto in guerra, noi vivevamo qui con i miei nonni. E mia madre ha deciso di continuare a vivere con loro anche dopo il matrimonio con Silvio. Lui ne era felice. E lo ero anch'io. Finalmente avevo un padre.»

«Anche se la bisnonna Netta non aveva simpatia per lui?»

«Sono riusciti a trovare un modo per andare d'accordo. Credo che alla fine lei abbia imparato a volergli bene. Forse solo in punto di morte, ma è successo. Sai, mia nonna non aveva lavorato con Silvio ogni giorno, fianco a fianco, come invece aveva fatto mio nonno. Non li ho mai sentiti discutere per il lavoro. Andavano e tornavano dal negozio insieme.»

«Tu e il nonno Olimpio, invece, avete avuto i vostri scontri.»

«Gran parte delle coppie sposate litigano per i soldi, ma la ragioniera ero io e sapevo fare i conti. Avevo i numeri dalla mia parte, capisci? Anche tuo nonno ha imparato a gestire gli affari, ma gli ci sono voluti anni. Lui è un artista, e gli artisti sono sognatori. Non affidare mai il portafogli a un artista, perché te lo restituirà vuoto. Olimpio e io ci compensavamo. Lavoravamo insieme. Ci dividevamo le responsabilità. C'è bisogno di questo in un buon matrimonio.»

«Io e Paolo ce la cavavamo bene con la gestione dei soldi. È per quello immateriale che avevamo problemi. Don Vincenzo mi ha detto che la ricetta per un matrimonio felice è *Perdona. Dimentica. Riprovaci.* Ho qualche difficoltà con il secondo punto.»

«Anch'io. Spero di essere stata perdonata per le mie manchevolezze» disse Matelda con tono riflessivo. «Spero che anche tu possa perdonarmi, Annina. So di essere stata un po' burbera.»

«È tutto a posto, nonna.»

«Sono contenta. Quando ero giovane, trovavo mia nonna Netta insopportabile. Non riuscivo a capire perché le signore anziane fossero così pesanti.»

«Me lo chiedo anch'io» disse Annina alzando gli occhi al cielo.

«Se vedi una signora anziana diventare scontrosa, ora sai perché. Ha un passato che tu non puoi capire perché non l'hai vissuto. Man mano che invecchia, le gambe non la reggono più, le fa male la schiena, le ginocchia scricchiolano, cucina, pulisce, si preoccupa, aspetta e poi si ammala e muore. Perciò sii gentile, Annina. Un giorno l'anziana sarai tu.»

Febbraio 1946: carnevale

Non appena entrò in negozio, Domenica seguì lo stridio del lapidello. Trovò Silvio al lavoro nel retro. «Giornata pesante in ambulatorio, oggi» urlò per sovrastare il rumore della macchina prima che Silvio la spegnesse. «Una frattura al braccio e due forti emicranie – queste ultime dovute al limoncello di Carnevale. Petrucci detesta il Carnevale. Dice che è solo un pretesto perché ubriaconi e teste calde si scatenino.»

«Ho quasi finito.» Silvio picchiettò il vassoio per far cadere la polvere di diamante in una scatola.

Quando lui ebbe finito, Domenica gli mise le braccia al collo. Silvio la attirò a sé e la baciò prendendole il viso fra le mani. «Che ne diresti se non volessi rinnovare il contratto con la signora Pipino?»

«Dove andresti a stare?»

«Mi piacerebbe trasferirmi più vicino al negozio.»

«Ci sono tante pensioni.»

«Non voglio prendere in affitto un'altra stanza. Non voglio stare in un altro posto se non ci sei anche tu. Ti andrebbe di...» Silvio balbettò.

«Sì.»

«Come facevi a sapere cosa stavo per chiederti?»

«Sono una strega» replicò Domenica ridendo e appoggiando la testa contro il suo petto. Il cuore di Silvio batteva forte, segno che lei era importante per lui. Quando, in autunno, Domenica era tornata a Viareggio con sua figlia, sembrava che tutto fosse rotto – il molo, le strade, persino il suo cuore. Si era ritrovata ad aggirare le macerie in punta di piedi quando aveva riscoperto l'unica cosa che poteva completarla. «Devo sapere se ami anche Matelda. È una bambina buona e giudiziosa, ma verrà il giorno in cui capirà quello che ha perduto... e potrebbe prendersela con te per sfogare la sua frustrazione.»

«Non posso essere suo padre, ma le vorrò bene come se fosse mia figlia. La ascolterò quando avrà bisogno di parlare di lui.»

«Non saremo la giovane coppia che costruisce una famiglia» disse Domenica con la voce velata di malinconia. «Mi dispiace di non poterti offrire questo.»

«Tu me l'hai già data, una famiglia. Non desidero altro. E ora che ce l'ho, la proteggerò per il resto della mia vita.» Silvio prese una scatolina dalla tasca e gliela porse.

Domenica la aprì e tirò fuori un anello. Silvio glielo infilò al dito.

«Questo anello è il simbolo della nostra nuova vita. Lo zaffiro blu rappresenta il mare, l'ametista viola il cardo scozzese, il quarzo citrino i girasoli italiani, e il diamante la base solida su cui costruire. Ne abbiamo una, sai, da cui possiamo ricominciare. Possiamo scegliere di essere felici insieme. Domenica, vuoi sposarmi?»

«Sì, lo voglio.» Lo baciò.

«Ho tagliato queste pietre apposta per te.»

«Non mi separerò mai da questo anello» promise lei. «E io cosa posso darti?»

«Non è consuetudine che la sposa faccia un dono allo sposo. Ma qualcosa che puoi donarmi c'è. La nostra famiglia ha bisogno di un nome. Un avvocato di Firenze ha pensato al cognome Bartolini per un bambino senza un padre disposto a riconoscerlo. Una volta sposati, saremo una famiglia, e la nostra famiglia merita un nome degno. Mi piacerebbe essere un Cabrelli, se mi vorrete.»

Domenica era euforica. Lo baciò di nuovo. «Certo, saremo la famiglia Cabrelli.»

La coppia di neofidanzati si avviò verso casa a braccetto per comunicare la novità a Netta, Pietro e alla piccola Matelda. Loro li aspettavano con la torta e una bottiglia di spumante al fresco perché Silvio aveva chiesto la loro approvazione prima di fare la proposta a Domenica. A lei non restava altro da fare che essere felice.

Matelda dormiva nel suo lettino posto nella nicchia. Domenica le tolse delicatamente lo zucchero a velo dalla guancia prima di baciarla. Sperava che sua figlia fosse felice del fidanzamento, e non soltanto perché aveva potuto mangiare la torta prima di andare a letto.

Domenica aprì la cappelliera in cui conservava i documenti importanti. Tirò fuori un fascio di lettere legate con un nastro di raso bianco. Muovendosi in punta di piedi, passò davanti alla camera da letto dei suoi genitori e scese le scale. Si mise il cappotto, ficcò le lettere in tasca e si diresse verso la spiaggia.

I falò di Carnevale si erano spenti; tutto ciò che rimaneva erano cerchi di fiammelle azzurre sparsi lungo la spiaggia. Domenica si fermò davanti al mare con le lettere di John in mano. L'unica prova del loro amore che le era rimasta. Prima che Silvio tornasse nella sua vita, aveva immaginato che avrebbe custodito quelle lettere per rileggerle qualora avesse avuto bisogno di una conferma che lui l'aveva amata, l'aveva sposata e le aveva dato Matelda. Altrimenti ciò che era accaduto fra loro sarebbe svanito del tutto, come un sogno.

John McVicars era stato una forte raffica di vento che aveva attraversato la vita di Domenica Cabrelli. Lei aveva imparato che il tempo non può essere la misura delle cose che durano. Talvolta quello che dura è ciò che ci cambia in una manciata di minuti, non in anni. John non era vissuto abbastanza a lungo da deluderla, né erano stati sposati abbastanza a lungo perché potesse essere lei a farlo. Non c'era stato bisogno di perdono; il tempo che avevano trascorso insieme era stato troppo breve.

John Lawrie McVicars era tornato al suo amato mare per vivere tra i personaggi del mito, i vagabondi, i ladri e i santi che trovano rifugio nelle profondità dell'oceano. Il suo spirito era protetto dalle onde che sferzavano le coste rocciose della Scozia settentrionale. John non le apparteneva più.

Domenica gettò le lettere nelle braci ancora ardenti del falò. D'un tratto una folata di vento spazzò la spiaggia e il fuoco si ravvivò sprizzando scintille e divorando le lettere con una rapida fiammata violacea. Quella carta sottile si trasformò in volute di cenere nera che si alzarono fluttuando nell'aria, subito catturate dal vento che le trasportò verso il mare.

Viareggio, oggi

Matelda era seduta al tavolo della sala da pranzo, intenta a scrivere una lettera. La piegò e la posò nella scatola della posta.

«Che cosa stai scrivendo?» chiese Annina.

«Dei biglietti di ringraziamento.»

«Oh, io sono una frana con quelli.»

«Lo so.» Matelda scoccò un'occhiataccia alla nipote.

«Mamma, ti ho portato la frutta» annunciò Nicolina entrando in cucina.

«Basta. Sto per trasformarmi in una papaya.»

«È sulla lista dei cibi consigliati che ti hanno dato in ospedale.»

«Hai mai assaggiato quello che preparano ai pazienti? Sono i meno titolati a dare consigli su cosa mangiare» si lagnò Matelda.

«Mamma, sai che la nonna mi sta raccontando un sacco di cose interessanti sulla nostra famiglia?» Annina sistemò le pantofole di Matelda sul poggiapiedi della carrozzina. «Conosco la storia di tutti i suoi gioielli.»

«Bene, perché io non ne so niente» osservò Nicolina con una punta di ironia. «Pensavo di sedermi con voi e di mettere queste storie per iscritto. Ora abbiamo tempo.»

«Dici?» disse Matelda con un fil di voce.

Annina si sedette davanti a sua nonna. «Che fine ha fatto

l'anello di fidanzamento della bisnonna? Quello con tutti quei colori. Non l'ho visto nel portagioie.»

«Non l'hai visto perché non ce l'ho. Mia madre è stata sepolta con quell'anello. È stato un suo desiderio. Non l'ho mai detto a nessuno, nemmeno a mio fratello Nino. La prima sei stata tu. Ovviamente temevo che lui avrebbe preteso la sua metà.»

«Si sarà chiesto dove fosse finito.» Nicolina si sedette al tavolo con loro.

«Se lo ha fatto, non mi ha mai detto niente. Un figlio maschio non si fa mai vedere molto dopo aver preso moglie e non è di grande aiuto nell'accudire i genitori anziani; in compenso, raramente vuole qualcosa di materiale quando i genitori se ne vanno. Anche Patrizia non ha chiesto nulla.»

«Non lo farebbe mai» disse Nicolina. «Non è quel tipo di persona.»

«Avrei voluto che Nino fosse meno avido. Lui voleva molto di più, non solo i gioielli, credetemi» iniziò Matelda. «Nino voleva il negozio. Ecco perché sono sorti problemi con lui. Mio padre voleva che fosse Olimpio a gestire il negozio e che Nino lavorasse per lui. Olimpio era l'artigiano e, come tale, rappresentava la tradizione di famiglia. Si trattava di saper fare le cose, non tanto di venderle, anche se è importante pure questo, naturalmente. Nino era un bravo commerciante, ma un disastro come tagliatore. Quando si è reso conto di come si stavano mettendo le cose, ha deciso di emigrare in America. Ed è stato quel momento a segnare la nostra rottura.»

«Forse gli aveva dato fastidio che fossi diventata una Cabrelli a tutti gli effetti.»

«Non credo. Eravamo Cabrelli prima che lui nascesse.»

«Io sono ancora un Roffo, ma ho promesso a mio suocero che non avrei cambiato l'intestazione del negozio» intervenne Olimpio. «Sperava che un giorno suo figlio sarebbe tornato. La famiglia ha sempre cercato di ricucire il rapporto con Nino. Io so di averci provato.»

«Ci abbiamo provato tutti. Siamo andati a trovarlo in America. Che viaggio! Nonna Netta, mia madre e io. Una volta arrivate nel New Jersey, un giorno siamo andati sulla spiaggia. Era bellissima, ma mia nonna Netta ha sentenziato: "In Italia abbiamo il mare, e pure la spiaggia. Dovevamo attraversare mezzo mondo per venirci a sedere su una sdraio diversa?" Abbiamo visitato l'azienda di Nino. Uno stabilimento notevole, di successo. Produceva... come li definiresti, Olimpio?»

«Bigiotteria scadente. Nota agli operatori del settore come paccottiglia.»

«Esatto. Roba placcata. Niente a che vedere con quello che facciamo noi. Copiava di sana pianta i pezzi di alta gioielleria che creiamo qui – li chiamava rielaborazioni. Ecco perché il rubino di Speranza non se l'è aggiudicato lui. Mio padre non si fidava che ne ricavasse qualcosa di pregiato» ammise Matelda.

«Ma poi ha recuperato punti» insistette Olimpio. «Dopo la morte dei tuoi genitori, Nino si è addolcito e ha cominciato a chiamarmi di tanto in tanto per chiedermi delle cose, e io ho fatto il possibile per aiutarlo.»

«Era risentito perché eri stato tu a rilevare il negozio?» chiese Nicolina.

«No, non sembrava – ormai la vecchia ferita era diventata una cicatrice. Nino si era comunque costruito una fortuna da solo in America, perciò la piccola gioielleria nella sua città d'origine non gli importava più.»

«I Cabrelli avrebbero dovuto restare uniti comunque» disse Annina.

«Verrebbe da pensarlo, in effetti, dopo tutto quello che avevano passato» concordò Olimpio. «Ma quando raggiungi il successo, la prima cosa che dimentichi è come ci si sente a essere poveri. Ci liberiamo di quell'insicurezza come di un paio di scarpe vecchie nel momento stesso in cui entrano soldi in banca. Ci infiliamo un paio di scarpe di pelle pregiata e ci dimentichiamo quanto ci facevano male i piedi.»

Dopo la guerra Speranza trascorse due anni a lavorare per gli americani a Berlino. Rivelò loro i dettagli della sua arte, gli uomini con cui lavorava e le informazioni riservate che i tedeschi avevano sperato morissero con lui. Una volta concluso il suo incarico, decise di tornare in Italia. Mentre il treno attraversava la campagna, constatò con i propri occhi cosa avevano fatto i nazifascisti al territorio.

C'erano distese di campi carbonizzati e paesini praticamente rasi al suolo. Il treno proseguì la sua corsa, e dopo una decina di chilometri apparve una cittadina brulicante di attività, con negozi, persone e fiori sul davanzale dove lo stile di vita sembrava rimasto intatto, come se tutto quel doloroso sconvolgimento non fosse mai esistito.

Speranza era troppo esausto per dormire. L'insonnia costante era un altro dono che gli aveva lasciato la guerra. Si alzò aggrappandosi alla rete dei bagagli e si diresse verso la porta scorrevole. La aprì e uscì sulla passerella intercomunicante fra i vagoni. Si accese una sigaretta. Gli ultimi chilometri del viaggio di ritorno sembravano più lunghi del lasso di tempo in cui era rimasto lontano da casa. Speranza avvertiva appena lo sferragliare delle ruote che correvano sui binari. Era consapevole di essere diventato apatico, quasi incapace di provare emozioni. Non aveva pianto molto dopo la guerra, eppure quelle cassette di fiori sui davanzali lo avevano scosso. A quanto pareva, la vita era andata avanti, ma non la sua. Senza Agnese, si aggirava nel mondo come un fantasma e aveva scoperto che anche i fantasmi, come i vivi, piangevano.

Speranza aveva con sé i vestiti che indossava e un biglietto ferroviario come lasciapassare per l'Italia, dono degli americani. Gli avevano offerto un lavoro in America, una proposta che lui aveva gentilmente declinato. A cosa gli sarebbe servito ormai? Era Agnese, dei due, quella che avrebbe voluto trasferirsi in America. Lui l'avrebbe seguita, naturalmente, come aveva sempre fatto. Era lei a prendere tutte le decisioni, era stata lei l'artefice di tutto ciò che aveva funzionato nella sua vita.

Speranza aveva i piedi che gli facevano male quando scese dal treno a Treviso. Fu contento di vedere le case ancora in piedi e le gondole scivolare nei canali. Ritornare nel Veneto significava respirare e muoversi nel luogo in cui aveva conosciuto Agnese ed era stato felice. Non sapeva che cosa avrebbe fatto se avessero raso al suolo Treviso. Era l'unica prova che sua moglie era esistita. La loro storia d'amore era iniziata mentre passeggiavano per le vie coperte di muschio della città, lungo i canali dall'acqua trasparente. Non sarebbe tornato nel loro negozio e nel vecchio appartamento in via Castagnole a Venezia. Sapeva che quella visita avrebbe spezzato ciò che restava del suo cuore.

Mentre vagava per Treviso, Speranza non si imbatté in nessun viso familiare, e nessuno lo riconobbe. Il suo mondo dava la sensazione di un cimitero, solo lapidi e terra fredda.

Chiese un passaggio per Godega a un furgone.

La guerra era stata una bestia astuta. Su un lato della strada, una casa intatta; sull'altro, per nessun motivo se non la sfortuna, le Camicie Nere avevano abbattuto lo steccato, il fienile, la fattoria. Sembrava la devastazione provocata da un tornado che spazza via ogni cosa; non c'era nessuna logica nella distruzione. Via via che procedevano, l'uomo alla guida, un contadino del posto, gli mostrava il paesaggio sconvolto. Speranza si sentì torcere lo stomaco.

Proseguirono in silenzio finché passarono davanti alla tenuta Acocella. Un tempo fiorente, il piccolo caseificio annesso alla fattoria era ridotto a un ammasso carbonizzato in mezzo ai campi anneriti dal fuoco.

«Sono due anni che la guerra è finita. Come mai c'è ancora il fumo?» chiese Speranza.

«Lì c'era la fattoria. Il vecchio Antonio faceva il vino in cantina. Aveva scavato dei passaggi sotto terra per mettere in comunicazione il fienile e la casa durante l'inverno. Quando i tedeschi hanno incendiato lo stabile, l'alcol ha alimentato il fuoco sotterraneo. Con l'arrivo delle piogge primaverili pensavo che le ultime braci si spegnessero. Invece, nonostante tutto, pare che là sotto ci sia una fiammella eterna.»

Continuarono il viaggio parlando della semina del mais e del grano, come se l'esercito tedesco non avesse occupato il territorio da Treviso al Friuli. Il contadino non fece cenno al campo di prigionia a soli sessanta chilometri più a nord, che avrebbero incrociato se avessero proseguito.

«In che condizioni è la sua fattoria?» gli domandò Speranza.

«Ci hanno risparmiato. Non c'era logica nei saccheggi e negli incendi. Per i primi due anni pensavamo di averla scampata perché qualcuno doveva pur fornire latte e uova. I tedeschi avevano bisogno di noi per mangiare.»

Speranza annuì. Ricordava come si rimpinzavano i tedeschi. Salsicce. Braciole. Pane fresco. *Kreplach* ripieni di pollo e carne macinata. Mangiavano con avidità mentre i loro prigionieri si rallegravano quando venivano aggiunte le patate alla loro sbobba.

«Hanno occupato la fattoria Cistone. Ma prima si sono fatti cucinare un buon pasto dalla padrona di casa. Si sono riempiti la pancia per bene, hanno bevuto il loro vino migliore, e la mattina dopo, prima di andarsene, hanno dato fuoco a tutto lasciando solo cenere dietro di sé. Si sono persino portati via il cavallo. Lei dov'è stato?»

«Berlino.»

«In una fabbrica?»

Speranza si limitò ad annuire.

«È fortunato a essere ancora qui.»

«Già, fortunato» mormorò amaramente Speranza.

Era stato fortunato, sì, finché non era andato al campo di concentramento e aveva scoperto qual era stata la sorte di Agnese. Sino a quel momento si era sentito come il contadino che gli aveva dato un passaggio: un uomo che pensava di avere una possibilità.

Il contadino si fermò. «È questa la sua fattoria?»

Romeo annuì. Gli offrì del denaro, ma l'uomo lo rifiutò.

Il furgoncino si allontanò. Romeo si incamminò lungo la stradina ombreggiata da una fila di cipressi su entrambi i lati. Guardò le steli in pietra che aveva piazzato per segnare l'ingresso nella tenuta. Su quella più grande erano scolpiti un nome e una data – *Speranza 1924* – l'anno in cui Romeo e Agnese avevano acquistato la proprietà dalla famiglia Perin, che avevano fatto fagotto e si erano imbarcati per l'America in cerca di fortuna.

Mentre percorreva quella strada familiare, Romeo notò che dopo la curva, in prossimità della casa, il tratto che prima era uno sterrato era stato ricoperto di pietre piatte. Cercò il suo silo, il pollaio e il rustico. Erano tutti intatti. Si domandò se gli occhi lo stessero ingannando. Era un miraggio?

Il rivestimento esterno era intonacato di fresco. La veranda sembrava essere stata spazzata di recente. Lei era lì? Agnese era riuscita a fuggire ed era tornata a casa? Il suo cuore si riempì di trepida attesa. Speranza provò la maniglia. La porta non era chiusa a chiave. La aprì.

La casetta a tre stanze era ancora come Agnese l'aveva lasciata. Speranza chiamò il suo nome. Si diresse verso la cucina. Si guardò intorno e aprì un cassetto. Si infilò un lungo coltello da cucina nella manica. Passò la mano sul tavolo da pranzo: niente polvere. Andò alla finestra. Una lieve brezza muoveva le tende fantasia che Agnese aveva realizzato con le sue mani con un tessuto acquistato al mercato di Venezia. Guardò nelle altre stanze. Il letto era in ordine, con dei guanciali di piume. Il bagno, che lui stesso aveva installato in casa come regalo alla moglie, era pulito.

Romeo uscì e si diresse sul retro della casa. Attraverso il prato, il vento portava l'eco di risate e conversazioni dall'annesso dietro il rustico. Seguì la direzione del suono.

Aimo, il lustrascarpe, stava tagliando la legna vicino alla staccionata. Sollevò lo sguardo. Romeo alzò la mano per fare un cenno di saluto. Aimo rientrò in casa dal retro.

«No! No! Aimo, sono io!» urlò Speranza.

Aimo uscì dalla porta d'ingresso insieme a una donna che teneva un neonato tra le braccia. Poco dopo un altro bambino intorno ai tre anni li seguì fuori.

Speranza li guardò attraversare il prato. Mentre lui sprecava tempo a servire il nemico, la vita alla fattoria era andata avanti.

«Signor Speranza!» Aimo corse incontro al suo padrone.

«Bentornato a casa! Vi stavamo aspettando! Dove siete stato?»

«A Berlino.»

Speranza, che non aveva detto una parola né versato una lacrima quando gli americani lo avevano portato a Buchenwald per cercare sua moglie, cominciò a piangere.

«Oh, no. No.» Aimo fece un cenno a sua moglie. Lei rientrò in casa con i bambini.

Speranza si tolse il coltello dalla manica e lo porse ad Aimo, che lo mise da una parte e condusse Speranza in veranda affinché potesse sedersi.

«È vero quello che hanno fatto?» chiese Aimo.

«Agnese non è riuscita a uscire dal campo. È morta là.»

Gli occhi di Aimo si riempirono di lacrime. «È al sicuro ora.»

«Vorrei essere con lei» disse Speranza tra le lacrime.

«Ma non potete andarvene solo perché lo volete voi. Soltanto Dio può chiamarvi a sé.»

La moglie di Aimo si presentò con un bicchiere d'acqua e lo porse a Speranza.

«Lei è Eva. Ha lavorato come domestica per la famiglia Andamandre finché non ci siamo sposati.»

«Avete fame?» la donna chiese a Speranza. «Vi porto la cena a casa. Potete mangiare lì e riposarvi.»

«Grazie. Lo farei volentieri» disse Speranza. «Aimo, come hai fatto? Come hai fatto a salvare la fattoria?»

«Le Camicie Nere non si sono mai spinte sino in fondo alla strada. Una volta si sono fermati a guardare dal campo, ma non so per quale motivo, se ne sono andati. Eva è convinta che la fattoria sia benedetta.»

«È un piccolo cascinale, ecco perché. La mia mancanza di ambizione li ha tenuti lontani. Non c'era abbastanza roba da razziare per loro.»

«Hanno fatto cose terribili alla famiglia Fontazza. E da quella parte, in collina, hanno ucciso la gente del paese. Non si muovevano con un piano preciso. Il male si aggirava intorno a noi.»

Aimo accompagnò Speranza al rustico. Il laghetto antistante, poco profondo, era bordato di pietre grezze e pieno di acqua fredda proveniente da una sorgente esterna. Al buio, la superficie appariva nera. Aimo spostò una pietra dal pavimento vicino al muro. Tirò fuori un sacchetto dal buco e lo porse a Speranza.

«Qui dentro ci sono dollari, lire e dracme. E una perla. Vendo le uova e ho messo da parte i soldi per voi.»

Speranza pescò la perla fra le monete. La fece rotolare fra le dita e la alzò verso lo spiraglio di luce che filtrava attraverso la porta semiaperta.

«Mi hanno detto che è di valore» disse Aimo.

«Non lo è.»

Aimo sorrise.

Per la prima volta dopo tanto tempo, anche Speranza sorrise. «È tutto tuo, Aimo» disse Speranza restituendogli il sacchetto.

«No, questo è l'affitto. Vivo qui da otto anni ormai.»

«Ti sei preso cura della fattoria.»

«Abbiamo tutto quello che ci serve. Cibo. Un tetto sulla testa. Un giardino. I nostri figli.»

Speranza premette il sacchetto nel palmo di Aimo. «Un padre di famiglia ha sempre bisogno di denaro.»

«Lo terrò per voi. Ci prenderemo cura di voi ora.»

«Posso badare a me stesso.»

«Dovete lasciare che siamo noi a farlo.»

«Puoi continuare a stare qui senza problemi, Aimo. Non

credo di avere la forza di coltivare la terra ormai. Io rimarrò qui, ma non è necessario che tu ti prenda cura di me.»

«Voi non capite, signore. L'ho promesso alla signora!» Speranza ridacchiò. «Davvero? Va bene, allora.» A quanto pareva, Agnese continuava a dettar legge. Avrebbero fatto come voleva lei.

Speranza si sedette al tavolo della cucina per la cena. Eva gli aveva preparato una bella polenta alla veneziana con funghi e asparagi. La salsa di pomodoro era arricchita da un pizzico di cannella, secondo la tradizione locale. Speranza si tagliò una fetta di polenta e girò la forchetta nel sugo. Ne raccolse un po' e se lo portò alla bocca, chiuse gli occhi e lasciò che i sapori della ricetta di Agnese inondassero i suoi sensi.

Non ricordava un solo pasto di quelli consumati a Berlino. Il cibo era solo un modo per sopravvivere e tirare avanti sino alla fine della giornata lavorativa, nulla di più. Speranza era ebreo, sì, ma era anche italiano. Non sapeva dove iniziasse un aspetto della sua identità e dove finisse l'altro, ma il mondo non lo percepiva più in quel modo.

Dopo aver mangiato, fece il giro della casa, stanza per stanza. Ogni oggetto che toccava gli ricordava ad Agnese e, stranamente, la cosa gli dava conforto. Speranza era un uomo intelligente. Sua moglie, tuttavia, era sempre stata più curiosa di lui, oltreche un'avida lettrice. Mentre curiosava tra i suoi libri, si ripromise di leggerli tutti.

Infine si mise a letto. Aveva temuto di andare a dormire da solo nella casa che lui e Agnese avevano costruito insieme, e nel letto che avevano condiviso, ma non avrebbe dovuto. Per la prima volta dal giorno in cui erano stati deportati dall'Italia, il Paese in cui erano nati, Speranza dormì profondamente per tutta la notte e si svegliò soltanto la mattina dopo, al sorgere del sole.

Nicolina portò in tavola il piatto di tagliolini paglia e fieno fatti in casa. Li condì con una pioggia di parmigiano e foglioline di basilico. Olimpio versò il vino. Annina sistemò l'insalata sui piatti da contorno. Matelda rimase a osservare i suoi famigliari che servivano a tavola, un compito che era sempre stato il suo. «Mi sento inutile» mormorò.

«Mamma, stai serena. Lasciati servire.» Nicolina sollevò il coperchio di un tegame. «È la stagione giusta. I carciofi di Agnese. Ho trovato la ricetta sul tuo quaderno.»

«Agnese aveva insegnato a mia nonna come cucinarli. Io non l'ho mai conosciuta, ma mia madre le era molto affezionata. Quando i coniugi Speranza venivano a farci visita, i miei genitori riservavano loro un piano della casa in modo che avessero più spazio. Gli uomini lavoravano nel laboratorio, e mia nonna e Agnese cucinavano insieme.»

Nicolina assaggiò il carciofo. «Buonissimo.»

Matelda era felice che sua figlia sapesse preparare le ricette che Agnese aveva insegnato a Netta. Forse non si era impegnata abbastanza per condividere gli aneddoti del suo passato con Nicolina. «A Speranza piaceva venirci a trovare dopo la guerra. Mia nonna gli preparava tutti i suoi piatti preferiti, gli stessi che aveva imparato da Agnese. Lui apprezzava molto il fatto che la cucina di sua moglie non fosse stata dimenticata, nonostante la sua scomparsa.»

«Secondo nonna Domenica, Speranza era un uomo attraente e talentuoso. A quanto pare molte donne nel Veneto gli avevano messo gli occhi addosso, ma lui non voleva saperne di avere altre donne dopo Agnese.»

«Te l'ha detto lei?» chiese Matelda.

Nicolina annuì. «La bisnonna Netta aveva raccontato tutto alla nonna e lei l'ha raccontato a me.»

«Sono contenta che abbiate parlato.» Matelda era davvero felice che sua figlia avesse trascorso dei momenti di complicità con sua madre. «Intorno al 1949 Speranza riprese la sua attività di tagliatore. Lui e mio nonno collaborarono ad alcuni progetti per la Chiesa. Speranza era uno di famiglia per noi. Mi ricordo anche quando andammo a trovarlo a Venezia.»

«Com'era allora?»

«Io ero una ragazzina e non ci feci molto caso. A metà degli anni Cinquanta l'Italia era diventata improvvisamente popolare in tutto il mondo. Era la patria dei Ferragamo, delle dive del cinema, degli Agnelli e dei tagli dei capelli corti. A sedici anni non desideravo altro che diventare grande. Volevo sedermi nel dehors di un caffè, bere un espresso e fumare una sigaretta. Ovviamente non potevo fumare – a mio padre sarebbe preso un colpo – ma riuscii a bere quel caffè e ad atteggiarmi da grande.»

Venezia, 1956

Silvio Cabrelli attraversò il Ponte della Libertà per raggiungere il centro storico di Venezia. La città sembrava avvolta in un mantello di lamé argentato talmente luminoso sotto il sole che Matelda dovette strizzare gli occhi e riuscì a vedere solo il profilo dei palazzi affacciati sul canale mentre si sporgeva dal finestrino. L'acqua era così immobile che sembrava fatta di marmo verde.

Le auto si fermarono sul ponte. Silvio controllò lo specchietto retrovisore. A quarantasette anni, i suoi capelli neri mostravano i primi fili bianchi. «Tuo padre sta invecchiando, Matelda.»

La ragazza aveva appena compiuto sedici anni, e chiunque ne avesse più di trenta era vecchio per lei. «Papà, posso prendere un espresso?» Matelda era snella e alta. Aveva tagliato i capelli come li portava Gina Lollobrigida, che aveva fatto conoscere al mondo il nuovo "taglio all'italiana".

Il traffico riprese a scorrere. Silvio imboccò le stradine laterali finché non trovò parcheggio davanti alla banca. «Prima gli affari. Aspetta. E poi ti accompagno a prendere il caffè.»

«Ma non hai bisogno di me nel frattempo, papà.»

Lui sorrise. «Vai avanti tu, allora.» Sapeva benissimo che era inutile tentare di negoziare con una ragazzina adolescente.

Matelda attraversò la strada e si sedette al tavolino di un bar sotto una tenda da sole. Abbassò gli occhiali scuri dalla testa per ripararsi gli occhi.

I giovani vogliono essere vecchi e i vecchi vogliono morire, pensò Silvio.

Aimo guidò la vecchia Fiat sino allo spiazzo davanti alla banca. Scese dall'auto e aiutò Speranza a scendere a sua volta. «Vi aspetto qui» disse.

«Silvio?» Speranza salì i gradini della banca andando incontro al genero di Cabrelli. Si abbracciarono. «Come sta il mio amico Pietro?»

«Ha accompagnato mia suocera a trovare sua sorella a Sestri Levante.» Silvio alzò gli occhi al cielo. «Mi ha raccomandato di dirle che avrebbe preferito essere qui.»

«È davvero un uomo molto paziente» commentò Speranza ridendo.

I due entrarono in banca insieme. Speranza parlò con il direttore, il quale li condusse nel caveau dove aprì una cassetta di sicurezza. Speranza prese il rotolo di velluto che conteneva le gemme e lo posò delicatamente sul tavolo. Con estrema cautela prese il rubino taglio Peruzzi. C'era poca luce nella stanza, ma il rubino ne catturò tutto lo spettro nelle sue sfaccettature scintillanti.

«Il migliore al mondo. Rubino sangue di piccione di Karur.» Speranza lo esaminò con la lente di ingrandimento. Poi passò la lente a Silvio, che a sua volta osservò attentamente la gemma. «Suo suocero era con me in India. Questa è stata l'ultima pietra che ho tagliato prima della guerra.»

Silvio consegnò a Speranza una busta contenente il denaro per il pagamento del rubino.

«Grazie» disse Speranza riponendo il rubino nella custodia di velluto. «Pensavo a questa pietra e non sapevo cosa farne per sfruttarla al meglio. Alla fine sarà la mia pensione.» Consegnò il rubino a Silvio.

«Mio suocero la ringrazia per aver deciso di vendergliela. Ha grandi progetti al riguardo.»

«Oh, Cabrelli ha sempre piani ambiziosi in mente. Ma, a differenza degli altri sognatori che ho conosciuto, lui trasforma la sua visione in qualcosa di concreto. Porta a termine ciò che ha iniziato. È un vero artista.»

«È esattamente quello che dice di lei, signor Speranza. Quali sono i suoi progetti?

«Ora che sono ricco? Voglio costruire un futuro per la mia famiglia. Mia moglie era molto legata alla sorella che vive in America e ha quattro figlie. Mi piacerebbe lasciar loro qualcosa» disse Speranza con un sorriso. «Agnese ne sarebbe felice.»

Durante il tragitto di ritorno alla fattoria di Godega, Speranza era silenzioso. Aimo teneva d'occhio il suo padrone che, a tratti, sonnecchiava. Sembrava essere cullato da sogni piacevoli. Ogni tanto pronunciava qualche parola, spesso con un'espressione soddisfatta sul viso. Aimo interpretò quell'atteggiamento come un segnale che il suo padrone era pronto a ricongiungersi con Agnese.

«La vita è una lista di cose che vuoi e che devi fare, Aimo. A una a una, spunti le varie voci, e ben presto ti ritrovi ad averla esaurita. Non hai più niente da fare, hai finito, e capisci che è ora di lasciare questo mondo.»

«Siete molto stanco oggi, signore. Tutto qui.»

Il sole tramontò mentre Aimo e Speranza erano in viaggio verso casa. Aimo accese i fari della vecchia Fiat lungo le stradine tortuose della campagna veneta. I campi si estendevano ai lati della strada in ondulate alture blu.

«Rallenta, Aimo. Queste strade di campagna sono terribili.»

«Scusatemi, signore.»

«Non c'è motivo di affrettarci. La notizia non arriverà prima di noi.»

«Non ho intenzione di lasciarvi fare quello che volete fare.»

«Sono soldi miei, Aimo.»

«Ma noi non siamo la vostra famiglia.»

«Sì, invece. Voi mi trattate con il rispetto che si riserva a un padre» insistette Speranza.

«Dev'esserci un cugino o un parente alla lontana da qualche parte.»

«Ho disposto un bonifico alle nipoti di Agnese tramite la banca questo pomeriggio. Il resto andrà a te e a Eva. Vi lascio la fattoria e tutto ciò che contiene. Ho depositato una copia dell'atto nell'ufficio del notaio a Treviso e un'altra nel cassetto del comodino in camera mia.»

«Non posso accettare tutti questi regali. Avete già fatto troppo per noi. Mi avete dato un lavoro e un posto dove vivere. La mia famiglia se la cava bene. Abbiamo tutto ciò che ci serve. Potreste vendere la tenuta mantenendo me come fattore.»

«Agnese desiderava che fossi tu a ereditare la fattoria. Devi rispettare le sue volontà.»

«Grazie, signore. È così bello qui che ho quasi dimenticato la mia casa in Etiopia.»

«Questo significa che ami il tuo nuovo Paese. E quando un immigrato ama il suo nuovo Paese, non può che cambiarlo in meglio.» Speranza si appoggiò allo schienale. «Magari potresti far venire qui la tua famiglia quando me ne sarò andato.»

«Per Eva sarebbe un sogno. C'è un posto dove vi piacerebbe andare in vacanza? Un posto dove posso accompagnarvi?» domandò Aimo. «La spiaggia di Rimini? Oppure a Viareggio?»

«Non c'è un posto dove vorrei andare, ma ci sono posti che non vorrei mai più rivedere.»

«Venezia?» chiese Aimo.

«Berlino. Eravamo in quattro in un ufficio minuscolo. Un architetto, un professore, un matematico e io, il tagliatore di pietre preziose. Lavoravamo in quella stanzetta, dormivamo e mangiavamo lì. Costruivamo cronometri. Movimento a rubini.» «Per chi? Per le consorti dei generali? Le signore?» «Per le bombe. Cerco di non pensare a dove sono cadute le bombe su cui ho montato i miei timer, a quante persone hanno ucciso, a quante case hanno distrutto. Ma conoscendo i nazisti, so che non mancavano di colpire il bersaglio. Perciò, mentre lavoravo, giustificavo quello che stavo facendo ripetendomi che stavo costruendo il tempo stesso, quello che mi avrebbe portato un secondo più vicino al momento in cui avrei rivisto Agnese. Naturalmente, come ogni promessa fatta in Germania in quel periodo, era soltanto un pensiero illusorio, una terribile truffa. Non puoi comprare il tempo quando ti è stato rubato.»

All'alba del giorno dopo, il gallo cantò, appollaiato in cima alla stia della fattoria di Speranza. Aimo aveva già munto le vacche, scremato il latte e messo il secchiello pulito nel freddo ruscello davanti al rustico. Si stava avviando verso casa sua e la colazione che Eva stava preparando per lui quando avvertì una fitta al petto che lo costrinse a fermarsi. Si posò una mano sul cuore e rifletté. Presto il dolore si attenuò. Rivolse lo sguardo verso la casa padronale e fu sorpreso nel vedere che tutte le luci erano accese. Speranza era sempre attento a risparmiare elettricità, perciò la vista delle finestre illuminate di primo mattino lo impensierì.

Spinse la porta d'ingresso. Entrò e trovò Speranza accasciato sulla sua poltroncina con un libro in grembo. Aimo si precipitò accanto a lui. «Signore, signore!» lo chiamò ripetutamente. Cercò di svegliarlo, ma invano. Speranza era tornato dalla sua Agnese.

Aimo tolse delicatamente il libro dalle mani di Speranza e

lo appoggiò sul tavolino, avendo particolare cura di lasciarlo aperto sulla pagina che il suo benefattore stava leggendo. Andò a prendere la coperta in camera da letto. Poi adagiò Speranza sul divano con la testa sui cuscini. Con gesti lenti e dolci la distese come un sudario sull'uomo migliore che avesse mai conosciuto.

Il modesto lustrascarpe, diventato un abile contadino che vendeva latte, burro e panna a Treviso, si sedette accanto al corpo del povero Speranza. Prese il libro dal tavolino. Sul risguardo c'era un ex libris che diceva: *Restituire ad Agnese Speranza*. Gli occhi di Aimo caddero sulle ultime parole che l'uomo dover aver letto prima di morire.

Voglio che tu ti renda conto che è tutta una grande avventura.

Un bello spettacolo. Il trucco è recitare la propria parte e assistervi come spettatori allo stesso tempo.

... Più tipi di persone conosci, più cose fai, e più cose ti accadono, più ti arricchisci. Anche se non sono cose piacevoli. Questa è la vita...

Aimo spostò il segnalibro in modo da non dimenticare il passaggio tratto dal romanzo di Edna Ferber *So Big*. Non aveva potuto raccogliere l'ultimo respiro e le ultime parole di Speranza, ma almeno aveva il conforto di sapere quali parole stava leggendo il suo amico quando era arrivato il suo momento. Fu allora che Aimo si inginocchiò davanti al corpo di Speranza e implorò Dio di accogliere quell'uomo buono che era tornato alla casa del Padre.

D'un tratto Eva apparve sulla soglia. Si avvicinò al marito e si inginocchiò in preghiera accanto a lui.

Aimo scavò una tomba nel campo sopra la fattoria entro ventiquattro ore dalla morte di Speranza, come voleva il rituale ebraico. Eva e i bambini coprirono la soffice terra nera con fronde di cipresso finché non si vide che un piccolo cumulo verde in mezzo ad altro verde.

Aimo posò la pietra tombale che aveva tagliato lui stesso e alzando gli occhi al cielo disse: «Signore, non sono un bravo artigiano, ma spero che questo vi faccia piacere».

ROMEO SPERANZA
marito di Agnese
tagliatore di pietre di Venezia
1889-1956

37

Casa, oggi

Annina spinse la sedia a rotelle di Matelda sul pontile di legno; scricchiolava sulle assi. Olimpio camminava accanto a loro. La brezza marina li accarezzava mentre il sole caldo avvolgeva la città in una luce arancione.

«Penso di non aver mai visto il cielo e il mare allo stesso modo due volte in tutta la mia vita» commentò Matelda. «C'è sempre qualcosa di nuovo da scoprire.»

«Sei abbastanza coperta?» chiese Olimpio.

«Ho più coperte addosso che i teli che usava mia madre per far lievitare il pane pasquale.» Nella mente di Matelda il ricordo della preparazione dell'impasto, che andava coperto di carta da forno e diversi strati di strofinacci da cucina e lasciato riposare sul davanzale di una finestra assolata per favorire la lievitazione, era indissolubilmente legato a quello di sua madre Domenica. «Sento ancora la mancanza della mamma. Non è assurdo? Si dimenticano tante cose, ma la propria madre mai.»

«Forse è l'unica cosa che serve ricordare» rifletté Olimpio pensando alla propria madre, Marianna.

«Io piacevo a tua madre? Puoi dirmelo ora. Ormai sono tutti morti» chiese Matelda stuzzicando il marito.

«Pensava che fossi una brava ragazza.» Le accarezzò i capelli. «Un po' troppo diretta, forse, ma apprezzava la tua sincerità. Quasi sempre.»

«Lo credo bene.»

«Nonna, vuoi un po' d'acqua?»

«Ti prego, Annina. Mi esce acqua persino dalle orecchie.»

Dall'espressione di Annina, Matelda capì che la nipote ci era rimasta male e cambiando tono aggiunse: «Ma devo ammettere che ingurgitare tutti questi liquidi qualcosa fa: sto migliorando».

«Pensi di essere pronta per fare quel famoso viaggio intorno al mondo?» chiese Annina.

«Forse» disse Matelda ammiccando. «Dove vuoi andare?»

«Ovunque.»

«Dovrai lavorare sodo.»

«Io sto lavorando sodo, vero, nonno?»

«Te la stai cavando bene. Potresti fare un tirocinio ovunque tu voglia.»

«Meglio che lo faccia alla Cabrelli» disse Matelda. «Spero che sia la mia famiglia a tenere viva l'attività quando noi non ci saremo più.»

«Rappresento la quarta generazione nel negozio. Non preoccuparti del futuro, nonna» la rassicurò Annina.

«Io sarò sempre preoccupata.»

«E a ragione. L'attività di famiglia sarà sempre in pericolo, la sua gestione è delicata» intervenne Olimpio. «C'è il rischio di andare in rosso ogni volta che giri la chiave nella toppa la mattina. Il successo dell'attività dipende dal trillo del registratore di cassa: quante volte al giorno suona e quante no. Ma non voglio che pensi a questo, tesoro. Desidero che tu stia tranquilla» concluse Olimpio baciando la moglie.

«Voglio imparare a usare la tagliatrice» buttò lì Annina rivolgendosi al nonno.

«Vuoi imparare a tagliare le pietre?»

«Sì, nonno. Secondo te potrei farcela?»

«Certo che puoi farcela» si intromise Matelda. «Non te lo vado dicendo da anni?»

«Ci vogliono sette anni per imparare a usare la tagliatrice» fece notare Olimpio.

«Sette anni che mi piacerebbe dedicare alla ditta Cabrelli.»

Olimpio posò la mano su quella di Annina e allungò l'altra per prendere quella di Matelda.

«Yuu-huu? Matelda?» Ida Cascarano uscì dall'ascensore ed entrò nell'appartamento. Si guardò intorno per dare un'occhiatina veloce. Il soggiorno era così luminoso che Ida non si tolse nemmeno gli occhiali da sole.

«È sul terrazzo, signora Ida» le gridò Annina dalla cucina.

Ida fece capolino dalla porta. «Come sta?»

«Si sta rimettendo in forze.»

«Oh, grazie a Dio!» Consegnò una borsa ad Annina. «Biscotti al sesamo. Li ho fatti io, sono ancora caldi. Quelli che non mangiate oggi vanno nel congelatore.»

Ida raggiunse Matelda sul terrazzo. «Ti trovo bene, Matelda. Hai una bella cera.»

«No, non è vero.»

«Sei dimagrita.»

«Un po'. Bell'affare. Sono tutti magri una volta arrivati al capolinea. E a che serve?»

«Infatti» commentò Ida ridendo. «Il sole aiuta, vero? Il grande guaritore del cielo.»

«Dove sono i miei?» sussurrò Matelda.

«Non ci sente nessuno.»

«Sto scendendo la china, Ida. Si sta avvicinando la fine.»

«Come fai a saperlo?»

«Non ho il fiato per far saltare le palline in quel contenitore di plastica.»

«La macchina per la ginnastica respiratoria?» disse Ida.

«Sì, o come diavolo si chiama. Quelle palline restano sul fondo, neanche fossero di piombo.»

«Odio quegli aggeggi.» Ida si sedette. «Chi ha voglia di fare esercizi di respirazione alla nostra età?»

«Come sta tuo nipote?»

«Lorenzo si è fatto un altro tatuaggio per festeggiare i sei mesi di sobrietà. Sta esaurendo gli arti a disposizione da coprire. Tu ricordi di aver mai visto qualcuno ubriaco a Viareggio quando eravamo giovani? Mai! Cosa c'è che non va nella mia famiglia? Grazie al cielo i Mitrione sono morti. I Cascarano sono andati in malora.»

«Non ti crucciare per lui, Ida. È riuscito a venirne fuori. È un ragazzo forte. Siete una bella famiglia.»

«Non abbastanza» ribatté Ida gesticolando.

Matelda scoppiò a ridere, scatenando un accesso di tosse. «La tua famiglia ha visto di peggio.»

«Lo so. È proprio questo il punto. Avendo visto di peggio, il loro comportamento peggiora sempre di più. Che differenza fa per loro?»

«Annina ha annullato il matrimonio.

«L'ho saputo. È una ragazza in gamba che vede lontano! Sa prevedere il futuro. Forse dovrebbe leggere i tarocchi anziché tagliare le pietre. Sta facendo la cosa giusta. Prendere una posizione decisa finché si è giovani, perché quando gli uomini raggiungono i quaranta è finita. La situazione può soltanto degenerare.»

«Li aiutiamo a superare la crisi di mezza età e dieci anni dopo hanno bisogno di una pillola per mantenere il treno in movimento.»

«Possono pure tenerselo. Io da quel treno sono saltata giù e non mi sono fatta nemmeno un graffio» confermò Ida.

Le due vecchie amiche scoppiarono a ridere.

«Voglio che tu ti riprenda presto, Picci.»

«Non dipende da me. È tutto nelle mani di Dio, sia fatta la Sua volontà.»

«Sia fatta la Sua volontà» le fece eco Ida. «Mia madre mi aveva detto che era grata di aver avuto il tempo di sedersi e pensare prima di morire.»

«Tua madre aveva ragione. Anche una briciola di tempo è un dono immenso. Ho passato tutta la vita a temere la morte. Non la mia, ma quella dei bambini, dei miei genitori. Degli amici.

Non c'è modo di prepararsi alla morte, a meno che non sia tu quella che sta per morire.»

«Sei sicura che stia arrivando la fine?» Ida la guardò negli occhi. «Non hai l'aria di una moribonda. Non hai nemmeno il rantolo. Non vedo alcun segnale.»

«Non so quando sarà, Ida. Ma sento che si sta avvicinando.»

Ida si protese verso di lei. «C'è qualcosa che desideri? Qualcosa che posso portarti?»

«Ho tutto quello di cui ho bisogno. Sono a casa mia. Ho una bella carrozzina, meglio di una Maserati. Mi consente di stare qui, dove sento di appartenere. Questo mare è la mia salvezza. È sempre stato un compagno fedele, sai? Mi ha aiutato a mantenere il mio equilibrio mentale. Vengo qui e parlo con Dio. Lo faccio da tutta la vita. Mi ritengo fortunata. Sono cresciuta in questa casa, ho cresciuto qui i miei figli ed è qui che morirò.»

«I Cabrelli e la loro villa. Quante case ha bombardato Hitler a Viareggio? Eppure questa casa l'ha scampata! Ci pensi mai?»

«Quel bastardo nazista mi ha fregato in altri modi, quindi non esaltiamoci troppo per quello che ci è stato risparmiato.»

«Hai saputo di Bim? È schiattato ieri notte. Te lo ricordi? Era in classe con noi. Non era neppure tanto male. Ho sempre pensato che somigliasse a Robert Redford da giovane.»

«E ora com'è?»

«Robert Redford? Meglio di Bim. Più *Com'era* che *Come eravamo*.» Ida rise della sua stessa battuta.

«Diventare vecchi è terribile» sospirò Matelda. «Non mi mollano un momento, mi ricoprono di attenzioni.»

«Lasciali fare. A un certo punto, arrivati alla nostra età, ti guardi intorno nella stanza e ti rendi conto di aver cambiato il pannolino a ogni persona che si sta prendendo cura di te. Perciò, se vogliono andarti a prendere un biscotto o aiutarti a fare il bagno, lasciali fare. Finché non ti scaricano.» Guardò l'ora. «Devo andare. Ho un appuntamento dal dottore.»

«Cos'hai che non va?»

«I piedi. Ho le dita gonfie. Quando sono scalza, sembra che

sino a un momento prima io abbia indossato non le scarpe, ma la scatola delle scarpe.»

«È così grave?»

«Non si sa mai.» Ida si alzò. «I piedi sono l'unica cosa che non va, ma sono una parte importante. Ti servono per muoverti.» La abbracciò. «Continua a fare gli esercizi. Anche i polmoni sono una parte importante. Ti servono per respirare. Torno domani.»

«Così presto?»

«Cos'altro ho da fare?»

Matelda udì Ida chiacchierare con Annina dentro casa. Prese un breve respiro, poi un altro. Diede un colpo di tosse. Infilò le mani sotto la coperta ed espose il viso al sole. Ida Mitrione Cascarano era una buona amica. Il tempo passato con lei non era mai tempo sprecato. Si erano sempre date da fare per la chiesa. Si erano proposte come volontarie per la visita guidata di Villa Puccini. Uscivano spesso a pranzo, e quando Ida era dell'umore giusto, la accompagnava a fare quattro passi in città. Si tenevano aggiornate a vicenda, ma soprattutto, Ida la aiutava a ricordare. C'erano molti doni che un'amica poteva portare nella vita di una donna. Storia. Empatia. Sincerità. Fortunata era la donna che poteva contare su un'amica d'infanzia, perché quell'amica ricordava chi eri tu e chi erano i tuoi cari. Fortunata era la donna che aveva un'amica dall'età di dieci anni, quando le bambine erano audaci, intraprendenti e piene di domande, e avevano il tempo e lo spirito per cercare le risposte. Quell'amica sapeva chi eri veramente. Quell'amica aveva visto la tua anima.

Nicolina raggiunse sua madre in camera da letto. Teneva in mano un vassoio con una tazza di camomilla e alcuni dei biscotti di Ida su un piattino. Lo posò sul comò prima di avvicinarsi al letto di sua madre. «Ho dato la serata libera ad Annina.»

«Pensi che abbia appuntamento con Paolo?»

«Ho paura a chiedere.»

«Non preoccuparti per lei.»

«Non faccio altro.»

«Be', non farlo. Preoccuparsi fa soltanto invecchiare. Senza contare che Annina farà comunque di testa sua. Lei segue il suo cuore e, da quello che vedo, ha un'idea piuttosto chiara su quale direzione prendere. Quando si accorgerà di avere tutte le risposte di cui ha bisogno, si dedicherà al suo percorso da artista.»

«È così che funziona?» chiese Nicolina con un sorriso.

«Sì. Per sempre, sino alla fine dei tempi.»

Nicolina accostò il tavolino al letto e andò a prendere il vassoio che aveva appoggiato sul comò.

«Quindi stasera è il tuo turno?»

«Sì, mamma. Come me la sto cavando? Sai, non sono un'infermiera.» Nicolina sistemò la coperta e sprimacciò i cuscini. Porse la tazza a sua madre.

«È questione di genetica. Una vita dedicata alla medicina ha saltato la mia generazione, ma pensavo che avrebbe interessato la vostra. Ti ricordi quell'ospedale delle bambole che dirigevi quando eri piccola?»

«Erano bambole, mamma. Non c'era sangue. Vuoi che ti sollevi la testiera?»

«No, va bene così. Non voglio farmi servire.»

«Lo faccio volentieri, mamma. Tu ti sei presa cura di me sinora, e questo è il minimo che io possa fare per ricambiare.»

«Sei stata una figlia meravigliosa. E anche una buona madre, Nicolina.»

Nicolina si voltò sottraendosi allo sguardo di Matelda e si asciugò le lacrime nella manica prima di rivolgersi di nuovo alla madre. «Grazie.»

«Non piangere.»

«Troppo tardi. Ho aspettato venticinque anni per sentirtelo dire, mamma.»

«Avresti dovuto chiedermelo. Perché stare ad aspettare un complimento? Bisogna chiederlo. E quando arriva, prendilo e ti renderai conto che conoscevi la verità sin dall'inizio e non avevi bisogno dell'opinione di nessun altro. Nessuno deve dirti che hai fatto un buon lavoro.»

Nicolina rise tra le lacrime. «Sai una cosa? Hai ragione.»

«C'è qualcosa che volevi e che non hai ottenuto?»

«Nulla, mamma. Anzi, stavo giusto pensando a quanto siamo ricchi. Non intendo il negozio e l'azienda, mi riferisco alle cose che contano davvero. Ci siamo godute i tuoi genitori, che vivevano con noi e, per un certo periodo, anche i bisnonni.»

«È stato divertente, vero? Quando ero piccola nonna Vera veniva a trovarci in estate. Spesso portava me e Nino in spiaggia. Ci preparava dei tramezzini con burro e prosciutto. Erano così delicati, davvero deliziosi; li tagliava in forme diverse: rotondi, triangolari, a pesciolino. Teneva le bibite al fresco avvolgendole in una sciarpa di cotone nera.»

«Nonna Domenica mi ha insegnato a cucire.»

«Giusto! Dovresti tirare fuori la macchina da cucire e fare qualcosa.»

«Già.» Nicolina sorrise.

«Spero che tutte queste storie non vadano perdute. Donne come Vera. Mia madre le voleva bene, perciò le ero affezionata anch'io. Era il mio premio. La mia nonna extra. Vera Vietro Salerno. La madre di Silvio. La meravigliosa suocera di mia madre. Nessuno parla più di lei. Che cosa triste! Alla fine i nomi si perdono e poi si dimenticano. Grandi donne che scompaiono nella storia della nostra famiglia. Vera era poco più giovane di mia nonna Netta. Aveva grinta. Ma sai che cosa mi piaceva di lei? Era stata bistrattata per gran parte della sua vita, eppure questo non l'aveva resa dura. Era sempre pronta ad aiutare gli altri. Sempre con il sorriso.» Matelda posò la tazza e il piattino sul comodino.

«La ricorderò, mamma. Racconterò la sua storia. E quella della bisnonna Netta. E di nonna Domenica. Anche la tua. Ti serve un'amica?»

«Mi farebbe piacere.»

Nicolina si distese a letto accanto a sua madre e la abbracciò. «Mamma, ricordiamo i tuoi piatti migliori.»

«Ero una brava cuoca.»

«Nessuna è migliore di te.»

«Non dirlo a Ida. Ha un discreto spirito competitivo.»

«Ricordo la tua pastina. È il primo cibo che ricordo di aver mangiato. I biscotti duri che preparavi per me e Matteo quando mettevamo i dentini e che hai continuato a fare anche dopo perché ci piaceva il gusto. E i tortellini. E i manicotti con le crêpes. Il pollo arrosto al rosmarino con le patate.»

«E i ravioli? Non ti piacevano?»

«Eccome!»

«Lo immaginavo. È così difficile rendere felici i propri figli. L'unico modo per renderli felici è attraverso il cibo.»

«Già solo avere una mamma come te mi rendeva felice. Sai che ti voglio bene, mamma, vero?»

«Ti voglio bene anch'io, Picci.» Erano anni che Matelda non chiamava sua figlia con il nomignolo che le aveva affibbiato da bambina e che prima era stato anche il suo.

«Non avrei voluto essere figlia di nessun'altra mamma.»

«Forse qualche volta sì» disse Matelda sorridendo prima di chiudere gli occhi. «E sarebbe stato assolutamente comprensibile. So di non essere un tipo facile.»

Annina accese la lampada da lavoro che emanava un unico fascio di luce brillante. Era sola all'interno della Gioielleria Cabrelli, situata nella via principale di Lucca. Si era già fatto buio, ma non se n'era nemmeno accorta. Non controllava l'ora perché non le importava quanto tempo ci sarebbe voluto. Dalla strada provenivano le risate e le conversazioni dei giovani che si incontravano in città per andare in giro nei locali e stare in compagnia. Alzò gli occhi e sorrise tra sé. Un tempo quella era la sua serata tipo. Presto tornò a concentrarsi sul lavoro che aveva davanti a sé, e il suono dei clacson e delle voci si smorzò.

Indossò gli occhiali protettivi e accese l'interruttore della tagliatrice. Premette il piede sul pedale e lo azionò delicatamente per farle acquistare velocità. Piegò la testa di lato, ascoltando il suono che emetteva la macchina quando aveva raggiunto il ritmo adatto. Prese un pezzo di quarzo color pesca e lo accostò al bordo ruvido del disco. Le rimbalzò fra le dita e le sfuggì dalle mani. Annina spense la macchina. Si inginocchiò per cercare la pietra. Quando la trovò in una fessura tra le assi del pavimento, si alzò e la osservò sotto la luce.

Le parve di udire la voce di suo nonno. Esaminò il quarzo, ruotandolo per trovare il punto di forza. Dopo aver regolato la luce, riavviò la tagliatrice. Sperava che la pietra non le si frantumasse in mano e non cadesse nel vassoio di raccolta posto sotto il tavolo. Sentiva la consistenza del quarzo fra le dita mentre lo inclinava verso il disco rotante e lo accostava lentamente al bordo abrasivo. Lo teneva ben saldo, guidandolo con cautela e spostandolo per creare uno spigolo sul taglio. Udiva il suono che produceva il disco mentre girava sempre più velocemente, e lo percepiva come una musica con le note che salivano di un'ottava. Smise di respirare quando si ritrovò con il quarzo squadrato nel palmo. La pietra, tagliata con le sue stesse mani, aveva una superficie liscia, priva di crepe o fessure, perfettamente levigata. Spense la macchina e osservò la gemma. Catturava la luce. La luce era tutto nel taglio. *Sì*, disse Annina a se stessa, *sì*.

Annina era seduta in terrazza con la nonna. «Questa è la vista migliore sulla città» dichiarò.

«Lo penso anch'io. Ma è anche l'unica che io abbia mai visto. Forse i Figliolo ne hanno una ancora più bella.»

«Può darsi.» Annina si accostò a sua nonna.

«Ho paura, Annina.»

«Hai male?»

«Sto bene solo se non mi muovo.» Matelda fece un sorrisino.

«Allora non farlo. Hai paura della morte?»

«No, per niente. Ci è stato promesso che l'aldilà andrà oltre ogni immaginazione. Sono ansiosa di vedere com'è. Quello che mi fa paura, invece, è non riconoscere mio padre quando lo incontrerò in Cielo.»

«Forse tu non lo riconoscerai, ma di sicuro lui riconoscerà te.»

«Questa tua saggezza mi rassicura» disse Matelda annuendo. «Da quando in qua voi giovani tatuati vi intendete di vita ultraterrena?»

«E questa cos'è, nonna? Una frecciatina?» Annina le prese la mano e le diede una stretta affettuosa. «Sto cercando di aiutarti.»

«Scusami. Dico tutto quello che mi passa per la testa e quasi sempre sono assurdità.»

«È il tuo senso dell'umorismo. Non devi scusarti.»

«Il mio umorismo è così amaro che se la gioca con le gocce che prendo per il cuore. Be', è questo che succede quando si invecchia. Perdi la pazienza e la sostituisci con il sarcasmo. Non posso farci niente. Mi guardo intorno e tutto ciò che vedo mi sembra stupido. Te ne accorgerai quando avrai la mia età. È segno che è ora di andare.» Matelda inspirò qualche boccata d'aria. «Hai sentito Paolo?»

«Vuole che torni con lui.»

«E tu pensi di riprendertelo?»

«Gli Uliana sono brave persone. Un po' invadenti, forse. Sua madre mi scrive messaggi per chiedermi come sto. Dice che non le importa se torno con suo figlio o no. Dice di essere affezionata a me.»

«Che importa cosa pensa lei?»

«Sei stata tu a dirmi: "Quando ti sposi, sposi tutta la famiglia". Dovrei farmelo tatuare bene in vista.»

«No, niente tatuaggi! Non intendevo dire quello che ho detto. Era un modo, prendendola un po' alla larga, per spingerti a pensare con la testa e non con il cuore. Posso ritirare tutto?»

«Puoi fare quello che ti pare, nonna.»

«Se Paolo ti fa sembrare che tutto sia possibile, sposalo. Se pensi di dover fare tutto il possibile per lui, non sposarlo. Una donna apprezza il sostegno, un uomo ha bisogno di credere di aver fatto tutto da solo. È assurdo, ma è così.» Matelda si riparò gli occhi dal sole che stava calando all'orizzonte. «C'è ancora quella bottiglia di prosecco in frigo?»

«Ne vuoi un po'?»

Matelda annuì. Annina andò in cucina, aprì la bottiglia e versò due bicchieri. Aveva preso la sua decisione riguardo a Paolo. Non si trattava tanto di ciò che lui aveva fatto, bensì di ciò che non aveva fatto. Non si era interessato ai suoi sogni, ai sogni di Annina. Non era mai una cattiva idea dare ascolto alla nonna.

Annina le porse il bicchiere di prosecco e alzò il suo per fare un brindisi alla salute di Matelda.

«No, no, brindiamo a te» disse la donna alzando il calice. «Fanculo Paolo Uliana.»

«Nonna!»

«Dammi retta. Ama te stessa. È l'avventura più grande. È una storia d'amore che dura tutta la vita. Quando ami te stessa, vuoi trovare il tuo scopo, qualcosa che solo tu sai fare e in un modo tutto tuo. Fare cose. Creare. E se incontrerai un uomo – e credimi, capiterà – il vostro rapporto partirà già bene perché entrambi amerete la stessa persona. *Te.* Fortunato lui.»

Le campane suonarono in lontananza. Matelda ne seguì la melodia canticchiando a bocca chiusa.

Nicolina preparò la colazione per sua madre in cucina, la sistemò su un vassoio e la portò fuori in terrazza. «Non rimpiango mai quelle campane quando sono a Lucca. Ogni ora, tutti i santi giorni, è davvero troppo» disse posando il vassoio sul tavolino. «Mamma, oggi viene Matteo.»

«Di nuovo?»

«Sì, vuole vederti più spesso.»

Olimpio si unì a loro con la moka e versò una tazzina di caffè per sua moglie.

«Mangia tu» gli disse Matelda spingendo il vassoio verso di lui.

«Ho già fatto colazione.» Olimpio spinse dolcemente il vassoio di nuovo verso Matelda.

«Non ne ho voglia.»

«Posso farti un uovo, mamma. Lo vorresti?» propose Nicolina.

Olimpio prese la mano di Matelda. «È gelata. Vai a prendere una coperta, per favore.»

«Non ho freddo.» Matelda aprì gli occhi e osservò i gabbiani che descrivevano un cerchio in lontananza sulla spiaggia.

Era tranquilla. Il prete le aveva portato la Comunione. Si era confessata e lui, come bonus, le aveva somministrato anche l'estrema unzione. Lei aveva accettato quel sacramento di buon grado. Lo considerava un'assicurazione. Da quel momento e sino all'ora della sua morte, non avrebbe fatto nulla che le impedisse di vedere il volto di Dio. Si sentiva la coscienza leggera e pulita. Aveva chiesto perdono per qualsiasi peccato avesse commesso.

Non aveva sprecato tempo. Le donne lo facevano raramente. Sfruttavano ogni istante della giornata per servire gli altri. Ma il bene lasciato in sospeso? Era stata all'altezza? Aveva fatto abbastanza? La sua domanda rimase senza risposta, ma non era più un suo problema. Il suo ultimo desiderio era di lasciare questo mondo in uno stato di grazia. *Sia fatta la Sua volontà.* Quella sarebbe stata la sua redenzione. L'unica cosa che restava da fare alla sua anima era cercare la propria salvezza. Matelda prese un respiro profondo e non tossì. I suoi polmoni si aprirono all'aria di mare come un mantice.

Nicolina tornò con la coperta, insieme ad Annina.

«Non è una meraviglia?» Matelda rivolse lo sguardo verso il mare azzurro come una tormalina. Aveva atteso la primavera e il ritorno dei colori e, miracolo dei miracoli, la bella stagione era arrivata. Anche se non aveva posato i piedi sulla sabbia, si sentiva sprofondare in quella polvere deliziosa mentre l'acqua del mare le si insinuava tra le dita creando una leggera fanghiglia con la marea, poi formando delle piccole pozze che le raffreddavano le piante dei piedi. Un nugolo di pesciolini rosa le si affollavano intorno ai piedi e le pizzicavano le dita. Lontano, all'orizzonte, brandelli di nuvole color corallo si stagliavano controluce disegnando un sentiero verso il sole. Matelda stava scrutando il litorale alla ricerca di qualcuno, quando vide sua madre sulla spiaggia bianca. Matelda sobbalzò sulla sedia mentre una bambina correva verso la mamma. *Domenica! La mia Domenica*, sospirò. Fu allora che udì il barrito di un elefante, o la tromba di un messaggero celeste, o un'aria di Puccini? Qualunque cosa fosse, quel suono era dolcissimo.

Nicolina fece correre lo sguardo lungo la spiaggia. «Vedi qualcosa, mamma?»

«Ha detto "Domenica". Nonna cosa intendi?» le chiese Annina.

Ma Matelda non la udì. Mentre si apprestava a lasciare il mondo, le voci e le parole di chi le stava accanto divennero un linguaggio che lei non conosceva più. Ogni aspetto della sua persona iniziò a ripiegarsi l'uno dentro l'altro, finché la sua anima si staccò dal corpo. Matelda si sentì diventare luce, un raggio tra i raggi del sole più luminoso, in mezzo all'azzurro più intenso.

«Mamma!» gridò Matteo irrompendo in terrazza. Posò le mani sui braccioli della carrozzina. Si chinò a baciare sua madre. «Ti vedo bene, mamma.»

Matelda parve non udirlo.

«Sono io. Il tuo Matteo» disse a voce alta prima di rivolgere uno sguardo disperato a suo padre, a sua sorella, a sua nipote. «C'è qualcosa che non va. Chiamate il medico!» Vedendo che Olimpio non si muoveva rapidamente come lui avrebbe voluto, Matteo, frustrato, si rialzò e si tastò le tasche alla ricerca del cellulare.

Annina si inginocchiò davanti alla nonna. Il profumo che le

aveva spruzzato sul collo quella mattina traspirava sulla pelle fredda di Matelda. L'aria si riempì del profumo di gardenia. Annina affondò il viso nel collo di Matelda. «Va tutto bene, nonna» sussurrò. «Vai da tua madre.»

Matelda prese tre brevi respiri e reclinò la testa. Annina si rialzò in piedi.

Olimpio si inginocchiò e posò le mani su quelle di sua moglie. Si fece il segno della croce.

«Che cosa è successo? Fate qualcosa!» Matteo le afferrò il polso. «Non andartene, mamma!» Ma non c'era battito. Matteo scoppiò in lacrime e si voltò dall'altra parte.

Nicolina rimase in piedi dietro alla sedia a rotelle, con le mani appoggiate leggermente sulle spalle di sua madre, proteggendola come un angelo custode. Le lacrime le scendevano silenziosamente sulle guance. Sotto il sole, il viso di Nicolina sembrava fatto di gesso verniciato e lucido, come quello dei santi nel cortile della chiesa di San Paolino.

Anche se il mare aveva esercitato il suo richiamo su Matelda per tutta la vita, era stato soltanto un'esca per attirare la sua attenzione. In realtà sarebbe stato il cielo sopra di lei a diventare il passaggio principale verso l'eterno. Era il Cielo la meta che lei avrebbe raggiunto. La sua anima sarebbe ascesa attraverso un portale di nuvole, sino a raggiungere un manto di stelle dove finalmente avrebbe ritrovato sua madre.

«Vola.» Olimpio si asciugò gli occhi con il fazzoletto. «Vola, amore mio.» Diede un ultimo saluto a sua moglie con un bacio. Annina distolse lo sguardo e pianse finché il mare che sua nonna aveva amato così tanto divenne una macchia sfocata in lontananza.

I rintocchi lenti e cupi delle campane di San Paolino risuonarono mentre Matelda McVicars Cabrelli Ruffo veniva portata a spalle fuori dalla chiesa sotto la luce del mattino spezzata dalle cime dei cipressi. Olimpio procedeva dietro la bara con il fratello di Matelda, Nino, e la moglie Patrizia, seguito dai figli e dai nipoti. Quella giornata di primavera non era né calda né fredda, adatta a una delle piacevoli passeggiate che Matelda amava fare in città.

Ida Cascarano fece un cenno a Giusto Figliolo, che la prese sottobraccio mentre seguivano il corteo fuori dalla chiesa e sul sagrato. Fila dopo fila, gli addetti alle pompe funebri invitarono i presenti ad aprire un varco per consentire il passaggio del feretro.

«Non posso credere che se ne sia andata» sussurrò Ida. «Continuava a ripetermi che stava per morire, ma io semplicemente non volevo crederle.»

«Invece lei se lo sentiva, Ida.» Figliolo ricordò il giorno in cui Matelda gli aveva regalato una mela. «Di recente mi aveva assicurato che sarei campato più di lei. Io l'avevo rimproverata, ma lei ne era convinta.»

«È quell'uccellaccio. Quel grosso gabbiano. Il bastardo l'ha beccata, segnando la sua morte. Se non l'avesse uccisa la superstizione, l'avrebbero fatto i germi.»

«Hai parlato con una strega?»

Ida fece segno di no con la testa. «Io stessa sono un po' una strega, sai? I Mitrione sapevano trasformarsi in veggenti all'occorrenza. Quando quell'uccello l'ha attaccata, ho subito pensato che fosse arrivata la fine per lei. Ida si asciugò gli occhi con il fazzoletto. «Non sempre mi piace aver ragione.»

Annina si voltò a guardare la folla che si era radunata sui gradini della chiesa, alle spalle dei parenti. Paolo Uliana le sorrise e strinse le mani a pugno. *Coraggio*, le disse con il solo movimento delle labbra. Lei abbassò il capo in segno di gratitudine. I genitori di Paolo erano dietro di lui.

La processione dei dolenti seguì Olimpio e la famiglia al cimitero per la sepoltura. Il prete recitò la preghiera finale. I famigliari e gli amici di Matelda coprirono la bara di fiori.

Poi la famiglia condusse i partecipanti alla cerimonia funebre sino alla Panetteria Ennico. Umberto aveva preparato dei vassoi di cornetti freschi con confettura di albicocche e abbondante caffè con panna da servire insieme ai pasticcini. Aveva transennato la strada per allestire un piccolo dehors con tavolini, sedie, tovaglie bianche, il tutto decorato con vasi di rose e peonie. Il funerale di Matelda e il successivo rinfresco andarono come lei stessa aveva predisposto.

La portafinestra della terrazza a casa di Olimpio e Matelda era spalancata. Beppe, il cane, dormiva al sole. Argento, il gatto, si rotolava per terra sotto la sedia del cane. Il mare turchese era calmo. Dentro, i nipoti di Matelda stavano aiutando a preparare la tavola. Nicolina passò loro il miglior servizio di porcellana e di argenteria di sua madre. I tovaglioli di lino, perfettamente stirati, vennero disposti accanto ai piatti. Annina diede un tocco finale alle peonie rosa prima di sistemare il vaso in mezzo al tavolo.

Olimpio se ne stava seduto a capotavola mentre gli invitati si aggiravano per l'appartamento, osservando i dettagli della vita quotidiana della compianta Matelda, in onore della quale si erano riuniti. La casa era la stessa di sempre, senonché Matelda non c'era più.

Nicolina posò la mano sulla spalla di suo padre. «Mangia qualcosa, papà.»

«Sì, certo.»

«Possiamo cominciare?»

Lui annuì. Nicolina chiamò gli ospiti a tavola e li invitò a prendere posto.

«Questa è una mossa di Matelda, ci metto la mano sul fuoco» sussurrò Ida a Giusto mentre lui tirava indietro la sedia per farla accomodare. «Siamo gli unici qui a non essere parenti.» Tirò su col naso, spiegò il rigido tovagliolo con uno scatto deciso e se lo sistemò in grembo.

«Sono onorato di essere qui» disse Giusto a bassa voce.

Il brusio della conversazione che aveva accompagnato il

pranzo si placò via via che i commensali finivano di mangiare. Annina e Nicolina si presero cura degli ospiti assicurandosi che tutti venissero serviti adeguatamente.

«Matelda ha provato i miei tortellini, ma io non ho mai assaggiato i suoi» osservò Ida.

«Io ho tutte le sue ricette» disse Nicolina con un sorriso mentre le rabboccava il bicchiere d'acqua. «Mia madre le voleva bene e amava la sua cucina.»

Ida scoppiò in lacrime soffocando i singhiozzi nel tovagliolo. «Anch'io le volevo bene.»

La caffettiera prese a gorgogliare, segno che il caffè era quasi pronto. Annina e Nicolina ritirarono i piatti e portarono in tavola dei vassoietti di biscotti che disposero al centro della tavola. Offrirono il caffè agli ospiti con l'aiuto della cognata di Nicolina, Rosa, e di sua figlia Serena. Quando tutti furono serviti, Nicolina prese posto a capotavola di fianco a suo padre.

«Mia madre mi ha chiesto di invitarvi qui oggi, nella casa in cui si era trasferita all'età di cinque anni. Era nata a Dumbarton, in Scozia. I suoi genitori si erano sposati a Manchester il 3 giugno 1940. La mamma venne alla luce dieci mesi dopo che suo padre, il capitano John Lawrie McVicars, aveva perso la vita nel naufragio dell'*Arandora Star* il 2 luglio 1940. Mia madre e mia nonna, Domenica Cabrelli McVicars, vivevano in un convento in Scozia. Attesero per cinque lunghi anni che la guerra finisse, dopodiché tornarono finalmente a casa, a Viareggio. L'unica figura paterna che mia madre abbia mai conosciuto, quindi, fu quella di Silvio Cabrelli, che si dimostrò amorevole con lei. Silvio era stato il primo amore di Domenica. Si sposarono quando Silvio cominciò a lavorare per Pietro Cabrelli. Mio nonno Silvio prese il cognome per portare avanti la tradizione della nostra attività a conduzione familiare. La mamma amava suo fratello Nino. Hanno trascorso anni felici in questa casa con i nonni, Netta e Pietro, e la madre di Silvio, Vera, che era solita soggiornare qui per tutta l'estate.

«Ci divertivamo molto» ricordò Nino. «Vera era una forza della natura.»

«Conoscete mia madre. È stata lei a scegliere il menu, i fiori, la lista degli invitati. Mio fratello e io non sappiamo con esattezza quello che accadrà fra poco, perciò vi chiediamo di perdonarci in anticipo. Sarà una sorpresa per noi quanto per voi. Stiamo semplicemente seguendo le sue istruzioni.»

Nicolina andò ad aprire la cassaforte. Prese il portagioie rivestito di velluto, insieme a una busta allegata. «C'è una lettera» esitò, turbata. Poi, con voce spezzata, la lesse davanti agli ospiti.

Mia adorata famiglia, carissimi amici,

questo cofanetto racchiude la storia. La mia storia, e ora anche la vostra, perché una parte vi apparterrà. C'è qualcosa per ciascuno di voi. Può darsi che quello che ho scelto per voi non vi piacerà, ma, con il tempo, vi renderete conto che per me era più importante selezionare qualcosa che ritenevo adatto a voi, piuttosto che incontrare i vostri gusti.

Fra i presenti serpeggiò un mormorio divertito. Nicolina proseguì la lettura:

Prima che Nicolina inizi a distribuire i doni contenuti qui dentro, desidero ringraziare lei e mio figlio Matteo. E, con loro, i rispettivi coniugi Giorgio e Rosa. Ringrazio i miei nipoti, Annina e Giacomo, Serena e Arturo. Ringrazio mio fratello Nino, sua moglie Patrizia e sua figlia Anna. E soprattutto, ringrazio il mio adorato marito Olimpio, che ha dovuto sopportare le mie bizze, ma lo ha sempre fatto con tanta grazia. Non ci ha mai fatto mancare niente e ha portato avanti con dedizione e competenza l'attività che era di mio padre, e prima ancora di mio nonno.

Amici miei, desidero ringraziarvi per essere stati gentili con me anche quando, invecchiando, la memoria mi tradiva facen-

domi dimenticare fatti, storie e date. Poco per volta, giorno do-
po giorno, una piccola dimenticanza non è poi così importante,
ma se sommi tutti questi scivoloni nel tempo, diventano una
valanga rovinosa chiamata vecchiaia. Ricordatemi in mezzo al-
le pietre franate.
    Questi gioielli mi hanno fatto pensare a voi. Perciò pensa-
te a me quando li porterete.

Con un grosso bacio,
    Matelda (mamma, nonna e, per i vecchi amici, Picci)

Giusto diede una leggera gomitata a Ida.

Lo scrigno conteneva una serie di bigliettini scritti a mano indirizzati ai destinatari di ciascun dono. Nicolina fece il giro della tavolata distribuendo i regali e le relative dediche.

«È come essere a Natale» disse Ida aprendo la sua busta.

Cara Ida,

ho portato un filo di perle donatomi da mia madre ogni giorno
della mia vita sino alla sua morte, quando smisi di indossarlo.
Io non sono mai stata un tipo da perle, ma tu lo sei, Ida. Am-
miravi spesso la mia collana, e spero che non lo dicessi solo
per compiacermi perché, se così fosse, ora ti tocca accettarle:
quelle perle sono tue.

La tua amica,
    Picci

«Non doveva fare questo» disse Nino, commosso.

«Era un suo desiderio, zio Nino.» Nicolina aveva consegna-to allo zio la medaglietta di Santa Lucia che Vera Vietro e Silvio avevano regalato a Domenica quando lei era ancora una bam-bina. «Questo è per te, zia Patrizia.» Nicolina proseguì la distri-buzione dei regali consegnandole l'anello tempestato di rubini.

Al che Patrizia esclamò: «Guarda che cosa mi ha scritto!», e mostrò al marito il biglietto che diceva: *Alla mia straordinaria cognata Patrizia, dotata di una notevole capacità di sopportazione.*

«Ha conservato il suo senso dell'umorismo sino alla fine. Caustica, ma divertente» sottolineò Nino con una risatina.

Via via che i parenti aprivano i loro doni commentando i messaggi di Matelda, la tristezza lasciava spazio a un'allegria frastornata.

La spilla d'oro con gli zaffiri andò alla nuora Rosa.

Gli orecchini d'oro dell'infanzia di Domenica alla nipote Serena.

«Aiutami con il gancio, Giusto.» Ida chinò il capo mentre lui le allacciava al collo le perle di Matelda.

I gemelli con i rubini, realizzati e portati da Silvio, passarono nelle mani del nipote Giacomo.

L'orologio da taschino che Pietro aveva donato a Domenica prima che lei partisse per Marsiglia andò a Giusto Figliolo. Il biglietto che lo accompagnava diceva: *Visto, Giusto? Avevo ragione. Avevi più tempo di me.*

A Nicolina toccò la fede nuziale di Matelda, appartenuta a sua madre Domenica in ricordo del suo matrimonio con John McVicars, insieme al diamante di Olimpio e alla parure composta da braccialetto e orecchini di acquamarina.

Matteo ricevette la medaglia del Vaticano che era stata conferita a Olimpio e Matelda da Papa Giovanni Paolo II per i loro servigi.

Arturo trovò nella sua busta la medaglietta di Sant'Antonio appartenuta a Silvio.

Quanto a Giorgio, gli fu riservato l'orologio di Silvio, insieme alla dedica *Al mio meraviglioso genero.* L'anello nuziale di Netta era destinato alla figlia di Nino, Anna.

Annina ebbe il privilegio di ereditare l'orologio di avventurina che Domenica aveva ricevuto come regalo di fidanzamento dal suo capitano.

Infine, il rubino di Speranza andò a Olimpio – *Ti prego, Olimpio, fai qualcosa di bello con questo rubino. È arrivato il momento. Quando rivedrò Speranza e Agnese in paradiso, saranno curiosi di sapere che cosa ne è stato.*

«Annina, per te c'è anche questa» disse Nicolina.

«Ma io ho già avuto il mio regalo.» Aprì la seconda busta e vi guardò dentro.

«Che cos'è?» chiese Ida incuriosita.

Annina lesse la lettera a voce alta.

Quando un giorno ti sposerai, offri questa fede a tuo marito. Apparteneva a mio padre Silvio che, ora lo sai, era il mio patrigno. Non ho mai conosciuto il mio padre naturale, John McVicars, e Silvio Bartolini Cabrelli ha trascorso tutta la vita a cercare di colmare quella perdita. Silvio ha mantenuto sempre un basso profilo poiché non aveva motivi per credere in se stesso. Nato povero, senza un padre che lo riconoscesse, avrebbe potuto prendere una cattiva strada. Ma sua madre, Vera Vietro, gli ha insegnato ad amare, anche se non sempre veniva trattato con rispetto. Io non ero sua figlia di sangue come Nino, ma il mio secondo papà non me lo ha mai fatto pesare, e nemmeno Nino, se è per questo. Quando sceglierai un marito, un giorno, scegli con accortezza. Questa è la fede dell'uomo che ha voluto essere un Cabrelli.

Nicolina era davanti al lavello nella cucina di sua madre, senza scarpe, intenta a risciacquare il vassoio dei dolci con cui si era concluso il pranzo offerto per commemorare Matelda. «È stata la giornata più lunga della mia vita.»

«È normale che tu ti senta così, mamma.» Annina le prese il vassoio di mano per asciugarlo. «Hai dovuto parlare con tante persone, hai dovuto leggere la lettera della nonna. Nessuno sa quanto ti sia costato parlare in pubblico. Ma sei stata bravissima».

«Grazie. Quando morirò, però, non dire a nessuno che alla veneranda età di cinquant'anni soffrivo ancora di ansia sociale.»

«Sarà la prima riga del tuo elogio funebre.» Annina salì su uno sgabello. Nicolina le passò la pila di piatti puliti da riporre. «Sono rimasta sorpresa da quante persone si sono presentate per rendere omaggio alla nonna oggi.»

«La nonna era molto amata in città. Settantasei anni vissuti sempre nello stesso posto sono un tempo molto lungo.»

«Vorrei che mi avessi chiamato Matelda. È un nome che mi piace tanto.»

«Ti ho dato un nome ricorrente nella nostra famiglia. L'ho adattato da quello di tuo zio Nino, più o meno. Eravamo molto legati quando ero piccola, e mi sono sempre ripromessa che se avessi avuto un bambino l'avrei chiamato come lui. Ma quando è nato tuo fratello Giacomo, la nonna e zio Nino erano in rotta, perciò ho scelto un nome della famiglia Tizzi. Quando poi sei arrivata tu, ho pensato che riprendere il nome di zio Nino poteva contribuire a sanare gli attriti fra mia madre e suo fratello una volta per tutte. È da qui che deriva il tuo nome, Annina. Ma nemmeno quel tentativo si rivelò utile ad avvicinarli. La nonna e lo zio Nino si spedirono reciprocamente sull'isola per anni, come se avessero acquistato una multiproprietà.»

«L'isola?»

«È così che tua nonna chiamava il posto dove mandava suo fratello quando non voleva parlargli. Non te l'ho mai raccontato perché non volevo che portassi avanti questa sciocchezza con tuo fratello.»

Annina rise. «Io e Giacomo andiamo d'accordo. L'unica isola che frequentiamo noi è Ischia, una volta all'anno, per la festa dei pescatori.»

«Bene, continuate così.»

«Avresti potuto chiamarmi Domenica.»

«Vuoi cambiare nome?»

«No, penso soltanto che sia strano non avere una Domenica nella mia generazione.»

«C'è un buon motivo. Quando avevo sette anni o giù di lì e Matteo ne aveva dieci, la nonna rimase incinta. Mi disse che se fosse nata una femmina sarebbe stata mia, e se fosse nato un maschio sarebbe stato di Matteo. Eravamo sempre stati molto competitivi, ma naturalmente era una cosa ridicola, un gioco. Entrambi volevamo un fratellino o una sorellina ed eravamo felici come una Pasqua all'idea che arrivasse. Ad ogni modo, al momento del parto la mamma andò in ospedale, ma quando tornò a casa non c'era nessun fratellino. Scoprimmo poi che la bimba che aveva dato alla luce era nata morta. L'aveva chiamata Domenica.

«Povera nonna!»

«E qui arriva la parte più assurda. Io amavo la mia sorellina Domenica, anche se non l'avevo mai conosciuta. Com'era possibile? Come si può amare qualcuno che non conosci e non conoscerai mai ma che senti reale come un qualsiasi componente della famiglia?»

«La nonna amava suo padre, il capitano di Marina, eppure non l'aveva mai conosciuto. Piangeva quando mi raccontava di lui. Perciò immagino che si possa amare qualcuno senza averlo mai visto di persona.»

«Piangeva?»

«Sì.»

«Ho visto mia madre piangere pochissime volte, credo di poterle contare sulle dita di una mano. Pianse di ritorno dall'ospedale, mentre smontava la culla. Era di vimini bianco e l'aveva ricoperta di fiocchetti gialli. Le ci erano voluti giorni per costruirla.»

«Te la ricordi bene, mamma.»

«Perché quella piccolina contava molto per me. Ho rimpianto mia sorella per tutta la vita. Da quel momento in poi mia madre divenne un'altra persona, credimi. Quella perdita l'aveva cambiata.»

Annina abbracciò sua madre e la tenne stretta. «Perché non mi hai mai parlato di tua sorella?»

«Non volevo che fossi spaventata all'idea di avere un bambino, un giorno.»

«L'idea non mi spaventa, mamma. Anzi, amerei mio figlio ancora di più.»

«Davvero?»

Mentre Annina teneva stretta sua madre, promise a se stessa che, se mai avesse avuto una figlia, l'avrebbe chiamata Domenica. Come Domenica Cabrelli.

Annina era seduta sulla sedia di sua nonna in terrazza quando udì Beppe abbaiare e la porta a vetri aprirsi alle sue spalle. «Ti serve qualcosa, nonno?» chiese senza distogliere lo sguardo dal mare.

«Ciao, Annina.»

Annina si voltò e si trovò davanti Paolo. Si era messa un grembiule sopra l'abito che aveva indossato al funerale. Era a piedi nudi e il mascara che si era sbavato piangendo formava due chiazze nere sotto gli occhi.

Paolo avvicinò una sedia. «Mi dispiace tanto per tua nonna. Era una gran signora. I miei genitori hanno detto che è stato il funerale più affollato che abbiano mai visto a San Paolino.»

«Grazie. Mi ha fatto piacere vedervi là. Ringrazia anche i tuoi per essere venuti.»

«Lo farò. Abbiamo pensato che non fosse opportuno partecipare al rinfresco.»

Annina abbozzò un sorriso, gli prese la mano e gli diede una stretta prima di lasciarla. Una delle cose che l'avevano colpita di Paolo quando si erano conosciuti erano le sue buone maniere. «Tu e la tua famiglia siete sempre i benvenuti.»

«È strano.» Sorrise. «Ma lo so.»

«Tu come stai?»

«Bene. Sono tornato a stare dai miei genitori, ma non sarà per molto. Sono in partenza per Barcellona. Un paio di amici mi hanno proposto di andare a lavorare là nella loro start-up.»

«Congratulazioni! È una bellissima notizia. Non ne sapevo nulla.»

«E come avresti potuto? Non parliamo più.» Paolo si guardò le mani.

«Lo faremo. Ho passato le ultime settimane con mia nonna.»

«Per me non era un problema che tu trascorressi del tempo con tua nonna.»

«Lo so. Ho detto delle cose che non avrei dovuto dire. E probabilmente ho anche fatto cose che non avrei dovuto fare. Ma ho imparato molto da lei negli ultimi tempi. Cercherò di migliorare. Ce la metterò tutta per smetterla di voler controllare ogni cosa nella mia vita. Comprese le persone che amo.»

«Non volevo che mi lasciassi.»

«Ma guarda cos'è successo quando l'ho fatto. Hai trovato un lavoro! Volevo talmente tanto che le cose ti andassero bene che ho impedito che accadessero.»

«No, Annina. Tu mi spronavi.»

«Ci ho provato. Ma ho anche finito per bloccarti, con tutti i miei timori. Volevo che tu fossi felice con un lavoro che amavi, ma non ti ho dato il tempo per scoprire cosa ti piaceva fare. Ero un ostacolo, tant'è vero che ora hai un lavoro. Tutto torna.»

«Se la vedi così…»

«Mi dispiace di essermi fatta prendere dalla frenesia di sposarci. Chi se ne importa della festa. Del vestito. Dell'anello di brillanti.»

«La tua famiglia è nel settore.»

Annina rise. «Giusto. Ma non bisognerebbe pensare soltanto alla cerimonia; ci si dovrebbe concentrare sul vero significato del vincolo matrimoniale.»

«Lavori con tuo nonno ora?»

Lei annuì. «Sto imparando a lavorare le pietre.»

Paolo rimase con Annina finché il sole, che aveva il colore di un panetto di burro, iniziò a sciogliersi nel mare. Ogni tanto lui si voltava a guardarla in quella luce tenue e dorata, e lei dimenticò il motivo per cui l'aveva lasciato. Sentiva ancora un tuffo al cuore quando lo vedeva, ma non poteva ammetterlo. Non a lui, almeno. Se Paolo avesse saputo che lei provava ancora dei sentimenti nei suoi confronti, magari avrebbe rinunciato al lavoro a Barcellona. Da parte sua, lui sentiva di non avere più il diritto di chiederle di aprirgli il suo cuore. Aveva perso la sua fiducia ed era convinto che non fosse più possibile ricostruirla.

«Meglio che vada, ora» disse lui alzandosi.

Annina lo accompagnò all'ascensore. «Paolo?»

Premette il pulsante che teneva aperte le porte.

«Sì?»

«La vita è lunga.»

«Mi stai dando speranza?» Paolo tentò un sorriso.

«C'è sempre speranza.» Annina lasciò andare il pulsante. Le porte si chiusero. Posò la mano sull'orologio che le aveva lasciato sua nonna. Lo sganciò dal vestito e se lo avvicinò all'orecchio. Udì il lieve ticchettio dell'ingranaggio. «Nonna!» sussurrò con il cuore in gola. «Funziona ancora!»

Nicolina si offrì di restare dopo aver risistemato l'appartamento e preparato la moka per la colazione della mattina dopo, ma Olimpio insistette affinché la figlia tornasse a casa da Giorgio. Annina dormiva già nella stanza degli ospiti.

Per la prima volta da quando Matelda era morta, Olimpio poteva trascorrere qualche momento da solo. In pigiama, rilesse il biglietto che gli aveva lasciato Matelda insieme al rubino di Speranza.

Olimpio,

questo è il manifesto della famiglia redatto da mio padre. Lo ha scritto la sera in cui prese il cognome Cabrelli. Ti prego di stamparne diverse copie da distribuire ai nostri figli e nipoti.

Mi ero dimenticata di averlo e volevo condividerlo. Mio padre aveva ragione. Una famiglia è forte nella misura in cui lo sono le sue storie.

Con amore,
M.

MANIFESTO DELLA FAMIGLIA

Famiglia. Noi siamo l'aia, il circo e il palcoscenico, il foro, il campo da gioco e la pista. Siamo la struttura, l'architettura e la roccaforte. Siamo il conforto, il sollievo e il sogno, il nostro legame è il nostro sostegno e la nostra speranza. Se la sopravvivenza della famiglia è lasciata al caso o al capriccio, si tratta di negligenza, e la famiglia morirà alla radice. Dobbiamo mettere la famiglia al di sopra del lavoro, del gioco e delle ambizioni. Deve esistere un piano per crescere e prosperare. La vita è poca cosa senza la famiglia, si riduce a una serie di eventi, una noia, una litania di insoddisfazioni e un faticoso arrancare verso la solitudine. Senza un obiettivo comune, la laboriosità e la produttività vengono sostituite da un lento declino, seguito dalla miseria. Quando la famiglia fallisce, anche il mondo va a rotoli.

Silvio Cabrelli, 1947

Olimpio proseguì leggendo il post scriptum di Silvio.

Ho raccontato ai miei nipoti la storia dell'elefantessa che ho appreso da Pietro Cabrelli, mio suocero. Lui, a sua volta, l'aveva sentita da un uomo che aveva incontrato in India molti anni prima. L'elefantessa moriva alla fine della storia, ma con il passare del tempo, ho cambiato il finale perché mi sembrava che spaventasse i bambini, e ho lasciato in vita quell'animale generoso. Cara famiglia, siete voi gli autori del vostro destino.

Nelle vostre mani c'è il finale della vostra storia e l'inizio di una nuova ogni volta che viene al mondo un bambino. Dio sa quello che fa.

Olimpio piegò il documento e lo infilò nella busta.

Poi riempì la ciotola di croccantini per Argento e diede uno snack a Beppe. Prese uno dei biscottini al sesamo preparati da Ida Cascarano da un vassoio in cucina e lo sbocconcellò mentre girava per casa e spegneva le luci. Salì in camera, si sedette sul bordo del letto e finì il biscotto. Poi andò in bagno e si lavò i denti. Eseguì la solita routine serale senza guardarsi allo specchio.

Infine ritornò in camera. Piegò la coperta sino ai piedi del letto. Si sfilò le pantofole e si sistemò dalla sua parte. Allungò istintivamente la mano per tastare il lato di Matelda. Le aveva augurato la buonanotte con un bacio ogni sera per cinquantatré anni, e ora lei se n'era andata. Per tutta la vita si era chiesto cosa significasse avere il cuore spezzato perché non aveva mai provato quel dolore. Ora lo sapeva. Scoppiò in un pianto dirotto senza riuscire a fermarsi. Dopo un po' si mise a sedere e si asciugò le lacrime sulle maniche del pigiama. Udì Beppe raschiare contro la porta. Accese la luce. Si alzò e lo fece entrare, ma stranamente Argento era con lui. I due animali non avevano mai dormito in camera di Olimpio e Matelda. Il cane aveva una cuccia nel sottoscala e il gatto, per quanto ne sapeva lui, vagava per casa finché non trovava uno scaffale di suo gradimento nella libreria.

Olimpio guardò i due. «Che cosa vogliamo fare, amici miei?» disse ad alta voce. Si voltò per tornare a coricarsi, ma invece di sistemarsi dalla sua parte, occupò quella di Matelda. Si infilò sotto le lenzuola. Spense la luce. Si mise le mani dietro la testa e fissò il soffitto buio come se fosse il palcoscenico vuoto di un teatro. Una giovane Matelda entrò in scena. Lui la raggiunse nel momento del loro primo incontro e rimase a contemplare la loro storia d'amore svolgersi davanti ai suoi occhi. Ricordava com'era vestita, come si muoveva, il suo profumo e il suo sorriso. Era stata l'unica donna della sua vita con cui riusciva a parlare; convinto che quella fosse la chiave per un matrimonio felice, aveva sempre tenuto vivo il dialogo fra loro. Aveva amato una sola donna, e che donna!

Beppe saltò sul letto e appoggiò la testa sul petto di Olimpio. Il suo padrone lo stava coccolando dolcemente quando sentì quattro zampette leggere risalire lungo la sua gamba sino al petto. Argento proseguì per cercare un posticino confortevole fra il guanciale di Olimpio e la testata del letto. I tre, uniti dallo stesso senso di perdita, si addormentarono subito e rimasero insieme sino all'alba, quando spuntò il sole.

38

Glasgow, oggi

«Ecco qua, nonno.» Annina abbassò il ripiano ribaltabile che si trovava dietro lo schienale del sedile di fronte.

«Non trattarmi come se fossi un bambino, Annina.»

«Sei tu che dovresti badare a me. Controlla la data sul biglietto. Oggi è il 28 agosto. Avrei dovuto sposare Paolo Uliana.»

«Vuoi che torniamo indietro?»

«Non così presto, nonno.»

Olimpio sorrise. «Hai letto i contratti che ti ho lasciato?»

«Sì, e ho qualche domanda in proposito.»

«Spero di avere le risposte.»

«Se non le hai tu, le avranno gli avvocati. È facile lavorare con te, nonno. Dici sempre quello che pensi.»

«Trovi? Tua nonna diceva che sono testardo come un mulo. E in effetti so di esserlo. I miei genitori erano agricoltori lombardi. Quando sono arrivato in Toscana, il tuo bisnonno Silvio mi ha dato un lavoro. È stato il mio maestro. Ho cominciato da zero, proprio come te.»

«Quand'è che si è ritirato in pensione?»

«Non ha mai smesso di lavorare. Ma anch'io ho insegnato qualcosa a lui, sai? Silvio tagliava pietre sette giorni su sette. Se non aveva commesse, prendeva il lavoro da altri colleghi orafi per tenersi occupato quando il negozio era in un periodo morto. Io ho cercato di spiegargli che quel periodo di inattività in realtà era oro. È il momento in cui un artista sogna, pensa, immagina. L'attività costante del disco consuma la gemma ma anche la vena creativa dell'artista. Non immagini quanto ho faticato per convincerlo a spegnere la tagliatrice.»

«E l'ha mai fatto?»

«Alla fine ha capito cosa intendevo dire. Capitava che lo sorprendessi a passeggiare sul lungomare e poi fermarsi a bere alla fontanella. Giocava a carte nel giardino di Villa Buoncorso con altri vedovi suoi coetanei. Aveva imparato che se tieni sempre la testa china sulla tagliatrice, non vedi più cosa c'è sopra di te. Perdi di vista la vita.»

Quando Olimpio e Annina ritirarono i bagagli e superarono i controlli doganali all'aeroporto di Glasgow, era già pomeriggio inoltrato. Il loro primo appuntamento con un nuovo cliente era fissato per il mattino dopo. Depositarono le valigie in albergo e uscirono per esplorare la città a piedi.

Il sole faceva capolino tra le nuvole pervinca che fluttuavano sulla città in ampi sprazzi di azzurro. Il quartiere di Glasgow che si espandeva lungo la parte settentrionale del fiume Clyde era un mix di deliziose case in mattoni, capannoni tentacolari e negozi appena inaugurati. Sullo sfondo si stagliavano grattacieli con pareti a specchio che riflettevano il panorama della città.

Olimpio e Annina varcarono le porte in bronzo della St Andrew's Cathedral. La navata era immersa in una luce dorata che filtrava nella chiesa attraverso le finestre allineate sotto il soffitto a volta. Le pareti avorio, il pavimento di marmo chiaro e i banchi in rovere ricordavano un campo di grano illuminato dal sole.

«Sembra di stare dentro a una fede nuziale» disse Annina. «Quanto oro!» Fecero il segno della croce e una genuflessione davanti all'altare maggiore. Annina si avvicinò alla nicchia che ospitava la statua della Madonna. Alzò lo sguardo verso la Vergine Maria: aveva un'espressione serena, le mani rivolte in avanti pronte ad accogliere, la veste fluttuante, e con i piedi schiacciava un serpente di gesso avvolto intorno a un globo blu. Annina frugò nella borsa per cercare degli spiccioli. Olimpio restò in disparte mentre la nipote depositava le monete nella cassettina delle offerte e accendeva una candela votiva. Si inginocchiò, chiuse gli occhi e congiunse le mani in preghiera. Dopo qualche istante si alzò e si fece il segno della croce. Si voltò verso Olimpio. «Nonno, vuoi accendere una candela anche tu?»

«L'hai accesa per la nonna?»

«Sì.»

«Allora va bene così» disse Olimpio, ma cambiò idea quando un pensiero improvviso gli attraversò la mente facendogli corrugare la fronte. Si frugò in tasca, pescò una monetina e la lasciò cadere nella cassetta. Accese una candela e si inginocchiò a sua volta per dire una preghiera.

«La nonna apprezzerà» disse Annina battendogli qualche colpetto affettuoso sulla spalla.

«Non era per lei» disse lui rialzandosi. «Era per la nostra Domenica. Tua nonna non è mai più stata la stessa dopo averla persa durante il parto. È un dolore che si è portata dentro sino alla fine.»

Annina seguì il nonno fuori dalla chiesa.

L'Italian Cloister Garden, adiacente alla cattedrale, era delimitato da un muro di pietra. Il cancello di ferro che vi dava accesso era socchiuso.

Olimpio si fermò davanti all'entrata e lesse ad alta voce dal cellulare: "Il giardino è stato progettato dall'architetto romano Giulia Chiarini". Si rimise il telefono in tasca e, con le mani allacciate dietro la schiena, camminò fra le sculture a specchio poste al centro dello spazio esterno alla chiesa. «Siamo venuti sino in Scozia per vedere l'opera di un'italiana.»

Un rivolo di acqua cristallina proveniente da una piccola vasca d'argento si insinuava fra le alte lastre di vetro su cui erano incise perle di saggezza di filosofi, poeti e santi. Annina si guardò intorno sino a trovare una lapide con i nomi degli italiani e dei membri dell'equipaggio che avevano perso la vita nel naufragio dell'*Arandora Star*.

«Nonno, vieni a vedere.»

Olimpio si avvicinò alla lapide e diede una scorsa alla lista dei nomi. «Eccolo!» Era emozionato. «È lui, il padre di Matelda.» Avrebbe significato moltissimo per sua moglie vedere scolpita nella pietra la prova che John Lawrie McVicars era vissuto ed era morto, ed era stato onorato per il suo servizio in quell'angolo di Italia in Scozia. «Avrei dovuto insistere per portarla qui» si rammaricò Olimpio.

«Non si può fare tutto quello che si vorrebbe in una vita sola» sentenziò Annina. Sembrava di sentir parlare sua nonna. Srotolò un foglio di carta da lucido e lo appoggiò sulla targa. Prese la matita che portava dietro l'orecchio e iniziò a ripassare le lettere. Nel giro di pochi minuti il nome del suo bisnonno scozzese emerse in blocchi grigi su fondo bianco, come se McVicars stesso prendesse forma tra le nuvole per dare loro un saluto.

«Annina Tizzi!»

«Sì, nonno?»

«È un tatuaggio quello che hai sul braccio?»

Allungandosi per ricalcare il nome di McVicars, la manica della giacca di Annina si era alzata rivelando il suo nuovo tatuaggio. «Non guardare.»

«Tua nonna li odiava.»

«Credo che questo le sarebbe piaciuto.»

Annina si rimise la matita dietro l'orecchio, si rimboccò la manica e mostrò a suo nonno il suo raffinato tatuaggio. Il nome *Matelda* era stato riprodotto con tratti delicati e svolazzanti di inchiostro di china nella parte inferiore dell'avambraccio, tra il gomito e la mano.

«Come hanno fatto?» Olimpio era interessato.

«Sono artisti. Ho fatto copiare la firma della nonna da un assegno che mi aveva mandato per il mio ultimo compleanno. Non l'ho mai incassato. Avevo un'idea al riguardo. Ti piace?»

«Credo di sì.» Olimpio era sorpreso dalla propria reazione.

«Sono contenta. In fondo c'è una piccolissima parte scozzese dentro di me, no? Una parte un po' ribelle.»

Il cielo si aprì senza preavviso come succedeva spesso in Scozia. La pioggia si riversò sui turisti italiani con un'intenzione particolare.

Annina si infilò il foglio sotto la giacca per ripararlo.

Olimpio si abbottonò il cappotto e alzò lo sguardo verso il cielo.

«Vieni, nonno. Corri!»

Epilogo

Karur, oggi

Un ragazzino smilzo di undici anni si inginocchia in una buca di terra rossa. Scava a mani nude sempre più in profondità, dove, grazie al lavoro di alcuni mesi, ha ricavato un tunnel. È il suo tunnel, l'ha scavato da solo. È largo circa sessanta centimetri e profondo un metro e mezzo. Si è legato la T-shirt intorno alla testa perché non possiede un cappello per ripararsi dal sole cocente. Trova un po' di sollievo solo quando le nuvole rosa coprono il sole nel cielo color lapislazzuli. È scalzo e a torso nudo, e i suoi pantaloncini, troppo larghi, sono annodati in vita per tenerli su. Sulla gamba dei pantaloncini, a grandi lettere, compare la scritta Nike.

Per terra, accanto a lui, c'è un cestino vuoto. Il ragazzino raccoglie un sasso appuntito come una freccia e lo usa per battere contro una vena di roccia. Abbassa la testa sino a sfiorare il terreno. Circa sei metri più in là, suo fratello scava nello stesso modo. È a tre metri di profondità, ma è più vecchio di lui e ha più esperienza negli scavi a cielo aperto, quindi è più veloce. Sparpagliati in quel campo immenso ci sono altri ragazzi del villaggio che fanno lo stesso lavoro usando la tecnica pietra contro pietra, accomunati dallo stesso obiettivo. Tendono l'orecchio, nella speranza di sentire il vuoto dietro un suono sordo, dove la roccia si è trasformata in rubino.

Il ragazzino ammorbidisce la terra intorno alla roccia. Il terreno è bagnato, il che implica la presenza di serpenti o di un corso d'acqua sotterraneo. Il fiume Amaravati è vicino. Dopo le piogge primaverili, l'acqua si ritira nel sottosuolo lasciando uno strato di fango e rigagnoli che si estendono per chilometri. Un'antica leggenda narra di un'elefantessa che morì sulle rive del fiume dopo aver messo in salvo il bottino ricavato da una miniera. Oggi, a distanza di secoli, in quel punto cresce una pianta rigogliosa che, in suo onore, ha preso il nome di "orecchie di elefante".

Il ragazzo batte il sasso appuntito contro una pietra incastrata, smuovendola. La tira fuori. È grande quanto una scarpa da uomo. La sbatte contro la parete della buca. Si toglie la maglietta dalla testa.

La pietra è più pesante di una comune pietra di dimensioni simili. Le sue mani gli dicono che quella è diversa. Al tatto è spugnosa, ma presenta anche fitte scanalature e buchi. Passa le dita sulle colonnine in rilievo di roccia dura, scorrendo i polpastrelli sulle fessure. Ci sono venature più fredde che sembrano vetro. Lucida la pietra con la T-shirt. Un lato è striato di nero e grigio come una pietra qualsiasi. Deluso, si scoraggia per un breve istante. Ma un istinto viscerale gli dice di non arrendersi.

Capovolge la pietra e strofina l'altro lato con la maglietta. Il tessuto si impiglia in qualcosa. Ci sono dei puntini nella parte sottostante. Afferra i lembi della T-shirt e li strofina su quelle piccole sporgenze appuntite; si staccano dei grumi di terra rossa che cadono ai suoi piedi. Il ragazzo inizia a sudare, eccitato dalle prospettive che offrirebbe quella pietra, ma è titubante perché non è abituato alle buone notizie, né si fida dei suoi occhi. Nelle striature della roccia scopre balugini d'oro e tracce rosso sangue, così scure da sembrare viola. Rubino sangue di piccione. Lo sa perché una volta i mercanti di pietre preziose gli avevano permesso di tenere in mano una pietra simile. Ha conservato l'immagine di quel rubino nella mente, e nella mente la rivede ogni sera prima di addormentarsi, immaginando che un giorno troverà una pietra come quella. E ora è successo: quella gemma è nelle sue mani. Il suo cuore si gonfia di gioia e sembra che debba esplodere nel suo esile corpo da un momento all'altro.

Avvolge il suo tesoro nella maglietta e si arrampica fuori dalla buca. Scruta il campo fangoso disseminato di ragazzini a perdita d'occhio. Chiama suo fratello. «*Aaie!*» urla. Suo fratello accorre; capisce dal tono di voce concitato che il suo fratellino minore ha trovato qualcosa di prezioso.

Gli altri ragazzi lasciano cadere gli attrezzi e riemergono dalle loro trincee. «*Aaie!*» urlano. Ben presto un piccolo esercito di ragazzini corre verso colui che ha trovato la pietra. Lo accerchiano.

Quando uno di loro trova un rubino, si dividono il bottino in parti uguali. E quando si dividono il bottino, mangiano. Sono una famiglia legata da qualcosa di molto più profondo di un nome. Esiste un unico tavolo, e tutti sono i benvenuti al banchetto.

I ragazzi saltellano, urlano e danzano per celebrare l'evento straordinario. Il fortunato solleva la pietra perché tutti la vedano. Poi rivolge il viso al sole e grida: «Vita!»

Ringraziamenti

Questo romanzo parla di come viviamo e di ciò che lasciamo dietro di noi quando ce ne andiamo. Naturalmente voi, amati lettori, mi direte che parla anche di molte altre cose – e come sempre, al centro di tutto, o almeno delle storie che provo a raccontare, c'è la famiglia. Questo libro è dedicato a mia figlia Lucia. Il suo arrivo in questo mondo, al tempo stesso meraviglioso e stremato, ha reso le nostre vite degne di essere vissute. Battezzata così in onore di mia nonna materna, Lucia Bonicelli, mia figlia ha ereditato il suo buon cuore, la sua empatia e il suo occhio per i dettagli.

Quando Lucia aveva cinque anni, le chiesi cosa volesse diventare da grande. Mi aspettavo che mi rispondesse maestra, artista o astronauta, invece disse: «Gentile». È consapevole di quanto la gentilezza sia un obbligo morale. Nessuno glielo ha insegnato, è semplicemente parte di lei. Mi auguro che, oltre ai doni di Dio, possa contare su un insieme di valori che la sosterranno a lungo dopo la nostra scomparsa – il più grande dei quali, ovviamente, è l'amore.

Per me è un onore essere pubblicata da Dutton e Penguin Random House. Torno all'ovile sotto la magnifica guida di Ivan Held, amico fidato di lunga data che ha accolto questo romanzo offrendomi entusiasmo e sostegno. Maya Ziv è una stella scintillante nel pantheon dei giovani editor, e sono fortunata a lavorare di nuovo con lei. A volte il destino ti regala una rosa, e io mi aggrapperò a Maya finché me lo permetterà. La mia più profonda gratitudine va alla spettacolare squadra di Dutton: Christine Ball, John Parsley, Lexy Cassola, Amanda Walker, Stephanie Cooper, Katie Taylor, Jamie Knapp, Hannah Poole, Caroline Payne, LeeAnn Pemberton, Mary Beth Constant, Katy Riegel, Chris Lin, Julia Mehoke, Susan Schwartz, Ryan Richardson, Dora Mak e Tiffany Estreicher. Grazie anche al team commerciale di PRH, che fa arrivare i libri nelle vostre mani. Kim Hovey è una gemma preziosa. Vi-An Nguyen ha realizzato una copertina che racconta la storia con colori e dettagli splendidi. Il progetto grafico degli interni è quanto di più bello io abbia mai visto in un romanzo. Pat Stango è il maghetto della tecnologia di PRH.

Per PRH UK, un sentito ringraziamento va a Clio Cornish, Lucy Upton, Gaby Young, Madeleine Woodfield, Deidre O'Connell, Kate Elliot, Hannah Padgham, Louise Moore e Maxine Hitchcock, nonché alle insostituibili Eugenie Furniss ed Emily MacDonald di 42. Grazie a Tara Weikum, Danielle Kolodkin e ai miei vecchi amici di Harper's, e a Suzanne Baboneau e Ian Chapman di S&S UK.

Per WME, grazie all'inesauribile energia della mia piccola dinamo Suzanne Gluck, e grazie agli amati Nancy Josephson, Jill Gillett, Andrea Blatt, Nina Iandolo, Ellen Sushko, Wesley Patt, Caitlin Mahony, Oma Naraine, Tracy Fisher, Sam Birmingham e Alicia Everett.

Per Sugar23, sono entusiasta di lavorare con il dinamico team composto da Katrina Escudero, Sukee Chew, Michael Sugar, Esmé Brachmann e Viola Yuan. Per Sunshine Sachs, grazie alla grande Brooke Blumberg che tiene il timone. Grazie ai produttori Laurie Pozmantier, Larry Sanitsky e Katherine Drew. Richard Thompson di Breechen Feldman Breimer Silver & Thompson, LLP, è il miglior avvocato del settore.

Il mio grazie e il mio affetto, per sempre, vanno a Bill Persky, mentore, padre e amico fraterno, il cui genio creativo sulla pagina e sul palcoscenico ha reso la vita di tutti noi più ricca, più bella e più divertente.

Gail Berman è la sorella cui mi rivolgo quando devo risolvere un problema o ho bisogno di qualcuno che mi indichi la giusta direzione. Grazie per la tua saggezza e il tuo cuore amorevole.

Michael Patrick King: che si tratti di una telefonata mattutina o di una chiamata in preda al panico a mezzanotte, tu ci sei; ti ringrazio per tutto ciò che sei e che fai. Grazie alla The Glory of Everything Company, guidata da Alexa Casavecchia, intelligente, instancabile e sempre sul pezzo. E grazie anche a tutto il suo team: Emily Metcalfe e Maxwell Seiler, che mi aiutano nella realizzazione di *Adriana Ink*, e Andrea Rillo, la mente brillante che sta dietro le nostre campagne pubblicitarie sui social media. I nostri stagisti sono le future stelle di domani. Grazie a Jacob Cerdena, Jaden Daher, Emma Freund, Ashley Futterman, Paige Michels, Steffi Napoli, Annika Salamone, Maddie Smith e Lauren Taglienti.

Cynthia Olson ha condotto ricerche meticolose e ha lavorato in maniera instancabile per dare veridicità e un accurato contesto storico agli eventi del romanzo. In Italia, grazie alla mia famiglia, Andrea Spolti, Paolo Grassi e Andrea Pizio. Il mio prozio, il compianto Monsignor Don Andrea Spada, è stato a lungo direttore de *L'Eco di Bergamo*. Questo grande giornale, e i suoi ottimi articoli, sono la fonte cui ho attinto per trattare l'intero arco temporale di questo romanzo.

Su invito di Kristin Dornig, ho frequentato un corso presso la casa d'aste Christie's di New York relativo ai gioielli dei maharaja e dei moghul indiani, grazie al quale ho acquisito le conoscenze di base che sono diventate il fondamento di questo romanzo. La famiglia Montaquila, gioiellieri da generazioni nel Connecticut, mi ha aiutato a capire le varie fasi del design dei gioielli. Grazie, Madeline.

Se vi interessa approfondire l'espulsione di uomini e ragazzi di origine italiana dalla Scozia durante la Seconda guerra mondiale, consiglio *Collar the Lot! How Britain Interned and Expelled its Wartime Refugees* di Peter Gillman e Leni Gillman. *Inside*

Europe e *Inside Latin America* di John Gunther mi hanno fornito una panoramica della situazione politica, economica e sociale dei Paesi europei prima e durante la Seconda guerra mondiale. Per ricostruire il contesto storico più ampio che fa da sfondo agli eventi di questo romanzo, ho letto libri di H. G. Wells, Erik Larson, Philip Paris, Donatella Tombaccini e Oswald Mosley. I saggi sul fascismo di Benito Mussolini, raccolti da Mosley, sono un'ottima introduzione alla diabolica astuzia dei dittatori. Per indagare verità e bellezza, vi consiglio *Passaggio in Italia* di Helen Barolini; *Un'infanzia in Toscana* di Kinta Beevor; *Zeffirelli*, l'autobiografia del grande regista Franco Zeffirelli; e *Foods of Tuscany* di Giuliano Bugialli.

Un enorme debito di riconoscenza va alle nostre infermiere, senza le quali non ci sarebbe sollievo alle nostre sofferenze. Sono lusingata di aver potuto onorare il loro lavoro e gli aneddoti che hanno condiviso con me in queste pagine. Grazie alle ottime infermiere del St. Vincent Hospital di New York e alle Povere Ancelle della Madre di Dio che operano presso il St. Mary Hospital a Norton, in Virginia. Catherine Shaughnessy Brennan mi ha fornito informazioni sull'assistenza infermieristica geriatrica. Mia cognata Brandy Trigiani, infermiera oncologica, è stata colei che ha ispirato il rapporto tra le giovani infermiere dell'Hôpital Saint-Joseph di Marsiglia. Un ricordo alla compianta Irene Halmi, che prestò servizio come infermiera nella Seconda guerra mondiale; i suoi racconti di quel periodo sono una testimonianza preziosa. Ralph Stampone, congedato con onore dalla Marina statunitense nel 1946, mi ha introdotto alle procedure mediche in tempo di guerra.

La storia degli immigrati italiani in Scozia non avrebbe potuto essere raccontata senza la testimonianza di Nina Passarelli, che durante la guerra frequentò la scuola del convento di Notre Dame de Namur a Dumbarton. Purtroppo Nina è venuta a mancare mentre stavo scrivendo il romanzo, e così è stata Anna, la figlia, a condividere le storie che le sono state tramandate nei dettagli. Grazie a tutta la famiglia Casavecchia/Passarelli per aver ripercorso con me la vita di Nina. Grazie Anna, Joe, Erica, Joseph Casavecchia Jr. e Joseph Casavecchia Sr.

Il cast e la troupe di *Then Came You* (2020) mi hanno fatto innamorare della Scozia e della sua gente. La maestosità della campagna scozzese mi ha ricordato la mia casa negli Appalachi. Grazie, Kathie Lee Gifford, per avermi affidato la regia del tuo film-bambino. Andy Harris, il nostro scenografo, mi ha mostrato la bellezza senza tempo del suo Paese, che Reynaldo Villalobos, eccezionale direttore della fotografia, ha catturato con grande maestria. Megan e Craig Ferguson, i miei castellani preferiti, hanno fatto in modo che la Scozia rimanesse nel mio cuore a lungo anche dopo averla lasciata.

Grazie a quella forza travolgente che sono gli italo-americani: Louisa Ermelino, Mary Pipino, Joe Ciancaglini, Robin e Dan Napoli, Mario Cantone e Jerry Dixon (IBM), Gina Casella di AT Escapes, Angelo e Denise Vivolo, Anthony e Maria Tamburri, Aileen Sirey, Eileen Condon, Pat Tinto, Rossella Rago Pesce e Nick Pesce, Brenda Vaccaro, Lorraine Bracco, John Melfi e Andrew Egan (IBM), Joanne LaMarca, Caroline Giovannini, Mary A. Vetri, Ed e Chris (Pipino) Muransky, Gina Vechiarelli, Beth Vechiarelli Cooper, Dominic e Carol Vechiarelli, Denise Spatafora, Lora Minichillo, Dolores Alfieri Taranto, Dominic Candeloro, Marolyn Ferragamo Senay, Theresa Guarnieri, Carla Simonini, Donna DeSanctis, Marisa Acocella, Violetta Acocella, Susan Paolercio, Regina Ciarleglio, Josephine Pellegrino, Florence Marchi, Anthony Giordano, Lisa Ackerman, Christine Freglette, Miles Fisher, le donne del NOIAW, i membri della Sons and Daughters of Italy e della Columbus Citizens Foundation. L'ineguagliabile David Baldacci, scrittore, è il mio fratello e il mio coach d'elezione: nessuno è migliore di lui.

In quest'epoca di perdite e sofferenze, sono tanti i famigliari e gli amici magnifici che sono passati a miglior vita, lasciando noi a piangere la loro scomparsa in questa. La mia famiglia è partecipe al ricordo dei cugini Bobby Ferris, Ignatius Farino, Eva Palermo, Constance Ciliberti Bath, Constance Rose Ruggiero, Connie Butler e Catherine "Kitty" Calzetti. Senza dimenticare la prozia Lavinia Perin Spadoni e la zia Peggy McBain.

I Virginiani: Da Big Stone Gap al Campidoglio dello Stato della Virginia, ricordiamo il senatore John Warner, Carolyn Bloomer, il dottor Henry David Patterson, Ginny Patterson, Ben Allen, Midge Hall, Paula Sue Gillespie Isaac, David Isaac Jr., Morris Burchette, Johnny Cubine, Butch Lyke e N. Brent Kennedy.

Le Miss America: Phyllis George e Leanza Cornett, donne belle dentro e fuori, nonché madri amorevoli.

Il sacerdote/pastore/scrittore/agitatore di folle di Glenmary: Padre John Rausch è stato il mio consigliere spirituale sin da ragazza. Sono stata davvero fortunata a conoscerlo.

Attori/Artisti/Scrittori/Designer amati (da me e non solo): James Hampton, Leila Meacham, Ed Stern, Mary Pat Gleason, Walter Hicklin, Jay Sandrich, Lynn Cohen, Robert Hogan, Alice Spivak, Rebecca Luker, Monty e Marilyn Hall, Dorothea Benton Frank e Willie Garson.

Gli angeli: il figlio di Melissa Smith e il nipote di Susan Sanders; Logan Smith, Shannon DeHart, Patricia Lynn McMahon Vogelsang, zia Pauline "Polly" Harold e James Natel Gomes de Oliveira Filho.

I newyorkesi: Bunny Grossinger, il grande Charlie Weiner (marito di Lynn, uomo generoso e gentile), Sonny Grosso (metà di *The French Connection* e italo-americano a tutti gli effetti), Dorothy Tota di Long Island e Cartier, e il dottor Emil Pascarelli (marito di Dee e uomo raffinato come non ne ho mai visti).

I Padri, uomini buoni e gentili: Victor Peccioli, il dottor Vincent De Franco, Marvin Gilliam, Vincent Festa, Joseph V. Trigiani, Jordan Barnette, Bruce Kerner, Jack Carrao, Alfred Shelton, Dennis Richard Myers, Joseph B. Rienzi, Eddie Mugavero, Gregory Piontek, Robert E. Isaac, Sr., Joe Toney, Ronnie Coughlin, L. C. Coughlin, Steven Goffredo, Jack Hurd e Bernard Passarelli.

Queste bellissime madri rimarranno per sempre nei nostri

cuori: Doris Emmerson, Betty Joyce Ball, Patti Webb Cornett, Marie Castellano, Barbara Ann Festa, Nellie Millet Williams, Esther D. Wing, Jean Hendrick, Evadean Church, Carlotta Browder, Janet Salerno Bellanca, Nancy Cline Toney, Eleanor "Fitz" King, Ardeth Fissé, Dolores "Dee" Losapio, Marie Trigiani, Rita Joan Holwager, Susan Cooperman Tannenbaum, Theresa Joan Winiecki, Portia McClenny, Marie Salerno, Cheryl Scarelli, Rosalyn Mugavero, Nina Coughlin, Martha Bolling Wren Ford, Billie Louise Peters Gabriele, Norma A. Siemen, Jean DeVault Hendrick, Rosalia Helen LaValley Pentecost e Marie Casavecchia.

La perdita di Shirley Cavallo, visionaria/chef/designer e proprietaria de La Locanda del Cavallo a Easton, Pennsylvania, lascia un vuoto enorme. Ho imparato moltissimo dalla sua sontuosa e impareggiabile generosità a tavola, in giardino e nella sua casa. Il suo adorato figlio Brondo, come un fratello per me, porta avanti il suo spettacolare lavoro.

James Huber Varner guidava la Wise County Bookmobile. Quand'ero ragazzina e lui si fermava a Big Stone Gap, era sempre un evento. Non lesinava mai un sorriso o un consiglio a quella giovane lettrice che lo adorava.

Ci sono meravigliosi educatori che hanno cambiato il mondo e che vivono nel vivace intelletto dei loro allievi: Dorothy Ruggiero, il dottor George Vaughn, Peggy Vaughn, Connie Clark e Anthony Baratta ci mancheranno.

L'*Origin Project* è rivolto a oltre 2500 studenti tra i 6 e i 18 anni nello Stato in cui sono nata, la Virginia. Le radici appalachiane del programma hanno dato vita a una fioritura di giovani scrittori talentuosi che hanno già visto le proprie opere pubblicate. Il corso di scrittura curricolare non esisterebbe senza la visione e la grinta della direttrice esecutiva e cofondatrice del progetto Nancy Bolmeier Fisher. La nostra più profonda gratitudine va a Ian Fisher e Ryan Fisher. Linda Woodward mantiene salda la rotta e Rhonda Carper manda avanti la baracca quando ne abbiamo più bisogno.

Grazie alla squadra di Viking che ha lavorato a *The House of Love* e che mi ha regalato gioia durante la stesura di questo romanzo, e all'impareggiabile Amy June Bates, che ha illustrato il mio primo libro per bambini. Grazie alla mia brillante editor Tamar Brazis e al suo team: Olivia Russo, Ken Wright, Denise Cronin, Lucia Baez, Jed Bennett, Leah Schiano, Alex Garber, Lauren Festa, Carmela Iaria, Summer Ogata e Shanta Newlin.

Grazie a Ernestine Roller e Billie Jean Scott, le bibliotecarie che mi hanno accolto a cuore aperto nelle loro biblioteche scolastiche di Big Stone Gap. Ho un grande debito nei loro confronti.

Un ringraziamento speciale va a Jean e Jake Morrissey (gli unici due amici al mondo che sarebbero davvero capaci di rispondere al telefono alle 2 di notte), e grazie infinite a Tony Krantz e Kristin Dornig, George Dvorsky, Bruce Feiler, Mary Ellen Fedeli, Ron Block, Dorothy Isaac, Dianne e Andy Lerner, Spencer Salley, Jayne Muir, Nigel Stoneman e Charles Fotheringham, Kim Isaac DeHart, Liza (Brian) e Jamie (Mark) Persky, Ali Feldon, Alan e Robin Zweibel, Lou e Berta Pitt, Doris Gluck, Tom Dyja, Wiley Hausam, Dagmara Domincyzk e Patrick Wilson, Philip Grenz, Christina e Willie Geist, Joyce Sharkey, Jody e Bill Geist, Jackie e Paul Wilson, suor Robbie Pentecost, Karen Johnson, Roland LeBreton, Steven Williams e Michael Stillman, Heather e Peter Rooney, Aaron Hill e Susan Fales-Hill, Mary K e John Wilson, Jim e Kate Benton Doughan, Joanna Patton, Polly Flanigan, Michael Morrison, Angelina Fiordellisi e Matt Williams, Michael La Hart e F. Todd Johnson, Richard e Dana Kirshenbaum, Karen e Gary Hall, Michael e Rosemarie Filingo, Nancy e Jimmie Kilgore e Kenny Sarfin.

È un onore per me essere pubblicata in modo così elegante nel Paese in cui affondano le mie radici. Ringrazio il team di Tre60, di Milano: Stefano Res, Cristina Prasso, Chiara Ferrari, Valentina Russo, Barbara Trianni e Giulia Tonelli.

Grazie alle splendide donne della cui amicizia faccio tesoro: la grande attrice Mary Testa, Ruth Pomerance, Elena Nachmanoff, Dianne Festa, Wendy Luck, Jasmine Guy, Jane Cline Higgins, Helene Bapis, Monique Gibson, Liz Travis, Cate Magennis Wyatt, Sharon Ewing, Kathy McElyea, Mary Deese Hampton, Sharon Gauvin, Dori Grafft, Dana Chidekel, Mary Murphy, Nelle Fortenberry, Dee Emmerson, Norma Born, Christina Avis Krauss, Rebecca Pepin, Jueine D'Alessandro, Barbara Benson, Eleanor Jones, Veronica Kilcullen, Andrea Lapsley, Mary Ellinger, Iva Lou Johnson, Betty Fleenor, Nancy Ringham Smith, Michelle Baldacci, Sheila Mara, Hoda Kotb, Kathy Ryan, Jenna Elfman, Janet Leahy, Courtney Flavin, Susie Essman, Aimee Bell, Constance Marks, Becky Browder Neustadt, Connie Shulman, Sharon Watroba Burns, suor Karol Jackowski, Elaine Martinelli, Karen Fink, Sarah Choi, Robie Scott, Pamela Stallsmith, Candyce Williams, Margo Shein, Robyn Lee, Carol Fitzgerald, Robin Homonoff, Zibby Owens e Kathy Schneider. Grazie a Betty Cline, la mia seconda madre.

Ancora, gratitudine e amore vanno a: Emma e Tony Cowell, Hugh e Jody Friedman O'Neill, Whoopi Goldberg, Tom Leonardis, Dolores Pascarelli, Eileen, Ellen e Patti King, Sharon Hall e Todd Kessler, Charles Randolph Wright, Judy Rutledge, Greg e Tracy Kress, Mary Ellen Keating, Lorenzo Carcaterra, Max e Robyn Westler, Tom e Barbara Sullivan, Brownie e Connie Polly, Beáta e Steven Baker, Todd Doughty e Randy Losapio, Craig Fissé, Steve e Anemone Kaplan.

Quando ti dicono che non si smette mai di soffrire per la perdita della mamma, hanno ragione. Ho pensato moltissimo a mia madre, Ida Bonicelli Trigiani, durante la stesura di questo libro. Anche le mie nonne mi hanno accompagnato in questo percorso. In qualche modo, mia nonna Viola Perin Trigiani è entrata nel subconscio di Matelda Roffo e vi è rimasta. Mio padre, Anthony, è sempre nei miei pensieri quando scrivo della vita creativa e/o dei dittatori. (Lo troverebbe esilarante. Forse.)

Ringrazio i miei fratelli e le mie sorelle, i rispettivi coniugi e le loro famiglie. Dave e Carol Stephenson sono i migliori suoceri che si possano desiderare: il loro figlio, mio marito Tim, è in grado di aggiustare qualsiasi cosa, compresi gli spiriti infranti. È rimasto con me, e questo è quanto.

Grazie a due sacerdoti. Anzitutto, il reverendo Joseph M. McShane, il grande gesuita, che ha messo cuore e anima in tante cose, tra cui la Fordham University. Lascia un'ombra lunga dietro di sé. E in secondo luogo, il sacerdote della Saint Andrew's Cathedral di Glasgow, che mi ha invitato a visitare il memoriale costruito in onore degli italo-scozzesi che persero la vita a bordo dell'*Arandora Star*. Un incontro casuale che è stato la scintilla per questo romanzo, e che mi ha fatto conoscere una storia vera in grado di cambiare il mio modo di vedere il mondo. Padre, anche se non conosco il suo nome, non la dimenticherò mai. Mille grazie.